에듀윌
합격자 모임
에듀윌과 함께하면 꿈은 현실이 됩니다
기적에서 전설로

합격자 수 1,800%* 수직 상승! 매년 놀라운 성장

에듀윌 공무원은 '합격자 수'라는 확실한 결과로 증명하며
지금도 기록을 만들어 가고 있습니다.

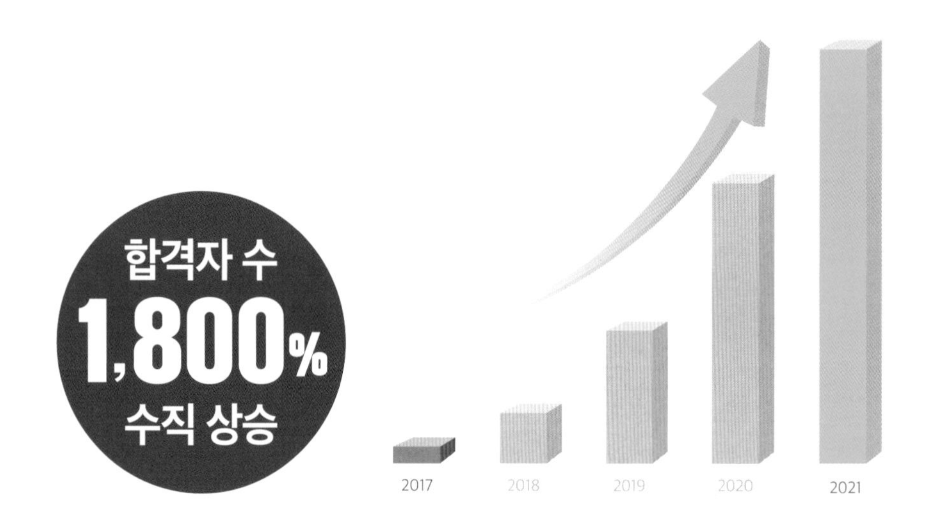

합격자 수를 폭발적으로 증가시킨 독한 평생패스

합격 시 수강료 평생 0원 최대 300% 환급 (최대 402만 원 환급)	+	합격할 때까지 전 강좌 무제한 수강	+	합격생 & 독한 교수진 1:1 학습관리

※ 환급내용은 상품페이지 참고. 상품은 변경될 수 있음.

상품 페이지

9급·7급 수석 합격자* 배출!
합격생들의 진짜 합격스토리

에듀윌 강의·교재·학습시스템의 우수성을
2021년도에도 입증하였습니다!

주변 추천으로 선택한 에듀윌, 합격까지 걸린 시간 9개월

김○준 지방직 9급 일반행정직(수원시) 수석 합격

에듀윌이 합격 커리큘럼으로 유명하다는 것을 알고 있었고 또 주변 친구들에게 "에듀윌 다니고 보통 다 합격했다"라는 말을 듣고 에듀윌을 선택하게 되었습니다. 특히, 기본서의 경우 교재 흐름이 잘 짜여 있고, 기출문제나 모의고사가 실려 있어 실전감각을 키우는 데 큰 도움이 되었습니다. 면접을 준비할 때도 학원 매니저님들이 틈틈이 도와주셨고 스스로 실전처럼 말하는 연습을 하기도 했습니다. 그 결과 면접관님께 제 생각이나 의견을 소신 있게 전달할 수 있었습니다.

고민없이 에듀윌을 선택, 온라인 강의 반복 수강으로 합격 완성

박○은 국가직 9급 일반농업직 최종 합격

공무원 시험은 빨리 준비할수록 더 좋다고 생각해서 상담 후 바로 고민 없이 에듀윌을 선택했습니다. 과목별 교재가 동일하기 때문에 한 과목당 세 교수님의 강의를 모두 들었습니다. 심지어 전년도 강의까지 포함하여 강의를 무제한으로 들었습니다. 덕분에 중요한 부분을 알게 되었고 그 부분을 집중적으로 먼저 외우며 공부할 수 있었습니다. 우울할 때에는 내용을 아는 활기찬 드라마를 틀어놓고 공부하며 위로를 받았는데 집중도 잘되어 좋았습니다.

체계가 잘 짜여진 에듀윌은 합격으로 가는 최고의 동반자

김○욱 국가직 9급 출입국관리직 최종 합격

에듀윌은 체계가 굉장히 잘 짜여져 있습니다. 만약, 공무원이 되고 싶은데 아무것도 모르는 초시생이라면 묻지 말고 에듀윌을 선택하시면 됩니다. 에듀윌은 기초·기본이론부터 심화이론, 기출문제, 단원별 문제, 모의고사, 그리고 면접까지 다 챙겨주는, 시작부터 필기합격 후 끝까지 전부 관리해 주는 최고의 동반자입니다. 저는 체계적인 에듀윌의 커리큘럼과 하루에 한 페이지라도 집중해서 디테일을 외우려고 노력하는 습관 덕분에 합격할 수 있었습니다.

다음 합격의 주인공은 당신입니다!

더 많은 합격스토리

* 2021 지방직 9급 일반행정직(수원시) 수석 합격, 2021 국가직 7급 검찰직 수석 합격

1초 합격예측
모바일 성적분석표

1초 안에 '클릭' 한 번으로 성적을 확인하실 수 있습니다!

STEP 1

QR 코드 스캔

- 교재의 QR 코드를 모바일로 스캔 후 에듀윌 회원 로그인
- QR 코드 하단의 바로가기 주소로도 접속 가능

STEP 2

모바일 OMR 입력

- 회차 확인 후 '응시하기' 클릭
- 모바일 OMR에 답안 입력
- 문제풀이 시간까지 측정 가능

STEP 3

자동채점 & 성적분석표 확인

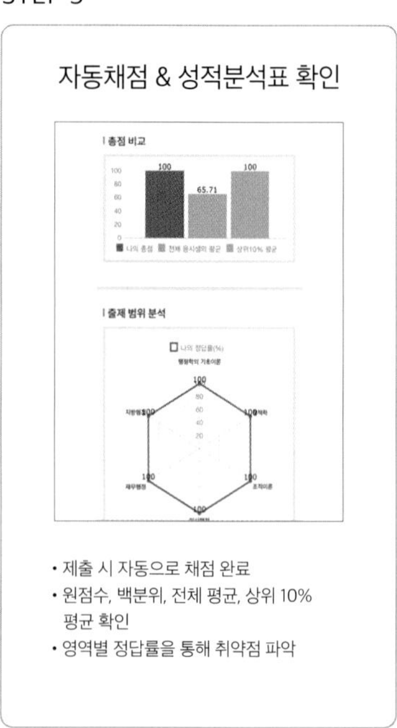

- 제출 시 자동으로 채점 완료
- 원점수, 백분위, 전체 평균, 상위 10% 평균 확인
- 영역별 정답률을 통해 취약점 파악

※ 본 서비스는 에듀윌 공무원 교재(연도별, 회차별 문항이 수록된 교재)를 구입하는 분에게 제공됨.

회독플래너

실패율 Zero! 따라만 해도 5회독 가능!

권 구분	PART	CHAPTER	1회독	2회독	3회독	4회독	5회독
문법	Pre-Grammar	품사	1	1	1	1	1
	Main Structure	동사					
		전치사					
		시제	2	2	2	2	
		태	3	3			
		조동사	4	4	3	3	2
		가정법	5-6	5			
	Structure Constituent	명사	7	6	4	4	
		대명사	8-9	7			
		관사	10	8			
	Modifiers	형용사	11-12	9-10	5	5	3
		부사	13-14	11-12	6		
		비교	15-17	13-14	7	6	
		부정사	18-20	15-16	8	7	
		동명사	21-22	17-18	9		
		분사	23-25	19-20	10-11	8	
	Expansion	접속사	26-28	21-22	12	9	4
		관계사	29-31	23-24	13		
	Balancing	강조와 도치	32-33	25	14	10	
		일치	34	26	15		
독해	Contents Reading	통념 제시	35	27	16	11	5
		인용에 의한 주장	36	28	17		
		질문에 의한 답변	37	29	18		
		예시와 열거	38	30	19		
		비교와 대조	39	31	20	12	6
		나열 및 분류	40	32	21		
		원인과 결과	41	33	22		
		묘사와 에피소드를 통한 도입	42	34	23		
	Macro Reading	요지	43	35	24	13	
		주장	44	36	25		
		제목	45-46	37	26		
		주제	47-48	38-39	27		
	Micro Reading	내용일치/불일치	49	40	28	14	7
	Logical Reading	삽입	50	41	29-30	15	
		배열	51-52	42			
		삭제	53	43			
		연결사	54	44	31	16	
		문맥상 다양한 추론	55	45	32	17	
	Reading for Writing	빈칸 구 완성	56	46	32	18	
		빈칸 절 완성	57	47	33		
		요약	58	48	34	19	
	생활영어	필수 생활영어 표현	59-60	49-50	35	20	
			60일 완성	50일 완성	35일 완성	20일 완성	7일 완성

* 문법/독해 영역에 대한 회독플래너입니다.
* 일부 영역만 학습 시, 해당 일자를 참고하여 플래너를 활용하세요!

자르는 선

직접 체크하는

회독플래너

본문의 회독체크표를 한눈에!

권 구분	PART	CHAPTER	1회독	2회독	3회독	4회독	5회독
문법	Pre-Grammar	품사					
	Main Structure	동사					
		전치사					
		시제					
		태					
		조동사					
		가정법					
	Structure Constituent	명사					
		대명사					
		관사					
	Modifiers	형용사					
		부사					
		비교					
		부정사					
		동명사					
		분사					
	Expansion	접속사					
		관계사					
	Balancing	강조와 도치					
		일치					
독해	Contents Reading	통념 제시					
		인용에 의한 주장					
		질문에 의한 답변					
		예시와 열거					
		비교와 대조					
		나열 및 분류					
		원인과 결과					
		묘사와 에피소드를 통한 도입					
	Macro Reading	요지					
		주장					
		제목					
		주제					
	Micro Reading	내용일치/불일치					
	Logical Reading	삽입					
		배열					
		삭제					
		연결사					
		문맥상 다양한 추론					
	Reading for Writing	빈칸 구 완성					
		빈칸 절 완성					
		요약					
	생활영어	필수 생활영어 표현					
			___일 완성	___일 완성	___일 완성	___일 완성	___일 완성

* 문법/독해 영역에 대한 회독플래너입니다.
* 일부 영역만 학습 시, 해당 일자를 참고하여 플래너를 활용하세요!

처음에는 당신이 원하는 곳으로
갈 수는 없겠지만,
당신이 지금 있는 곳에서
출발할 수는 있을 것이다.

– 작자 미상

기출OX / 보카
문제풀이 APP

에듀윌 합격앱 접속하기

QR코드
스캔하기

또는

에듀윌 합격앱
다운받기

기출OX / 보카 퀴즈 무료로 이용하기

하단 딱풀 메뉴에서 기출OX 또는 보카 선택 ▶ 과목과 PART 선택 ▶ 퀴즈 풀기

- 틀린 문제는 기출오답노트(기출 OX)에서 다시 확인할 수 있습니다.

교재 구매 인증하기

- 무료체험 후 7일이 지나면 교재 구매 인증을 해야 합니다(최초 1회 인증 필요).
- 교재 구매 인증화면에서 정답을 입력하면 기간 제한 없이 기출OX 퀴즈를 무료로 이용할 수 있습니다(정답은 교재에서 찾을 수 있음).

※기출OX 문제풀이에 한함
※에듀윌 합격앱 어플에서 회원 가입 후 이용하실 수 있는 서비스입니다.
※스마트폰에서만 이용 가능하며, 일부 단말기에서는 서비스가 지원되지 않을 수 있습니다.
※해당 서비스는 추후 다른 서비스로 변경될 수 있습니다.

2023

에듀윌 9급공무원

기본서

영어 | 문법

머리말

공시 영어 교과서의 기준입니다.
반드시 시험에 나오는 것을 담습니다.

공시 영어는 변하고 있고, 당신도 변화합니다.

공시 영어가 변하고 있습니다. 기출은 공시의 과거이자 미래입니다. 철저하게 의견을 배제한 'fact' 기반 분석을 통해, 미래를 설계하고 준비합니다. 공시 영어의 범위 확대, 그리고 독해 소재의 다양화와 더불어 '이 책을 마주한 당신'도 변하고 있습니다. 공시 영어는 매해 그 범위를 확대해 나가고, 쏟아져 나오는 다양한 소재의 지문들로 채워지고 있습니다. 그 문제를 마주한 당신 역시 다양한 이력을 가지고 있습니다. '원어민', '유학생', '연수생'으로 영어 이력을 가진 수험생부터, 'no base'를 자처하며 처음부터 잔뜩 고민스러운 표정으로 시작하는 수험생까지, 범위도 이력도 다양한 곳이 바로 여기 '공시 영어'입니다.

그러나 여기는 나의 배경과 이력이 날개 또는 족쇄가 되는 곳이 아닙니다. 공시 영어는 여러분이 지금까지 겪었던 어떤 영어보다 섬세합니다.

따라서 공시 영어를 섬세하게 다룰 수 있는, 공시 영어만을 위한 교과서가 절대적으로 필요합니다. 그런 의미에서, 에듀윌 기본서는 수험생들에게 이제 '교과서'로서 완전히 자리 매김하고 있습니다. 온오프라인 수험생들이, 문제적용에 필요한 특정 개념을 찾기 위해 이 교과서를 펼치고 넘기는 일을 수도 없이 반복할 것입니다. 그만큼 수험생들이 필요로 하는 내용을 꼭 필요한 자리에 조직화하여 설계해둔 교과서입니다.

단순한 '영어 교재'가 아닌 '공시 영어의 교과서'가 되기 위해 뿌리 깊은 언어학적 접근과 영어학의 기술에 근간을 둘 뿐 아니라, 이를 뛰어넘어 실전 상황, 즉 수험장에서 OMR 카드에 당당하게 마킹하는 수험생이 될 수 있도록 이 교재를 설계하였습니다. 2023년 공시 영어 교과서인 에듀윌 기본서는 가장 최신의 현대 영어를 바탕으로 제작하였고, 살아 움직이는 공시 영어의 변화의 중심에서 근간을 확고히 하여 수험생 여러분의 영어 합격 뿌리를 만들어 낼 것입니다.

지금 당신의 '막연함'이 '확신'이 될 수 있는 과정을 담았습니다.

수험생들은 말합니다. "수업을 들을 때는 알겠는데 혼자 하면 모르겠어요." 수업 중에 알고 있다고 느끼는 것과 실제 적용하는 것 사이의 차이 때문에 생기는 문제입니다. 따라서 공시 영어 교과서인 에듀윌 기본서를 이용하여 먼저 개념을 잡는 과정이 필요합니다. 그리고 그 개념을 이해하기 위해서는 '적용', 즉 '문제풀이' 과정은 필수입니다.

에듀윌 기본서는 그 과정을 올곧게 담고 있습니다. 이해해야 할 영역, 암기해야 할 영역, 그리고 적용해야 할 영역까지 수험생들이 적시 적기에 사용할 수 있도록 구성하였습니다. 문제가 저절로 풀리는 경험을 할 수 있도록 체계적으로 구성하였습니다. 막연함이 아닌 확신으로 OMR 카드에 마킹하는 여러분을 그리며 설계하였습니다. 명확한 개념과 군더더기 없는 깔끔한 문제풀이로 흔들림 없는 합격을 만듭니다.

수험생 여러분께 경의를 표합니다.

수험생 여러분과 저는 함께 수험 생활을 하고 있습니다. 수험 생활을 하다가 슬럼프가 찾아올 때면 저는 합격생들의 시험지를 꺼내봅니다. 입실 후, 시험장에서 수험생들이 겪었을 긴장과 밀도 그리고 땀을 그대로 느낄 수 있습니다. 한 사람의 이름이 적힌 여러 회차의 빛바랜 시험지를 보고 있노라면 그 수험생이 겪었을 불확실이 보이지만, 결국에는 그 불확실이 확신으로 변하는 것을 제가 목격하게 됩니다. 이 합격생들의 시험지가 지금 힘들어하고 있는 어떤 수험생들에게, 그리고 또 저에게 힘을 줄 수 있음을 알기에 항상 소중히 지니고 있습니다.

불확실을 확신으로 만들어낼, 그리고 기대를 현실로 만들어낼 여러분께 머리 숙여 경의를 표합니다. 수험생에게 힘이 되는 콘텐츠로 뵙겠습니다.

결국엔, 성정혜 영어

2022년 6월

영어 강사 성정혜

시험의 모든 것

응시자격

- 학력 및 경력: 제한 없음
- 응시연령 (*2022년도 시험 기준)

7급 공개경쟁채용시험	20세 이상(2002. 12. 31. 이전 출생자)
9급 공개경쟁채용시험(교정 · 보호직 제외)	18세 이상(2004. 12. 31. 이전 출생자)
9급 공개경쟁채용시험 중 교정 · 보호직	20세 이상(2002. 12. 31. 이전 출생자)

※ 응시결격사유

– 국가직: 해당 시험의 최종시험 시행예정일(면접시험 최종예정일) 현재를 기준으로 「국가공무원법」 제33조(외무공무원은 「외무공무원법」 제9조, 검찰직 · 마약수사직 공무원은 「검찰청법」 제50조)의 결격사유에 해당하거나, 「국가공무원법」 제74조(정년) · 「외무공무원법」 제27조(정년)에 해당하는 자 또는 「공무원임용시험령」 등 관계법령에 의하여 응시자격이 정지된 자

– 지방직: 해당 시험의 최종시험 시행예정일(면접시험 최종예정일) 현재를 기준으로 「지방공무원법」 제31조(결격사유), 제66조(정년), 「지방공무원 임용령」 제65조(부정행위자 등에 대한 조치) 및 「부패방지 및 국민권익위원회의 설치와 운영에 관한 법률」 등 관계법령에 따라 응시자격이 정지된 자

시험절차 및 일정

■ 시험절차

01 시험공고 > 02 원서교부 및 접수 > 03 필기시험 > 04 면접시험 > 05 최종합격자발표 > 06 채용후보자등록 > 07 임용추천 및 배치 > 08 공무원임용

- 필기시험

구분		과목 수		문항 수	시간
국가직 · 지방직 9급		5과목		과목당 20문제(4지선다)	100분
국가직 7급	1차	PSAT	언어논리 · 상황판단영역	영역별 25문항(5지선다)	120분
			자료해석영역		60분
	2차	4과목(전문 과목)		과목당 25문제(4지선다)	100분
지방직 7급		영어, 한국사 2과목		능력검정시험 대체	
		5과목		과목당 20문제(4지선다)	100분

※ 필기시험 과락 기준: 각 과목 만점의 40% 미만

※ 필기시험 합격 기준: 각 과목 만점의 40% 이상을 득점한 사람 중 전 과목 총득점에 의한 고득점자 순

- 면접시험

구분	내용	시간
9급	경험 · 상황면접과제 작성(20분) + 5분 발표과제 검토(10분)	30분 내외
	5분 발표(5분) 및 후속 질의 · 응답(5분) + 경험 · 상황면접(공직가치/전문성 등)(20분)	30분 내외
7급	경험 · 상황면접과제 작성(20분) + 개인발표문 검토 · 작성(30분)	50분 내외
	개인발표(8분) 및 후속 질의 응답(7분) + 경험 · 상황면접(공직가치/전문성 등)(25분)	40분 내외

※ 경험면접은 임용 이후 근무하고 싶은 부처(기관)와 담당하고 싶은 직무(정책)에 대해 기술하고, 해당분야의 직무수행능력 및 전문성 함양을 위해 평소에 준비한 노력과 경험 등을 평가함. 전 직렬 동일한 문제가 출제됨(2021년도 기준)

■ 시험일정

– 국가직: 공고(대체로 1월 중) / 필기시험 9급(대체로 4월 중), 필기시험 7급(대체로 7~8월 중)

– 지방직 · 서울시: 공고(대체로 2월 중) / 필기시험 9급(대체로 6월 중), 필기시험 7급(대체로 10월 중)

※ 전국 동시 시행되는 지방직 공무원 7급 및 8 · 9급 임용시험의 응시원서는 1개 지방자치단체만 접수 가능하며, 중복접수는 불가함

시험과목

■ 국가직 9급

※ 지방직의 경우 도 · 광역시에 따라 선발하는 직렬(직류)이 상이하여 수록하지 않았으며, 상세내용은 응시하고자 하는 지역의 시행계획 공고를 확인해야 함

직렬(직류)	시험과목(필수)
행정직(일반행정)	국어, 영어, 한국사, 행정법총론, 행정학개론
행정직(고용노동)	국어, 영어, 한국사, 노동법개론, 행정법총론
행정직(교육행정)	국어, 영어, 한국사, 교육학개론, 행정법총론
행정직(선거행정)	국어, 영어, 한국사, 공직선거법, 행정법총론
직업상담직(직업상담)	국어, 영어, 한국사, 노동법개론, 직업상담 · 심리학개론
세무직(세무)	국어, 영어, 한국사, 세법개론, 회계학
관세직(관세)	국어, 영어, 한국사, 관세법개론, 회계원리
통계직(통계)	국어, 영어, 한국사, 통계학개론, 경제학개론
교정직(교정)	국어, 영어, 한국사, 교정학개론, 형사소송법개론
보호직(보호)	국어, 영어, 한국사, 형사소송법개론, 사회복지학개론
검찰직(검찰)	국어, 영어, 한국사, 형법, 형사소송법
마약수사직(마약수사)	국어, 영어, 한국사, 형법, 형사소송법
출입국관리직(출입국관리)	국어, 영어, 한국사, 행정법총론, 국제법개론
철도경찰직(철도경찰)	국어, 영어, 한국사, 형사소송법개론, 형법총론
공업직(일반기계)	국어, 영어, 한국사, 기계일반, 기계설계
공업직(전기)	국어, 영어, 한국사, 전기이론, 전기기기
공업직(화공)	국어, 영어, 한국사, 화학공학일반, 공업화학
농업직(일반농업)	국어, 영어, 한국사, 재배학개론, 식용작물
임업직(산림자원)	국어, 영어, 한국사, 조림, 임업경영
시설직(일반토목)	국어, 영어, 한국사, 응용역학개론, 토목설계
시설직(건축)	국어, 영어, 한국사, 건축계획, 건축구조
시설직(시설조경)	국어, 영어, 한국사, 조경학, 조경계획 및 설계
방재안전직(방재안전)	국어, 영어, 한국사, 재난관리론, 안전관리론
전산직(전산개발)	국어, 영어, 한국사, 컴퓨터일반, 정보보호론
전산직(정보보호)	국어, 영어, 한국사, 네트워크 보안, 정보시스템 보안
방송통신직(전송기술)	국어, 영어, 한국사, 전자공학개론, 무선공학개론

※ 2022년부터 전 과목이 필수화됨에 따라 선택과목 및 조정(표준)점수제도는 폐지됨

※ 2022년부터 일반행정 직류는 사회, 과학, 수학이, 일반행정 직류를 제외한 직류는 행정학개론, 사회, 과학, 수학이 시험과목에서 제외됨

■ 국가직 7급

※ 지방직의 경우 도 · 광역시에 따라 선발하는 직렬(직류)이 상이하여 수록하지 않았으며, 상세 내용은 응시하고자 하는 지역의 시행계획 공고를 확인해야 함

직렬(직류)	제1차시험	제2차시험
행정직(일반행정)	PSAT (언어논리영역, 상황판단영역, 자료해석영역), 영어 (영어능력검정시험으로 대체), 한국사 (한국사능력검정시험으로 대체)	헌법, 행정법, 행정학, 경제학
행정직(인사조직)		헌법, 행정법, 행정학, 인사 · 조직론
행정직(재경)		헌법, 행정법, 경제학, 회계학
행정직(고용노동)		헌법, 노동법, 행정법, 경제학
행정직(교육행정)		헌법, 행정법, 교육학, 행정학
행정직(회계)		헌법, 행정법, 회계학, 경제학
행정직(선거행정)		헌법, 행정법, 행정학, 공직선거법
세무직(세무)		헌법, 세법, 회계학, 경제학
관세직(관세)		헌법, 행정법, 관세법, 무역학
통계직(통계)		헌법, 행정법, 통계학, 경제학
감사직(감사)		헌법, 행정법, 회계학, 경영학
교정직(교정)		헌법, 교정학, 형사소송법, 행정법
보호직(보호)		헌법, 형사소송법, 심리학, 형사정책
검찰직(검찰)		헌법, 형법, 형사소송법, 행정법
출입국관리직(출입국관리)		헌법, 행정법, 국제법, 형사소송법
공업직(일반기계)		물리학개론, 기계공작법, 기계설계, 자동제어
공업직(전기)		물리학개론, 전기자기학, 회로이론, 전기기기
공업직(화공)		화학개론, 화공열역학, 전달현상, 반응공학
농업직(일반농업)		생물학개론, 재배학, 식용작물학, 토양학
임업직(산림자원)		생물학개론, 조림학, 임업경영학, 조경학
시설직(일반토목)		물리학개론, 응용역학, 수리수문학, 토질역학
시설직(건축)		물리학개론, 건축계획학, 건축구조학, 건축시공학
방재안전직(방재안전)		재난관리론, 안전관리론, 도시계획, 방재관계법규
전산직(전산개발)		자료구조론, 데이터베이스론, 소프트웨어공학, 정보보호론
방송통신(전송기술)		물리학개론, 통신이론, 전기자기학, 전자회로
외무영사직 (외무영사)		필수(3): 헌법, 국제정치학, 국제법 선택(1): 독어, 불어, 러시아어, 중국어, 일어, 스페인어

※ 2021년부터 7급 공채시험의 선발방식이 1차 공직적격성평가(PSAT), 2차 전문과목 평가, 3차 면접시험 등 3단계로 바뀜
※ 영어, 한국사 과목은 능력검정시험으로 대체됨: 7급 공개경쟁 임용시험의 최종시험 시행예정일로부터 역산하여 5년이 되는 해의 1월 1일 이후에 실시된 시험으로서 제1차 시험 시행예정일 전날까지 점수(등급)가 발표된 시험으로 한정

■ 국가직 7급 한국사능력검정시험 기준점수 및 인정범위

- 기준점수(등급): 한국사능력검정시험(국사편찬위원회) 2급 이상
- 인정범위: 2017. 1. 1. 이후 실시된 시험으로서, 제1차시험 시행예정일 전날까지 점수(등급)가 발표된 시험으로 한정하며 기준점수 이상으로 확인된 시험만 인정됨(2022년도 시험 기준)

※ 성적이 발표되지 않는 등 불가피한 사정으로 원서접수 시까지 성적을 제출하지 못하는 경우에는 추가등록기간(별도 확인 필요) 내에 사이버국가고시센터(www.gosi.kr)를 통해 등록해야 함

■ 국가직 7급 영어능력검정시험 기준점수 및 인정범위

구분	TOEFL		TOEIC	TEPS		G-TELP	FLEX
	PBT	IBT		2018. 5. 12. 이전 시험	2018. 5. 12. 이후 시험		
7급 공채 (외무영사직 제외)	530	71	700	625	340	65(level 2)	625
7급 공채 (외무영사직)	567	86	790	700	385	77(level 2)	700

※ 2017. 1. 1. 이후 국내에서 실시된 시험으로서, 제1차시험 시행예정일 전날까지 점수(등급)가 발표된 시험으로 한정하며 기준점수 이상으로 확인된 시험만 인정됨(2017. 1. 1. 이후 외국에서 응시한 TOEFL, 일본에서 응시한 TOEIC, 미국에서 응시한 G-TELP도 동일함. 2022년도 시험 기준)

※ 자체 유효기간이 2년인 시험(TOEIC, TOEFL, TEPS, G-TELP)의 경우에는 유효기간이 경과되면 시행기관으로부터 성적을 조회할 수 없어 진위여부가 확인되지 않으므로, 반드시 유효기간 만료 전의 별도 안내하는 기간에 사이버국가고시센터(www.gosi.kr)를 통해 사전등록해야 함(사전등록 없이 유효기간 경과로 진위여부 확인이 불가한 성적은 인정되지 않음)

가산점

■ 국가직

구분	가산 비율
취업지원대상자	과목별 만점의 40% 이상 득점한 자에 한하여 과목별 만점의 5% 또는 10%
의사상자 등	과목별 만점의 40% 이상 득점한 자에 한하여 과목별 만점의 3% 또는 5%
직렬별 가산대상 자격증 소지자	과목별 만점의 40% 이상 득점한 자에 한하여 과목별 만점의 3% 또는 5% (1개의 자격증만 인정)

구분	자격증	
행정직	• 행정직(일반행정/선거행정): 변호사, 변리사 5% • 행정직(재경): 변호사, 공인회계사, 감정평가사 5% • 행정직(교육행정): 변호사 5% • 행정직(회계): 공인회계사 5% • 행정직(고용노동)·직업상담직: 변호사, 공인노무사, 직업상담사 1급·2급 5% (단, 7급은 3% 가산)	• 세무직: 변호사, 공인회계사, 세무사 5% • 관세직: 변호사, 공인회계사, 관세사 5% • 감사직: 변호사, 공인회계사, 감정평가사, 세무사 5% • 교정직·보호직·철도경찰직: 변호사, 법무사 5% • 검찰직·마약수사직: 변호사, 공인회계사, 법무사 5% • 통계직: 사회조사분석사 1급·2급 5% (단, 7급은 3% 가산)
기술직	• 7급: 기술사, 기능장, 기사 5% / 산업기사 3%	• 9급: 기술사, 기능장, 기사, 산업기사 5% / 기능사 3%

※ 7급 공개경쟁채용 제1차시험에는 적용하지 않음

■ 지방직

구분	가산 비율
취업지원대상자	과목별 만점의 40% 이상 득점한 자에 한하여 과목별 만점의 5% 또는 10%
의사상자 등	과목별 만점의 40% 이상 득점한 자에 한하여 과목별 만점의 3% 또는 5%
직렬별 자격증 가산점	과목별 만점의 40% 이상 득점한 자에 한하여 과목별 만점의 3% 또는 5% (1개의 자격증만 인정)

구분	자격증	
행정직, 기술직	• 행정(일반행정): 변호사, 변리사 5% • 세무(지방세): 변호사, 공인회계사, 세무사 5%	• 행정(사회복지): 변호사 5% • 기술(보건): 임상심리사 1급 · 2급 5%
기술직	• 7급: 기술사, 기능장, 기사 5% • 7급: 산업기사 3%	• 8 · 9급: 기술사, 기능장, 기사, 산업기사 5% • 8 · 9급: 기능사 3%

※ 의사상자는 의사자 유족, 의상자 본인 및 가족까지 적용

※ 자격증 가산점을 받기 위해서는 필기시험 시행 전일까지 해당 요건을 갖추어야 하며, 반드시 가산점 등록기간에 자격증의 종류 및 가산비율 등을 입력해야 함(가산점 등록기간은 공고를 확인)

공무원 시험 FAQ

국가직

Q. 원서접수 시 따로 유의해야 할 사항들이 있을까요?

[사이버국가고시센터] – [원서접수] – [응시원서 확인] 화면에서 결제 여부가 '접수/결제완료'라고 표기되어 있다면 응시원서가 제대로 접수된 것입니다. 참고로 접수기간이 종료된 후에는 어떠한 경우에도 추가 접수가 불가능할 뿐만아니라 응시직렬, 응시지역, 선택과목, 지방인재 여부 등에 대한 수정 또한 불가능하니 원서접수 시에 신중하게 선택해 주시기 바랍니다.

Q. 원서 접수 사진! 어떤 사진을 사용해야 하나요?

시험 당일, 응시 원서상의 사진과 실물이 많이 달라서 본인 확인이 어려울 경우에는 시험 시간 중 또는 종료 후, 양쪽 엄지손가락의 지문 날인과 신분 확인용 개인정보 제공 동의서 등을 작성하게 되어 소중한 시험시간을 허비하거나 번거로운 일이 생길 수도 있습니다. 때문에 수험생의 소중한 시험 시간을 보장하기 위해서 단색 배경의 이마와 귀를 가리지 않은 6개월 이내의 사진(JPG, PNG)을 권장하고 있습니다. 다만 이미 찍어두신 사진으로 본인 식별이 명확하게 가능하다면 권장 사항들을 엄격하게 갖추지 않아도 해당 사진을 사용하셔도 됩니다. 이 경우에는 이마와, 귀를 가린 사진도 사용이 가능합니다.

참고로 원서 접수 시에 등록하신 사진은 접수 취소 기간까지만 수정이 가능하고 이후에는 면접시험까지 그대로 사용되니 유의해주세요. 군복 등 제복 착용, 90도 누운 사진, 희미한 사진(역광 포함), 얼굴 일부만 보이거나 전혀 안 보이는 사진, 상반신 전체를 사용하여 얼굴이 너무 작은 사진, 신분증을 재촬영하여 사용한 사진, 좌우로 몸을 돌린 사진, 한 방향만 축소한 사진 등은 사용할 수 없습니다.

Q. 응시원서를 제출한 이후, 연락처가 바뀌었습니다. 어떻게 해야 하나요?

주소, 휴대전화 번호, 전자우편 등의 정보는 원서 접수기간 종료 후라도 언제든지 [사이버국가고시센터]의 [개인정보 수정] 메뉴에서 본인이 직접 수정 가능합니다. 그러나 성명, 주민등록번호 등의 필수 인적정보는 수험생이 임의로 변경할 수 없습니다.

Q. 친구랑 동시에 접수하면 수험번호가 앞 · 뒤로 배치되나요?

응시원서 취소기간이 종료되고 원서접수를 한 총인원이 확정되면 수험생 개개인에게 응시번호를 부여합니다. 응시번호는 부정행위 방지 차원에서 전산을 통해 무작위로 부여되므로 친구와 연달아 원서접수를 했더라도 응시번호를 연속으로 부여받을 가능성은 없습니다.

Q. 개명 전 이름으로 한국사 2급 성적을 취득했고, 국사편찬위에 개명된 이름으로 변경 요청했는데 처리가 안 되었어요. 응시원서 접수 시 문제가 되지 않나요?

응시원서를 접수할 때, 본인의 한국사능력검정시험 성적 인증번호와 시험일자를 그대로 등록하시기 바랍니다. 개명된 응시자의 경우에는 국사편찬위원회에서 성적(등급)은 확인되나, '성명 불일치'로 조회가 됩니다. 이 경우에는 한국사능력검정시험 홈페이지(www.historyexam.go.kr) 내 [나의 시험정보]–[개명신청 및 내역]에서 개명신청을 하신 후 변경된 인증서를 우편 또는 [사이버국가고시센터]로 제출하시면 정상처리하고 있습니다.

Q. 2017년에 취득한 토익점수가 있는데 2019년에 유효기간이 만료되었습니다. 2017년 토익점수를 2022년 7급 공채시험에도 사용할 수 있는지 궁금합니다.

인사혁신처에서는 공채시험 내 영어 과목을 대체하는 영어 성적의 유효기간을 5년까지 인정하고 있습니다. 다만, 자체 유효기간이 2년인 토익, 토플 등의 시험은 2년이 지나면 성적이 삭제되어 진위여부를 확인할 수 없으므로 유효기간이 경과되기 전에 반드시 [사이버국가고시센터]를 통하여 사전등록해야 합니다. 사전등록을 해서 유효한 성적으로 확인되면 5년까지 인정됩니다. 따라서 2017년 토익성적을 사전등록하여 유효한 것으로 확인되었다면 2022년 7급 공채시험까지 응시가 가능합니다. 다만, 유효기간 만료 전에 사전등록을 하지 않았다면 2017년도의 토익점수는 진위여부를 확인할 수 없으므로 2022년 7급 공채시험의 유효한 영어성적으로 인정되지 않습니다.

Q. 시험실 입실시간이나 응시자 준수사항 등의 정보는 언제, 어디에서 확인할 수 있나요?

보통 필기시험일 7일 전에 [사이버국가고시센터]에 게시하는 '일시·장소 및 응시자 준수사항 공고문'에는 시험장 정보뿐만 아니라 시험실 입실시간, 일자별 시험과목(5급공채 제2차시험의 경우), 응시자 준수사항 등의 주요 정보가 포함되어 있습니다. 이 공고문에는 숙지하지 않으면 시험 자체를 볼 수 없는 등 큰 불이익을 받을 수 있는 내용들이 포함되어 있습니다. 실제로 시험장을 잘못 확인하여 본인 시험장이 아닌 다른 시험장으로 간다거나, 문제책이 시험실에 도착한 이후에 응시자가 시험장에 도착해 시험응시 자체가 안 되는 상황이 종종 발생하고 있습니다. 또한 시험 도중 실수로 핸드폰을 소지하고 있다거나, 시험종료 후 답안을 추가로 마킹하는 등의 부정행위로 인해 불이익을 받는 경우가 계속해서 발생하고 있습니다. 이러한 예상치 않은 피해를 받지 않기 위해서 반드시 '일시·장소 및 응시자 준수사항 공고문'의 내용을 꼼꼼히 확인하시기 바랍니다.

※ 출처: 사이버국가고시센터 > 채용시험 종합 안내(FAQ)

지방직

Q. 아직 가산자격증이 발급되지 않아서 체크하지 못했는데, 가산점을 수정 및 추가등록할 수 있나요?

대체적으로 다음과 같으나, 시도 및 시험에 따라 가산자격증 등록 가능 기간과 방법이 다를 수 있으니 응시한 시험의 공고문을 반드시 확인하셔야 합니다.

- (기간) 원서접수기간~필기시험 시행 전일 / (방법) 원서작성 시 바로 등록 또는 원서접수 후 [마이페이지] > [가산자격등록] 메뉴에서 등록
- (기간) 원서접수기간~필기시험 시행 당일 / (방법) 원서작성 시 바로 등록 또는 원서접수 후 [마이페이지] > [가산자격등록] 메뉴에서 등록
- (기간) 필기시험일~필기시험 시행일을 포함한 4일 이내 / (방법) [마이페이지] > [가산자격증등록] 메뉴에서 등록
- (기간) 필기시험일~필기시험 시행일을 포함한 5일 이내 / (방법) [마이페이지] > [가산자격증등록] 메뉴에서 등록
  기한 내 가산점을 입력하지 않거나 부정확한 정보로 인하여 가산점을 적용받지 못하는 경우가 없도록 유념해야 합니다. 또한 부정확한 정보를 입력하여 발생하는 결과는 응시자의 귀책사유가 됩니다.

Q. 가산자격증은 시험 접수마다 매번 등록해야 하나요?

시험별, 직렬별 가산점 대상 자격증이 상이하므로 접수마다 등록하셔야 합니다.

Q. 개명 후 이름이 바뀌지 않았는데 어떻게 해야 하나요?

개명을 하신 경우 [회원정보]-[개인정보 수정]에서 실명인증 후 변경이 가능합니다만, 이미 작성완료된 원서의 경우 이름 변경이 불가하므로 해당 지역 고시 담당자에게 문의 후 시험에 응시하셔야 합니다.

Q. 응시표는 흑백으로 출력해도 되나요?

응시표는 접수 및 본인을 확인하기 위한 수단으로 흑백으로 출력하셔도 무방합니다. 단, 흑백 출력 시 사진확인이 가능하도록 프린트기 명암조절 등을 통해 출력하시기 바랍니다.

※ 출처: 지방자치단체 인터넷원서접수센터 > FAQ

기출분석의 모든 것

최근 5개년 출제 문항수

2022~2018 9급
국가직, 지방직/서울시
기준

권 구분	PART	CHAPTER	2022년	2021년		2020년		2019년			2018년			합계
			국9	국9	지(=서)9	국9	지(=서)9	국9	지9	서9	국9	지9	서9	
문법	Pre-Grammar	품사												0
	Main Structure	동사		2	8	2	1	2		2	3	1	1	22
		전치사						1					1	2
		시제		1	1	2	2	1		1		2	1	11
		태	1	1	1	1		1	1	1	1		1	9
		조동사	1			1	1					1		4
		가정법					1					1		2
	Structure Constituent	명사			1			1						2
		대명사				1								1
		관사		1			1			1				3
	Modifiers	형용사	1		1	1	1	2						6
		부사	1		1			1					1	4
		비교	1			1	1		1	3	2	1		10
		부정사		1	1	2	1	1	3	1	1	1	1	13
		동명사		3	1				2	1				7
		분사	5	1			3	1	1		2	2	4	19
	Expansion	접속사	3	1				1	2	1	1			9
		관계사	2	1			3	1		2		1	3	13
	Balancing	강조와 도치		4		1	1	1						7
		일치	1		1			2	2	3	2	2	3	16
독해	Contents Reading	통념 제시						1			1			2
		인용에 의한 주장				2								2
		질문에 의한 도입	1		1			1				1		4
		예시와 열거	3	2	3	2	2	1	2	1	4	5	6	31
		비교와 대조	1	1	2	2	4	1	3	4	2	1	2	23
		나열 및 분류		4		1				1		1		7
		원인과 결과	3	2	3		2	1	2	1	2	1	2	19
		묘사와 에피소드를 통한 도입	1	1		3	1	1	4	2	2	1	2	18
	Macro Reading	요지	1		1	1	1	1				1	1	7
		주장												0
		제목	2	1	1	1	1	1		1	1	1	1	11
		주제		1		1	1	1	1		1			6
	Micro Reading	내용일치/불일치	1	2	1	2	1	2	3		3	1	1	17
	Logical Reading	삽입	1	1	1	1	1	1	1	1	1	1	1	11
		배열	1	1	1	1	1	1	1	1	1	1	1	11
		삭제	1	1	1	1	1	1	1	1	2	1	1	12
		연결사	1		1	1	1	1	1	1				7
		문맥상 다양한 추론		1						1		1	1	4
	Reading for Writing	빈칸 구 완성	1	1	2	3	1		2	3	2	2	5	22
		빈칸 절 완성		1				1	1	1		1		5
		요약												0
	생활영어	필수 생활영어 표현	2		2			2	2	1	2	2	1	14

▶ 문법은 출제된 문항의 선지 기준으로, 독해는 출제된 문항수 기준으로 분석하였습니다.

최근 5개년 출제 개념

2022~2018 9급
국가직, 지방직/서울시
기준

권 구분	PART	CHAPTER	출제 개념
문법	Pre-Grammar	품사	품사에 대한 이해, 최소 단위, 구와 절의 비교
	Main Structure	동사	자동사 vs. 타동사, rise vs. raise, lie vs. lay, tell vs. say, rob vs. steal, 감각동사, 수여동사, 불완전타동사, 사역동사, 준사역동사, 절대 4형식 동사, 절대 3형식 동사, 지각동사, 타동사구
		전치사	전치사의 목적어, by vs. until, during vs. for, 전명구, 구 전치사, 전치사 관용표현
		시제	12시제, 진행시제, 단순시제, 완료시제, 완료진행 시제, 시간의 부사구, 시간 · 조건의 부사절, 진행형 불가동사, 절대시제, 시제 일치, 왕래발착동사
		태	능동태 vs. 수동태, 수동태 불가, 완전타동사의 수동태, 수여동사의 수동태, 보류목적어, 군동사의 수동태, 불완전타동사의 수동태
		조동사	조동사의 특징, 조동사의 특수 용법, 조동사의 완료 형태, 준조동사, 조동사 관용표현
		가정법	가정법 vs. 직설법, 가정법 도치, 가정법 현재, 가정법 과거, 가정법 과거완료, 혼합가정법, 가정법 관용표현, 명령문, as if 가정법
	Structure Constituent	명사	가산명사 vs. 불가산명사, 수 일치, 대명사 수 일치, 부분명사, 집합명사, 물질명사
		대명사	지시대명사 수 일치, 부정대명사 주어, 재귀대명사, 소유대명사, 의문대명사, 간접의문문 어순, 의문문 만들기
		관사	정관사 vs. 부정관사, 단위명사, 가격동사, 「sort/kind/type of + 무관사 명사」, 「so + 형용사 + 관사 + 명사」 어순, 무관사 관용표현
	Modifiers	형용사	한정적 용법 vs. 서술적 용법, 형용사 vs. 부사, 수량형용사, 형용사의 위치, like vs. alike, 난이형용사
		부사	부사 vs. 형용사, 이어동사 목적어 위치, 빈도부사의 위치, hard vs. hardly
		비교	원급 비교, 비교급 비교, 최상급 비교, 최상급 관용표현, 최상급 강조, 비교급 강조, 동등비교, 우등비교, 열등비교, 동일인/동일물 비교급, 동일인/동일물 최상급, 비교 대상 일치
		부정사	원형부정사, to부정사의 부사적/명사적 용법, 부정사 vs. 동명사, 수동형 부정, 완료부정사, 부정사 관용표현, 의미상 주어
		동명사	동명사의 역할, 동명사 vs. 부정사, 전치사의 목적어, 동명사 vs. 현재분사, 동명사 수 일치, 동명사 관용표현
		분사	현재분사 vs. 과거분사, 과거분사 vs. 과거동사, 감정형 분사, 분사구문, with 분사구문, 분사구문 관용표현, 독립분사구문
	Expansion	접속사	등위(상관)접속사, 시간 · 조건의 부사절 시제 주의, if vs. whether, 병렬 구조, 주의해야 할 접속사, 조건의 접속사, 명사절을 이끄는 접속사, 준동사 vs. 정동사
		관계사	관계대명사 vs. 관계부사, 주격 관계대명사, 소유격 관계대명사, 목적격 관계대명사, 관계대명사 what, 형용사절, 복합관계사, 유사관계사, 「전치사 + 관계대명사」, It ~ that 진주어
	Balancing	강조와 도치	강조, 도치, 정치, 간접의문문 어순, 비교급 강조, 수사의문문, 삽입절, It ~ that 강조 용법
		일치	병렬 구조, 시제 일치, 등위상관접속사의 수 일치, 부분부정, 전체부정, 주어와 동사의 수 일치, 주격 관계대명사절의 동사 수 일치, 「one of + 복수명사」
독해	Contents Reading	통념 제시	통념, 비판, 진실, People say, We usually think, I think, I suppose
		인용에 의한 주장	전문가의 의견, University, Dr., research team, expert says, found, discovered, show, should, must, necessary, essential
		질문에 의한 도입	수사 의문문, 도입문, 주제에 해당되는 답변
		예시와 열거	구체화, 연결사, 접속사, for example, precedent, one/the other, the former/the latter
		비교와 대조	however, in other hand, compare, 대조, 공통점, 비유, 비교, otherwise
		나열 및 분류	one, another, the other, some, first, second, last, finally
		원인과 결과	thus, accordingly, therefore, trigger, cause, effect, result, that's why, because, have an influence on
		묘사와 에피소드를 통한 도입	Long time ago, once, 특정 연도, 특정 지명, 특정 인물
	Macro Reading	요지	글의 주제, 속담, 요지, 글의 소재
		주장	
		제목	거시적 독해, 전체 맥락, 의문 형태 선지
		주제	글의 요지, 미괄식, 두괄식
	Micro Reading	내용일치/불일치	미시적 이해, 선지 분석, 유사 어휘 파악
	Logical Reading	삽입	논리적 이해, 글의 전개, 연결사, 지시어, 단수명사, 복수명사
		배열	글의 흐름, 연결사, 일관성, 지시사, 수 일치
		삭제	글의 흐름, 소재의 이해, 주제의 이해, 문맥 방해, 흐름 재검토, 지시어 불일치
		연결사	순접 접속사, 역접 접속사, 비교와 대조, 예시, 첨언, 비유
		문맥상 다양한 추론	반의어, 글의 흐름, 지칭 추론, 다의어
	Reading for Writing	빈칸 구 완성	요지, 주제, 선지 분석, 논리 독해, 빈칸 위치, 형용사/명사 빈칸
		빈칸 절 완성	주제, 선지 어휘, 빈칸 전후의 부정어, 동사 포함 빈칸
		요약	
	생활영어	필수 생활영어 표현	관용표현, 대화의 이해, 대화자 간의 관계 파악

이 책의 구성

영역별 구성

문법

'문법'은 영문법에서 가장 기초라 할 수 있는 '품사'부터 문장의 균형인 '일치'까지 개념을 체계적으로 구성하였다. 【Visual G】를 통해 영문법에 대해 접근을 추상적인 개념이 아닌 시각화된 개념으로 접근할 수 있게 하였고, 이를 통해 명료하고 다차원적인 이해를 할 수 있을 것이다. 또한 【헷갈리지 말자】를 통해 혼동되는 개념은 한눈에 정리하고 파악할 수 있도록 하였고, 관련 개념에 대한 다양한 예문과 보조단의 【POINT CHECK】를 통해 학습 효과를 높일 수 있을 것이다. 이론 중에서 특히 필수로 암기할 내용은 '암기문법'으로 표시하였다.

세부적으로 개념학습 후에 【개념 확인문제】를 통해 배운 개념을 바로 확인하고 복습하도록 하였고, 【개념 적용문제】를 통해 개념을 4지선다에 적용하는 연습을 할 수 있도록 하였다. 기본기를 가장 탄탄하게 잡아줄 수 있는 교과서의 역할을 할 수 있도록 구성하였으므로, 회독을 통해 자연스럽게 개념 파악과 적용까지 가능하다.

기출분석 > 개념 > 개념 확인문제 > 개념 적용문제

독해

'독해'는 먼저 글의 전개 방식에 따른 Contents Reading 영역을 통해 무작정 읽기가 아니라 출제자의 의도를 정확하게 파악하는 거시적인 읽기를 체계적으로 훈련할 수 있도록 하였다. 이후, 유형별로 접근하여 실제 문제를 푸는 데 필요한 개념과 기술들을 습득할 수 있도록 구성하였다.

세부적으로 수험생들은 【STEP 2 유형 적용하기】의 대표 기출문제를 통해 유형에 대한 접근법을 확실히 익히고, 【STEP 3 적용 연습하기】의 다양한 기출문제와 실전문제를 통해 이를 연습할 수 있도록 하였다.

기출분석 > 유형 접근하기 > 유형 적용하기 > 적용 연습하기

어휘

'어휘'는 단계별로 체계적으로 학습할 수 있도록 구성하였다. 어휘의 가장 큰 변수인 다의어를 먼저 학습할 수 있도록 수능 필수어휘를 수록하였고, 합격을 좌우하는 공시 실전어휘, 공시 실전숙어, 유의어 대사전까지 구성하여 수험생에게 꼭 맞는 공시 합격 맞춤 어휘를 제시한다. 특히, 유의어 대사전은 적중률이 높고 어휘 문제에 대비할 수 있는 최적화된 구성으로 어디에도 없는 시크릿 자료라고 할 수 있다.

수능 필수어휘 > 공시 실전어휘 > 공시 실전숙어 > 유의어 대사전

탄탄한 기출분석 & 기출분석 기반의 개념

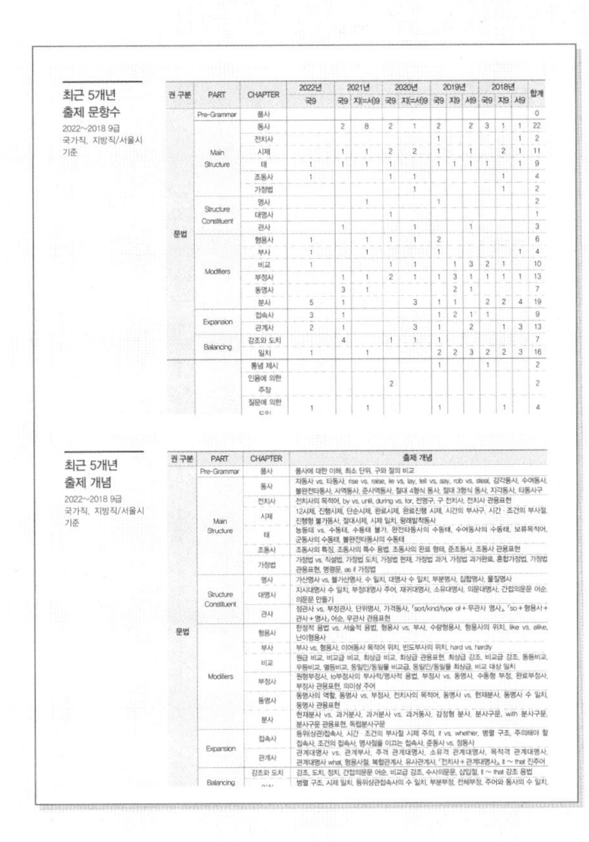

최근 5개년 출제 문항수
2022~2018 9급 국가직, 지방직/서울시 기준

권 구분	PART	CHAPTER	2022년 국9	2021년 국9	2021년 지9(=서9)	2020년 국9	2020년 지9(=서9)	2019년 국9	2019년 지9	2019년 서9	2018년 국9	2018년 지9	2018년 서9	합계
문법	Pre-Grammar	품사												0
	Main Structure	동사		2	8	2	1	2		2	3	1	1	22
		전치사						1					1	2
		시제		1	1	2	2	1		1		2	1	11
		태	1	1	1	1		1	1	1	1		1	9
		조동사	1			1	1					1		4
		가정법					1					1		2
	Structure Constituent	명사			1			1						2
		대명사				1								1
		관사		1			1			1				3
	Modifiers	형용사	1		1	1	1	2						6
		부사	1		1			1					1	4
		비교	1			1	1		1	3	2	1		10
		부정사		1	1	2	1	1	3	1	1	1	1	13
		동명사		3	1				2	1				7
		분사	5	1			3	1	1		2	2	4	19
	Expansion	접속사	3	1				1	2	1	1			9
		관계사	2	1			3	1		2		1	3	13
	Balancing	강조와 도치		4		1	1	1						7
		일치	1		1			2	2	3	2	2	3	16
		통념 제시						1			1			2
		인용에 의한 주장				2								2
		질문에 의한 도입	1		1			1				1		4

최근 5개년 출제 개념
2022~2018 9급 국가직, 지방직/서울시 기준

권 구분	PART	CHAPTER	출제 개념
문법	Pre-Grammar	품사	품사에 대한 이해, 최소 단위, 구와 절의 비교
	Main Structure	동사	자동사 vs. 타동사, rise vs. raise, lie vs. lay, tell vs. say, rob vs. steal, 감각동사, 수여동사, 불완전타동사, 사역동사, 준사역동사, 절대 4형식 동사, 절대 3형식 동사, 지각동사, 타동사구
		전치사	전치사의 목적어, by vs. until, during vs. for, 전명구, 구 전치사, 전치사 관용표현
		시제	12시제, 진행시제, 단순시제, 완료시제, 완료진행 시제, 시간의 부사구, 시간·조건의 부사절, 진행형 불가동사, 절대시제, 시제 일치, 왕래발착동사
		태	능동태 vs. 수동태, 수동태 불가, 완전타동사의 수동태, 수여동사의 수동태, 보류목적어, 군동사의 수동태, 불완전타동사의 수동태
		조동사	조동사의 특징, 조동사의 특수 용법, 조동사의 완료 형태, 준조동사, 조동사 관용표현
		가정법	가정법 vs. 직설법, 가정법 도치, 가정법 현재, 가정법 과거, 가정법 과거완료, 혼합가정법, 가정법 관용표현, 명령문, as if 가정법
	Structure Constituent	명사	가산명사 vs. 불가산명사, 수 일치, 대명사 수 일치, 부분명사, 집합명사, 물질명사
		대명사	지시대명사 수 일치, 부정대명사 주어, 재귀대명사, 소유대명사, 의문대명사, 간접의문문 어순, 의문문 만들기
		관사	정관사 vs. 부정관사, 단위명사, 가격동사, 「sort/kind/type of + 무관사 명사」, 「so + 형용사 + 관사 + 명사」 어순, 무관사 관용표현
	Modifiers	형용사	한정적 용법 vs. 서술적 용법, 형용사 vs. 부사, 수량형용사, 형용사의 위치, like vs. alike, 난이형용사
		부사	부사 vs. 형용사, 이어동사 목적어 위치, 빈도부사의 위치, hard vs. hardly
		비교	원급 비교, 비교급 비교, 최상급 비교, 최상급 관용표현, 최상급 강조, 비교급 강조, 동등비교, 우등비교, 열등비교, 동일인/동일물 비교급, 동일인/동일물 최상급, 비교 대상 일치
		부정사	원형부정사, to부정사의 부사적/명사적 용법, 부정사 vs. 동명사, 수동형 부정, 완료부정사, 부정사 관용표현, 의미상 주어
		동명사	동명사의 역할, 동명사 vs. 부정사, 전치사의 목적어, 동명사 vs. 현재분사, 동명사 수 일치, 동명사 관용표현
		분사	현재분사 vs. 과거분사, 과거분사 vs. 과거동사, 감정형 분사, 분사구문, with 분사구문, 분사구문 관용표현, 독립분사구문
	Expansion	접속사	동위(상관)접속사, 시간·조건의 부사절 시제 주의, if vs. whether, 병렬 구조, 주의해야 할 접속사, 조건의 접속사, 명사절을 이끄는 접속사, 준동사 vs. 정동사
		관계사	관계대명사 vs. 관계부사, 주격 관계대명사, 소유격 관계대명사, 목적격 관계대명사, 관계대명사 what, 형용사절, 복합관계사, 유사관계사, 「전치사 + 관계대명사」, it ~ that 진주어
	Balancing	강조와 도치	강조, 도치, 정치, 간접의문문 어순, 비교급 강조, 수사의문문, 삽입절, it ~ that 강조 용법
		일치	병렬 구조, 시제 일치, 동위상관접속사의 수 일치, 부분부정, 전체부정, 주어와 동사의 수 일치,

탄탄한 기출분석

최근 5개년 9급 기출을 분석하여 영역별 출제 문항수와 출제 개념을 분석하였다. 본격적인 개념학습 전에 영역별 출제비중과 개념을 먼저 파악하면 학습의 나침반으로 활용할 수 있을 것이다.

- ▶ 최근 5개년 출제 문항수: 최근 5개년 동안 국가직, 지방직/서울시 9급 시험에서 영역별로 몇 문항이 출제되었는지 분석하였다.
- ▶ 최근 5개년 출제 개념: 최근 5개년 동안 국가직, 지방직/서울시 9급 시험에서 영역별로 어떤 개념이 출제되었는지 분석하였다.

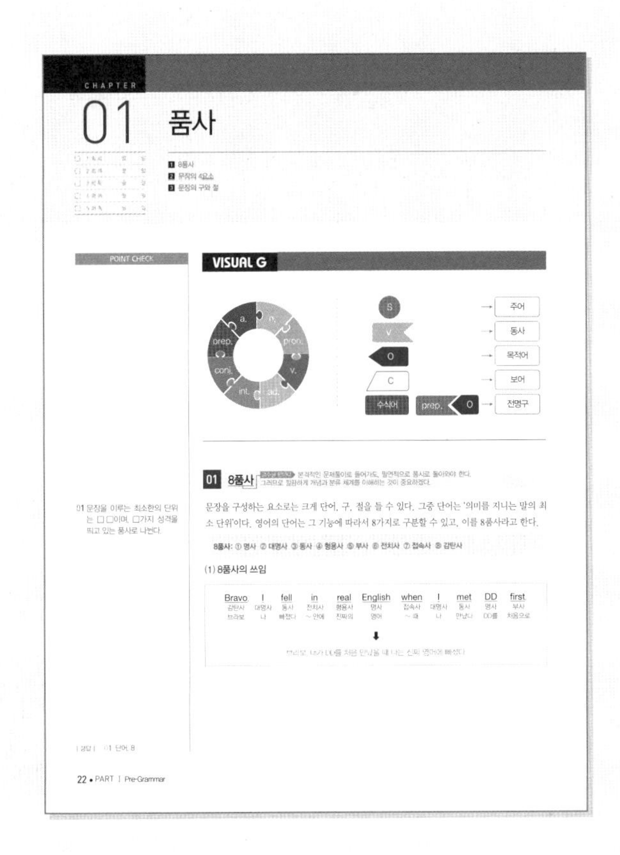

CHAPTER 01 품사

VISUAL G

01 8품사 본격적인 문제풀이로 들어가도, 필연적으로 품사로 돌아와야 한다. 그러므로 정확하게 개념과 분류 체계를 이해하는 것이 중요하겠다.

01 문장을 이루는 최소한의 단위는 □□이며, □가지 성격을 띠고 있는 품사로 나뉜다.

문장을 구성하는 요소로는 크게 단어, 구, 절을 들 수 있다. 그중 단어는 '의미를 지니는 말의 최소 단위'이다. 영어의 단어는 그 기능에 따라서 8가지로 구분할 수 있고, 이를 8품사라고 한다.

8품사: ① 명사 ② 대명사 ③ 동사 ④ 형용사 ⑤ 부사 ⑥ 전치사 ⑦ 접속사 ⑧ 감탄사

(1) 8품사의 쓰임

Bravo.	I	fell	in	real	English	when	I	met	DD	first.
감탄사	대명사	동사	전치사	형용사	명사	접속사	대명사	동사	명사	부사
브라보	나	빠졌다	~ 안에	진짜의	영어	~ 때	나	만났다	DD를	처음으로

| 정답 | 01 단어, 8

22 • PART Ⅰ Pre-Grammar

기출분석 기반의 개념

학습효과를 높일 수 있도록 개념을 체계적으로 배열하였고, 개념을 더 쉽게 이해할 수 있도록 【VISUAL G】를 수록하였다. 또한 다양한 예문들과 【POINT CHECK】, 【헷갈리지 말자】를 통해 개념의 기초부터 심화까지 학습할 수 있다.

- ▶ Daily 회독체크표: 챕터마다 회독체크와 공부한 날을 기입할 수 있다.
- ▶ VISUAL G: 개념을 시각화하여 표현하였다.
- ▶ 헷갈리지 말자: 혼동하기 쉬운 개념들을 예문과 함께 정리해 두었다.
- ▶ POINT CHECK: 개념의 포인트를 잡을 수 있도록 하였다.
- ▶ 암기문법: 꼭 암기해야 하는 내용에 표시하였다.

단계별 문제풀이

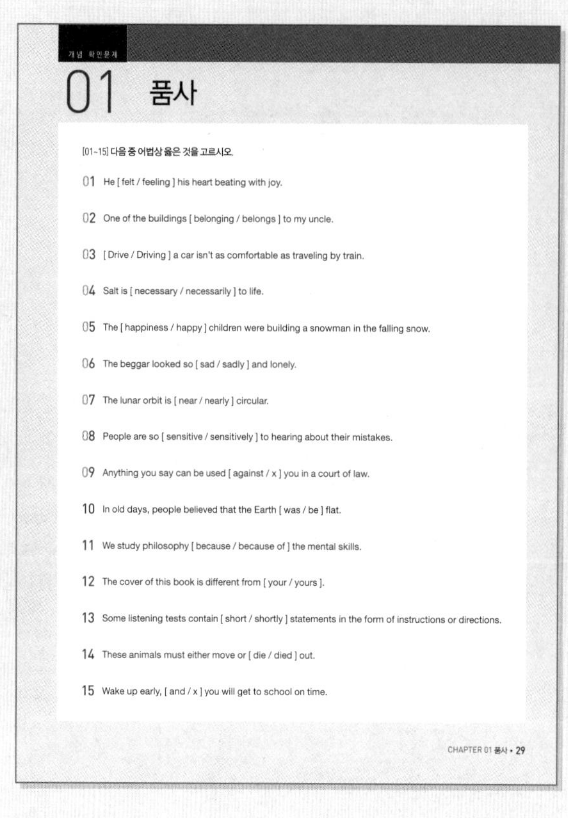
개념 확인문제

01 품사

[01-15] 다음 중 어법상 옳은 것을 고르시오.

01 He [felt / feeling] his heart beating with joy.

02 One of the buildings [belonging / belongs] to my uncle.

03 [Drive / Driving] a car isn't as comfortable as traveling by train.

04 Salt is [necessary / necessarily] to life.

05 The [happiness / happy] children were building a snowman in the falling snow.

06 The beggar looked so [sad / sadly] and lonely.

07 The lunar orbit is [near / nearly] circular.

08 People are so [sensitive / sensitively] to hearing about their mistakes.

09 Anything you say can be used [against / x] you in a court of law.

10 In old days, people believed that the Earth [was / be] flat.

11 We study philosophy [because / because of] the mental skills.

12 The cover of this book is different from [your / yours].

13 Some listening tests contain [short / shortly] statements in the form of instructions or directions.

14 These animals must either move or [die / died] out.

15 Wake up early, [and / x] you will get to school on time.

CHAPTER 01 품사 • 29

개념 확인문제

개념학습 후 2회독 효과!

챕터별【개념 확인문제】를 통해 앞에서 학습한 개념을 바로 확인하고 복습이 가능하도록 하였다.

개념 적용문제

01 품사

교수님 코멘트▶ 품사는 문장의 최소 단위이다. 실제 문제에서는 이러한 품사가 여러 가지 수식어와 복잡한 문장 구조 때문에 겉으로 쉽게 드러나지는 않는다. 따라서 해당 실전문제를 통해 수식어를 뺀 다양한 품사의 쓰임을 분석할 수 있도록 관련 문제들을 수록하였다. 다소 변형적인 요소가 있는 부분은 해설의 보충 설명을 통해 이해할 수 있도록 하였다.

01 2015 사회복지직 9급

어법상 틀린 것은?

① Surrounded by great people, I felt proud.
② I asked my brother to borrow me five dollars.
③ On the platform was a woman in a black dress.
④ The former Soviet Union comprised fifteen union republics.

02 2015 국가직 7급

다음 중 어법상 옳은 것은?

① Sharks have been looked more or less the same for hundreds of millions of years.
② "They have evolved through time to improve upon the basic model," says John Maisey, a paleontologist who helped identify the fossil.
③ The skeleton supporting this ancient shark's gills is completely different from those of a modern shark's.
④ Previously, many scientists had been believed that shark gills were an ancient system that predated modern fish.

01 3, 4형식 동사의 쓰임

② 'borrow'는 '빌리다'의 의미로 4형식 동사로 쓰지 않는다. 문맥상 '나에게 5달러를 빌려주는' 것이므로 'lend(빌려주다)'로 써야 한다.

|오답해설| ① 'Surrounded'의 의미상 주어는 뒤에 이어지는 절의 주어인데, 'I'는 '둘러싸여' 있는 것이므로 수동의 의미를 지닌 과거분사 구문이 적절하다.
③ 장소를 나타내는 부사구가 문두로 오면서 주어(a woman)와 동사(was)가 도치되었다.
④ 'comprise'는 타동사로 '~로 구성되다, ~을 구성하다'의 의미를 지닌다.
'~로 구성되다'
「comprise + 목적어」
「be comprised of + 목적어」
「be composed of + 목적어」
「be made up of + 목적어」
「consist of + 목적어」

| 해석 | ① 훌륭한 사람들에게 에워싸인 채, 나는 자랑스러움을 느꼈다.
② 나는 형에게 5달러를 빌려줄 것을 요청했다.
③ 승강장에 검정 드레스를 입은 한 여인이 있었다.
④ 구(舊) 소련은 15개의 연합 공화국들로 구성되었다.

02 자동사 evolve

② 'evolve'가 마치 수동태로 쓰여야 할 것 같지만 자동사로 '진화하다'라는 의미로 적절히 쓰였다. 또한 'help'는 목적어로 원형부정사 또는 to부정사를 가지므로 역시 옳게 쓰였다.

|오답해설| ① 'look'은 2형식 불완전자동사이기 때문에 수동태로 사용할 수 없다. 따라서 'have been looked'는 'have looked'로 써야 한다.
③ 'those'가 가리키는 대상은 'The skeleton'이기 때문에 복수형인 'those'가 아니라 단수형인 'that'을 써야 한다.
④ 많은 과학자들이 '믿어온' 것이지 '믿음을 당한' 것이 아니며 어법상으로도 that 절이라는 목적어절이 있기 때문에 수동태는 불가하다. 따라서 'had been believed'는 'had believed'가 되어야 한다.

| 해석 | ① 상어들은 수억 년 동안 거의 비슷해 보였다.
② 화석 식별을 도운 고생물학자 John Maisey는 "그들은 기본 모델을 개선시키기 위해 시간이 흐름에 따라 진화했다."라고 말한다.
③ 이 고대 상어의 아가미를 지지하는 뼈대는 현대 상어의 그것(뼈대)과는 완전히 다르다.
④ 이전에, 많은 과학자들은 상어 아가미가 현대의 어류에 앞선 고대의 기관이었다고 믿었다.

| 정답 | 01 ② 02 ②

CHAPTER 01 품사 • 31

개념 적용문제

챕터별 문제풀이로 문제 적용력 향상!

챕터별 최신 공무원 기출문제와 실전문제를 수록하여 개념이 어떻게 문제화되는지, 유형은 어떠한지 파악할 수 있도록 하였다.

무료 합격팩

회독플래너 & 5회독플래너

회독플래너

실패율 Zero! 따라만 해도 5회독 가능!

권 구분	PART	CHAPTER	1회독	2회독	3회독	4회독	5회독
문법	Pre-Grammar	품사	1	1	1	1	1
	Main Structure	동사					
		전치사					
		시제	2	2	2	2	
		태	3	3			
		조동사	4	4	3	3	2
		가정법	5-6	5			
	Structure Constituent	명사	7	6	4	4	
		대명사	8-9	7			
		관사	10	8			
	Modifiers	형용사	11-12	9-10	5	5	3
		부사	13-14	11-12	6		
		비교	15-17	13-14	7	6	
		부정사	18-20	15-16	8	7	
		동명사	21-22	17-18	9		
		분사	23-25	19-20	10-11	8	
	Expansion	접속사	26-28	21-22	12	9	4
		관계사	29-31	23-24	13		
	Balancing	강조와 도치	32-33	25	14	10	
		일치	34	26	15		
독해	Contents Reading	통념 제시	35	27	16	11	5
		인용에 의한 주장	36	28	17		
		질문에 의한 답변	37	29	18		
		예시와 열거	38	30	19		
		비교와 대조	39	31	20	12	6
		나열 및 분류	40	32	21		
		원인과 결과	41	33	22		
		묘사와 에피소드를 통한 도입	42	34	23		
	Macro Reading	요지	43	35	24	13	
		주장	44	36	25		
		제목	45-46	37	26		
		주제	47-48	38-39	27		
	Micro Reading	내용일치/불일치	49	40	28	14	7
	Logical Reading	삽입	50	41	29-30	15	
		배열	51-52	42			
		삭제	53	43			
		연결사	54	44	31	16	
		문맥상 다양한 추론	55	45	32	17	
	Reading for Writing	빈칸 구 완성	56	46	32	18	
		빈칸 절 완성	57	47	33		
		요약	58	48	34	19	
	생활영어	필수 생활영어 표현	59-60	49-50	35	20	
			60일 완성	50일 완성	35일 완성	20일 완성	7일 완성

• 문법/독해 영역에 대한 회독플래너입니다.
• 일부 영역만 학습 시, 해당 일자를 참고하여 플래너를 활용하세요!

〈문법 & 독해〉 회독플래너

회독 실패율 ZERO!

실패율 없이 회독을 할 수 있도록 5회독 플래너를 제공한다. 앞면에는 회독의 방향성을 잡을 수 있도록 가이드라인을 제시하였고, 뒷면에는 직접 공부한 날짜를 매일 기록하여 누적된 회독 횟수를 확인할 수 있도록 하였다.

▶ [앞] 회독플래너
▶ [뒤] 직접 체크하는 회독플래너

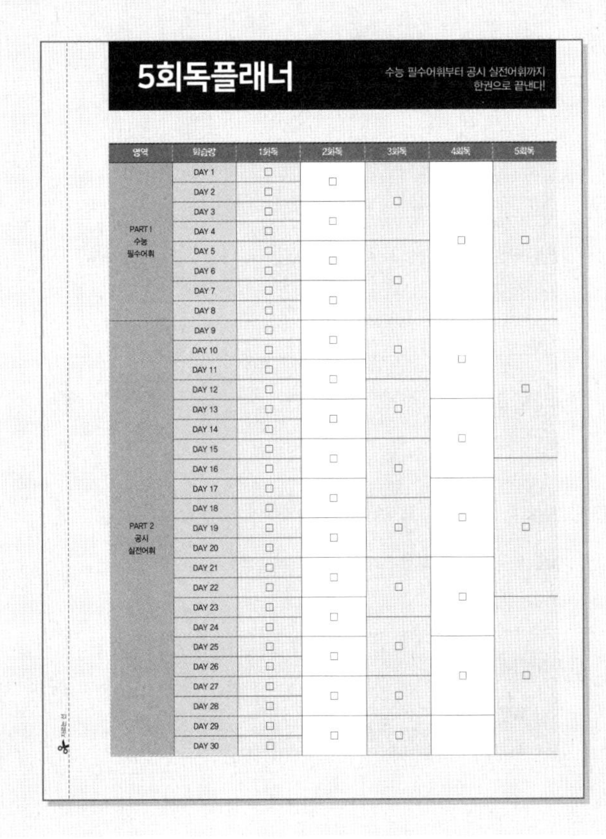

5회독플래너

수능 필수어휘부터 공시 실전어휘까지 한권으로 끝낸다!

영역	학습량	1회독	2회독	3회독	4회독	5회독
PART 1 수능 필수어휘	DAY 1	□	□	□	□	□
	DAY 2	□				
	DAY 3	□	□			
	DAY 4	□				
	DAY 5	□	□	□		
	DAY 6	□				
	DAY 7	□	□			
	DAY 8	□				
PART 2 공시 실전어휘	DAY 9	□	□	□	□	□
	DAY 10	□				
	DAY 11	□	□			
	DAY 12	□		□		
	DAY 13	□	□		□	
	DAY 14	□				
	DAY 15	□	□	□		
	DAY 16	□				□
	DAY 17	□	□		□	
	DAY 18	□		□		
	DAY 19	□	□			
	DAY 20	□				
	DAY 21	□	□	□	□	
	DAY 22	□				
	DAY 23	□	□			□
	DAY 24	□		□		
	DAY 25	□	□		□	
	DAY 26	□				
	DAY 27	□	□	□		
	DAY 28	□				
	DAY 29	□	□	□		
	DAY 30	□				

〈어휘〉 5회독플래너

수능 어휘부터 공시 어휘까지!

탄탄한 기본기 획득을 위한 수능 필수어휘부터 합격을 좌우하는 공시 실전어휘, 공시 실전숙어를 수록하여 단 한 권으로 어휘를 완벽하게 마스터할 수 있다. 마지막 유의어 대사전은 시험장 직전 시크릿 자료로 활용할 수 있다.

CONTENTS

이 책의 차례

PART V
Expansion

PART VI
Balancing

PART

I

Pre-Grammar

학습목표

CHAPTER 01 품사	❶ 영어의 최소 성분인 품사에 대해서 이해한다. ❷ 문장의 주된 성분과 부수적인 성분을 구분한다. ❸ 구와 절의 개념과 그것을 이용한 문장의 확장을 이해한다.

CHAPTER

01 품사

□ 1회독	월	일
□ 2회독	월	일
□ 3회독	월	일
□ 4회독	월	일
□ 5회독	월	일

1 8품사
2 문장의 4요소
3 문장의 구와 절

POINT CHECK

VISUAL G

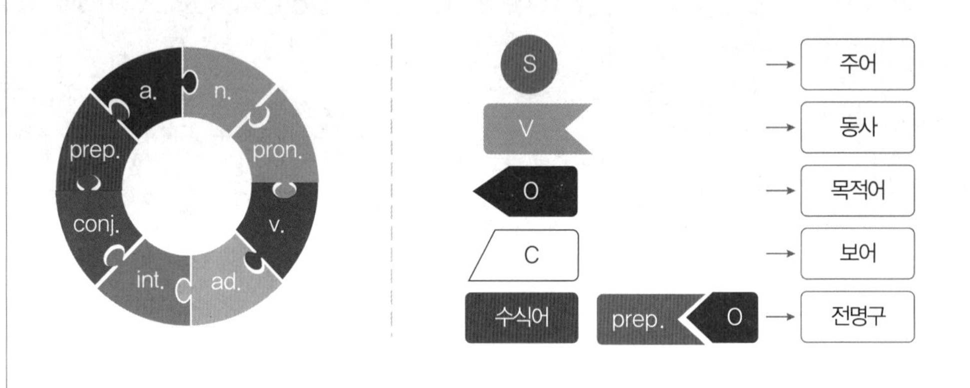

01 8품사

교수님 한마디 본격적인 문제풀이로 들어가도, 필연적으로 품사로 돌아와야 한다. 그러므로 깔끔하게 개념과 분류 체계를 이해하는 것이 중요하겠다.

01 문장을 이루는 최소한의 단위는 □□이며, □가지 성격을 띠고 있는 품사로 나뉜다.

문장을 구성하는 요소로는 크게 단어, 구, 절을 들 수 있다. 그중 단어는 '의미를 지니는 말의 최소 단위'이다. 영어의 단어는 그 기능에 따라서 8가지로 구분할 수 있고, 이를 8품사라고 한다.

8품사: ① 명사 ② 대명사 ③ 동사 ④ 형용사 ⑤ 부사 ⑥ 전치사 ⑦ 접속사 ⑧ 감탄사

(1) 8품사의 쓰임

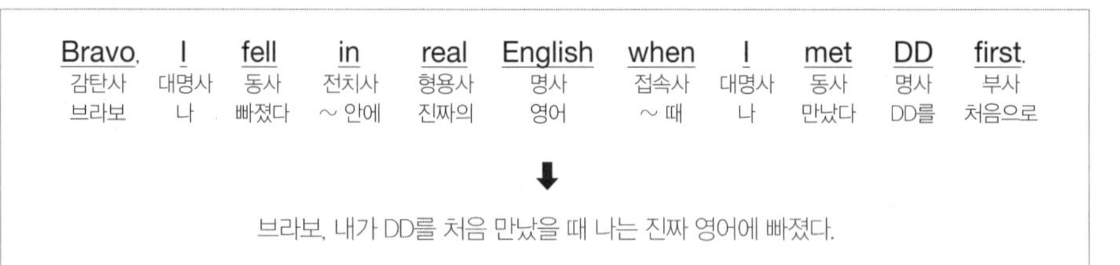

| 정답 | 01 단어, 8

POINT CHECK

(2) **명사(noun) → n.**

사람이나 사물의 이름을 나타내는 단어로, 문장에서 주어, 목적어, 보어로 쓰인다.

① 보통명사: mother, book, computer 등 일반적인 사물의 이름

② 집합명사: family, people, cattle, police 등 집합의 개념을 나타내는 단어

③ 고유명사: Sunday, England, Everest, Beckham 등 세상에서 유일무이한 것

④ 추상명사: art, music, love, truth 등 추상적인 단어

⑤ 물질명사: salt, water, rice, bread, juice 등 일정한 형태가 없는 물질을 표현한 단어

(3) **대명사(pronoun) → pron.**

명사를 대신해서 쓰이는 단어로, 문장에서 주어, 목적어, 보어로 쓰인다.

유형		1인칭		2인칭		3인칭			
		단수	복수	단수	복수	남성	여성	중성	복수
인칭 대명사	주격	I	we	you	you	he	she	it	they
	목적격	me	us	you	you	him	her	it	them
	소유격	my	our	your	your	his	her	its	their
소유대명사		mine	ours	yours	yours	his	hers	-	theirs
재귀대명사		myself	ourselves	yourself	yourselves	himself	herself	itself	themselves
지시대명사		this, these, that, those, such, so, it, they, them							
부정대명사		all, both, each, every, either, neither, nothing, one, none, nobody, something, someone, somebody, anything, anyone, anybody, some, any, everything, everyone, everybody							
의문대명사		who, whom, which, what							
관계대명사		who, whose, whom, which, what, that[유사관계대명사 as, than, but]							

(4) **동사(verb) → v.**

동작 및 상태를 나타내는 단어로, 시제에 따라 변화한다. be동사와 일반동사가 주를 이루고, 이를 도와주는 조(助)동사까지 동사의 영역에 포함된다.

(5) **형용사(adjective) → a.**

pretty, beautiful, glad, sad, healthy 등 사람이나 사물의 성질 또는 특성을 나타내는 단어로, 문장에서 수식어 역할을 하는 한정적 용법과 보어의 역할을 하는 서술적 용법으로 쓰인다.

① 한정적 용법: 명사를 꾸며 그 의미를 제한

- There is a **rotten** apple.

  썩은 사과가 하나 있다.

② 서술적 용법: 보어가 되어 명사의 성질이나 상태를 서술

- The apple is **rotten.**

  그 사과는 썩었다.

POINT CHECK

(6) 부사(adverb) → ad.

부사는 형용사, 부사, 동사 및 구, 절 또는 문장 전체를 수식하는 역할을 하며, 시간, 장소, 방법, 방향, 상태 등을 나타낸다. 이때 부사에는 yesterday, nearby, fast, sadly, just 등이 있다.

- **Fortunately**, the **very** lazy businessperson does **not** like to go **abroad very much**.
  다행히, 매우 게으른 그 사업가는 해외에 나가는 것을 아주 많이 좋아하지는 않는다.

(7) 전치사(preposition) → prep.

명사(구)와 결합하여 장소, 방법, 시간, 방향, 거리 등을 나타내며 in, on, to, by, for, beside 등이 있다.

① 전치사 다음에는 반드시 명사(구)가 와야 한다. 전치사 뒤에 오는 명사(구)와 함께 「전치사 + 명사(구)」를 이루며, 이를 '전명구'라 한다.
- in the room 방 안에
- on the desk 책상 위에

② 전치사 뒤에 오는 대명사는 전치사의 목적어로, 목적격만 올 수 있다.
- in front of me 내 앞에
- by her 그녀 옆에

(8) 접속사(conjunction) → conj.

단어, 구, 절, 문장을 서로 연결해 주는 단어나 구를 말한다.

① 등위접속사: and, but, or, so 등
② 종속접속사: that, in case, before, as, because, as soon as, while 등
  ㉠ 부사절을 이끄는 접속사: because, as, when, if, although 등
  ㉡ 명사절을 이끄는 접속사: that, whether, if 등

(9) 감탄사(interjection) → int.

기쁨, 슬픔, 놀람, 아픔 같은 느낌이나 감정을 느낀 그 순간을 간단하게 표현하는 말로, hurrah, bravo, oops 등이 있다.

- Bravo! Mr. Park! 브라보! 박 씨!

02 일부 품사는 문장에서 특정한 역할, 즉 □□□에 배정된다. 그 요소는 영어 문장에서 고정된 자릿값이다.

03 문장의 필수 성분에는 □□, □□, □□□, □□이(가) 있다. 이를 제외한 나머지 요소는 필수 요소가 아니므로 생략해도 문법적으로 옳다.

| 정답 | 02 4요소
03 주어, 동사, 목적어, 보어

02 문장의 4요소

교수님 한마디 문장의 필수 성분으로, 이것은 문장의 자릿값이라는 중요한 요소이므로 정확하게 파악하는 것이 중요하다.

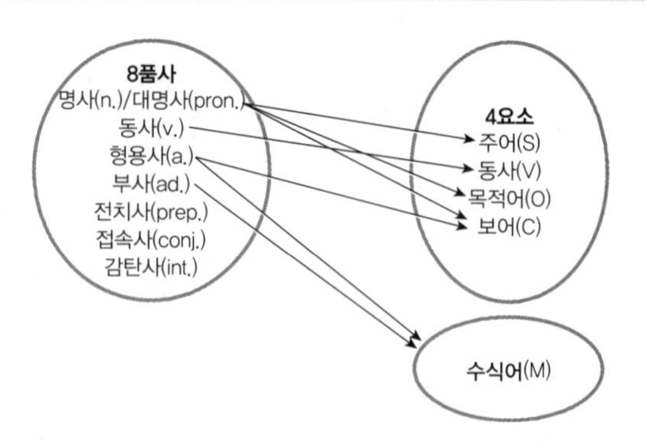

POINT CHECK

(1) 주어(Subject) → S

문장의 주체이며 명사에 상당하는 어구가 쓰인다. 명사, 대명사, 동명사, to부정사, 명사구, 명사절, 그리고 「the + 형용사/분사」가 쓰일 수 있다.

• **Wine** contains about 10% alcohol. (명사)
  포도주에는 약 10%의 알코올이 들어 있다.

• **Seeing** is believing. (동명사)
  보는 것이 믿는 것이다.

• **The earth in the picture** is blue. (명사구)
  사진 속의 지구는 파랗다.

• **How to do** is more important than what to do. (명사구)
  어떻게 하느냐가 무엇을 하느냐보다 더 중요하다.

• **What I say** is true. (명사절)
  내가 말하는 것은 사실이다.

(2) 동사(Verb) → V

동사는 시제와 태(능동태, 수동태), 주어의 동작, 상태를 나타낸다.

• I **am** happy. (be동사)
  나는 행복하다.

• I **did** my best. (일반동사-과거)
  나는 최선을 다했다.

• She **is waiting** for her parents. (현재진행)
  그녀는 부모님을 기다리고 있다.

• The old men **have been** to Spain. (현재완료)
  그 노인들은 스페인에 가 본 적이 있다.

• You **can** do whatever you want. (조동사)
  당신은 당신이 원하는 것은 무엇이든 할 수 있다.

(3) 목적어(Object) → O

동사의 동작이 직접적으로 미치는 대상으로서, 동사의 대상에 해당하는 말이다. 명사에 상당하는 어구가 쓰인다.

• I play **basketball** after school. (명사)
  나는 방과 후에 농구를 한다.

• The boy has to stop **crying**. (동명사)
  그 소년은 우는 것을 그쳐야만 한다.

• She doesn't know **what to do**. (명사구)
  그녀는 무엇을 해야 할지 모른다.

• We don't know **if he will come to the funeral**. (명사절)
  우리는 그가 장례식에 올지 모르겠다.

POINT CHECK

① 간접목적어(I.O.): 일반적으로 사람(인칭)이 대상이며, '~에게'로 해석

- I gave **the child** a snack.
  나는 그 아이에게 간식을 줬다.

② 직접목적어(D.O.): 일반적으로 사물(무생물)이 대상이며, '~을[를]'로 해석

- I gave the child **a snack.**
  나는 그 아이에게 간식을 줬다.

(4) 보어(Complement) → C

주어를 보충 설명하는 주격 보어와 목적어를 보충 설명하는 목적격 보어가 있다.

① 주격 보어(S.C.): 주어와 동격이거나 주어를 서술하는 단어, 구 또는 절

- He is **a student.** (He = a student) (주격 보어-명사구)
  그는 학생이다.
- I am **pretty.** (I = pretty) (주격 보어-형용사)
  나는 예쁘다.

② 목적격 보어(O.C.): 목적어와 동격이거나 목적어를 서술하는 단어, 구

- I think him **smart.** (him = smart) (목적격 보어-형용사)
  나는 그가 똑똑하다고 생각한다.
- My mother asked me **to do it.** (목적격 보어-to부정사구)
  엄마는 나에게 그것을 해 달라고 요청했다.
- They saw me **dance.** (목적격 보어-원형부정사)
  그들은 내가 춤추는 것을 보았다.

(5) 수식어(Modifier) → M

문장의 4요소인 주어, 동사(서술어), 목적어, 보어를 수식하는 역할을 하며, 문장의 주요소에는 포함되지 않는다. 수식어의 종류에는 부사, 부사구, 부사절이 있으며, 명사를 한정해 주는 한정적 역할의 형용사, 형용사구, 형용사절이 있다. 또한 이런 형용사와 부사의 역할을 하는 전명구도 존재한다.

- **All happy** (형용사) families are alike; **each unhappy** (형용사) family is unhappy **in its own way** (전명구).
  모든 행복한 가족들은 같은 모습이고; 각각의 불행한 가족들은 그 나름의 방식대로 불행하다.
- His family lives **happily.** (부사)
  그의 가족은 행복하게 산다.
- His family lives **very happily.** (부사구)
  그의 가족은 매우 행복하게 산다.
- His family **in the town** lives very happily. (전명구-형용사 역할)
  그 마을의 그의 가족은 매우 행복하게 산다.
- His family in the town lives very happily **in peace.** (전명구-부사 역할)
  그 마을의 그의 가족은 평화 속에서 매우 행복하게 산다.

03 문장의 구와 절

교수님 한마디 구와 절은 결국 끊어 읽기 단위인 만큼, 이해를 기반으로 반드시 훈련이 따라야 한다는 것을 잊지 말자.

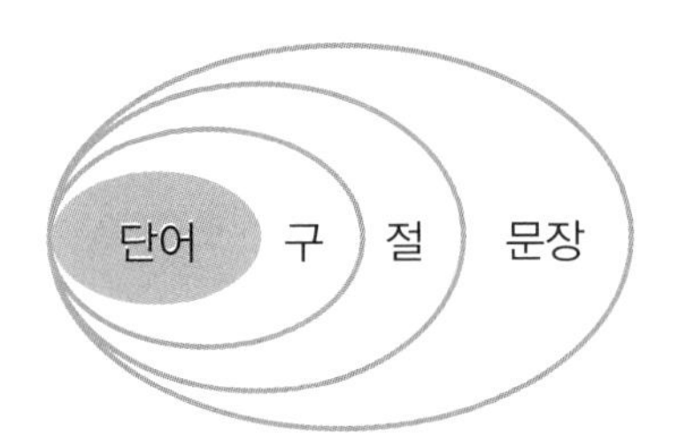

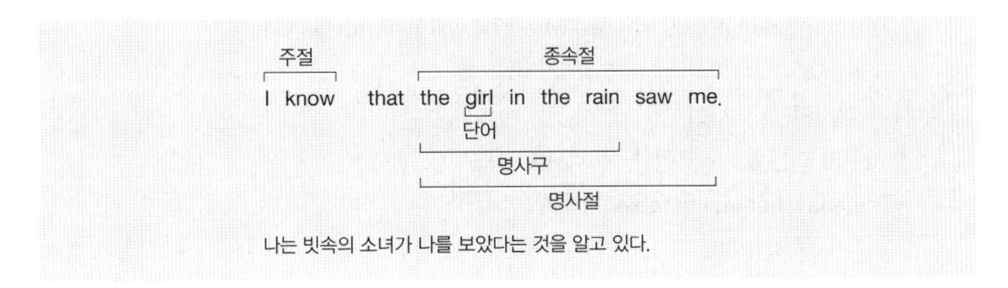

(1) 구(Phrase)

두 개 이상의 단어가 모여서 한 개의 품사 역할을 하며, 준동사(to부정사, 동명사, 분사)를 포함할 수 있다. → 「S + V」 관계 성립 불가능

(2) 절(Clause)

구와 마찬가지로 두 개 이상의 단어가 모여서 한 개의 품사 역할을 하며, 반드시 동사를 포함한다. → 「S + V」 관계 성립

① 명사 ⇨ 명사구 ⇨ 명사절 (문장에서 주어, 목적어, 보어 역할)

㉠ 명사구가 되는 것: to부정사, 동명사구, 「의문사 + to부정사」, 「관사 + (수식어) + 명사」

- **To read is to learn.** (주어, 보어–to부정사)

  읽는 것이 배우는 것이다.

㉡ 명사절이 되는 것: 접속사(that, whether, if), 의문사(who, what, which 등), 관계사(what, whoever 등)가 이끄는 절

- **It is true that I got up early.** (진주어절–that절)

  내가 일찍 일어났다는 것은 사실이다.

POINT CHECK

04 두 단어 이상이 하나의 의미값을 가지는 단위로 □□+□□의 형태가 아니면 구(Phrase), □□+□□의 형태이면 절(Clause)이라 부른다.

| 정답 | 04 주어 동사, 주어 동사

POINT CHECK

② 형용사 ⇨ 형용사구 ⇨ 형용사절 (명사를 수식하거나 보어의 역할)

㉠ 형용사구가 되는 것: to부정사, 분사구, 「전치사 + 명사(구)」

- The famous player is a friend **of mine**. (명사 수식–전명구)

  그 유명한 선수는 내 친구 중 한 명이다.

- Your friend seems **to be rich**. (주격 보어–to부정사구)

  네 친구는 부자인 것 같다.

㉡ 형용사절이 되는 것: 관계대명사(who, which, that 등)와 관계부사(when, where 등)가 이끄는 절

- The immigrant needs a house **where he will live with his family**.

  그 이민자는 그의 가족과 함께 살 집이 필요하다.

③ 부사 ⇨ 부사구 ⇨ 부사절

㉠ 부사구가 되는 것: to부정사, 「전치사 + 명사(구)」

- There is a hat **on the table**. (전명구)

  탁자 위에 모자가 있다.

- I fell in love **for the first time**. (전명구)

  나는 처음으로 사랑에 빠졌다.

- I study **to succeed**. (to부정사)

  나는 성공하려고 공부한다.

㉡ 부사절이 되는 것: 접속사(when, though, because, if 등)와 복합관계사(whomever, whichever, whatever 등)가 이끄는 절

- **If you work harder**, you will be rich. (부사절)

  당신이 더 열심히 일한다면, 부자가 될 것이다.

- I fell in love **when I saw you.** (부사절)

  내가 너를 보았을 때 나는 사랑에 빠졌다.

  참 I fell in love **yesterday.** (부사)

  나는 어제 사랑에 빠졌다.

- He has our support, **whatever he decides.** (부사절)

  그가 어떤 결정을 내리든, 그는 우리의 지지를 받는다.

01 품사

[01~15] 다음 중 어법상 옳은 것을 고르시오.

01 He [felt / feeling] his heart beating with joy.

02 One of the buildings [belonging / belongs] to my uncle.

03 [Drive / Driving] a car isn't as comfortable as traveling by train.

04 Salt is [necessary / necessarily] to life.

05 The [happiness / happy] children were building a snowman in the falling snow.

06 The beggar looked so [sad / sadly] and lonely.

07 The lunar orbit is [near / nearly] circular.

08 People are so [sensitive / sensitively] to hearing about their mistakes.

09 Anything you say can be used [against / x] you in a court of law.

10 In old days, people believed that the Earth [was / be] flat.

11 We study philosophy [because / because of] the mental skills.

12 The cover of this book is different from [your / yours].

13 Some listening tests contain [short / shortly] statements in the form of instructions or directions.

14 These animals must either move or [die / died] out.

15 Wake up early, [and / x] you will get to school on time.

정답&해설

01 felt

| 해석 | 그는 자신의 심장이 기쁨으로 뛰는 것을 느꼈다.

| 해설 | 'He'는 문장의 주어로 반드시 동사를 가져야 하므로 'felt(~을 느꼈다)'가 정답이다. 'feeling'은 동명사 또는 현재분사로 문장에서 동사의 역할을 하지 못한다.

02 belongs

| 해석 | 그 건물들 중 하나는 우리 삼촌의 것이다.

| 해설 | 주어인 명사의 상태를 서술하는 동사가 들어가야 할 자리이므로 'belongs'가 옳다. 단, 여기서 문장의 주어는 3인칭 단수 One이므로 'belongs'가 온 것이다.

03 Driving

| 해석 | 차를 운전하는 것은 기차로 여행하는 것만큼 편안하지 않다.

| 해설 | 문장의 주어 자리에는 동사가 올 수 없으므로, 동명사 형태인 'Driving(운전하는 것)'이 옳다.

04 necessary

| 해석 | 소금은 생명체에 필수적이다.

| 해설 | 주어인 'Salt'의 상태를 설명하는 주격 보어로는 형용사인 'necessary(필수적인)'가 알맞다. 참고로 'to life(생명체에)'는 전명구에 해당되며, 문장의 주요 요소가 아니다.

05 happy

| 해석 | 행복한 아이들은 내리는 눈 속에서 눈사람을 만들고 있었다.

| 해설 | 명사 'children'을 수식하는 것은 형용사인 'happy'이다.

06 sad

| 해석 | 그 거지는 매우 슬프고 외로워 보였다.

| 해설 | 'looked(~인 듯 보였다)'는 불완전자동사로 부사 'sadly(슬프게)'가 아닌 형용사 'sad(슬픈)'를 주격 보어로 취한다.

07 nearly

| 해석 | 달의 궤도는 거의 원형이다.

| 해설 | 주격 보어의 역할을 하는 형용사인 'circular(원형의)'를 수식하는 것은 '거의'라는 뜻의 부사인 'nearly'이다. 'near'는 '가까운(형용사)', '가까이(부사)'라는 뜻이므로 알맞지 않다.

08 sensitive

| 해석 | 사람들은 자신들의 실수에 대해 듣는 것에 아주 민감하다.

| 해설 | 주어인 'People'의 상태를 설명하는 주격 보어로는 형용사인 'sensitive(민감한)'가 가장 적절하다.

09 against

| 해석 | 당신이 말하는 어떤 것이라도 법정에서 당신에게 불리하게 이용될 수 있다.

| 해설 | 수동태 동사는 목적어를 필요로 하지 않으므로 대명사 'you'를 목적어로 취하는 전치사가 필요한 자리이다. 여기서 'against'는 '~에 반하여'라는 의미를 갖는다.

10 was

| 해석 | 옛날에, 사람들은 지구가 평평하다고 믿었다.

| 해설 | 'that'이 이끄는 명사절의 주어 'the Earth(지구)'의 동사 역할을 할 수 있는 것은 원형인 'be'가 아니라 'was'이다.

11 because of

| 해석 | 우리는 정신적인 기술 때문에 철학을 공부한다.

| 해설 | 뒤에 'the mental skills'라는 명사구가 있으므로 전치사구 'because of'가 알맞다. 접속사인 'because'는 의미는 같지만 뒤에 절, 즉 「주어+동사」가 와야 한다.

12 yours

| 해석 | 이 책의 표지는 당신의 것과는 다르다.

| 해설 | 전치사 'from'의 목적어로 올 수 있는 것은 소유격 'your(당신의)'가 아니라 소유대명사인 'yours(당신의 것)'이다. 소유격 'your'는 반드시 수식하는 대상이 뒤에 와야 한다.

13 short

| 해석 | 일부 듣기평가들은 설명이나 지시 형태의 짧은 진술을 포함하고 있다.

| 해설 | 명사 'statements'를 수식해야 하므로 형용사 'short'를 사용하는 것이 옳다. 'shortly'는 부사로서 '곧' 또는 '간략하게'라는 의미로 직접 명사를 수식하지 못한다.

14 die

| 해석 | 이 동물들은 이동하거나 멸종되어야 한다.

| 해설 | 조동사 'must' 뒤에는 동사원형이 오며 등위상관접속사 'either A or B'를 이용한 병렬 구조가 되어야 하므로 'die'가 알맞다.

15 and

| 해석 | 일찍 일어나라, 그러면 제시간에 학교에 도착할 것이다.

| 해설 | 명령문과 평서문, 즉 각각의 절을 연결하는 접속사가 필요하므로 'and'가 알맞다.

01 품사

교수님 코멘트▶ 품사는 문장의 최소 단위이다. 실제 문제에서는 이러한 품사가 여러 가지 수식어와 복잡한 문장 구조 때문에 겉으로 쉽게 드러나지는 않는다. 따라서 해당 실전문제를 통해 수식어를 뺀 다양한 품사의 쓰임을 분석할 수 있도록 관련 문제들을 수록하였다. 다소 변형적인 요소가 있는 부분은 해설의 보충 설명을 통해 이해할 수 있도록 하였다.

01

2015 사회복지직 9급

어법상 틀린 것은?

① Surrounded by great people, I felt proud.
② I asked my brother to borrow me five dollars.
③ On the platform was a woman in a black dress.
④ The former Soviet Union comprised fifteen union republics.

02

2015 국가직 7급

다음 중 어법상 옳은 것은?

① Sharks have been looked more or less the same for hundreds of millions of years.
② "They have evolved through time to improve upon the basic model," says John Maisey, a paleontologist who helped identify the fossil.
③ The skeleton supporting this ancient shark's gills is completely different from those of a modern shark's.
④ Previously, many scientists had been believed that shark gills were an ancient system that predated modern fish.

---

01 3, 4형식 동사의 쓰임

② 'borrow'는 '빌리다'의 의미로 4형식 동사로 쓰지 않는다. 문맥상 '나에게 5달러를 빌려주는' 것이므로 'lend(빌려주다)'로 써야 한다.

| 오답해설 | ① 'Surrounded'의 의미상 주어는 뒤에 이어지는 절의 주어인데, 'I'는 '둘러싸여' 있는 것이므로 수동의 의미를 지닌 과거분사 구문이 적절하다.
③ 장소를 나타내는 부사구가 문두로 오면서 주어(a woman)와 동사(was)가 도치되었다.
④ 'comprise'는 타동사로 '~로 구성되다, ~을 구성하다'의 의미를 지닌다.
참 '~로 구성되다'
「comprise + 목적어」
「be comprised of + 목적어」
「be composed of + 목적어」
「be made up of + 목적어」
「consist of + 목적어」

| 해석 | ① 훌륭한 사람들에게 에워싸인 채, 나는 자랑스러움을 느꼈다.
② 나는 형에게 5달러를 빌려줄 것을 요청했다.
③ 승강장에 검정 드레스를 입은 한 여인이 있었다.
④ 구(舊) 소련은 15개의 연합 공화국들로 구성되었다.

---

02 자동사 evolve

② 'evolve'가 마치 수동태로 쓰여야 할 것 같지만 자동사로 '진화하다'라는 의미로 적절히 쓰였다. 또한 'help'는 목적어로 원형부정사 또는 to부정사를 가지므로 역시 옳게 쓰였다.

| 오답해설 | ① 'look'은 2형식 불완전자동사이기 때문에 수동태로 사용할 수 없다. 따라서 'have been looked'는 'have looked'로 써야 한다.
③ 'those'가 가리키는 대상은 'The skeleton'이기 때문에 복수형인 'those'가 아니라 단수형인 'that'을 써야 한다.
④ 많은 과학자들이 '믿어온' 것이지 '믿음을 당한' 것이 아니며 어법상으로도 that 절이라는 목적어절이 있기 때문에 수동태는 불가하다. 따라서 'had been believed'는 'had believed'가 되어야 한다.

| 해석 | ① 상어들은 수억 년 동안 거의 비슷해 보였다.
② 화석 식별을 도운 고생물학자 John Maisey는 "그들은 기본 모델을 개선시키기 위해 시간이 흐름에 따라 진화했다."라고 말한다.
③ 이 고대 상어의 아가미를 지지하는 뼈대는 현대 상어의 그것(뼈대)과는 완전히 다르다.
④ 이전에, 많은 과학자들은 상어 아가미가 현대의 어류에 앞선 고대의 기관이었다고 믿었다.

| 정답 | 01 ② 02 ②

03

2015 지방직 7급

어법상 옳지 않은 것을 고르시오.

① He is alleged that he has hit a police officer.
② Tom got his license taken away for driving too fast.
③ The building was destroyed in a fire, the cause of which was never confirmed.
④ Under no circumstances can a customer's money be refunded.

04

2017 서울시 사회복지직 9급

우리말을 영어로 잘못 옮긴 것은?

① 우리는 그에게 이 일을 하도록 요청했다.
→ We asked him about this job.
② 그들은 TV 빼고는 모두 훔쳤다.
→ They stole everything but the television.
③ 식사할 때 물 마시는 게 좋니?
→ Is drinking water while eating good for you?
④ 그렇긴 하지만, 그것은 여전히 종교적 축제이다.
→ That said, it is still a religious festival.

---

03 allege 동사의 형식

① 동사 'allege'는 3형식과 5형식이 가능한 동사로 주로 수동태로 사용된다. 동사 'allege'가 수동태로 사용되면 목적어를 취할 수 없는데, 이 문장에는 that 명사절이 남아 있으므로 올바르지 않다. 따라서 아래와 같이 고칠 수 있다.

1. 그는 경찰관을 때렸다는 혐의를 받고 있다.
- He is alleged to have hit a police officer. (5형식 수동태－완료부정사)
- It is alleged that he has hit a police officer. (3형식 수동태－가주어)
  ※ 4형식과 착각하지 않도록 한다.

  사람들은 그가 경찰관을 때렸다고 주장한다.
- People allege that he has hit a police officer. (3형식 능동태)

  사람들은 그가 경찰관을 때렸다고 주장한다.

2. 그는 자신이 경찰관을 때렸다고 혐의를 주장한다.
- He alleges that he has hit a police officer. (3형식)

| 오답해설 | ② 사역동사 'get'의 목적격 보어 'taken away'가 목적어 'license'와 수동의 관계이므로 목적격 보어로 과거분사형이 오게 되었다.

③ 'the cause of which'라는 소유격 관계대명사를 묻는 부분으로 이는 'whose cause'로 변경할 수 있다. 여기서 'which'는 앞 문장의 'a fire'를 의미하며 'whose'는 'a fire'의 소유격 'a fire's'를 의미한다. 'whose' 뒤에는 정관사 'the'가 올 수 없음에 주의한다.

④ 'Under no circumstances'는 '어떠한 경우에도 ~하지 않는'이라는 뜻으로, 부정부사가 포함된 부사구이다. 부정부사가 문두에 있으면 주어와 동사는 도치된다. 즉, 조동사가 없는 일반동사의 경우 「do/does/did + 주어 + 동사원형」 순으로 배치되며, 조동사가 있는 경우에는 「조동사 + 주어 + 동사원형」 순으로 배치된다.

| 해석 | ① 해석 불가
② Tom은 과속 운전으로 면허를 빼앗겼다.
③ 그 건물은 불 속에서 붕괴되었는데, 그 화재의 원인은 결코 밝혀지지 않았다.
④ 어떠한 경우라도, 고객의 돈은 환불될 수 없다.

---

04 ask 동사의 의미

① 주어진 해석이 '~에게 ~하도록 요청하다'이므로 해당 문장의 'asked'가 불완전타동사로 사용되었음을 알 수 있으며, 이때 'asked'의 구조는 「ask + 목적어 + 목적격 보어(to부정사)」의 형태여야 한다. 따라서 전명구에 해당하는 'about this job'을 to부정사인 'to do this job'으로 수정해야 한다.

| 오답해설 | ② 'but'은 접속사와 전치사로 사용된다. 여기서 'but'은 전치사로 쓰여 '~을 제외하고'의 의미이다.

③ 접속사 'while'과 'eating' 사이에는 'you are'가 생략되어 있다. 접속사 뒤에 동명사가 왔다고 착각하기 쉬우나 분사의 형태로 쓰인 것이다.

④ 'that said'는 '그렇긴 하지만'의 의미이며, 'having said that'도 같은 의미로 사용된다.

05

2014 지방직 9급

다음 중 어법상 옳은 것은?

① Many a careless walker was killed in the street.
② Each officer must perform their duties efficient.
③ However you may try hard, you cannot carry it out.
④ German shepherd dogs are smart, alert, and loyalty.

06

다음 중 어법상 틀린 것을 고르시오.

Music has become quite different since Beethoven. While the works of the earlier period contain a certain surprising innovation, there is a predictable element fixed by tradition – an inevitable element ① dictated by formal conventions rather than by lack of originality. However, what Beethoven wanted to express could no longer be contained within these conventions. He became the first of music's revolutionaries in ② what became an age of revolution. Through music, Beethoven sought to illuminate the essence of the human spirit, in a way that ③ had not been attempted before. He soon found the prevailing musical idioms ④ inadequately and began to explore new and radical forms of expression.

---

05 수 일치

① 주어로 쓰이는 「many a[an]+단수명사」는 단수 취급을 하므로 동사 'was'와 수 일치가 적절하게 되어 있다.

|**오답해설**| ② 형용사인 'efficient'가 동사 'perform'을 수식하도록 부사인 'efficiently'로 바뀌어야 한다. 주어가 'Each officer'이므로 지시대명사도 'their' 대신에 'his or her'로 쓰는 것이 문법적으로 더 알맞다. 단, 현대 영어에서는 'their'로 받는 경우도 있으므로 주의해야 한다.
③ 복합관계부사 'however(아무리 ~하더라도)' 이하의 어순에 주의해야 한다. 복합관계부사가 수식하는 것이 'hard'이므로 'However hard you may try'로 써야 한다.
④ 주격 보어 자리에 「A, B, and C」가 형용사 병렬 구조로 연결되어 있어야 한다. 'loyalty'는 '충성'을 의미하는 명사이므로, 'smart', 'alert'와 함께 병렬 구조를 이루도록 형용사인 'loyal'이 와야 한다.

| **해석** | ① 많은 부주의한 보행자가 거리에서 죽었다.
② 각각의 장교는 자신의 임무를 효과적으로 수행해야 한다.
③ 네가 아무리 열심히 노력해도, 그것을 수행할 수 없다.
④ 독일 셰퍼드 개들은 영리하고, 기민하고, 충성스럽다.

---

06 목적격 보어

④ 5형식 동사 'find'의 목적격 보어 자리에는 부사가 아닌 형용사가 와야 한다. 따라서 'inadequately'는 'inadequate'가 되어야 한다.

|**오답해설**| ① 'element'와 'dictated' 사이에 「주격 관계대명사+be동사」가 생략된 문장이다.
② 앞에 선행사가 없고 뒤따라오는 문장이 불완전하므로 '~ 것'의 의미를 포함하는 관계대명사 'what'은 알맞다.
③ 주절의 시제(sought)가 과거이다. 과거보다 이전의 시제를 과거완료로 바르게 표현하였다.

| **해석** | 베토벤 시대 이후로 음악이 꽤 달라졌다. 이전 시대의 작품들에는 놀라운 혁신이 담겨 있는 반면, 전통에 의해 정해진 예측 가능한 요소, 즉 독창성 부족이라기보다는 의례적인 관습에 의해 좌우되는 필연적인 요소가 있다. 그러나 베토벤이 표현하고자 했던 것은 더 이상 이러한 관습에 포함되지 않았다. 혁명의 시대가 되었던 점에서 그는 최초의 음악 혁명가가 되었다. 베토벤은 음악을 통해, 이전에 시도되지 않았던 방법으로 인간 영혼의 본질을 밝히기를 추구했다. 곧 그는 만연하는 음악적 표현 양식이 부적절하다는 것을 알게 되었고 새롭고 급진적인 표현 형식을 탐구하기 시작했다.

| 정답 | 03 ① 04 ① 05 ① 06 ④

07

2016 지방직 7급

우리말을 영어로 잘못 옮긴 것을 고르시오.

① 탄소배출은 가스, 석탄, 석유와 같은 화석연료 연소의 결과물이다.
→ Carbon emissions are a result of burning fossil fuels such as gas, coal, or oil.

② 모든 연령대의 사람들이 여왕에게 존경을 표하기 위해 차려 입었다.
→ People of all ages dressed up to show themselves their respect to the queen.

③ 당뇨병은 우리 건강에 심각한 위협이지만 완벽히 예방할 수 있다.
→ Although diabetes is a critical threat to our health, it can be completely prevented.

④ 토요일로 예정된 집회는 금세기에 가장 큰 정치적 모임이 될 것이다.
→ The rally scheduled for Saturday will be the largest political gathering in this century.

---

07 **동사 dress**

② 'dress oneself up'은 '(스스로) 잘 차려 입다'의 의미를 지닌다. 'show'는 수여동사로 「show + 간접목접어 + 직접목적어」의 구조로 쓰여 '~에게 …을 보여 주다'의 의미로 쓰이며, 「show + 직접목적어 + to + 간접목적어」의 형태로 변환도 가능하다. 해당 문장에서 'show' 뒤에 'themselves'가 간접목적어처럼 쓰여 '그들 스스로에게'의 의미가 되므로 주어진 우리말의 의미와 같지 않다. 따라서 이 사실들을 활용하여 재귀대명사 'themselves'를 이동해 'People of all ages dressed themselves up to show their respect to the queen.'으로 써야 옳은 문장이 된다.

| **오답해설** | ① 'such as ~'는 '~ 같은[처럼]'의 의미로 'like'로 대신할 수 있다.

③ 'although'는 양보의 의미를 나타내는 접속사로, 부사절을 이끌고 있다. 'diabetes'는 '당뇨병'이라는 병명으로 복수형 '-s'가 붙은 것이 아님에 유의하자.

④ 'scheduled for Saturday'가 명사인 'The rally'를 후치 수식하고 있으며, 'gathering'은 현재분사로 사용된 것이 아니라 '모임'이라는 의미의 명사로 사용된 것이니 주의하자.

08

2018 서울시 9급

밑줄 친 부분 중 어법상 가장 옳지 않은 것은?

> *Blue Planet II*, a nature documentary ① <u>produced</u> by the BBC, left viewers ② <u>heartbroken</u> after showing the extent ③ <u>to which</u> plastic ④ <u>affects on</u> the ocean.

---

08 **완전타동사 affect**

④ 'affect(영향을 미치다)'는 타동사이므로 뒤에 전치사 'on'을 사용하지 않고 바로 목적어가 와야 한다.

| **오답해설** | ① 'produced' 뒤에 'by the BBC'가 나와 있으며 '제작된'이라는 의미로 'documentary'를 수식해야 하므로 과거분사가 적절하다.

② 'viewers(시청자들)'가 '슬픔에 잠기게 된' 것이므로 수동의 의미를 갖는 과거분사 'heartbroken'이 적절하다.

③ 'showing <u>the extent</u> ~'와 'plastic affects the ocean to <u>the extent</u>'에서 중복된 부분을 관계대명사로 바꾸고 전치사를 관계대명사 앞으로 이동시켜 'to which'로 쓴 것은 알맞다.

| **해석** | BBC에 의해 제작된 자연 다큐멘터리 Blue Planet II는 플라스틱이 바다에 영향을 미치는 정도를 보여 준 후 시청자들을 슬픔에 잠기게 만들었다.

09

2017 지방직 9급 추가 채용

우리말을 영어로 옳게 옮긴 것은?

① 내가 열쇠를 잃어버리지 않았더라면 모든 것이 괜찮았을 텐데.
→ Everything would have been OK if I haven't lost my keys.

② 그 영화가 너무 지루해서 나는 삼십 분 후에 잠이 들었어.
→ The movie was so bored that I fell asleep after half an hour.

③ 내가 산책에 같이 갈 수 있는지 네게 알려줄게.
→ I will let you know if I can accompany with you on your walk.

④ 내 컴퓨터가 작동을 멈췄을 때, 나는 그것을 고치기 위해 컴퓨터 가게로 가져갔어.
→ When my computer stopped working, I took it to the computer store to get it fixed.

10

2017 국가직 9급 추가 채용

우리말을 영어로 잘못 옮긴 것을 고르시오.

① 그 클럽은 입소문을 통해서 인기를 얻었다.
→ The club became popular by word of mouth.

② 무서운 영화를 좋아한다면 이것은 꼭 봐야 할 영화이다.
→ If you like scary movies, this is a must-see movie.

③ 뒤쪽은 너무 멀어요. 중간에 앉는 걸로 타협합시다.
→ The back is too far away. Let's promise and sit in the middle.

④ 제 예산이 빠듯합니다. 제가 쓸 수 있는 돈은 15달러뿐입니다.
→ I am on a tight budget. I only have fifteen dollars to spend.

---

09 stop의 목적어, get의 목적격 보어

④ 동사 'stop'은 동명사만을 목적어로 취하는 동사로 「stop -ing」의 형태로 나타내며 '~하는 것을 멈추다'라는 의미이다. 단, 「stop + to + 동사원형」의 경우는 to부정사가 목적어로 쓰인 것이 아니며 '~하기 위해서 멈추다'의 의미로 to부정사의 부사적 용법 중 '목적'으로 사용된 것이다. 해당 문장은 '내 컴퓨터가 작동을 멈췄다'는 의미이므로 동명사를 목적어로 쓴 'stopped working'은 어법상 적절하다. 또한 'get'의 목적어인 'it(= my computer)'과 목적격 보어인 'fix'는 '고쳐지게' 하는 수동 관계에 있으므로 목적격 보어로 쓰인 과거분사 'fixed'도 어법상 올바르다.

| 오답해설 | ① 주어진 우리말에서는 과거에 대한 반대의 상황을 가정하고 있으므로 「if + 주어 + had p.p. ~, 주어 + 조동사의 과거형 + have p.p. ...」의 가정법 과거완료를 사용해야 한다. 따라서 if 종속절의 'haven't'는 'hadn't'로 고치는 것이 옳다.

② 감정 유발 동사는 사람 또는 사물을 수식하여 '감정을 제공'하는 경우 현재분사를 사용하고, 사람을 수식하여 '감정의 상태'를 나타내는 경우 과거분사를 사용해야 한다. 사물 주어인 '그 영화'가 지루한 감정을 제공하는 것이므로 과거분사인 'bored'는 현재분사인 'boring'으로 고쳐야 한다.

③ 타동사 'accompany'는 '~와 동행하다'의 의미로 사용될 때 전치사를 동반하지 않고 바로 목적어를 취해야 하므로 'with'를 삭제해야 한다.

---

10 compromise vs. promise

③ 'promise'는 '~을 약속하다'라는 의미의 타동사이다. 따라서 주어진 우리말대로 '타협하다'라고 표현하려면 'compromise'가 옳다.

| 오답해설 | ① 불완전자동사 'become'은 형용사 보어인 'popular'를 적절하게 취하고 있다. 또한 'by word of mouth'는 '입에서 입으로, 입소문을 통해서'의 의미로 옳다.

② 'must-see'는 형용사로 '꼭 봐야 할, 볼만 한'의 의미로 옳게 사용되었다.

④ 'on a tight budget'은 '빠듯한 예산에 돈이 없는, 빈곤한'의 뜻으로 주어진 우리말과 일치한다. 'to spend'는 명사인 'fifteen dollars'를 수식하는 to부정사의 형용사적 용법이다.

| 정답 | 07 ② 08 ④ 09 ④ 10 ③

PART

Main Structure

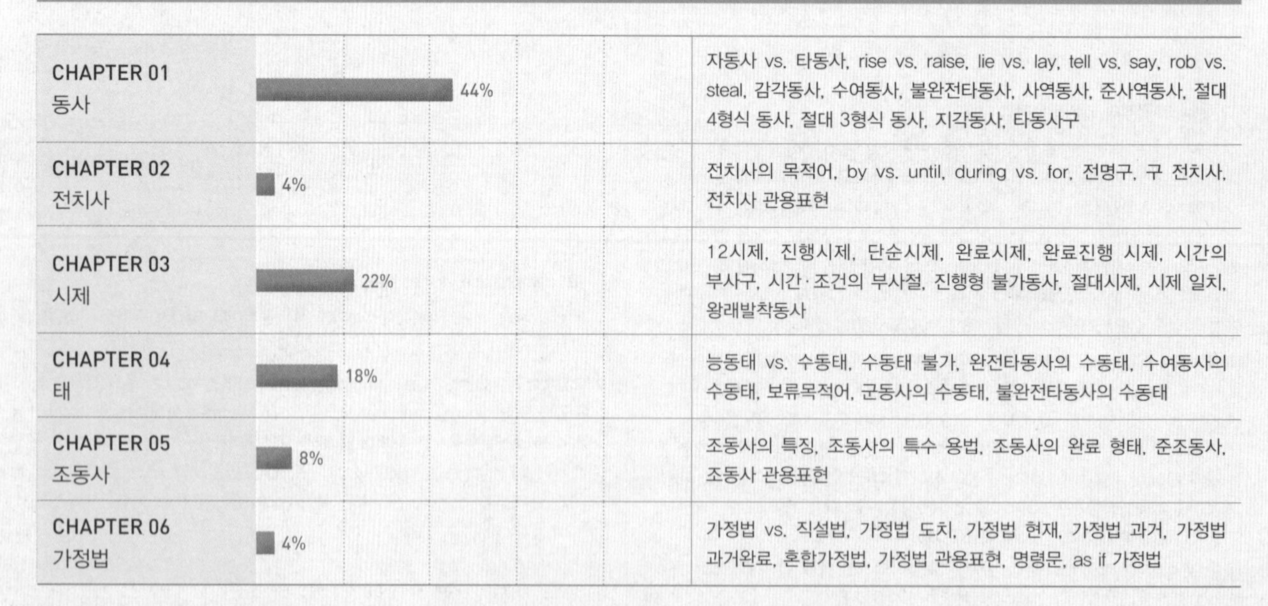

5개년 챕터별 출제 비중 & 출제 개념

챕터	출제 비중	출제 개념
CHAPTER 01 동사	44%	자동사 vs. 타동사, rise vs. raise, lie vs. lay, tell vs. say, rob vs. steal, 감각동사, 수여동사, 불완전타동사, 사역동사, 준사역동사, 절대 4형식 동사, 절대 3형식 동사, 지각동사, 타동사구
CHAPTER 02 전치사	4%	전치사의 목적어, by vs. until, during vs. for, 전명구, 구 전치사, 전치사 관용표현
CHAPTER 03 시제	22%	12시제, 진행시제, 단순시제, 완료시제, 완료진행 시제, 시간의 부사구, 시간·조건의 부사절, 진행형 불가동사, 절대시제, 시제 일치, 왕래발착동사
CHAPTER 04 태	18%	능동태 vs. 수동태, 수동태 불가, 완전타동사의 수동태, 수여동사의 수동태, 보류목적어, 군동사의 수동태, 불완전타동사의 수동태
CHAPTER 05 조동사	8%	조동사의 특징, 조동사의 특수 용법, 조동사의 완료 형태, 준조동사, 조동사 관용표현
CHAPTER 06 가정법	4%	가정법 vs. 직설법, 가정법 도치, 가정법 현재, 가정법 과거, 가정법 과거완료, 혼합가정법, 가정법 관용표현, 명령문, as if 가정법

※ 문법은 문항 기준이 아닌 출제된 문항의 선지 기준으로 분석하였습니다.

31%

※최근 5개년(국, 지, 서)
출제 비중

학습목표

CHAPTER 01 동사	❶ 동사의 두 가지 형태, 자동사와 타동사를 이해한다. ❷ 각 형식에 맞는 동사를 익힌다.
CHAPTER 02 전치사	❶ 문장 내에서 전치사의 역할을 파악한다. ❷ 각 전치사별로 쓰임을 파악하여 짝을 이루는 동사의 특징을 확인한다.
CHAPTER 03 시제	❶ 우리말과 영어 시제의 차이점을 비교하여 파악한다. ❷ 시간의 부사(구)와의 관계를 파악한다.
CHAPTER 04 태	❶ 수동태의 언어적 의미를 파악한다. ❷ 타동사의 형태를 분류하여 이해한다.
CHAPTER 05 조동사	❶ 조동사의 특성을 이해한다. ❷ 조동사의 특수 용법을 이해한 후 문맥에 따른 독해를 할 수 있도록 한다.
CHAPTER 06 가정법	❶ 시제의 개념과 가정법의 시제 표현을 이해한다. ❷ if 생략 가정법의 문장 어순에 주의한다.

CHAPTER

01 동사

□ 1회독	월	일
□ 2회독	월	일
□ 3회독	월	일
□ 4회독	월	일
□ 5회독	월	일

POINT CHECK

VISUAL G

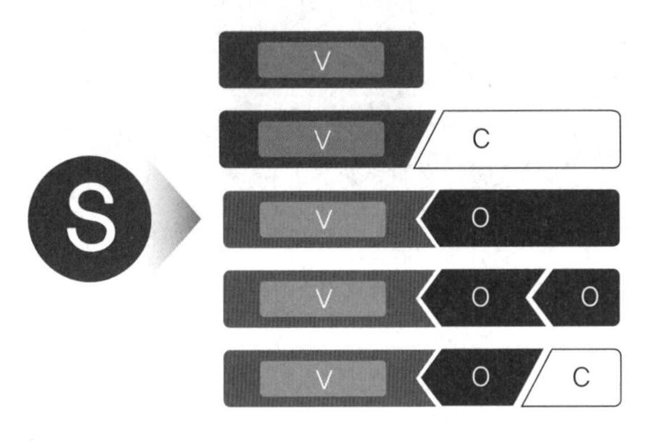

영어의 가장 큰 특징은 문장의 어순(자릿값)이 정확하게 정해져 있다는 것이다. 그 중심에는 동사가 있다. 어떤 동사를 선택하느냐에 따라서 문장의 이후 패턴이 결정된다. 이것을 우리는 '문장의 형식'이라고 부른다. 영어 문장에서는 동사를 먼저 정확하게 파악해야 한다.

우리말의 문장 성분 순서를 바꾸었을 때	영어의 문장 성분 순서를 바꾸었을 때
누군가는 너를 좋아해. 너를 누군가는 좋아해. 좋아해 너를 누군가는. ⬇ 순서가 바뀌어도 같은 의미이다.	Someone likes you. You like someone. Like you someone. ⬇ 순서가 바뀌면 성분도 바뀌어 다른 의미가 된다.
우리말은 조사가 있기 때문에 문장 성분 순서가 바뀌어도 의미가 같고 영어는 조사가 없기 때문에 문장 성분의 순서가 바뀌면 의미가 변한다.	

Do you **go**?	Go?	가?
Yes, I **go**.	Go.	가.
OK, you can **go**!	Go!	가!

01 우리말의 특성은 □□이며, 영어의 가장 큰 특성은 □□이다.

02 영어 문장에서는 □ □가(이) 가장 중요하다.

| 정답 | 01 조사, 어순 02 어순

01 동사의 종류

(1) be동사(am, are, is)

be동사는 문장 속에서 '~이다', '있다'의 의미로 각각 신분, 장소, 상태 등을 나타낼 수 있다.

① 평서문: He **is** my father. 그는 나의 아버지다.

② 부정문: He **is not** your father. 그는 당신의 아버지가 아니다.

③ 의문문: **Are** you a teacher? 당신은 선생님입니까?

대답: Yes, I **am**. / No, I **am not**. 네, 맞습니다. / 아니요, 아닙니다.

(2) 일반동사

일반동사는 영어 동사의 99%에 해당하는 동사로, 현재형에는 동사원형과 3인칭 단수형 두 가지가 있다.

① 평서문

• She and her sister **do** the cooking. (주어가 복수) 그녀와 그녀의 언니는 요리를 한다.

• She **does** the cooking. (주어가 3인칭 단수) 그녀는 요리를 한다.

② 부정문

• She **does not do** the cooking. 그녀는 요리를 하지 않는다.

• She and her sister **do not do** the cooking. 그녀와 그녀의 언니는 요리를 하지 않는다.

• They **did not do** the cooking. 그들은 요리를 하지 않았다.

※ do the cooking의 do가 본동사이며, do not, does not, did not은 부정을 나타내는 조동사의 역할을 한다.

③ 의문문

• A: **Do** she and her sister **do** the cooking? (조동사 do를 주어 앞으로 넘긴다.)

그녀와 그녀의 언니는 요리를 합니까?

B: Yes, they do. (이때 대동사 do는 do the cooking을 대신한다.) 네, 합니다.

No, they don't. (이때 대동사 don't는 don't do the cooking을 대신한다.) 아니요, 안 합니다.

• A: **Does** she **do** her homework? 그녀는 그녀의 숙제를 합니까?

B: Yes, she does. 네, 합니다.

No, she doesn't. 아니요, 하지 않습니다.

(3) 조동사

① 평서문

• I **can** do it. 나는 그것을 할 수 있다.

② 부정문

• I **cannot** do it. 나는 그것을 할 수 없다.

③ 의문문

• A: **Can** you do it? 너는 그것을 할 수 있니?

B: Yes, I **can**. (이때 조동사 can은 can do it을 대신한다.) 응, 난 할 수 있어.

No, I **can't**. (이때 조동사 can't는 can't do it을 의미한다.) 아니, 난 할 수 없어.

POINT CHECK

03 동사에는 □□□□, □□□□, □□□이(가) 있다.

■ 의문문 만드는 방법

(1) 의문사가 없는 의문문

① be동사 문장: 「be동사+주어 ~?」

② 일반동사 문장: 「Do[Does/Did]+주어+동사원형 ~?」

③ 조동사 문장: 「조동사+주어+동사원형 ~?」

④ 완료형 문장: 「Have[Has/Had]+주어+p.p. ~?」

(2) 의문사가 있는 의문문

① be동사 문장: 「의문사+be동사+주어 ~?」

② 일반동사 문장: 「의문사+do[does/did]+주어+동사원형 ~?」

③ 조동사 문장: 「의문사+조동사+주어+동사원형 ~?」

④ 완료형 문장: 「의문사 + have[has/had] + 주어+p.p. ~?」

| 정답 | 03 be동사, 일반동사, 조동사

POINT CHECK

04 문장은 어떤 의미를 전달하는 □□ 단위로서 ./?/!로 끝난다.

| 정답 | 04 최소

02 문장의 종류

(1) 평서문

긍정문과 부정문으로 나뉘며 '마침표(.)'로 끝난다.

- The sun **rises** in the east. (긍정문) 해는 동쪽에서 뜬다.
- The sun **doesn't rise** in the west. (부정문) 해는 서쪽에서 뜨지 않는다.

(2) 의문문

의문을 담아 묻는 표현으로, '물음표(?)'로 끝난다.

- A: **Was the food delicious?** 그 음식은 맛있었나요?
  B: **Yes, it was. / No, it wasn't.** 네, 그랬습니다. / 아니요, 그렇지 않았습니다.
- **Which is your phone?** 어느 것이 당신의 전화기입니까?

(3) 명령문

'~해라, ~하지 말아라'라는 명령의 표현으로, 동사원형으로 시작한다.

- **Be** kind to the elderly. 노인들에게 친절하시오.

(4) 부가의문문

평서문 끝에 추가되는 의문문으로, 긍정문에는 부정의 형태로, 부정문에는 긍정의 형태로 표현한다.

- They are Korean, **aren't they?** 그들은 한국인이에요, 그렇지 않나요?

(5) 감탄문

'how/what' 감탄문 등으로 표현할 수 있으며 '느낌표(!)'로 끝난다.

- **How** gorgeous the actress is! 그 여배우는 얼마나 멋진지!
- **What** lovely children they are! 그들은 얼마나 사랑스러운 아이들인가!

03 문장의 형태

교수님 한마디 문장의 구조는 용어보다도 그 의미가 심상으로 떠오르는 것이 중요하다. 아래 이미지를 통해서 문장의 확장 원리를 파악하자. 이후 문장을 보면 문장의 관계가 파악될 것이다.

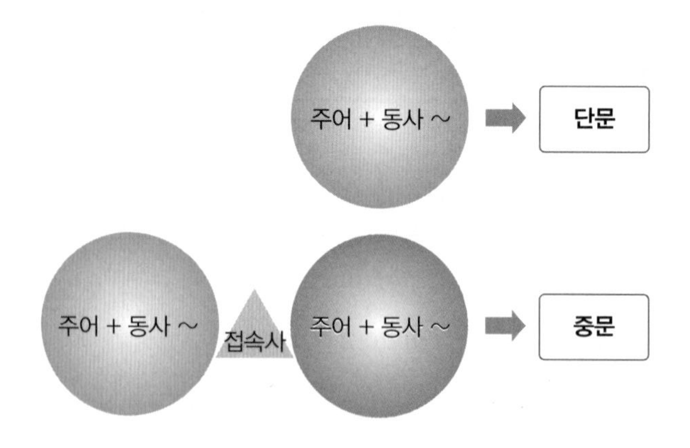

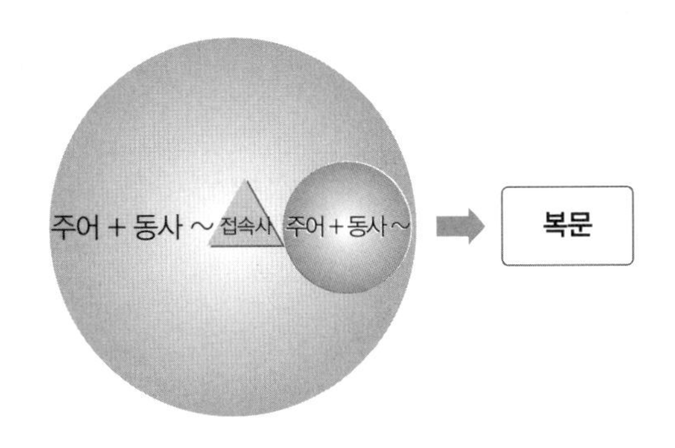

(1) 단문

주어(S)와 동사(V)가 한 번만 나오는 문장이다.

- He has lived in L.A. 그는 L.A.에서 살아 왔다.

(2) 중문

대등한 두 문장이 등위접속사(and, but, or, so 등)로 연결된 하나의 문장이다.

① S + V, 등위접속사 S + V.

- She has lived in New York, **and** her husband has lived in Florida.
  그녀는 뉴욕에서 살아 왔고, 그녀의 남편은 플로리다에서 살아 왔다.

② S + V; 접속부사 S + V.

- She has lived in New York; **however**, her husband has lived in L.A.
  그녀는 뉴욕에서 살아 왔으나, 그녀의 남편은 L.A.에서 살아 왔다.
  ※ 세미콜론은 접속부사와 결합하여 문장에서 접속사의 역할을 대신할 수 있다.

(3) 복문

주절과 종속절이 종속접속사로 연결된 하나의 문장이다.

- She has lived in New York **since** she was 13 years old. 그녀는 13살 이후로 뉴욕에서 살아 왔다.

04 자동사

(1) 완전자동사

① 완전타동사로 착각하기 쉬운 완전자동사

happen	일어나다, 발생하다	cope	대처하다, 대응하다
occur	일어나다, 발생하다	result	발생하다, 생기다
emerge	나타나다, 드러나다	apologize	사과하다

POINT CHECK

05 가장 기본적인 문장의 구조로, 둘 이상의 절이 접속되지 않고 일반적으로 하나의 주어에 하나의 □□를 갖는 형태를 단문이라고 한다.

06 자동사는 □□□ 없이 목적어를 가질 수 없다.

| 정답 | 05 동사 06 전치사

POINT CHECK

07 동사 do는 '~하다'의 의미로만 사용된다. (T / F)

| 정답 | 07 F

lurk	숨어 있다, 도사리다	arrive	도착하다
flow	흐르다	wait	기다리다
lie	누워 있다, 거짓말하다	matter	중요하다
interfere	간섭하다, 개입하다	stay	머무르다, 남다
suffice	충분하다	die	죽다, 사망하다
fail	실패하다	yawn	하품하다

동사만으로 상태나 동작의 표현이 가능하며, 보어가 필요하지 않은 동사이다.

- The river **flows** into the sea. 강은 바다로 흘러간다.
- The train doesn't **stop** at the station. 그 기차는 그 역에서 멈추지 않는다.

O He **disappeared** at that time. 그는 그때 사라졌다.

X He **was disappeared** at that time.

➡ 자동사는 원칙적으로 수동태가 불가능하다.

② 자동사로 쓸 때 의미가 달라지는 동사들

	타동사일 때	자동사일 때
do	~을 하다	충분하다, 적절하다
pay	~을 지불하다	이익이 되다, 수지가 맞다, 대가를 치르다
count	~을 세다	중요하다(=matter)
tell	~을 말하다	효과가 있다
play	~을 하다	연기하다, 상연되다
work	~을 하다	효과가 있다, 작동하다, 작용하다
contribute	~을 기여하다, 기부하다	기여하다, 원인이 되다

③ 유도부사 구문: 「There/Here + 완전자동사 + 주어」

㉠ 주어가 일반명사인 경우: 「There/Here + 완전자동사 + 주어(일반명사)」의 어순으로 사용

- **There are two cats** in the living room. 거실에 고양이 두 마리가 있다.

➡ 이때 완전자동사 be의 수 일치 기준은 뒤에 오는 일반명사 cats이며 복수이므로 are가 온다.

- **Here comes the train!** 그 열차가 온다!

➡ 이때 완전자동사 come의 수 일치 기준은 뒤에 오는 일반명사 train이며 단수이므로 comes가 온다.

㉡ 주어가 대명사인 경우: 「There/Here + 주어(대명사) + 완전자동사」의 어순으로 사용
대명사인 경우, 「동사 + 주어」로 어순 변경을 하지 않는다.

- **There it is.** 저기 있다.
- **Here it comes!** 그것이 온다!

O There **is** so much money in my pocket. 내 주머니에 아주 많은 돈이 있다.

X There **are** so much money in my pocket.

➡ 「there + be동사」 구문에는 주어가 be동사 이후에 있으므로, 먼저 주어를 파악하여 단수라면 단수로, 복수라면 복수로 동사의 수를 일치시켜야 한다.

POINT CHECK

(2) 불완전자동사

교수님 한마디 불완전자동사의 종류가 다양하고, 우리말에는 해당하는 체계가 없는 만큼 주의하자.

불완전자동사는 동사만으로 표현이 불완전하므로 보어를 사용한다. 보어로는 원칙적으로 형용사와 명사가 온다.

① 감각동사

'~인 것처럼 …한다'라는 의미로 불완전자동사의 2형식 대표 문형이다.

불완전자동사	주격 보어	불완전자동사	주격 보어
look	형용사	sound	형용사
	like + 명사		like + 명사
	as if/as though/like + 절		as if/as though/like + 절
	to부정사	smell	형용사
feel	형용사		like + 명사
	like + 명사		of + 명사
	as if/as though/like + 절	taste	형용사
			like + 명사
			of + 명사

㉠ 감각동사 look: ~인 것처럼 보인다

- It **looks** too tight. 그것은 너무 빠듯해 보인다.
- You **look** tired. 너는 피곤해 보인다.
- Japanese alphabets **look** like drawings. 일어 문자들은 그림들처럼 보인다.
  ※ 위 문장에서 「like + 명사」는 전명구로서 형용사 역할을 하며 look의 보어로 사용되었다.
- It **looks** like you have a problem. 네게 문제가 있는 것처럼 보인다.
- It **looks** to be a consequence of success. 그것은 성공의 결과로 보인다.

㉡ 감각동사 feel: ~인 것처럼 느끼다

- The client **feels** comfortable. 그 고객은 편안함을 느낀다.
- I **felt** like an idiot. 나는 바보 같은 기분이 들었다.
- It can **feel** like an annoying interruption. 그것은 귀찮은 방해로 느껴질 수 있다.
- It can **feel** as if Koreans were overstressed.
  한국인들은 지나친 스트레스를 받는 것처럼 느껴질 수 있다.

㉢ 감각동사 sound: ~인 것처럼 들리다

- That **sounds** good. 그거 좋게 들린다[좋아요].
- That **sounds** like a good idea. 그것은 좋은 생각인 것 같다.
- It **sounds** like a lovely place to live in. 그곳은 살기 참 좋은 곳처럼 들린다.
- It **sounds** as if somebody were calling you. 누군가가 너를 부르고 있는 것처럼 들린다.

㉣ 감각동사 smell: ~인 것처럼 냄새가 나다

- It **smells** good. 그것은 좋은 향기가 난다.
- The toy **smells** like her baby. 그 장난감은 그녀의 아기와 같은 냄새가 난다.
- The room **smells** of apples. 그 방은 사과 향이 난다.
  ※ smell of는 '~한 냄새가 나다'라는 비유의 의미로 사용된다.

ⓔ 감각동사 taste: ~인 것처럼 맛이 나다

- The food **tastes** so good. 그 음식은 정말 맛있다.
- It just **tastes** like a chunk of salt. 그것은 꼭 소금덩어리 같은 맛이 난다.
- This yoghurt **tastes** of strawberries. 이 요구르트는 딸기 맛이 난다.

※ taste of는 '~의 맛이 나다'의 의미로 쓰일 수 있다.

② become동사류

'~이 되다'라는 의미로 다양한 성향으로의 변화를 나타낸다.

불완전자동사	주격 보어	불완전자동사	주격 보어
become/get	형용사	turn	형용사
	명사	grow	형용사
go/run/fall	형용사		to부정사
come	형용사	make	명사

- He **became** happy. (He = happy) 그는 행복해졌다.
- He **became** a teacher. (He = a teacher) 그는 선생님이 되었다.
- Knowledge **becomes** centered in an oasis of rich findings.
  지식은 풍부한 발견들의 오아시스 안에 집중된다.

㉠ go, run, fall: (부정적인 변화) ~하게 되다

- The students **went** mad. 학생들은 미쳐 갔다.
- The dogs **ran** loose. 그 개들은 뿔뿔이 흩어졌다.
- They **fell** asleep. 그들은 잠들어 버렸다.

㉡ come: (긍정적인 변화) ~하게 되다(해결되다, 풀어지다)

- His dream will **come** true someday. (His dream = true)
  그의 꿈은 언젠가 이루어질 것이다.

㉢ grow: (시간의 점진적 변화) ~하게 되다

- As time goes by, your parents **grow** old. 시간이 지나면서, 당신의 부모님은 늙어간다.
- He is **growing** to like me. 그는 나를 좋아하기 시작하고 있다.

㉣ turn: (색상의 변화) ~하게 변하다

- In fall, the leaves **turn** red. 가을에, 잎사귀는 붉게 변한다.

㉤ make: (명사 보어를 취하여) ~이 되다

- She **made** a wise wife. 그녀는 현명한 아내가 되었다.

③ remain동사류

'계속해서 ~한 상태를 유지하다'라는 의미를 나타낸다.

불완전자동사	주격 보어	불완전자동사	주격 보어
remain	명사	keep	형용사
	형용사		
	분사		분사
stay	형용사	continue	형용사
	분사		(to be) 형용사
hold	형용사(true/good/valid)		

POINT CHECK

㉠ 「remain/keep/stay + 형용사/분사」: ~한 상태를 유지하다

- The priest **remained** silent. 그 사제는 침묵을 유지했다.
- John **remained** standing. John은 서 있었다.
- The firm **remains** stuck in the domestic market. 그 회사는 국내 시장에 갇혀 있다.
- The clothes **keep** warm. 그 옷들은 따뜻함을 유지한다.
- It **kept** raining for a week. 일주일 내내 비가 계속 내렸다.
- He **stays** young. 그는 젊음을 유지한다.
- The students **stayed** talking. 그 학생들은 계속 이야기를 나누었다.
- You can **stay** motivated. 당신은 동기 부여된 상태를 유지할 수 있다.

Ⓞ All of the audience kept **silent**. 모든 관중은 침묵했다.

☒ All of the audience kept **silently**.

➡ 불완전자동사는 부사를 보어로 가질 수 없다는 점을 기억하자.

㉡ 「continue + (to be) 형용사」: 계속 ~하다

- This area will **continue** rainy. 이 지역은 비가 계속 올 것이다.
- This area will **continue** to be sunny. 이 지역은 계속 화창할 것이다.

㉢ 「hold + 형용사(true/good/valid)」: 유효하다

- The theory **holds true** until now. 그 이론은 지금까지 유효하다.

④ seem동사류

불완전자동사	주격 보어	불완전자동사	주격 보어	불완전자동사	주격 보어
seem	형용사	prove	형용사	appear	형용사
	명사		명사		명사
	like + 명사		to부정사		to부정사
	as if/as though/like + 절	turn out	형용사		
			to부정사		
	to부정사		that + 절		

㉠ seem : ~인 것 같다, ~인 것처럼 보이다

- It **seemed** very old. 그것은 매우 낡아 보였다.
- She **seems** a very young woman. 그녀는 아주 젊은 여성인 것처럼 보인다.
- It **seemed** like raining. 비가 내리는 것 같았다.
- It **seemed** as if the end of the world came. 마치 세상의 종말이 온 것 같았다.
- He **seems** to be angry. 그는 화가 나 보인다.
- He **seems** to be a smart man. 그는 똑똑한 남자처럼 보인다.
- The teacher **seems** to know everything. 그 선생님은 모든 것을 알고 있는 것 같다.

Ⓞ Some traditions seem to be **strange**. 몇몇 전통들은 이상해 보인다.

☒ Some traditions seem to be **strangely**.

㉡ prove : ~임이 드러나다, 판명되다

- It **proved** true. 그것은 사실인 것으로 밝혀졌다.
- Shares in the industry **proved** a good investment.
  그 산업 부문의 주식은 좋은 투자인 것으로 판명되었다.

• The theory **proved** to be false. 그 이론은 거짓인 것으로 밝혀졌다.

• He will **prove** to know nothing about it.
그는 그것에 대해 아무것도 모른다는 것이 밝혀질 것이다.

※ prove는 불완전자동사 외에도 완전타동사와 불완전타동사로 사용될 수 있다.

• She constantly feels she has to **prove** herself to others. (완전타동사)
그녀는 다른 사람들에게 자기 자신을 입증해야 한다고 끊임없이 느낀다.

• She **proved** herself determined to succeed. (불완전타동사)
그녀는 그녀가 기어코 성공할 작정임을 입증하였다.

➡ prove는 불완전타동사로 사용되어 「prove + 목적어 + 목적격 보어」의 형태를 가진다.

ⓒ turn out : ~인 것으로 드러나다, 밝혀지다

• The theory **turns out** to be false. 그 이론은 틀린 것으로 밝혀진다.

• The promise **turned out** to be worthless. 그 약속은 가치 없는 것으로 드러났다.

• He **turned out** to be a German. 그는 독일인으로 밝혀졌다.

• It **turns out** that I miss you. 내가 너를 그리워한다는 것이 밝혀진다.

※ 「It turns out that절」 구문은 '~임이 밝혀진다'의 의미로 쓰인다.

ⓔ appear : ~인 것 같다

• He **appears** rich. 그는 부유한 것 같다.

• This **appears** a good solution. 이것은 좋은 해결책인 것 같다.

• He **appeared** to be poor. 그는 가난한 것 같았다.

• His father **appeared** to hesitate. 그의 아버지는 망설이는 듯했다.

(3) 유사보어

1형식 문장(S + V) 뒤, 즉 완전자동사 뒤에는 원칙적으로 보어가 오지 못하나, 이때 형용사가 오면서 주어에 대한 추가적인 설명을 하는 것을 '유사보어'라 한다. 단, 1형식 유사보어를 2형식으로 분류하기도 한다.

유사보어의 종류와 의미					
주어	+	live, die, go, marry, stand, sit, come, return	+	명사 보어	주어 = 명사 보어
				형용사 보어	주어의 상태 설명
				현재분사 보어	주어의 능동적 동작
				과거분사 보어	주어의 수동적 동작

• My brother lives **independent** of my parents. (My brother = independent)
우리 형은 부모님과 독립해서 산다.

• She married very **young**. 그녀는 매우 젊어서 결혼했다.

• The soldier returned **safe**. 그 군인은 안전하게 돌아왔다.

● 유사보어의 관용표현

marry young	젊어서 결혼하다	die a beggar	무일푼으로 죽다
return penniless	무일푼으로 돌아오다	die famous	유명한 상태로 죽다

They didn't come back safe. (주어의 상태 = safe)

그들은 안전한 상태로 돌아오지 않았다.

They didn't come back safely. (동사의 상태 = safely)

그들은 안전하게 돌아오지 않았다.

➡ 유사보어는 주어를 수식하기 때문에 해석상의 차이가 존재하므로 유의해야 한다.

05 타동사

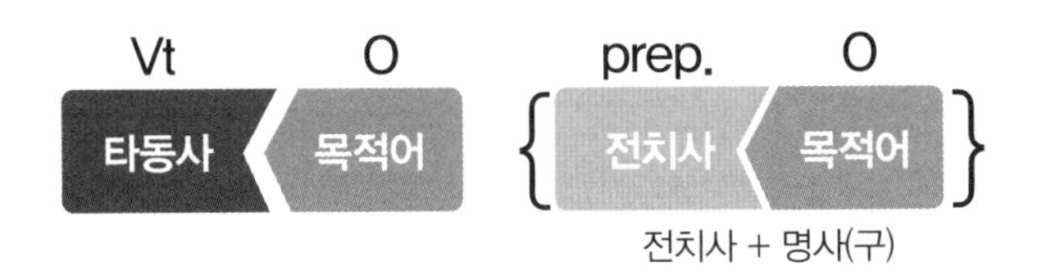

(1) 완전타동사

타동사의 목적어는 명사에서 확장된다.

- The early bird catches **the worm.** (명사구) 일찍 일어나는 새가 벌레를 잡는다.
- She enjoyed **reading a novel.** (동명사구) 그녀는 소설을 읽는 것을 즐겼다.
- I don't know **what to do.** (명사구) 나는 무엇을 해야 할지 모르겠다.
- I believe **that he is honest.** (명사절) 나는 그가 정직하다고 믿는다.

(2) 타동사구

「동사 + 전치사」류 형태의 타동사구는 완전타동사처럼 목적어를 갖는다. 아래 다양한 유형들은 꼭 암기해야 하며, 뒤에 군동사의 수동태편에서 다시 응용되는 개념이기도 하다.

- The principal **blamed** the teacher **for** the accident.

  교장선생님은 그 사고에 대해서 그 선생님을 비난했다.

  = The principal **blamed** the accident **on** the teacher.

① 「타동사 + 부사」형

call up	~을 상기시키다	figure out	~을 이해하다, 알아내다
do over	~을 다시 하다	give up	~을 포기하다
fix up	~을 고치다	set back	~을 저지하다, 방해하다
read through	~을 독파하다	take back	~을 철회하다
set off	~을 돋보이게 하다	leave out	~을 생략하다
watch around	~ 주위를 살펴보다	hand down	~을 물려주다
line up	~을 일렬로 배열하다, 준비하다	get across	~을 건너다, 이해시키다

※ line up은 「자동사 + 부사」 형태로 쓰여 '줄을 서다'의 의미를 나타내기도 한다.

- The 2002 World Cup **calls up** Korean fans' passion.

  2002년 월드컵은 한국 팬들의 열정을 떠올리게 한다.

POINT CHECK

08 타동사는 반드시 하나 이상의 □□□을(를) 갖는다.

| 정답 | 08 목적어

POINT CHECK

② 「자동사 + 전치사」형

operate on	~을 수술하다, ~에 작용하다	sympathize with	~을 동정하다
arrive at	~에 도착하다	interfere with	~을 방해하다
go into	~에 들어가다	depend on	~에 의존하다
reply to	~에 응답하다	graduate from	~을 졸업하다
start from	~에서 출발하다	add to	~에 더하다
object to	~에 반대하다	look for	~을 찾다
refrain from	~을 삼가다	care for	~을 돌보다, 좋아하다
correspond to	~에 상당하다, 해당하다	take after	~을 닮다
consist in	~에 존재하다	wait for	~을 기다리다
listen to	~을 경청하다	complain of	~에 대해 불평하다
pass for	~으로 통하다	dream of	~을 꿈꾸다
see into	~을 조사하다	deal with	~을 다루다
see about	~을 고려하다	rely on	~에 의존하다
amount to	~에 달하다	account for	~을 설명하다, 차지하다
apologize to	~에게 사과하다	laugh at	~을 비웃다
respond to	~에 대답[응답]하다	consist of	~로 구성되다

• She **takes after** her mother. 그녀는 그녀의 엄마를 닮았다.

O He **listened to** the radio. 그는 라디오를 들었다.

X He **listened** the radio.

➡ 자동사는 전치사 없이 목적어를 가질 수 없음에 주의하자.

③ 「타동사 + 명사 + 전치사」형

get hold of	~을 얻다, 이해하게 되다	make a guess at	~에 대해 추측하다
give rise to	~을 일으키다	make way for	~에 길을 양보하다
take notice of	~을 주목하다	take charge of	~을 맡다
have faith in	~을 믿고 있다	take pride in	~을 자랑하다
give a tour of	~을 구경시켜 주다	take advantage of	~을 이용하다

• The gentleman **made way for** the ladies. 그 신사는 숙녀들에게 길을 양보했다.

④ 「자동사 + 부사 + 전치사」형

come up to	~에 이르다, 동등하다	make up for	~을 보상하다, 보충하다
look out upon	~을 내다보다	follow up on	~을 끝까지 하다
put up at	~에 숙박하다	put in for	~을 신청하다, 지원하다
look up to	~을 존경하다	make up to	~에게 아첨하다

• This break time **makes up for** lost time. 이 휴식 시간은 잃어버린 시간을 보충한다.

⑤ 「타동사 + 목적어 + 전치사 + 명사」형

㉠ 「S + 공급동사 + A(대상) with B」 → A(대상)에게 B를 (공급)하다

endow(기부하다), equip(갖추다), fill(채우다), replenish(보충하다), furnish(공급하다)	A with B
provide(제공하다), supply(공급하다)	A with B → B for/to A
present(주다), entrust(맡기다), credit(입금하다)	A with B → B to A

• They **provided** the poor **with** relief.

그들은 불우한 사람들에게 구호품을 제공했다.

→ They **provided** relief **for[to]** the poor.

ⓛ 「S + 비교/대조 동사 + A with B」 → A를 B와 (비교/대조)하다

compare(비교하다), contrast(대조하다), confuse(혼동하다), replace(바꾸다), connect(연결하다), correlate(연관시키다), combine(혼합하다)	A with B

• He **compared** his idea **with** her idea(hers). 그는 자신의 생각을 그녀의 생각과 비교했다.

ⓒ 「S + 제거/박탈 동사 + A(대상) + of B」 → A에게서 B를 (제거/박탈)하다

rob(도둑질하다), deprive(빼앗다), rid(제거하다), cure(치료하다), relieve(없애주다), clear(치우다, 비우다), empty(비우다), strip(벗기다)	A of B
steal(훔치다), clear(치우다, 비우다), strip(벗기다)	B from A

• The thief **robbed** him **of** the money. 그 도둑이 그에게서 돈을 훔쳤다.

→ He **was robbed of** the money by the thief. 그는 그 도둑에 의해 돈을 빼앗겼다.

※ 제거/박탈동사는 수동태 문장에서 매우 중요하게 응용되는 개념임에 유의하자.

O The thief **robbed** him **of** the money. 그 도둑이 그에게서 돈을 훔쳤다.

X The thief **robbed** him **from** the money.

➡ 특정 전치사를 지정하는 타동사의 경우 짝을 이루는 전치사의 종류를 반드시 먼저 파악해야 한다.

O **He** was robbed of the money. 그는 돈을 빼앗겼다.

X **The money** was robbed.

➡ rob은 수동태가 되면 도난된 물건(사물)이 주어로 나올 수 없다.

ⓔ 「S + 통고/확신 동사 + A of B」 → A에게 B를 (통고/확신)하다

remind(상기시키다), convince(확신시키다), inform(알리다), assure(보증하다, 단언하다), warn(경고하다), notify(통지하다)	A(사람) of B(사물): 3형식 A(사람) + that절: 4형식
accuse(고소하다)	A(사람) of B(사물): 3형식

※ 해당 동사들은 뒤따라오는 문장의 구조에 따라 동사의 쓰임이 달라진다.

• The doctor **warned** me **of** the danger of smoking.

그 의사는 흡연의 위험성에 대해 내게 경고했다.

→ The doctor **warned** me **that** smoking is dangerous.

• The doctor **warned that** smoking is dangerous.

그 의사는 흡연이 위험하다는 것을 경고했다.

※ warn은 완전타동사로 that절을 목적어절로 갖기도 함에 유의하자.

• She **accused** him **of** having stolen her car.

그녀는 그가 자신의 차를 훔쳤다고 고소했다.

O I **informed** the members **of** the location. 나는 그 위치를 회원들에게 알렸다.

X I **informed** the members **for** the location.

➡ 특정 동사와 결합하는 전치사 암기에 주의하자.

POINT CHECK

POINT CHECK

09 surprise: 놀라다 (T / F)

| 정답 | 09 F

Ⓞ **The members** were informed of the location. 회원들은 그 위치를 통지받았다.

☒ **The location** was informed of the members.

➡ 특정 전치사를 지정하는 타동사는 이후 배우게 될 수동태에서도 매우 중요한 내용이다. 타동사의 목적어만 을 주어로 쓸 수 있음에 유의하자.

(3) 일반타동사

완전타동사는 목적어를 반드시 가져야 한다.

① 완전타동사 다빈도 출제 동사

reach	~에 도착하다, 이르다	yield	~을 생산하다
greet	~에게 인사하다	resemble	~을 닮다
mention	~에 관하여 언급하다	emphasize	~을 강조하다
discuss	~에 관하여 토론하다	influence	~에 영향을 주다
accompany	~와 동행하다	oppose	~에 반대하다
enter	~에 들어가다, 적어 넣다[기입하다]		

※ reach와 enter는 자동사로 쓰여 다른 의미를 나타내기도 한다.

reach to: ~까지 도달하다

reach for: ~을 (더듬어) 찾다

enter into: ~을 시작하다, (프로젝트에) 적극적으로 참여하다, (논문 작성이나 회의에) 참석하다

② 감정동사

사람의 감정을 유발시키는 타동사이므로 항상 감정의 영향을 받는 대상(목적어)은 사람이 되어야 하며, 이후에 감정형 분사편에서 중요한 개념이 된다.

interest	~을 재미있게 하다	fascinate	~을 매료시키다
surprise	~을 놀라게 하다	tire	~을 피곤하게 하다
satisfy	~을 만족하게 하다	amuse	~을 즐겁게 하다
embarrass	~을 당황하게 하다	tempt	~을 유혹하다
confuse	~을 혼란스럽게 하다	exhaust	~을 지치게 하다
distract	~을 당황하게 하다	overwhelm	~을 압도하다
excite	~을 흥분하게 하다	please	~을 기쁘게 하다
amaze	~을 놀라게 하다	astonish	~을 놀라게 하다
disappoint	~을 실망시키다	attract	~을 매혹하다
shock	~을 놀라게 하다	bore	~을 따분하게 하다
irritate	~을 짜증 나게 하다	thrill	~을 오싹하게 하다

• His present **pleased** me. 그의 선물은 나를 기쁘게 했다.

→ I was **pleased** with his present. (I = pleased) 나는 그의 선물에 기뻤다.

('나'의 상태에 대한 설명을 과거분사 pleased(기쁜)로 해 주고 있다.)

• His present was **pleasing.** (His present = pleasing) 그의 선물은 만족스러웠다.

('그의 선물'이 주는 감정에 대해서 현재분사 pleasing(기쁘게 하는)으로 서술하고 있다.)

③ 자동사로 착각하기 쉬운 완전타동사 암기문법

타동사는 전치사 없이 목적어를 가질 수 있으므로 전치사와 동반해서 사용하는 자동사와 착각하기 쉽다.

phone	~에게 전화하다	marry[be married to]	~와 결혼하다
reach[arrive in/at, get to]	~에 도착하다	obey[yield to, defer to]	~에 복종하다, 따르다
enter[get into]	~에 들어가다	discuss[talk about]	~에 관하여 토론하다
greet[bow to]	~에게 인사하다	attend[join, take part in]	~에 참석하다
approach	~에 접근하다	resemble[look like]	~을 닮다
mention	~에 관하여 언급하다	nerve	(남을) 격려하다

※ phone이 자동사로 쓰인 「phone to + 대상」은 비격식체로 종종 사용되나 시험에서는 유의해야 한다.

- She **discussed** her plan with him.
  그녀는 그와 함께 자신의 계획을 논의했다.
- The queen **mentioned** the castle.
  여왕은 그 성에 관하여 언급했다.

O He **reached** the station. 그는 역에 도착했다.

X He **reached at** the station.

➡ 타동사는 전치사 없이 바로 목적어를 갖는다.

④ 「자동사로 착각하기 쉬운 타동사 + 오답 유도 전치사」 암기문법

타동사는 반드시 전치사 없이 목적어를 갖는다. 아래 출제가 유력한 타동사들은 반드시 암기가 필요하다.

enter ~~(into)~~	~에 들어가다	attend ~~(in)~~	~에 참석하다
reach ~~(at/in/to)~~	~에 도착하다	approach ~~(to)~~	~에 접근하다
marry ~~(with)~~	~와 결혼하다	mention ~~(about)~~	~에 관하여 언급하다
discuss ~~(about)~~	~에 관하여 토론하다	follow ~~(behind)~~	~의 뒤를 따르다
obey ~~(to)~~	~에 복종하다, 따르다	greet ~~(to)~~	~에게 인사하다
resemble ~~(with/like)~~	~을 닮다	influence ~~(on)~~	~에 영향을 주다
accompany ~~(with)~~	~와 동행하다	oppose ~~(to)~~	~에 반대하다
equal ~~(to)~~	~와 같다	access ~~(to)~~	~에 접근하다
emphasize ~~(on)~~	~을 강조하다	contact ~~(to)~~	~와 접촉하다, 연락하다

※ attend의 경우 '~에 참석하다'의 의미로는 타동사이지만, 다른 의미의 자동사로 쓰이기도 한다. attend on은 '시중들다'나 '(결과로서) 수반하다'의 의미이고, attend to는 '~을 처리하다'나 '~을 돌보다'의 의미로 쓰인다.

※ follow는 '뒤따르다, 잇따르다'의 의미일 경우 자동사로도 사용될 수 있다.

- Would you **marry** me? 나랑 결혼할래요?
- She **approaches** me. 그녀가 나에게 다가온다.
- She **resembles** her father. 그녀는 그녀의 아버지를 닮았다.
- We **discussed** the matter. 우리는 그 문제에 관해 토론했다.

POINT CHECK

10 Will you marry with me? (T / F)

| 정답 | 10 F

POINT CHECK

11 explain: …에게 ~을 설명하다 (T/F)

12 수여동사는 □□□□□와(과) □□□□□, 두 개의 목적어를 가진다.

| 정답 | 11 F
12 간접목적어, 직접목적어

⑤ 타동사로 착각하기 쉬운 자동사

자동사는 반드시 전치사를 동반한 상태에서 목적어를 가질 수 있음에 유의하자.

account for	~을 설명하다, (비율 등을) 차지하다	reply to	~에 응답하다
operate on	~을 수술하다, ~에 작용하다	wait for	~을 기다리다(=await)
apologize to	~에게 사과하다	add to	~에 더하다
sympathize with	~을 동정하다	start from	~에서 출발하다
arrive at	~에 도착하다	look for	~을 찾다
interfere with	~을 방해하다	object to	~에 반대하다
go into	~에 들어가다	listen to	~의 말을 듣다
graduate from	~을 졸업하다	confess to	~을 고백하다, 자백하다
depend on	~에 의존하다	respond to	~에 대답[응답]하다

⑥ 4형식 수여동사로 착각하기 쉬운 3형식 동사

수여동사로 착각하기 쉬운 3형식 동사는 타동사로서 반드시 목적어를 갖지만 수여동사처럼 '누구'와 '무엇'에 해당되는 간접목적어와 직접목적어를 동시에 사용할 수 없음에 유의하자.

propose	~을 제안하다	allege	~을 진술하다
admit	~을 인정하다	explain	~을 설명하다
confess	~을 고백하다	describe	~을 묘사하다
announce	~을 알리다	suggest	~을 제안하다
say	~을 말하다	introduce	~을 소개하다
mention	~을 언급하다	complain	~을 불평하다

※ confess의 경우 자동사로 '고백하다, 자백하다'의 의미로도 사용 가능하니 주의하자.

- To save money, he suggested me a new idea. (×)
  → To save money, he **suggested** a new idea **to me.**
  돈을 절약하기 위해, 그는 새로운 아이디어를 나에게 제안했다.
- He explained me the matter. (×)
  → He **explained** the matter **to me.** 그는 그 문제를 나에게 설명했다.
  → **To me**, he **explained** the matter. 나에게, 그는 그 문제를 설명했다.

(4) 수여동사: '~에게 …을 제공하다'라는 의미로, 목적어가 2개이다.

- I gave **my dog some meat.** → I gave some meat to my dog.
  나는 나의 개에게 약간의 고기를 주었다.
- I bought **him a watch.** → I bought a watch for him.
  나는 그에게 시계를 사 주었다.
- He asked **me a question.** → He asked a question of me.
  그는 나에게 질문을 하였다.

① 수여동사의 간접목적어와 직접목적어의 위치는 바뀔 수 있으며 이때는 특정 전치사가 필요하다.

다음은 간접목적어와 직접목적어의 위치 변경 시 사용되는 전치사의 종류(4형식 수여동사 → 3형식 완전타동사 전환)이다.

	give somebody something → give something **to** somebody		
give형 동사	give sell write	tell offer read	show send teach
	buy somebody something → buy something **for** somebody		
buy형 동사	buy make	build cook	leave find get
	ask somebody something → ask something **of** somebody		
ask 동사	ask		
	4형식 동사이지만 3형식으로 전환이 불가능한 동사		
전환 불가 동사	cost forgive pardon	answer spare	save envy

※ 직접목적어가 대명사인 경우: 직접목적어가 it, them과 같은 대명사인 경우에는 4형식 형태로 쓸 수 없고, 「주어 + 동사 + 직접목적어 + to/for/of + 간접목적어」의 3형식 문장으로만 쓴다.

O She **gave** it **to** me. 그녀는 그것을 나에게 주었다.

X She **gave** me it.

② 3형식으로 전환이 불가능한 수여동사

다음은 4형식 동사이지만 3형식으로 전환이 불가능한 동사로서, 타동사 뒤에 오는 2개의 목적어가 모두 직접목적어로 간주되기 때문에 문형 전환을 할 수 없는 경우이다.

envy	…에게 ~을 부러워하다	take	…에게 (시간이) 걸리다
cost	…에게 비용을 들게 하다	forgive	…에게 ~을 용서해 주다
answer	…에게 ~에 대한 답을 하다	pardon	…에게 ~을 용서해 주다
save	…에게 ~을 줄여 주다		

- I **envy** you your great promotion. (4형식)
  니는 당신의 대단한 승진이 부럽다.
  → I **envy** you **for** your great promotion. (3형식)
  → I **envy** your great promotion. (3형식)
  → I **envy** your great promotion for you. (×)
  ※ 수여동사 envy의 간접목적어(일반적으로 대상이 되는 사람)는 절대 직접목적어 뒤에 위치할 수 없다는 점에 유의하자.

O This new machine will **save** people a lot of time.
이 새로운 기계가 사람들에게 많은 시간을 줄여 줄 것이다.

X This new machine will **save** a lot of time for people.

O The trip **took** the young students half of the day.
그 여행은 어린 학생들에게 한나절이 걸렸다.

X The trip **took** half of the day for the young students.

O The benefactor **forgave** him his sin.
그 자선가는 그에게 그의 죄를 용서해 주었다.

X The benefactor **forgave** his sin to him.

POINT CHECK

■ **절대 4형식 동사별 3형식 전치사**
「동사 + 사람 + 전치사 + 사물」 순서로만 쓰이는 경우
− envy, pardon, forgive : for
− cost : of
− save : from
→ 절대 4형식 동사는 3형식으로의 전환은 불가하지만 단독으로 완전타동사로 쓰일 수 있다. 위의 전치사가 전명구를 추가로 이끌 수 있다.

13 「envy + 간접목적어 + 직접목적어」 → 「envy + 직접목적어 + 전치사 + 간접목적어」 (T / F)

| 정답 | 13 F

POINT CHECK

14 「remind + 간접목적어 + 직접목적어」 → 「remind + 간접목적어 + □□□□ + 주어 + 동사」

15 lay는 자동사이면서 또한 □□□이다.

| 정답 | 14 that 15 타동사

③ 직접목적어로 절(that절)이 올 수 있는 동사

통고/확신 동사류에 해당되며, 전명구를 가질 때는 3형식으로 쓰이고, 절을 가질 때는 4형식 수여동사로 쓰일 수 있다.

remind	…에게 ~을 상기시키다	간접목적어	that + 주어 + 동사 of + 명사구 (단, 해당 경우는 3형식 완전 타동사로 쓰임)
convince	…에게 ~을 확신시키다		
inform	…에게 ~을 알리다		
assure	…에게 ~을 장담하다		
warn	…에게 ~을 경고하다		
notify	…에게 ~을 통지하다		
tell	…에게 ~을 말하다		

- The teacher **reminded** his students **that** light travels at the high speed.
  선생님은 학생들에게 빛이 빠른 속도로 이동한다는 것을 상기시켰다.
- He **told** me **that** he would be a millionaire.
  그는 그가 백만장자가 될 것이라고 내게 말했다.
- We **advised** them **that** they should start earlier than usual.
  우리는 그들에게 평소보다 일찍 출발해야 한다고 충고했다.
- He **warned** me **of** the danger. 그는 나에게 위험을 경고했다.
- He **warned** me **that** it was dangerous. 그는 나에게 그것이 위험하다고 경고했다.
- He **warned** me not **to go** there alone. 그는 나에게 혼자 거기에 가지 말라고 경고했다.

※ warn, tell은 간접목적어 그리고 직접목적어로 that절을 갖는 경우 4형식 수여동사로 사용될 수 있다. 또한 5형식 불완전타동사로서 목적격 보어로 to부정사를 취하기도 하므로 문장 구조에 유의해야 하는 동사이다.

(5) 주의해야 할 자동사와 타동사

교수님 한마디 해당 표현의 가장 핵심은 lay 동사이다. 문맥상 자/타동사 여부와 시제를 동시에 고려해야 한다는 점에 유의하자.

① lie – lied – lied: (자동사) 거짓말하다
lie – lay – lain: (자동사) 눕다, 놓여 있다
lay – laid – laid: (타동사) ~을 놓다, 알을 낳다

- She **lied** about her age. 그녀는 자기 나이에 대해 거짓말을 했다.
- She **lay** down on the grass. 그녀는 잔디에 누웠다.
- She **laid** the baby down on the bed. 그녀는 아기를 침대에 내려놓았다.

② sit – sat – sat: (자동사) 앉다
seat – seated – seated: (타동사) 앉히다

- She **sat** down on a chair. 그녀는 의자에 앉았다.
- She **seated** herself on a chair. 그녀는 의자에 앉았다. (그녀 자신을 의자에 앉혔다.)

③ rise – rose – risen: (자동사) 일어나다, 물가가 오르다
raise – raised – raised: (타동사) ~을 올리다, ~을 재배하다, ~을 제기하다, (자금을) 모으다

- She **rose** from the floor. 그녀는 바닥에서 일어났다.
- We **raised** her to her feet. 우리는 그녀를 일으켜 세웠다.

헷갈리지 말자 rise vs. raise

- I **rise** at eight every morning.
  나는 매일 아침 여덟 시에 일어난다.

- Please **raise** your hand.
  손을 드십시오.
- His company **raised** funds for the poor family.
  그의 회사는 그 불쌍한 가족을 위한 기금을 모았다.
- The farmers there **raise** crops and cattle.
  그곳의 농부들은 농작물과 가축을 기른다.

➡ rise와 raise는 혼동하기 쉬운 자동사와 타동사이다. 자동사가 '스스로 행위를 하다'의 의미라면, 타동사는 '~을 하다'라는 의미로, 여기서는 rise가 '일어나다'의 의미인 반면에 raise는 '~을 올리다'의 의미이다. 단, 타동사 raise는 여러 가지 의미로 사용되는 만큼 해석에 유의해야 한다.

POINT CHECK

④ find – found – found: (타동사) ~을 찾다
found – founded – founded: (타동사) ~을 설립하다

- She **finds** a new nation. 그녀는 새로운 국가를 찾는다.
- She **founds** a new nation. 그녀는 새로운 국가를 세운다.

※ find와 found는 둘 다 타동사이므로 문장의 구조가 아니라 해석에 유의해야 한다.

⑤ fall – fell – fallen: (자동사) 떨어지다, 넘어지다
fell – felled – felled: (타동사) ~을 넘어뜨리다

- The price of oil **falls** sharply. 석유값이 급격히 떨어진다.
- The lumberjack **fells** the tree near the river. 그 벌목꾼은 강 근처에 있는 그 나무를 넘어뜨린다.
  → The tree near the river **is felled** by the lumberjack.
  강 근처에 있는 그 나무는 그 벌목꾼에 의해 넘어진다.

(6) 쓰임에 주의할 동사들

① '말하다'류의 동사들

say	say + 목적어: 말하다
	say + that + 주어 + 동사: (주어 + 동사)라고 말하다
tell	tell: 효과가 있다, 말하다
	tell on: ~에 대해 고자질하다
	tell of: ~에 대해서 말하다
	tell + 목적어 + about: …에게 ~에 대해 말하다
	tell + 목적어 + from[apart]: ~을 구분하다(= know + 목적어 + apart)
	tell + 목적어 + that + 주어 + 동사: …에게 ~라고 말하다
	tell + 목적어 + to부정사: …에게 ~라고 지시하다
talk	talk about: ~에 대해서 이야기하다
	talk with: ~와 이야기하다
	talk A into B: A를 설득해서 B하게 하다
	talk A out of B: A를 설득해서 B를 못하게 하다
speak	speak + 언어: 언어를 말하다
	speak to + 대상: ~에게 말하다

㉠ say: 일반적으로 3형식 동사로서 목적어는 반드시 대화의 내용에 해당된다. 「say + 명사구/that절」로 쓰인다.

- My watch **says** nine o'clock. 내 시계는 9시를 가리킨다.
- He **said that** the flight was delayed. 그는 비행기가 지연되었다고 말했다.

㉡ tell: tell은 다양한 형태로 사용이 가능하나 가장 두드러지는 특징은 3형식 say 동사와 달리 4형식 수여동사로도 사용이 가능하다는 것이다. 또한 직접목적어로 절을 가질 수 있다는 점에 유의하자.

- He **told** a good joke. (말하다) 그는 재치 있는 농담을 했다.
- Money is bound to **tell.** (효과가 있다) 돈이면 다 된다.
- Don't **tell on** your friend. (고자질하다) 친구에 대해 고자질하지 마라.
- He **told of** his experience. (말하다) 그는 그의 경험에 대해서 이야기했다.
- I **told** you **about** the dancer yesterday. (말하다) 나는 어제 너에게 그 댄서에 대해서 말했다.
- I can't **tell** them **apart.** (구분하다) 나는 그것들을 구분할 수 없다.
- He **told** me **that** it was boring. (말하다) 그는 그것이 지루하다고 나에게 말했다.
- He **told** me **to do** it. (말하다) 그는 나에게 그것을 하라고 말했다.

㉢ talk: 완전자동사와 완전타동사로서 사용할 수 있으며 따라오는 전치사에 따라 그 의미가 달라진다.

ⓐ talk about: ~에 대해서 이야기하다

- She **talks about** her children. 그녀는 그녀의 아이들에 대해서 이야기한다.

ⓑ talk with: ~와 이야기하다

- Please **talk with** me for a while. 제발 저와 잠시만 이야기해요.

ⓒ talk A into B: A를 설득해서 B하게 하다

- I **talked** my father **into** seeing a doctor. 나는 아버지를 설득해서 병원에 가시게 했다.

ⓓ talk A out of B: A를 설득해서 B를 못하게 하다

- Can you **talk** her **out of** her foolish plan?
  그녀를 설득해서 그녀의 어리석은 계획을 실행 못하게 해 줄래요?

㉣ speak: '언어를 말하다'일 때는 완전타동사이며, '말하다'라는 의미의 완전자동사로도 쓴다.

- He can **speak** English. He will **speak to** everyone about it.
  그는 영어를 말할 수 있다. 그가 그것에 대해 모두에게 이야기할 것이다.
- It is respectful not to **speak** at the dinner table until you are **spoken to.**
  저녁 식사 자리에서 다른 사람이 너에게 말을 걸 때까지 이야기를 하지 않는 것이 공손한 것이다.

② '영향을 미치다' 류의 동사들

㉠ affect: ~에 영향을 미치다

- Whatever **affects** one directly, **affects** all indirectly.
  한 사람에게 직접적으로 영향을 주는 것은 무엇이든, 모든 사람에게 간접적으로 영향을 미친다.

㉡ effect: (변화·결과 등을) 초래하다(= cause)

- The mistake **effected** the terrible accident. 그 실수는 그 끔찍한 사고를 초래했다.
  = The mistake **caused** the terrible accident.

㉢ influence: ~에 영향을 미치다

- Money **influences** man. 돈은 인간에게 영향을 미친다.

참 She has a good **influence** on him. 그녀는 그에게 좋은 영향을 미친다.

O Does television **affect** children's behavior?

텔레비전이 아이들의 행동에 영향을 미치는가?

X Does television **effect** children's behavior? 텔레비전이 아이들의 행동을 초래하는가?

➡ affect는 '영향을 주다', effect는 '초래하다'라는 의미로 쓰인다. effect는 '영향을 주다'라는 의미로는 사용할 수 없음에 유의한다.

③ hang형의 동사들

㉠ hang – hung – hung : 걸다

참 hang up : 전화를 끊다

- She **hangs up** on me. 그녀는 일방적으로 내 전화를 끊는다.

㉡ hang – hanged – hanged : 교수형에 처하다, 목을 매달다

- The accused **hanged** himself last night. 그 피고인은 어젯밤에 목을 매어 자살했다.

④ rise형의 동사들

㉠ arise – arose – arisen : 발생하다, 나타나다, (바람이) 일다

- A wind was **arising**. 바람이 일고 있었다.

㉡ rise – rose – risen : 오르다, 떠오르다

- Some smoke is **rising** up from the west. 서쪽으로부터 연기가 피어오르고 있는 중이다.

㉢ raise – raised – raised : ~을 들어 올리다, 양육하다, 키우다

- If you have any questions, **raise** your hand. 질문 있으면, 손을 들어라.

㉣ arouse – aroused – aroused : 깨우다, ~을 불러일으키다, 각성시키다

- He **aroused** me from my deep sleep. 그는 나를 깊은 잠에서 깨웠다.

⑤ want/hope 동사의 쓰임

want + to부정사 (○)	want + 목적어 + to부정사 (○)	want + that + 주어 + 동사 (×)
hope + to부정사 (○)	hope + 목적어 + to부정사 (×)	hope + that + 주어 + 동사 (○)

- I **want to meet** you. 나는 너를 만나고 싶다.
- They **wanted her to be** here. 그들은 그녀가 여기에 있길 원했다.
- I **hope to see** you again. 나는 당신을 다시 만나기를 바랍니다.

O I **hope** that they will **visit** the city hall. 나는 그들이 시청을 방문하기를 바란다.

X I **hope** them **to visit** the city hall.

➡ hope는 5형식 문장에 쓰일 수 없다. 공시에서 특히 자주 출제되는 부분이니 꼭 챙겨두자.

(7) 불완전타동사

주어	동사	목적어	목적격 보어	
			명사	신분/이름
			to 동사원형	능동(~하고 있는)
			동사원형	능동(~하고 있는)
			형용사(구)	성질, 상태
			현재분사	능동(~하고 있는, ~하고 있도록)
			과거분사	수동(~당한)

POINT CHECK

16 불완전타동사가 쓰인 문장은 「주어 + 동사 + 목적어 + □□ □□」의 어순이다.

| 정답 | 16 목적격 보어

POINT CHECK

O I observed him **sing** in the room. 나는 그가 방에서 노래하는 것을 목격했다.

X I observed him **sung** in the room.

➡ him과 sing은 수동의 관계가 아니므로 과거분사 형태인 sung을 쓴 것은 틀린 문장이다.

- I think him a great musician. (him: 목적어/a great musician: 목적격 보어)
  나는 그가 아주 훌륭한 음악가라고 생각한다.
- I want you to do the work. (you: 목적어/to do the work: 목적격 보어)
  나는 당신이 그 일을 하기를 원한다.
- They painted the house white. (the house: 목적어/white: 목적격 보어)
  그들은 그 집을 흰색으로 칠했다.
- Somebody left the water running. (the water: 목적어/running: 목적격 보어)
  누군가 물을 틀어 놓은 채로 두었다.
- You must leave your room locked. (your room: 목적어/locked: 목적격 보어)
  너는 너의 방을 잠가 두어야 한다.

교수님 한마디 지각동사는 목적어와 목적격 보어의 관계가 문맥상 능동인지 수동인지의 여부를 반드시 확인하여 목적격 보어의 형태를 결정해야 한다.

① 지각동사: 「S + 지각동사 + O + 원형부정사/현재분사/과거분사」 형태로 쓰이며, 외부의 상황에 대해서 보고, 듣고, 느끼는 것을 나타내는 불완전타동사의 대표 동사이다.

see, watch, look at, hear, listen to, feel, observe, notice, perceive

- I **saw** him **cross** the bridge. (건너간 것을 봄: 사실에 중점, 행동의 완료)
  나는 그가 다리를 건너는 것을 보았다.
- I **saw** him **crossing** the bridge. (건너가고 있는 것을 봄: 상태에 중점, 행동의 진행)
  나는 그가 다리를 건너고 있는 것을 보았다.
- He **heard** the bell **ring**. (목적격 보어: 원형부정사)
  그는 벨이 울리는 것을 들었다.
- I **heard** my name **called**. (목적격 보어: 과거분사)
  나는 내 이름이 불리는 것을 들었다.
- She **watched** the shadow **pass**. (목적격 보어: 원형부정사)
  그녀는 그림자가 지나가는 것을 보았다.
- My father **watched** me **going** to the market. (목적격 보어: 현재분사)
  아버지는 내가 시장에 가고 있는 것을 보았다.
- He **observed** the thief **open** the lock of the door. (목적격 보어: 원형부정사)
  그는 도둑이 문의 자물쇠를 여는 것을 목격했다.
- He **observed** the thief **running**. (목적격 보어: 현재분사)
  그는 도둑이 달려가는 중인 것을 목격했다.
- I **noticed** my sister **come** in. (목적격 보어: 원형부정사)
  나는 내 여동생이 들어오는 것을 알아챘다.

- They **noticed** her **going** out. (목적격 보어: 현재분사)
  그들은 그녀가 밖으로 나가고 있는 것을 알아챘다.
- She **felt** her dog **lick** her face. (목적격 보어: 원형부정사)
  그녀는 그녀의 개가 그녀의 얼굴을 핥는 것을 느꼈다.
- I **felt** something **moving** on the back. (목적격 보어: 현재분사)
  나는 등에서 무언가가 움직이고 있는 것을 느꼈다.
- I **felt** myself **lifted** up. (목적격 보어: 과거분사)
  나는 몸이 들려지는 것을 느꼈다.
- You will **perceive** the fish **rise** out of the water. (목적격 보어: 원형부정사)
  당신은 물고기가 수면에서 뛰어오르는 것을 보게 될 것이다.
- He **perceives** someone **approaching** in the mist. (목적격 보어: 현재분사)
  그는 안개 속에서 누군가가 다가오는 것을 보았다.

② 사역동사: '~을 시키다'라는 의미로 불완전타동사의 대표 동사이다.

make, have(강제로 시킴), let(원하는 대로 하게 둠)

make	+	목적어	+	원형부정사(능동) 과거분사(수동)
have				원형부정사(능동) 현재분사(능동) 과거분사(수동)
let				원형부정사(능동)

- I'll **make** him **go** there. 나는 그를 거기에 보낼 것이다.
- She **made** the project **done**. 그녀는 그 프로젝트를 완성시켰다.
- His mother **had** him **come** early. 그의 엄마는 그가 일찍 오게 했다.
- I **have** him **fixing** my car. 나는 그에게 내 차를 수리하도록 한다.
- He **had** his wallet **stolen** on the subway. 그는 지하철에서 지갑을 도난당했다.
- He won't **let** anyone **enter** the house. 그는 아무도 그 집에 들여보내지 않을 것이다.

● **사역동사** have

have	+	목적어	+	원형부정사/현재분사	~에게 …을 시키다
				과거분사	~이 …을 당하다

- I **had** them **come[coming]** here at five. 나는 그들을 5시에 여기로 오게 했다.
- She **had** her leg **broken**. 그녀는 다리가 부러졌다.

③ 준사역동사

help	+	목적어	+	원형부정사/to부정사	~이 …하는 것을 돕다
get				to부정사/현재분사	~이 …하도록 하다
				과거분사	~이 …을 당하다

POINT CHECK

POINT CHECK

- He **got** his wallet **stolen** on the subway. 그는 지하철에서 지갑을 도난당했다.
  - ⓞ He got me **handing** in the papers. 그는 내가 서류를 제출하게 했다.
  - ⊠ He got me **hand** in the papers.
    - ➡ get은 준사역동사로, 목적격 보어로 원형부정사를 쓸 수 없다.
- I **helped** my mother **wash** the dishes. 나는 어머니가 설거지하시는 것을 도왔다.
- I **helped** him **to find** his things. 나는 그가 그의 물건을 찾는 것을 도왔다.
- I **got** him **to prepare** for our journey. 나는 그가 우리의 여행 준비를 하게 했다.
- I **get** the machine **working** quickly. 나는 그 기계가 빨리 작동하게 한다.
- Where can I **get** it **repaired**? 내가 어디에서 그것을 수리받을 수 있을까?

④ 「want + 목적어 + to부정사」: 권고, 강요, 허락, 기대, 희망, 통보 동사가 왔을 때, 목적격 보어 자리에 to부정사를 사용한다.

권고동사	encourage, convince, cause, persuade, urge, teach, beg, warn, advise
강요/요청동사	force, compel, order, get, tell, require, ask
허락/금지동사	permit, allow, enable, forbid
기대/희망동사	expect, want, invite, need, intend
통보동사	remind

- The teacher **encouraged** his student **to have** a dream.
  그 선생님은 그의 학생에게 꿈을 가지라고 격려했다.

● 한눈에 보는 불완전타동사 분류

S + V + O + O.C.(명사)	elect appoint call	make name declare	consider think
S + V + O + O.C.(형용사)	find leave	keep paint	feel make
S + V + O + O.C.(to부정사)	want tell advise order expect allow believe	warn urge require persuade ask consider	permit forbid force encourage cause imagine
S + V + O + O.C.(원형부정사)	지각동사		
	see notice	hear watch	feel perceive
	사역동사		
	make	have	let
	help, bid 동사: S + V + O + O.C.(to부정사/원형부정사) have, get 동사: 유리할 때 – 시키다, 불리할 때 – 당하다		
S + V + O + O.C.(as + 명사/형용사)	think of (= regard, look upon) see(= regard)	consider treat accept	describe refer to view
S + V + it(가목적어) + O.C. + to부정사(진목적어)	make consider	believe find	think imagine

※ 단, imagine은 5형식 불완전 타동사로 목적격 보어로 to부정사와 현재분사를 모두 취할 수 있다.

(8) 불규칙 동사

① 불규칙 동사의 변화 형태

㉠ A – A – A형

현재형	과거형	과거분사형	의미
burst	burst	burst	터지다, 파열하다
cast	cast	cast	던지다
cost	cost/costed	cost/costed	비용이 들다/(~에 들어갈) 비용[원가]를 산출하다
cut	cut	cut	자르다
hit	hit	hit	치다

㉡ A – B – A형

현재형	과거형	과거분사형	의미
become	became	become	~이 되다
come	came	come	오다
run	ran	run	달리다

㉢ A – B – B형

현재형	과거형	과거분사형	의미
stick	stuck	stuck	찌르다
strike	struck	struck	치다
sweep	swept	swept	비로 청소하다
swing	swung	swung	흔들다
teach	taught	taught	가르치다

㉣ A – B – C형

현재형	과거형	과거분사형	의미
begin	began	begun	시작하다
bite	bit	bitten	물다
blow	blew	blown	불다
break	broke	broken	부수다
choose	chose	chosen	고르다

② 뜻에 따라 활용이 달라지는 불규칙 동사

현재형	의미	과거형	과거분사형
bear	참다, 지니다	bore	borne
	낳다	bore	born
bid	명령하다, 말하다	bade	bidden
	값을 매기다	bid	bid
hang	걸다	hung	hung
	교수형에 처하다	hanged	hanged
lie	눕다, 놓여 있다	lay	lain
	거짓말하다	lied	lied

POINT CHECK

POINT CHECK

㉠ bear

ⓐ 참다, 가지고 있다, 지니다, 가지고 가다

- The music can't be **borne.** 그 음악은 참을 수가 없다.
- The check **bore** his signature. 그 수표는 그의 서명을 가지고 있었다.

ⓑ 낳다

- He was **born** in 2002. 그는 2002년에 태어났다.
- He was **born** into a low-income family. 그는 저소득 가정에서 태어났다.

㉡ hang

ⓐ 걸다

- My mother **hung** the washing out in the yard. 어머니는 마당에 세탁물을 널었다.
- We **hung** the pictures as high as we could. 우리는 그 그림들을 가능한 한 높이 걸었다.

ⓑ 교수형에 처하다

- The man was **hanged** for murder. 그 남자는 살인죄로 교수형에 처해졌다.

③ 형태가 비슷하여 혼동하기 쉬운 불규칙 동사

현재형	과거형	과거분사형	의미
bind	bound	bound	묶다
bound	bounded	bounded	껑충껑충 달리다, 공이 튀다
fall	fell	fallen	떨어지다, 쓰러지다
fell	felled	felled	~을 쓰러뜨리다
find	found	found	~을 발견하다
found	founded	founded	~을 창립하다, 세우다
lie	lay	lain	눕다, 놓여 있다
lay	laid	laid	~을 놓다, 알을 낳다
wind	wound	wound	구불구불하다, 감다
wound	wounded	wounded	상처를 입히다

㉠ bind – bound – bound(묶다) vs. bound – bounded – bounded (껑충껑충 달리다, 공이 튀다)

- They **bound** the prisoner's hands together. 그들은 죄수의 양손을 함께 묶었다.
- The lady **bound** the package with a pink ribbon. 그 숙녀는 분홍색 리본으로 그 짐을 묶었다.
- The tennis ball **bounded** back from the wall. 테니스 공이 벽에 맞고 다시 튀어나왔다.

㉡ fall – fell – fallen(떨어지다, 쓰러지다) vs. fell – felled – felled(~을 쓰러뜨리다)

- The vase **fell** from the table to the floor. 그 화병은 탁자에서 바닥으로 떨어졌다.
- The temperature **fell** gradually. 기온이 점점 내려갔다.
- The old man **fells** trees in the mountains. 그 노인은 산에서 나무를 벤다.
- The comedian **felled** his enemy with a single blow. 그 코미디언은 적을 일격에 쓰러뜨렸다.

㉢ lie – lay – lain(눕다, 놓여 있다) vs. lay – laid – laid(~을 놓다, 알을 낳다)

- His body **lies** in the churchyard. 그의 시신은 교회 묘지에 놓여 있다.
- A dog **lay** on the grass enjoying the sunshine. 개 한 마리가 햇살을 즐기며 풀밭에 누워 있었다.

- The man **lay** under suspicion. 그 남자는 혐의를 받고 있었다.
- He **lays** his hand on her head. 그가 자신의 손을 그녀의 머리에 올려 놓는다.
- The farmer's wife has **laid** the table for dinner. 그 농부의 아내는 저녁 식탁을 차렸다.
- A highway was **laid** across the city. 고속도로가 도시를 가로질러 놓였다.

ⓔ wind – wound – wound(구불구불하다, 감다) vs. wound – wounded – wounded (상처를 입히다)

- The Han River **winds** its way to the sea. 한강은 구불구불 바다로 흘러든다.
- The narrow path **wound** up the hillside. 좁은 길은 산허리를 구불구불 올라갔다.
- The gentleman **wound** up his watch. 그 신사는 시계 태엽을 감았다.
- Many children were **wounded** in Iraq. 이라크에서 많은 아이들이 부상을 당했다.

POINT CHECK

● 문장의 형식 한눈에 보기

1형식	형태	주어 + 완전자동사(+ 부사(구))
	분류	• be, go, come, arrive, run • There/Here(유도부사) + V + S (+ 장소 부사) • appear, happen, matter, occur
	해석 주의 자동사	count(중요하다), matter(중요하다, 문제가 되다), do(충분하다, 도움이 되다), sell(팔리다), pay(수지가 맞다, 이익이 되다), work(작동하다, 잘 돌아가다, 효과가 있다)
2형식	형태	주어 + 불완전자동사 + 주격 보어(+ 부사(구))
	분류	• 감각동사: feel, look, sound, smell, taste + 형용사 보어 • become동사류: become, come, get, fall, go, run, turn, grow, make • remain동사류: continue, hold, keep, remain, stay, continue • seem동사류: appear, prove, seem, turn out
	유사보어	• 완전자동사가 주어의 상태를 설명하는 부가적인 말을 취할 때의 부가적인 말 → live, die, go, marry, stand, sit, come, return
3형식	형태	주어 + 완전타동사 + 목적어(+ 부사(구))
	타동사 + O + 전치사 + O	• 「Vt + O + of + O」: accuse, advise, assure, clear, convince, deprive, ease, inform, notify, relieve, remind, rid, rob, tell, suspect, warn • 「Vt + O + from + O」: distinguish, hinder, keep, know, prevent, prohibit, stop, tell • 「Vt + O + with + O」: charge, compare, equip, furnish, help, present, provide, replace, supply, share • 「Vt + O + for + O」: blame, criticize, change, compensate, exchange, thank, pay, substitute, take, mistake, punish • 「Vt + O + to + O」: attribute, explain, introduce, leave, prefer, say
	유의해야 할 타동사	• 자동사로 착각하기 쉬운 타동사(괄호 안의 전치사와 함께 사용 못함) accompany (~~with~~), address (~~to~~), answer(완전자동사 가능, ~~to~~), approach(완전타동사의 경우 '(장소 · 사람에게) 다가가다', 완전자동사의 경우 '(공간 · 시간적으로) 다가오다', ~~to~~), attend(~에 참석하다, ~~to~~), await (~~for~~), discuss (~~about~~), enter(~에 들어가다, ~~into~~), explain (~~about~~), join (~~with~~), leave (~~from~~), marry (~~with~~), mention (~~about~~), obey (~~to~~), reach (~~at~~), resemble (~~with~~), • 반드시 「동사 + 전치사」로 써야 하는 동사 account for(설명하다), answer to(~에 일치하다), apologize to(사과하다), attend on(시중들다), attend to(주의를 기울이다), enter into((사업 등을) 시작하다), graduate from(졸업하다), interfere with(방해하다), leave[depart] for(~을 향하여 떠나다), object to(반대하다), reply to(응답하다), sympathize with(동정하다)

POINT CHECK

3형식	유의해야 할 타동사	• 수여동사(4형식)로 착각하기 쉬운 완전타동사 형태: 「S + V + O(+ to + 목적격)」 또는 「S + V(+ to + 목적격) + that + S + V」 동사: announce, complain, confess, describe, explain, introduce, mention, propose, say, suggest
4형식	형태	주어 + 수여동사 + 간접목적어 + 직접목적어(+ 부사(구))
	수여동사	• 「to + I.O.」: deny, grant, give, offer, owe, pay, promise, read, render, sell, send, show, teach, tell, write • 「of + I.O.」: ask • 「for + I.O.」: build, buy, cook, find, get, leave, make
	비수여동사	envy, cost, forgive → 3형식 전환 불가능
5형식	형태	주어 + 불완전타동사 + 목적어 + 목적격 보어(+ 부사(구))
	지각동사	• 종류: feel, hear, listen to, look at, notice, observe, see, watch • O와 O.C.의 관계 「지각동사 + 목적어(사람/사물) + O.C.(원형부정사)」: 능동 「지각동사 + 목적어(사람/사물) + O.C.(현재분사)」: 능동/진행 「지각동사 + 목적어(사람/사물) + O.C.(과거분사)」: 수동/완료
	사역동사	• 종류: have, let, make • O와 O.C.의 관계 「사역동사 + O(사람 · 사물) + O.C.(원형부정사)」: 능동 ※ 「have 사역동사 + O(사람 · 사물) + O.C.(현재분사)」: 능동 · 진행 「사역동사 + O(사람 · 사물) + O.C.(과거분사)」: 수동 • O.C. 엿보기 「make/have의 O.C.」: 원형부정사 · 과거분사 「make/have + O(사람) + 원형부정사」: ~에게 시키다 「make/have + O(사물) + 과거분사」: ~을 당하다 「let + 능동 목적어 + 원형부정사」, 「let + 수동 목적어 + be + 과거분사」 • O.C.: 원형부정사 → 수동태: to부정사 • make: 수동태 가능, have → get[ask], let → allow[permit]의 일반동사로 변형시켜서 수동태로 바꿈 • have · make: 강제, let: 허락 · 방임
	목적격 보어 분류 기준	• to부정사: advise, allow, ask, believe, cause, compel, consider, enable, encourage, expect, forbid, force, get, guess, imagine, intend, like, mean, order, require, suppose, tell, think, urge, want, wish • 「as + 명사/형용사」: advise, allow, ask, believe, cause, compel, consider, enable, encourage, expect, forbid, force, get, guess, imagine, intend, like, mean, order, require, suppose, tell, think, urge, want, wish • 현재분사: catch, find, keep, leave • 과거분사: keep, leave, want • 명사: appoint, call, elect, make, name, think • 형용사: believe, find, like, make, paint, strike(~을 …한 상태가 되게 하다) • 「V + it(가목적어) + O.C. + to부정사(진목적어)」: believe, feel, find, make, think
	get/help	• get + O + O.C.(to부정사/현재분사): 능동, get + O + O.C.(과거분사): 수동 • help + O + O.C.(to부정사/원형부정사): 능동

01 동사

[01~10] 다음 중 어법상 옳은 것을 고르시오.

01 I [discussed / discussed about] the topics with them.

02 His father [reached / reached at] New York on Thursday.

03 He [entered / entered into] the classroom.

04 Jones and Jack [resemble / resemble with] each other.

05 The news [interested / interested in] him.

06 The teacher [helps / gets] them study hard.

07 The professor [explained / taught] us an interesting theory.

08 She [suggested / required] him to start a new project.

09 He objected [to / x] the proposal.

10 Jane [saw / expected] the accident happen.

정답&해설

01 discussed

| 해석 | 나는 그들과 함께 그 주제들에 관하여 토론하였다.

| 해설 | 'discuss(~에 관하여 토론하다)'는 자동사로 착각하기 쉬운 타동사로, 전치사 'about'과 함께 쓰이지 않고 단독으로 쓰인다. (같은 의미일 때 talk는 'talk about'의 형태로 쓴다.)

02 reached

| 해석 | 그의 아버지는 목요일에 뉴욕에 도착하셨다.

| 해설 | 'reach(~에 도착하다)'는 자동사로 착각하기 쉬운 타동사로, 전치사 'at'과 함께 쓰지 않는다. (자동사 arrive나 get은 'arrive at', 'get to'로 써야 한다.)

03 entered

| 해석 | 그는 교실에 들어갔다.

| 해설 | 'enter(~에 들어가다)'는 자동사로 착각하기 쉬운 타동사로, 전치사 'into'와 함께 쓰지 않는다. 'enter'는 자동사인 경우에도 '들어가다'의 의미가 있지만, 현대 영어에서는 '방에 들어가다'를 나타내는 경우 타동사 'enter'를 사용한다.

04 resemble

| 해석 | Jones와 Jack은 서로 닮았다.

| 해설 | 'resemble(~을 닮다)'은 자동사로 착각하기 쉬운 타동사로, 전치사 'with'와 함께 쓰지 않는다.

05 interested

| 해석 | 그 뉴스는 그의 관심을 끌었다.

| 해설 | 'interest(~의 관심을 끌다)'는 자동사로 착각하기 쉬운 타동사로, 전치사 'in'과 함께 쓰이지 않고 단독으로 쓰인다.

06 helps

| 해석 | 선생님은 그들이 열심히 공부하도록 돕는다.

| 해설 | 준사역동사 'help'의 경우 목적격 보어로 원형부정사를 사용할 수 있으나 'get'은 목적격 보어로 원형부정사를 사용할 수 없다.

07 taught

| 해석 | 그 교수는 우리에게 한 흥미로운 이론을 가르쳐 주셨다.

| 해설 | 'teach'는 4형식 수여동사인 경우 「teach + 간접목적어 + 직접목적어」의 구조를 가질 수 있으나 'explain'은 3형식 완전타동사로 「explain + 간접목적어 + 직접목적어」의 구조를 가질 수 없다.

08 required

| 해석 | 그녀는 그에게 새로운 프로젝트를 시작하라고 요구했다.

| 해설 | 'require'는 불완전타동사인 경우 「require + 목적어 + 목적격 보어(to부정사)」의 구조를 가질 수 있으나 'suggest'는 완전타동사로 「suggest + 목적어」의 구조만 가질 수 있다.

09 to

| 해석 | 그는 그 제안에 반대했다.

| 해설 | object는 완전자동사로 명사(구) 목적어를 직접 가질 수 없으며, 전치사 to를 동반해야 한다. 단, that절을 목적어로 취할 경우에는 타동사로 「object that + 주어 + 동사」 형태로 사용된다.

10 saw

| 해석 | Jane은 그 사고가 일어나는 것을 보았다.

| 해설 | 'see'는 지각동사로 쓰인 경우 목적격 보어로 원형부정사를 사용할 수 있으나 'expect'는 목적격 보어로 원형부정사가 아니라 to부정사를 취한다.

[11~20] 다음 중 어법상 옳은 것을 고르시오.

11 She [built / had] him a snowman.

12 He [demanded / wanted] his mother to go shopping with him.

13 The girl [lays / lies] down on the bed.

14 The company [rose / raised] the price of the product.

15 He [said / told] his sister to come.

16 He can [speak / speak to] English.

17 Stomachache [affects / effects] your daily life.

18 Jack [had / got] the engineer to fix his computer.

19 Jane [urged / insisted] them to protect nature.

20 The general will [fall / fell] his enemies at the battle.

정답&해설

11 built

| 해석 | 그녀는 그에게 눈사람을 만들어 주었다.

| 해설 | 'build'는 4형식 수여동사인 경우 「build + 간접목적어 + 직접목적어」의 구조를 가질 수 있으나 'had'는 수여동사로 쓰이지 않으므로 적절하지 않다.

12 wanted

| 해석 | 그는 엄마가 자신과 함께 쇼핑 가기를 원했다.

| 해설 | 'want'는 불완전타동사인 경우 「want + 목적어 + 목적격 보어(to부정사)」의 구조를 가질 수 있으나 'demand'는 불완전타동사가 아니므로 「demand + 목적어 + 목적격 보어(to부정사)」의 구조를 가질 수 없다.

13 lies

| 해석 | 그 소녀는 침대 위에 눕는다.

| 해설 | 해당 문장에서 'lies'는 완전자동사이며 'lie'의 3인칭 단수 현재형으로 목적어 없이 사용하지만 'lays'는 완전타동사 'lay'의 3인칭 단수 현재형으로 목적어가 반드시 있어야 한다.

14 raised

| 해석 | 그 회사는 그 제품의 가격을 올렸다.

| 해설 | 'raise(올리다)'는 완전타동사로 전치사 없이 목적어를 가지지만 'rise(오르다)'는 완전자동사로 전치사 없이 목적어를 가질 수 없다.

15 told

| 해석 | 그는 여동생에게 오라고 말했다.

| 해설 | 'tell'은 불완전타동사인 경우 「tell + 목적어 + 목적격 보어(to부정사)」의 구조를 가질 수 있으나 'say'는 불완전타동사가 아니므로 「say + 목적어 + 목적격 보어(to부정사)」의 구조를 가질 수 없다.

16 speak

| 해석 | 그는 영어를 말할 수 있다.

| 해설 | 'speak'는 완전타동사인 경우 목적어로 언어를 나타내는 명사를 취하며, 완전자동사인 경우 전치사 'to'를 사용하여 대상을 나타내는 명사를 목적어로 가진다.

17 affects

| 해석 | 위통은 당신의 일상의 삶에 영향을 미친다.

| 해설 | 주어인 '위통'이 목적어인 'your daily life'에 영향을 미친다는 의미이므로 동사 'affects'가 적절하다.

18 got

| 해석 | Jack은 기술자에게 그의 컴퓨터를 고치게 했다.

| 해설 | 'get'은 준사역동사로, 목적격 보어로 to부정사를 사용할 수 있으나 'have'는 사역동사이므로 목적격 보어로 to부정사를 사용할 수 없다.

19 urged

| 해석 | Jane은 그들에게 자연을 보호하도록 촉구했다.

| 해설 | 'urge'는 불완전타동사인 경우 「urge + 목적어 + 목적격 보어(to부정사)」의 구조를 가질 수 있으나 'insist'는 불완전타동사가 아니므로 「insist + 목적어 + 목적격 보어(to부정사)」의 구조를 가질 수 없다.

20 fell

| 해석 | 장군은 그 전투에서 그의 적들을 쓰러뜨릴 것이다.

| 해설 | 'fell(쓰러뜨리다)'은 완전타동사로 전치사 없이 목적어를 가지지만 'fall(떨어지다, 넘어지다)'은 완전자동사로 전치사 없이 목적어를 가질 수 없다.

01 동사

교수님 코멘트▶ 동사는 문장의 중심에 해당한다. 따라서 단문과 복문의 형태를 골고루 포함한 문제들로 선별하였다. 수험생들은 분석을 통해 제대로 된 문제 접근법과 분석법을 익히는 데 초점을 두고 문제풀이에 임해야 한다.

01

2015 국가직 7급

밑줄 친 부분 중 어법상 옳지 않은 것은?

As Gandhi stepped ① aboard a train one day, one of his shoes slipped off and landed on the track. He was unable to retrieve it as the train was moving. To the amazement of his companions, Gandhi calmly took off his other shoe and threw it back along the track ② to land close to the first. Asked by a fellow passenger ③ why he did so, Gandhi smiled. "The poor man who finds the shoes ④ lied on the track," he replied, "will now have a pair he can use."

02

다음 중 올바르지 않은 문장을 고르시오.

① Have you considered becoming a police officer?
② My parents have made me what I am.
③ I was stolen my purse.
④ The baseball game was very exciting.

01 lie vs. lay

④ 주어진 자리에는 'the shoes'를 수식하는 분사 형태의 준동사가 들어가야 한다. 'lied'는 'lie(거짓말하다)'의 과거형, 과거분사형으로 'the shoes'를 수식하기에는 적합하지 않다. 문맥상 신발이 '놓여지다'라는 의미이므로 'lied'는 'the shoes'를 꾸며주는 자동사 'lie(눕다, 놓여 있다)'의 현재분사 형태인 'lying'이나 타동사 'lay(놓다)'의 과거분사 형태인 'laid'로 바꾸는 것이 옳다.

→ The poor man who finds the shoes (which are) lying on the track will now have a pair he can use.

→ The poor man who finds the shoes (which are) laid on the track will now have a pair he can use.

단, 선행사인 'the shoes'를 수식하는 「주격 관계대명사 + be동사」는 생략되어 분사가 선행사인 'the shoes'를 직접 수식한다고 볼 수 있다.

| 오답해설 | ① 'step aboard'는 '~에 탑승하다'의 의미로 전치사(aboard)의 목적어로 'a train'이 올바르게 쓰였다. 'aboard'는 '(배 · 항공기 · 열차 · 버스 등의) 안으로[에서]'의 의미이다.

② 'to land'는 '떨어지도록 하기 위해서'라는 to부정사의 부사적 용법이다.

③ 「why(의문사) + he(주어) + did(대동사) + so(부사)」의 순서이다. 의문문이 명사절로 쓰일 때는 간접의문문의 어순을 따른다.

| 해석 | 어느 날 간디가 기차에 올라타는데, 신발 한 짝이 벗겨져 선로에 떨어졌다. 기차가 움직이고 있어서 그는 그것을 되찾아 올 수 없었다. 그의 일행이 놀라게도, 간디는 조용히 다른 쪽 신발을 벗어 첫 번째 신발 가까이에 떨어지도록 선로를 따라 던져버렸다. 왜 그렇게 했냐는 다른 승객의 질문에 간디는 미소 지었다. "저 신발이 선로 위에 떨어져 있는 것을 발견하는 불쌍한 사람이 이제 자신이 사용할 수 있는 한 켤레의 신발을 갖게 되었잖소."라고 그는 대답했다.

02 타동사 steal의 쓰임

③ 'steal'은 사람을 주어로 하는 수동태로 표현할 수 없다. 따라서 'My purse was stolen.' 또는 'I had my purse stolen.'의 형태로 고쳐야 한다.

| 오답해설 | ① 'consider'는 타동사로 동명사를 목적어로 취한다.

② 'make'는 불완전타동사로 「make + 목적어 + 목적격 보어」의 구조를 갖는다. 해당 문장에서 'what I am'은 목적격 보어의 역할을 하는 명사절로 목적어인 'me'를 옳게 보충 설명하고 있다.

④ 주어가 사물이기 때문에 'excite'는 현재분사(-ing)의 형태로 쓰였다.

| 해석 | ① 경찰관이 되는 것을 고려해 보았니?
② 내 부모님은 나를 현재의 내가 되게 하셨다.
③ 해석 불가
④ 그 야구 경기는 매우 재미있었다.

| 정답 | 01 ④ 02 ③

03

2017 서울시 9급

다음 문장 중 어법상 가장 옳지 않은 것은?

① John promised Mary that he would clean his room.
② John told Mary that he would leave early.
③ John believed Mary that she would be happy.
④ John reminded Mary that she should get there early.

04

2018 서울시 9급 제2회

밑줄 친 부분 중 어법상 가장 옳지 않은 것은?

I ① convinced that making pumpkin cake ② from scratch would be ③ even easier than ④ making cake from a box.

---

03 완전타동사의 문장 구조

③ 'believe'는 완전타동사와 불완전타동사로만 사용할 수 있다. 따라서 'John believed that Mary would be happy.' 또는 'John believed Mary to be happy.'로 고쳐야 한다.

| 오답해설 | ① 'promise'는 수여동사로 that절을 직접목적어로 사용하였다.
② 'tell'은 수여동사로 that절을 직접목적어로 사용하였다.
④ 'remind'는 수여동사로 that절을 직접목적어로 사용하였다.

| 해석 | ① John은 그가 그의 방을 청소할 것이라고 Mary에게 약속했다.
② John은 Mary에게 그가 일찍 떠날 것이라고 말했다.
③ John은 Mary가 행복할 것이라고 믿었다.
④ John은 Mary에게 그녀가 그곳에 일찍 도착해야 한다는 점을 상기시켰다.

---

04 타동사 convince의 쓰임

① 타동사 'convince'는 「convince + 목적어(대상) + of」의 형태로 '~에게 …을 확신시키다'의 의미로 사용된다. 또는 목적어절을 취하는 타동사로 「convince + 목적어(대상) + that + 주어 + 동사」의 구조로도 사용될 수 있다. 해당 문장처럼 'convinced' 뒤에 간접목적어 없이 직접목적어로 that절이 바로 오는 것은 옳지 않으므로, 주어진 문장은 직접목적어로 that절을 취한 4형식 문장의 수동태로 보아야만 한다. 따라서 'convinced'는 'was convinced'로 써야 한다. 4형식 능동태 문장과 그것의 수동형은 아래와 같다.

- People convinced me that making pumpkin cake from scratch would be even easier than making cake from a box.
  → I was convinced that making pumpkin cake from scratch would be even easier than making cake from a box.

| 오답해설 | ② 'from scratch'는 '처음부터'라는 의미로 옳게 사용되었다.
③ 'even'은 비교급을 강조하는 표현으로 '훨씬'의 의미이다. 'even' 대신 'much', 'far', 'still', 'a lot'을 써도 된다.
④ 'making cake from a box'가 that절의 주어인 'making pumpkin cake from scratch'와 같은 구조를 이루고 있으므로 비교 대상이 일치되어 옳은 문장이다.

| 해석 | 나는 호박 케이크를 처음부터 만드는 것이 (믹스) 상자로부터 케이크를 만드는 것보다 훨씬 더 쉬울 것이라고 확신했다.

05

다음 중 어법상 옳은 것은?

① The study says that what we call serotonin influences upon sleeping patterns.

② My teacher emphasized on the importance of reviewing class after class.

③ He needed to await for his companion to come back the day before yesterday.

④ The heavy rain prevented her from attending the emergency meeting for the executive.

06

2019 지방직 7급

우리말을 영어로 가장 잘 옮긴 것은?

① 너는 내게 전화해서 일에 늦을 거라고 알렸어야 했다.
→ You were supposed to phone me and let me know you were going to be late for work.

② 내가 축구 경기를 시청하는 동안, 내 남편은 다른 TV로 영화를 보았다.
→ While I watched a soccer match, my husband has watched a movie on the other TV.

③ 그녀의 감정을 상하게 하지 않으려고, 그는 독감으로 매우 아팠다고 말했다.
→ He said he was very sick with a flu, so as not hurting her feelings.

④ 상관이 생각하는 것과는 반대로, 절대 이 프로젝트를 일주일에 끝낼 수 없다.
→ Contrary to what the boss thinks, there is no way we can't get this project done in a week.

---

05 타동사 prevent와 특정 전치사 구문

④ 'prevent'는 타동사로서 금지를 나타내며, 「prevent + 목적어 + from」의 형태로 쓰인다. 전치사 'from' 뒤에는 명사나 동명사가 온다.

| 오답해설 | ① 'influence'는 타동사이므로, 전치사 없이 사용해야 한다. 따라서 'upon'을 삭제해야 옳은 문장이 된다. 단, 명사로 사용될 때는 'have an influence upon[on]'의 표현이 가능하다.

② 'emphasize'는 타동사이므로, 전치사 없이 사용해야 한다. 따라서 'on'을 생략해야 한다. 단, 'put emphasis on'은 가능하다.

③ 'await'는 타동사이므로, 전치사 없이 사용해야 한다. 따라서 'for'를 빼고 'await'만 쓰거나 'wait for'로 쓸 수 있다. 'wait'는 자동사이므로 「wait for + 목적어」 형태로 써야 한다.

| 해석 | ① 그 연구는 이른바 세로토닌이 수면 패턴에 영향을 끼친다고 밝히고 있다.

② 선생님께서는 수업 후 복습의 중요성을 강조하셨다.

③ 그는 그저께 자신의 동료가 돌아오는 것을 기다릴 필요가 있었다.

④ 폭우로 인해 그녀는 긴급 이사 회의에 참석하지 못했다.

06 「be supposed to + 동사원형」의 쓰임

① 「be supposed to + 동사원형」은 '~하기로 하다, ~하기로 되어 있다'라는 뜻을 가진 표현이다. 주어진 문장에서 '전화해서 알렸어야 했다'라고 하였으므로 'You were supposed to phone ~'은 영어로 알맞게 바꾼 표현이다. 덧붙여 'let'은 사역동사로 「let + 목적어 + 원형부정사(목적격 보어)」 순으로 오는 것이 적절한 표현인데 'let me know'라고 적절하게 영작했으므로 옳은 표현이다. 문장의 주절 시제가 과거이므로 종속절에서 'you were going to be late for work(일에 늦을 것이다)'로 시제 일치도 되어 있다.

| 오답해설 | ② 'While'이 이끄는 종속절의 동사가 과거인 반면에 주절의 동사는 현재완료이므로 시제가 접속사의 의미에 맞게 사용되지 않았다. 따라서 'While I was watching a soccer match, my husband watched a movie on the other TV.'로 수정하는 것이 적절하다.

③ 'so as not' 뒤에는 to부정사가 와야 한다. 따라서 'hurting'을 'to hurt'로 고쳐야 한다.

④ 'there is no way(~할 방법이 없다)'에 이미 부정의 표현이 포함되어 있으므로 '~를 끝낼 수 없다'라는 우리말을 영어로 적절하게 바꾸려면 'not'을 빼고 'there is no way we can get this project done'으로 써야 한다.

| 정답 | 03 ③ 04 ① 05 ④ 06 ①

07

우리말을 영어로 옳게 옮긴 것은?

① 그 관계자는 회의에 참석하느라 내 질문에 답변을 하지 못했다.
→ The official couldn't answer to my question because she attended the meeting.

② 그는 그의 동료가 돌아오는 것을 기다릴 필요가 있다.
→ He needs to wait for his companion to come back.

③ 잠시 동안만 누워 있는 것이 어때?
→ How about laying down just for a while?

④ 모든 참석자들은 맨 앞줄에 앉아 있었다.
→ All the participant were sitting in the front row.

07 자동사 wait의 쓰임

② 자동사 'wait'는 전치사 'for'와 함께할 때, 대상 목적어를 갖는다.

| 오답해설 | ① 'answer'가 동사로 '(사람의 질문)에 답하다'의 의미인 경우 「answer to + 목적어」가 아니라 「answer + 목적어」를 사용한다. 따라서 'to'는 삭제해야 옳다. 단, 'answer'가 명사로 쓰여서 전명구인 「to + 목적어」와 함께 쓰이는 경우에 주의하자.
참 • Tell me your answer to the question. (answer가 명사로 사용된 문장)
③ 주어진 우리말이 '누워 있는'이기 때문에 'laying'은 자동사 'lie'의 현재분사 형태인 'lying'이 되어야 올바르다.
④ 주어진 우리말이 '모든 참석자들'이고, 'all'은 「all the + 가산 복수명사」의 형태로 사용하므로 'participant'는 복수형인 'participants'로 사용해야 옳은 표현이다.

08

2021 지방직 9급

우리말을 영어로 <u>잘못</u> 옮긴 것을 고르시오.

① 경찰 당국은 자신의 이웃을 공격했기 때문에 그 여성을 체포하도록 했다.
→ The police authorities had the woman arrested for attacking her neighbor.

② 네가 내는 소음 때문에 내 집중력을 잃게 하지 말아라.
→ Don't let me distracted by the noise you make.

③ 가능한 한 빨리 제가 결과를 알도록 해 주세요.
→ Please let me know the result as soon as possible.

④ 그는 학생들에게 모르는 사람들에게 전화를 걸어 성금을 기부할 것을 부탁하도록 시켰다.
→ He had the students phone strangers and ask them to donate money.

08 사역동사의 목적격 보어

② 사역동사 'let'은 목적격 보어로 과거분사를 취할 수 없고 원형부정사를 취한다. 목적격 보어가 수동태인 경우에는 「be + 과거분사」 형태로 써야 한다. 따라서 'distracted'는 'be distracted'가 되어야 옳다. 또는 과거분사를 목적격 보어로 취할 수 있는 사역동사 'make' 또는 준사역동사 'get'을 이용해 'Don't make[get] me distracted by the noise you make.'로 고칠 수도 있다.

| 오답해설 | ① 사역동사 'have'의 목적어와 목적격 보어가 수동의 관계이므로 과거분사 'arrested'가 알맞게 쓰였다.
③ 사역동사 'let'은 원형부정사를 목적격 보어로 취한다. 해당 문장에서는 원형부정사 'know'가 목적격 보어로 알맞게 쓰였다.
④ 사역동사 'have'는 목적어가 행위의 주체일 때 목적격 보어로 원형부정사 또는 현재분사를 쓸 수 있다. 여기에서는 목적어가 전화를 거는 주체인 'the students'이므로 목적격 보어로 원형부정사 'phone'이 알맞게 쓰였다. 또한 등위접속사 'and'는 동일한 문장 성분을 연결하므로 원형부정사 'phone'과 병렬 구조로 원형부정사 'ask'가 적절하게 쓰였다. 'ask'는 불완전타동사로 to부정사 'to donate'를 목적격 보어로 알맞게 취했다.

09

2020 국가직 9급

우리말을 영어로 잘못 옮긴 것은?

① 인간은 환경에 자신을 빨리 적응시킨다.
→ Human beings quickly adapt themselves to the environment.

② 그녀는 그 사고 때문에 그녀의 목표를 포기할 수밖에 없었다.
→ She had no choice but to give up her goal because of the accident.

③ 그 회사는 그가 부회장으로 승진하는 것을 금했다.
→ The company prohibited him from promoting to vice-president.

④ 그 장난감 자동차를 조립하고 분리하는 것은 쉽다.
→ It is easy to assemble and take apart the toy car.

09 동명사의 수동태

③ 주어진 문장에서 동명사로 쓰인 동사 'promote'는 '~을 승진시키다'의 의미를 가지는 타동사라는 점에 유의해야 한다. 주어진 문장에서처럼 능동형 동명사를 사용할 경우, 반드시 동명사의 목적어가 동반되어야 하므로 주어진 문장은 옳지 않다. 주어진 우리말을 통해 그가 '부회장으로 승진되어짐'을 유추할 수 있으므로 단순 동명사인 'promoting'이 아니라 동명사의 수동태인 'being promoted'가 옳다.

| 오답해설 | ① 'adapt oneself to'는 '~에 적응하다, 자신을 ~에 적응시키다'라는 의미이다.

② 「have no choice but＋to＋부정사」은 '~할 수밖에 없다'라는 의미의 관용어구이다. 해당 문장에서는 「have no choice but＋to＋동사원형」의 과거형 「had no choice but＋to＋동사원형」가 사용되었고 to부정사 'to give up'이 사용되었으므로 옳은 문장이다.

④ 주어가 길이가 긴 to부정사일 경우 주어 자리에 가주어 'it'을 쓰고, 진주어인 to부정사는 뒤로 이동시킨다. 해당 문장은 가주어 'it'이 사용되었고 진주어로는 to부정사구 'to assemble ~ the toy car'가 사용되었으므로 옳은 문장이다.

10

2017 지방직 9급 추가 채용

밑줄 친 부분 중 어법상 옳은 것은?

> Last week I was sick with the flu. When my father ① <u>heard me sneezing and coughing</u>, he opened my bedroom door to ask me ② <u>that I needed anything</u>. I was really happy to see his kind and caring face, but there wasn't ③ <u>anything he could do it</u> to ④ <u>make the flu to go away</u>.

10 지각동사의 목적격 보어

① 지각동사 'hear'는 목적격 보어로 원형부정사와 분사 형태를 모두 취할 수 있다. 문맥상 목적어인 'me'와 목적격 보어가 능동 관계이므로 현재분사인 'sneezing'과 'coughing'을 병렬 구조로 사용한 것은 어법상 적절하다. 목적격 보어를 원형부정사인 'sneeze'와 'cough'로 써서 병렬 구조를 맞추는 것도 가능하다.

| 오답해설 | ② 해당 문장에서 to부정사로 쓰인 'ask'는 4형식 수여동사로 사용되었다. 'ask'의 간접목적어로 'me', 직접목적어로 'that절'을 사용하고 있으나, 문맥상 '내가 무엇이 필요한지 아닌지'로 해석하는 것이 자연스러우므로 'that'을 '~인지 (아닌지)'의 의미를 나타내는 접속사로 수정해야 한다. 따라서 'that'을 'whether' 또는 'if'로 수정해야 옳다.

③ 'anything'과 'he could do it' 사이에 목적격 관계대명사가 생략된 'anything (that) he could do it'의 문장이다. 이때 목적격 관계대명사인 'that(＝anything)'이 동사 'do'의 목적어 역할을 하고 있으므로 목적어 'it'은 중복하여 쓸 수 없고 삭제해야 한다.

④ 사역동사 'make'는 목적어와 목적격 보어의 관계에 따라 원형부정사 또는 과거분사를 목적격 보어로 취한다. 목적어인 'the flu'와 'go away'가 능동 관계이므로 목적격 보어로는 'to go away'가 아니라 원형부정사 'go away'가 와야 한다. 단, 현재분사인 'going away'는 사용할 수 없으므로 주의하자.

| 해석 | 지난주 나는 독감으로 아팠다. 내가 기침과 재채기를 하는 소리를 들었을 때, 아버지는 내가 어떤 것이 필요한지 물어보기 위해 내 침실 문을 여셨다. 나는 그의 친절함과 배려하는 얼굴을 보게 되어 정말 행복했지만, 독감이 떨어지게 하기 위해 그가 할 수 있는 것은 아무것도 없었다.

| 정답 | 07 ② 08 ② 09 ③ 10 ①

ENERGY

인생의 가장 큰 손실은
내가 가진 것을 잃는 것이 아니라
나를 바꿀 수 있는 기회를 잃는 것입니다.

– 조정민, 『사람이 선물이다』, 두란노

CHAPTER

02 전치사

□ 1회독	월	일
□ 2회독	월	일
□ 3회독	월	일
□ 4회독	월	일
□ 5회독	월	일

POINT CHECK

VISUAL G

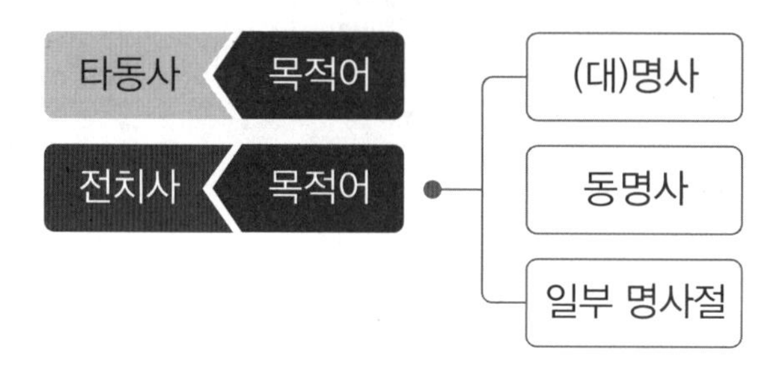

01 전치사의 특징

01 전치사는 반드시 □□□을(를) 갖는다.

(1) 전치사의 역할

전치사는 단독으로 사용되지 못하며 목적어를 갖는다. 전명구는 문장에서 형용사 또는 부사의 역할을 한다.

- I write a letter **in English.** (전명구-형용사구의 역할) 나는 영문으로 된 편지를 쓴다.
- I write a letter **in England.** (전명구-부사구의 역할) 나는 영국에서 편지를 쓴다.

(2) 전치사의 목적어 종류

① 전치사는 주로 명사 또는 대명사 목적어와 결합하여 형용사구나 부사구를 만든다.

- He received a love letter **in the box.** (형용사구) 그는 상자 안에 있는 연애편지를 받았다.
- I studied biology **in Germany for three years.** (부사구)
  나는 독일에서 3년 동안 생물학을 공부했다.
- He is staying **at the hotel.** (부사구) 그는 호텔에 머무르고 있다.
- He got angry **with his wife.** (부사구) 그는 부인에게 화가 났다.

② 명사(구), 동명사, 일부 명사절 외에도 형용사, 부사, 분사, to부정사도 목적어로 취할 수 있다.

㉠ 형용사

- He is far **from happy.** 그는 행복과는 거리가 멀다.

| 정답 | 01 목적어

㉡ 부사

• They will come **before long.** 그들은 곧 올 것이다.

㉢ 동명사

• He came in **without greeting anybody.**
그는 누구와도 인사를 나누지 않고 들어왔다.

㉣ 분사

• Most people take it **for granted** that they make mistakes.
대부분의 사람들은 그들이 실수를 하는 것을 당연하게 받아들인다.

㉤ to부정사

• Nothing remains **but to win.**
이기는 것 외에는 남은 것이 없다. (이제는 이기는 것뿐이다.)
※ but은 여기서 to부정사를 목적어로 갖는 전치사로 쓰인 것이다.

㉥ 의문사절

• They talked **about where they should go first.**
그들은 어디에 먼저 가야 할지에 대해 이야기했다.

㉦ 접속사절

• We know nothing about her **save that she is a school teacher.**
우리는 그녀가 학교 교사라는 것을 제외하고는 그녀에 대해 아는 것이 아무것도 없다.
※ 이 문장에서 save that은 except that으로 대신할 수 있으며, save는 except와 같은 전치사로 쓰인 것이다.

• We're in a dilemma **as to whether we should maintain the status quo.**
우리는 현상태를 유지해야 할지에 대해 딜레마에 빠져 있다.

O There is some misunderstanding **between him and her.**
그와 그녀 사이에는 약간의 오해가 있다.

X There is some misunderstanding **between him and she.**
➡ 전치사의 이중 목적어의 격에 유의한다.

(3) 전치사와 목적어의 위치

전치사의 목적어는 전치사 바로 뒤에 놓이는 것이 원칙이다. 그러나 의문사가 전치사의 목적어인 의문문에서는 의문사와 전치사가 분리된다.

• **What** is the weather **like** today? 오늘 날씨가 어떻습니까?

• **Whom** did you do that **for?** 당신은 누구를 위해 그것을 했습니까?

(4) 전치사를 생략하는 경우

① 「명사/형용사 + 전치사 + 의문사」 구조에서 전치사는 생략 가능하다.

• I have no idea (about) what you are saying. 나는 네가 무슨 말을 하고 있는지 모르겠다.

② that절 앞에서는 반드시 전치사를 생략해야 한다. 단, 전치사가 in, except, but, save인 경우에는 생략되지 않는다.

• I am glad ~~of~~ **that** they are able to come. (that절 앞에 of 생략)
나는 그들이 올 수 있어서 기쁘다.

POINT CHECK

POINT CHECK

- They are convinced ~~of~~ **that** he is a liar. (that절 앞에 of 생략)
  그들은 그가 거짓말쟁이인 것을 확신한다.

  참 **We are convinced of it.** (전치사의 목적어로 it을 사용) 우리는 그것을 확신한다.

※ 전치사의 목적어로 that절이 올 때, 전치사를 생략한다. 즉, 형용사나 분사 뒤에 전치사, 특히 of를 생략하고 that을 많이 쓴다.

헷갈리지 말자 convinced of vs. convinced that

- I am convinced of that he is a liar.

- I am convinced ~~of~~ that he is a liar.
  나는 그가 거짓말쟁이인 것을 확신한다.

➡ be convinced of 뒤에 that절이 올 때, 전치사는 반드시 생략해야 한다. 다시 말해, of 뒤에는 명사구가 목적어로, that 뒤에는 절이 온다. 따라서 「be convinced of + 명사/명사구」, 「be convinced that + 주어 + 동사」로 기억해야 한다.

02 전치사의 다양한 활용

교수님 한마디 전치사는 단순하게 암기하기보다는, 전치사가 가지고 있는 시각적 이미지를 구체화하여 주어진 상황 속에서 유연하게 사용해야 한다.

● 한눈에 보는 전치사

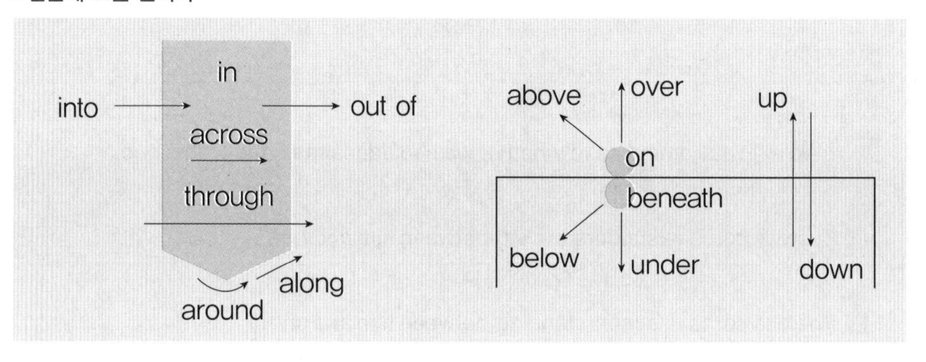

02 against의 반대는 □□□이다.

(1) against: 기본적으로 두 힘이 맞서는 관계

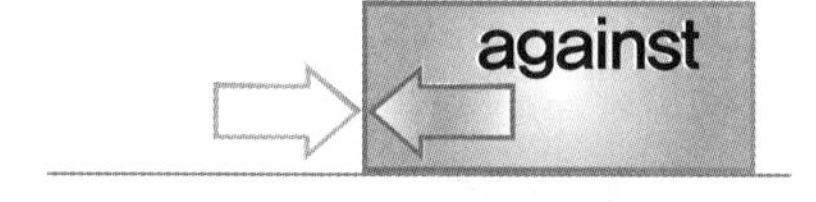

① 반대, 대항: ~에 반대하여
- **against** the law 법에 반하여
- **against** etiquette 예의범절에 어긋난

② 불리: ~에 불리하게

③ 대비: ~에 대비하여

④ ~에 기대어

⑤ 대조, 배경: ~와 대조되어, ~을 배경으로

| 정답 | 02 for

(2) at: '점'으로 인식되는 개념(한 지점)

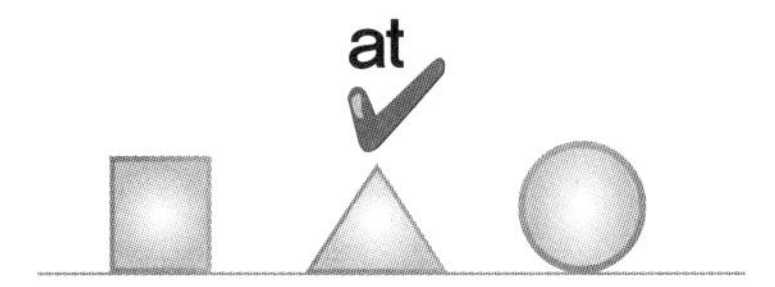

① 좁은 개념: 좁은 장소, 시각, 번지(at + 기수)

• My mother was born **at** 541 Lexington Avenue.

나의 어머니는 Lexington Avenue 541번지에서 태어나셨다.

② 시점: ~ 때에(분, 시, 새벽, 밤 등)

• **at** dawn 새벽에

• **at** dusk 해질 무렵에

• **at** night 밤에

③ 방향, 목표: ~을 겨누고, ~을 향하여

④ 속도, 가격, 비율: ~로, ~에

• **at** the age of ~의 나이에

• **at** a bargain 할인하여

⑤ 감정의 원인, 자극: ~에, ~ 때문에

● at과 관련된 기타 관용구

at table	식사 중에	at the rate of	~의 비율로
at the cost of	~의 대가를 치르고	at full speed	전속력으로
at random	함부로, 닥치는 대로	at ease	편안한
at odds	다투어, 불화하여	at sea	항해 중에
be at home in	~에 정통하다	at all times	늘, 언제나
the world at large	전 세계	people at large	일반 대중

(3) from: '출발점'의 개념

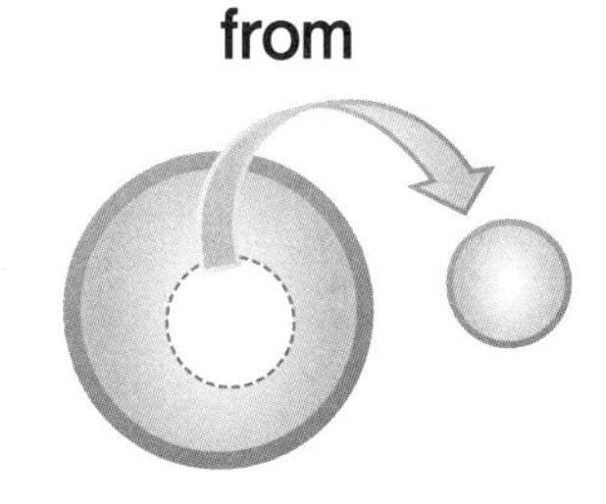

① 근원: ~에게(서)

② 재료: ~로

③ 판단, 근거: ~로 미루어

• **from** one's viewpoint ~의 관점으로 판단하건대

④ 출발점: ~로부터, ~에서

⑤ 원인, 이유, 동기: ~로 인해, ~ 때문에

POINT CHECK

POINT CHECK

(4) in: '~ 안에'의 의미

① 공간(비교적 넓은 장소): ~에(서), ~ 속에

② 착용: ~을 입고 있는

③ 상태: ~의 상태 속에 있는

④ 시간(앞으로 있을 사실에 대한 때의 경과): ~에는, ~ 후에, ~ 만에(at보다 긴 시간 표시)

⑤ 종사, 활동 분야: ~에 속하여

⑥ 시점: ~ 때에(월, 년, 세기, 계절 등)

⑦ 변화: 변화/증가/감소/개선되는 대상을 언급

- a change **in** policy 정책의 변화
- a(n) + rise/increase/decrease/drop/fall + **in** ~의 상승/증가/감소/감퇴/하락

● in과 관련된 기타 관용구

in demand	수요가 있는	in a day	하루에
in time	늦지 않게	in summary	요컨대
in cash	현금으로	in one's right mind	제정신인
in this regard	이 점에 대해서는	in place	제자리에, 적소에

(5) for: '방향, 목적, 이유'의 개념

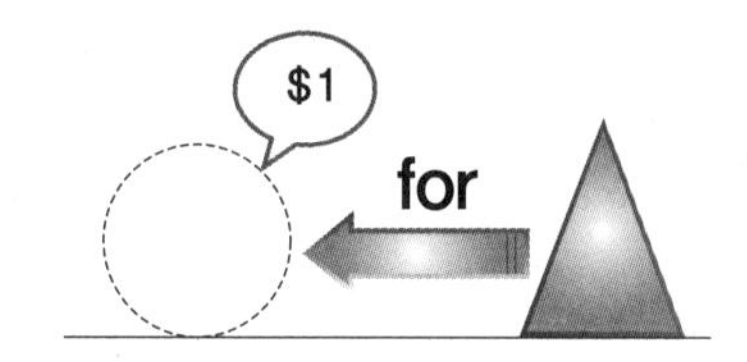

① 용도, 목적: ~을 위해서

- money **for** supplies 물품 구입비
- articles **for** sale 판매용 물건

② 이유: ~ 때문에

- The writer was fined **for** plagiarism. 그 작가는 표절로 벌금을 부과받았다.

③ 기간: ~ 동안

④ 비례: ~에 대하여

⑤ 찬성: ~에 찬성하여

⑥ 방향: ~을 향하여

⑦ 대리: ~을 대신하여

⑧ 교환: ~에 대해, ~의 보답으로

⑨ 한정: ~치고는, ~에 비하여

- The man looks young **for** his age.
  그 남자는 그의 나이에 비해 어려 보인다.

헷갈리지 말자 for vs. during

• He spent his vacation surfing in Hawaii **for** a month.
그는 한 달 동안 하와이에서 파도타기(서핑)를 하며 휴가를 보냈다.

• He spent his vacation surfing in Hawaii **during** a month.

➡ 전치사 for는 '~ 동안'이라는 의미로 뒤에 보통 숫자로 된 기간이 온다. 반면, during의 경우에는 어떤 일이 발생한 특정 기간인 구간의 시간 개념이 온다. 또한 while은 접속사로 전치사의 쓰임과 구별되어야 하는데 「while + 주어 + be동사 + -ing」의 경우 주절의 주어와 같거나 불특정 다수를 지칭할 때는 「주어 + be동사」는 함께 생략이 가능하다.

• during the weekend[my absence/the summer/the night/the crisis]

POINT CHECK

(6) of: '기원'의 개념

① 일부, 소유: ~의, ~ 중의

• on behalf **of** ~을 대신하여, ~을 대표하여, ~을 위해서

② 관련: ~에 대해서, ~에 대한

③ 재료, 구성: ~로 만들어진, ~로 구성된

• a group consisting **of** boy members 소년 멤버들로 구성된 그룹

• the desk made **of** a tree 나무로 만들어진 책상

④ 기준점: ~의

• north **of** Seoul 서울의 북부

(7) on: 두 대상이 접촉해 있는 물리적 관계

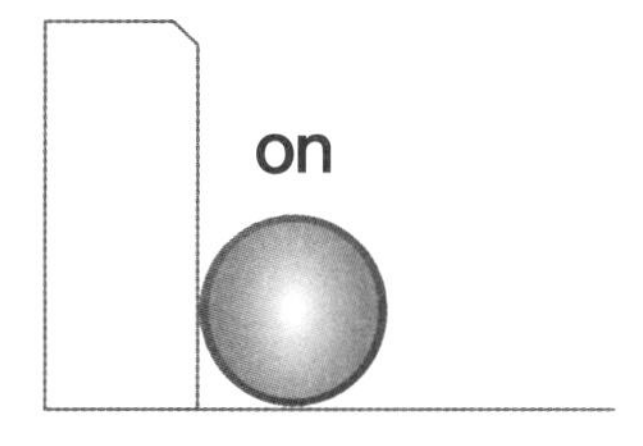

① 공간: ~ (위)에, 거리명(on + 무관사 서수)

② 인접, 접촉: ~에 붙여, ~에 매여

③ 교통수단: ~을 타고, ~로

④ 시간: 일정한 날짜 표시(날짜, 요일, 특정일)

⑤ 대상: ~에 대하여

⑥ 의존, 근거: ~에 근거하여

• count **on** = depend **on** ~에 의존하다

POINT CHECK

⑦ 상태: ~ 상태로, ~하는 중에

⑧ 소속: ~의 일원인, ~에 관계[종사]하여

⑨ 지점, 기초: ~을 지점[바탕]으로 하여

- on the back of ~의 이면에

⑩ 관계, 주제: 전문적이고 학문적인 내용

- an international conference **on** nuclear weapons 핵무기에 관한 국제 회의

헷갈리지 말자 on Sunday vs. on Sundays

- They'll go on a picnic **on Sunday.**
  그들은 일요일에 피크닉을 갈 것이다.

- They'll go on a picnic **on Sundays.**
  그들은 일요일마다 피크닉을 갈 것이다.

➡ on Sunday는 '(어느 하루인) 일요일에'라는 뜻이지만 on Sundays는 '일요일마다'의 뜻으로 every Sunday의 의미이다. 주로 계속되는 습관을 나타내는 문장에서 쓰인다.

(8) out of: 외부에 있는 상태, (밖으로) 나오는 운동 상태

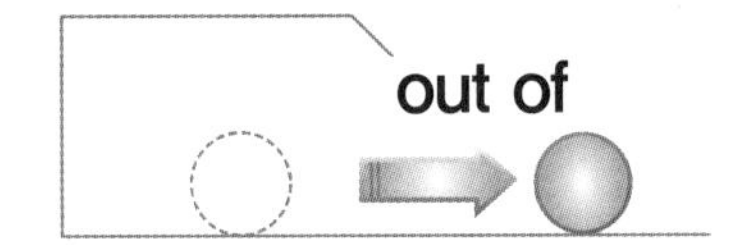

●「out of + 명사」 관용표현

out of date	구식의	out of control	통제할 수 없는
out of stock	재고가 떨어진	out of shape	아픈, 제 모양이 아닌
out of sorts	불쾌한, 몸이 불편한	out of bounds	한도를 벗어난
out of print	절판된	out of place	제자리에 있지 않은, 부적절한
out of order	고장 난	out of the blue sky	갑자기, 예고 없이
out of reach	힘이 미치지 않는, 손이 닿지 않는	out of hand	즉시, 손을 쓸 수 없는
out of season	제철이 아닌	out of spirits	기가 죽어, 맥없이
out of the question	불가능한	out of question	틀림없이

(9) with: '동반, 수반'의 개념

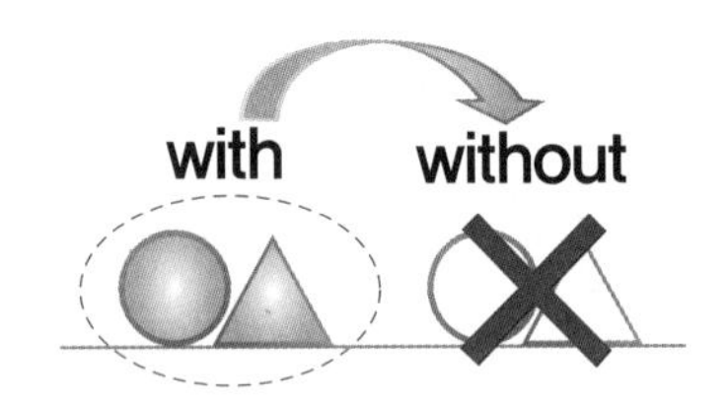

① 동반: ~와 함께

② 소유: ~이 있는, ~을 가지고 있는

③ 일치, 찬성: ~와 일치하여

④ 이유: ~으로 인해, ~의 탓으로

⑤ 재료, 수단: ~으로

⑥ 대상: ~에게, ~에 대해서

- in comparison **with** ~에 비해서

⑦ 부대상황: ~하면서, ~한 채로

⑧ 관계, 입장: ~의 경우에, ~에 있어서

- be satisfied **with** ~에 만족하다
- be content **with** ~에 만족하다

⑽ through: '통과, 관통'의 개념

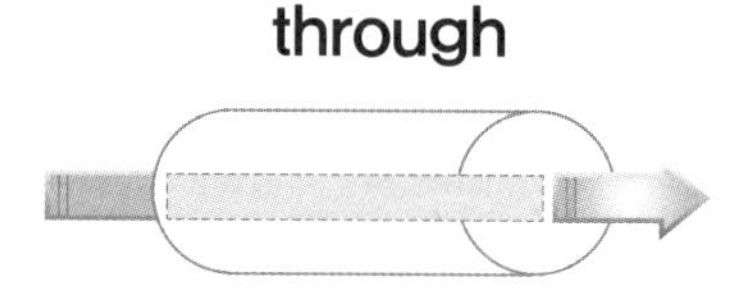

① 과정, 수단: ~을 동원하여, ~에 의해, ~을 통해

② 기간: ~ 내내, ~까지

- The festival continued **through** the summer. 그 축제는 여름 내내 지속되었다.
- The flower shop is open from Monday **through** Saturday.
  그 꽃가게는 월요일부터 토요일까지 연다.

참 throughout: ~ 동안 줄곧, 내내(시간), ~의 곳곳에, 도처에(장소)

③ 관통: ~을 뚫고, ~을 관통하여

- They pass **through** a village. 그들은 마을을 관통해서 지나간다.

⑾ by: '완료'의 개념

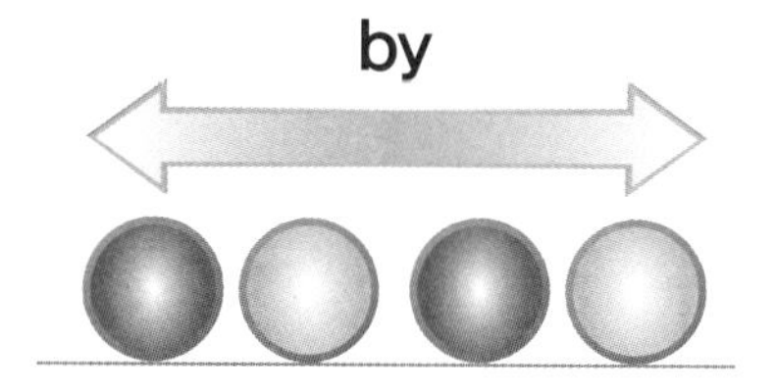

① 장소: ~ 옆에, ~ 옆으로

- **by** the gas station 주유소 옆에

② 수단: ~으로, ~에 의하여

③ 단위: ~ 단위로

④ 기한: ~까지(완료)

- **by** midnight 자정까지
- **by** five 다섯 시까지

⑤ 주체, 원인: ~에 의해서, ~ 때문에

⑥ 차이: ~의 차로, ~만큼

⑦ 인식의 근거: ~에 의해, ~로

POINT CHECK

POINT CHECK

(12) to: '방향, 대상'의 개념(~을 향해서)

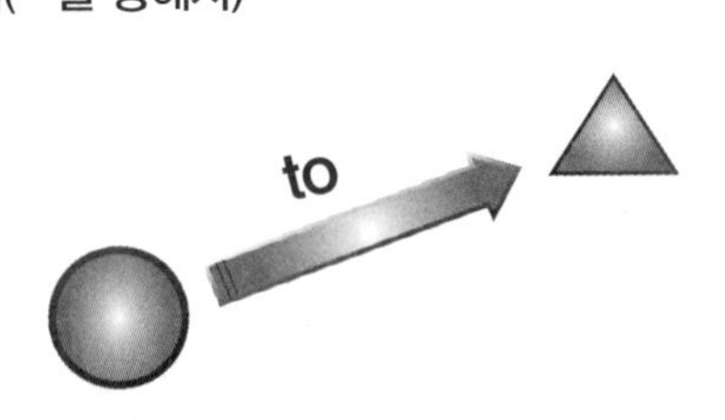

① 관계, 일치: ~에 맞추어[맞도록]

② 시간: ~까지

③ 결과: ~에 이르기까지

④ 목적: ~을 위해서

⑤ 방향, 도착점: 이동의 목표 방향(정해진 방향), ~에(게), ~로, ~까지

- **grow to** ~까지 성장하다
- **look forward to** ~을 고대하다
- **adjust to** ~에 적응하다
- **resort to** ~에 기대다
- go **to** his aid 그를 도우러 가다
- go **to** school 학교에 가다

(13) over: '~을 넘어서'의 의미

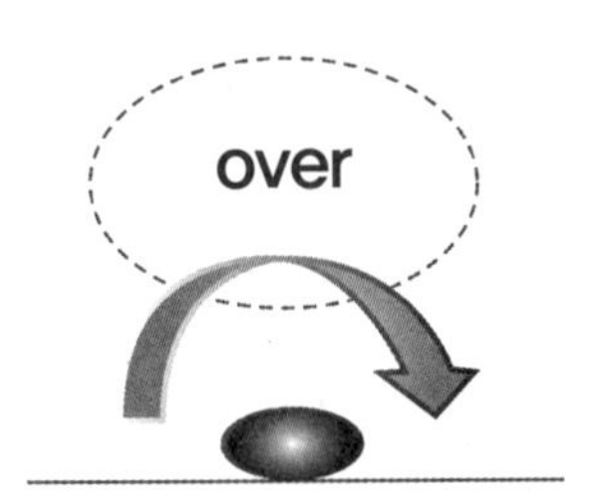

① 시간: ~ 동안, ~에 걸쳐

- **over** the last two years 지난 2년에 걸쳐

② 양, 비용: ~ 이상

- **over** 80 percent 80% 이상

③ 범주: ~ 도처에, 여기저기에

- travel all **over** the world 세계 이곳저곳을 여행하다

④ 주제: ~에 관한, ~에 관해서

- concern **over** water quality 수질에 대한 우려

⑤ 동시상황: ~하면서

- The women sat **over** a cup of tea.
  그 여자들은 차를 마시며 앉아 있었다.

헷갈리지 말자 beside vs. besides

• beside: ① ~ 옆에, ~ 가까이에
② ~에 비해

• besides: ① 부사: 게다가, 덧붙여
② 전치사: ~을 제외하고(= except); ~외에도

➡ beside는 '~ 옆에'를 의미하는 전치사이다. besides는 '게다가'라는 뜻의 부사 또는 '~을 제외하고'라는 뜻의 전치사이다.

POINT CHECK

03 주요 전치사

(1) 시간을 나타내는 주요 전치사: 좁은 시점부터 넓은 시점까지 사용한다.

at	~에 (주로 시간에 사용)	**at** noon(정오에), **at** night(밤에), **at** the end of this year(올해 말에)
on	~에 (주로 날짜와 요일에 사용)	**on** May 5(= **on** May 5th, **on** the 5th of May, 5월 5일에), **on** Sunday(일요일에), **on** Monday(월요일에), **on** Sunday morning(일요일 아침에)
in	~에 (주로 월, 년, 계절에 사용)	**in** the morning(아침에), **in** the afternoon(오후에), **in** the evening(저녁에), **in** January(1월에), **in** May(5월에), **in** 2014(2014년에), **in** (the) summer(여름에)

O What do you say to playing tennis **on** Monday morning?
월요일 아침에 테니스를 치는 게 어때?

X What do you say to playing tennis **in** Monday morning?

➡ 시간의 명사들은 위의 표와 같이 각각 다른 전치사와 함께 쓰이지만, 특정한 시점을 지칭하는 Monday morning 또는 전명구로 수식받는 경우 전치사 on을 이용해서 「on + 시간 표현」을 사용한다.

(2) 장소를 나타내는 주요 전치사

at	~에, ~에서 (주로 좁은 장소에 사용)	**at** home(집에), **at** the bus stop(버스 정류장에), **at** the zoo(동물원에)
in	~에, ~에서 (주로 넓은 장소에 사용)	**in** Seoul(서울에), **in** New York(뉴욕에), **in** Korea(한국에)

(3) 위치를 나타내는 주요 전치사

at	~에	**at** the door(문 앞에), **at** the top(꼭대기에)
in	~ (안)에	**in** the kitchen(주방에), **in** a car(차 안에)
on	(~에 붙어서) 위에	**on** the bed(침대에), **on** the wall(벽에)
beneath	~의 바로 밑에	**beneath** my feet(나의 발 밑에)
over	(~에서 떨어져서 바로) 위에	**over** the rainbow(무지개 위에), **over** the bridge(다리 위에)
under	(~에서 떨어져서 바로) 아래에	**under** the desk(책상 아래에), **under** the bridge(다리 아래에)
above	(~보다) 위에[위쪽에]	**above** the desk(책상 위에), **above** the peak(산꼭대기 위에)
below	(~보다) 아래에[아래쪽에]	**below** the desk(책상 아래에), **below** the rainbow(무지개 아래에)
in front of	~ 앞에	**in front of** the gate(입구 앞에)

POINT CHECK

behind	~ 뒤에	**behind** the sofa(소파 뒤에), **behind** the wall(벽 뒤에)
by, next to, beside	~ 옆에	**by** me(내 옆에), **next to** my office(나의 사무실 옆에), **beside** the shop(가게 옆에)
near	~ 근처에[가까이에]	**near** my school(우리 학교 근처에), **near** my house(우리 집 근처에)
around, round	~ 주위에	**around** me(내 주위에), **round** the campfire(캠프파이어 주변에)
between	(둘) 사이에	**between** my mom and dad(우리 엄마와 아빠 사이에), **between** the two guys(두 남자들 사이에)
among	(셋 이상) 사이에	**among** students(학생들 사이에), **among** brothers(형제들 사이에)

(4) 방향/이동을 나타내는 주요 전치사

up	위쪽으로	**up** the stairs(계단 위쪽으로)
down	아래쪽으로	**down** the stairs(계단 아래쪽으로)
over	(바로) 위로	**over** the mountain(산 위로)
under	(바로) 아래로	**under** the mountain(산 아래로)
into	~ 안으로	**into** the room(방 안으로)
out of	~ 밖으로	**out of** the world(세상 밖으로)
along	~을 따라서	**along** the bank(강둑을 따라서)
across	~을 건너	**across** the intersection(교차로를 건너)
through	~을 통해	**through** the door(문을 통해)
to	~에, ~으로	**to** the house(집으로)
toward, towards	~ 쪽으로	**toward** home(집을 향해)

04 구 전치사

03 두 개 이상의 단어가 모여 하나의 전치사 역할을 하는 것을 □□□□(이)라고 한다.

2개 이상의 단어가 모여 하나의 전치사 역할을 하는 것을 '구 전치사'라고 한다.

at odds with	~와 마찰을 빚는	such as	~와 같은
in defiance of	~에 저항하는, ~을 무시하고	owing to	~ 때문에
in charge of	~에 책임이 있는, ~을 맡은	thanks to	~ 덕분에
in the face of	~에도 불구하고	instead of	~ 대신에
because of	~ 때문에	due to	~ 때문에
in spite of	~에도 불구하고	regardless of	~에 상관없이

- Baseball games are often delayed **because of** rain.
  야구 경기는 종종 비 때문에 연기된다.
- All classes were canceled **due to** the blackout.
  모든 수업이 정전 때문에 취소되었다.
- He didn't get the job **in spite of** having all the qualifications.
  그는 모든 자격 요건을 갖췄음에도 불구하고 그 일자리를 얻지 못했다.
- We accepted all the applicants **regardless of** age or gender.
  우리는 나이나 성별에 상관없이 모든 지원자를 받았다.

| 정답 | 03 구 전치사

(1) 이유를 나타내는 구 전치사

on account of ~ = because of ~ = on the ground of ~ = owing to ~ = due to ~: ~ 때문에

• He cannot accept her invitation **on account of** his illness.
그는 아파서 그녀의 초대를 받아들일 수 없다.

(2) 양보를 나타내는 구 전치사

in spite of ~ = in the face of ~ = with all ~ = for all ~: ~에도 불구하고(= despite)

• The dog went out **in spite of** a storm. 그 개는 폭풍에도 불구하고 나갔다.

(3) 수단을 나타내는 구 전치사

by means of ~ = by dint of ~ = by virtue of ~: ~의 덕택으로, ~에 의해서

• The heavy boxes were lifted **by means of** a crane.
그 무거운 상자들은 기중기에 의해 들렸다.

(4) 목적을 나타내는 구 전치사

for the purpose of ~ = with the object of ~ = with a view to[of] ~: ~ 할 목적으로

• He entered college **for the purpose of** studying electric engineering.
그는 전기 공학을 공부하기 위해 대학에 들어갔다.

• He waited **with a view to** seeing me.
그는 나를 만나기 위해 기다렸다.

※ with a view to에서 to는 전치사이므로 뒤에 동사원형이 아니라 동명사가 온다는 것에 유의해야 한다.

(5) 대상을 나타내는 구 전치사

for the sake of ~ = for the good of ~ = for the benefit of ~: ~을 위하여, ~의 이익을 위해

• They argue **for the sake of** winning. 그들은 이기기 위해 주장을 한다.

(6) 조건을 나타내는 구 전치사

in case of ~ = in the event of ~: ~할 경우에는

• **In case of** fire, ring any of the alarm bells.
화재가 발생할 경우, 아무 경보 벨이나 울려 주십시오.

• We will cover you **in the event of** theft.
우리는 도난 발생 시 보상을 할 것입니다.

(7) 기타 구 전치사

① by way of ~ = via ~

㉠ ~을 경유하여

• We went to Miami **by way of** Mexico. 우리는 Mexico를 경유해서 Miami로 갔다.

㉡ ~하기 위하여, ~하는 셈으로

• We make inquiries **by way of** learning the facts.
우리는 사실을 배우기 위하여 질문한다.

POINT CHECK

POINT CHECK

04「according to + 명사(구)」
「according as + □」

05「provide + A(대상) + □ □ □ □ + B(사물)」: A에게 B를 제공하다

| 정답 | 04 절 05 with

② in accordance with ~: ~에 따라서, ~와 일치하여

- He tried to act **in accordance with** his words.

  그는 그의 말과 일치하는 행동을 하려 노력했다.

③ in comparison with ~ = compared with ~: 와 비교하면

- There is an over-supply **in comparison with** the demand.

  수요에 비해 초과 공급이 있다.

④ in consequence of ~ = as a result of ~: ~의 결과로서

- **In consequence of** the inflation, the prices of things have much risen.

  인플레이션의 결과로, 재화 가격이 많이 상승했다.

⑤ according to ~ = in proportion to ~: ~에 따라서

- **According to** the rule, we can choose one of them.

  규칙에 따라, 우리는 그것들 중 하나를 선택할 수 있다.

O You will give it **according as** you receive. 당신은 당신이 받는 것에 따라서 그것을 줄 것이다.

X You will give it **according to** you receive.

➡ according as 뒤에는 절이 온다.

⑥ at the mercy of ~ = in the power of ~: ~에 휘둘리는, ~의 처분대로

- The ship was **at the mercy of** a strong current.

  그 배는 강한 해류에 속수무책이었다.

05 특정 동사와 함께 쓰이는 전치사

(1) 공급의 타동사: 「S + 공급동사 + A(대상) with B」

supply, provide, furnish, present, fill, endow, entrust, charge, replenish, credit, equip

- The delay **furnished** her **with** the time she needed.

  지연은 그녀에게 그녀가 필요한 시간을 제공했다.

O I **provide** them **with** food. 나는 그들에게 음식을 제공한다.

X I **provide** them **for** food.

➡ provide는 사물을 제공한다는 의미로 쓰일 때, 제공하는 사물 앞에 반드시 전치사 with를 사용해야 한다. 단, I provide food for them.은 옳은 문장이다.

(2) 비교/관련의 타동사: 「S + V + A(대상) with B」

compare, combine, contrast, correlate, connect, confuse

- It is interesting to **contrast** the British legal system **with** ours.

  영국의 법률 제도를 우리의 제도와 대조해 보는 것은 흥미롭다.

(3) 제거/박탈의 타동사: 「S + V + A(대상) of B」

rob, deprive, clear, rid, ease, relieve, bereave

- The shock **robbed** her **of** her speech. 충격이 그녀에게서 말을 앗아갔다.

(4) 통보/확신의 타동사: 「S + V + A(대상) of B」

remind, convince, inform, assure, warn, accuse, notify, tell, advise

- She will **notify** him **of** the starting date. 그녀가 그에게 시작일을 통지해 줄 것이다.

(5) 방해/금지의 타동사: 「S + V + A(대상) + from + –ing」

keep, prevent, hinder, prohibit, deter, stop, disable, dissuade, discourage

- We should **prevent** them **from** making a trip. 우리는 그들이 여행을 가는 것을 금지시켜야 한다.
  = We should **forbid** them **to make** a trip.
  ※ 불완전타동사 forbid의 경우 목적격 보어로 to부정사를 취한다. 다른 방해/금지의 타동사와 쓰임을 혼동하지 않도록 유의해야 한다.

(6) 비난/감사/칭찬의 타동사: 「S + V + A(대상) + for + something」

blame, bless, criticize, praise, punish, reprimand, reward, scold, thank, upbraid

- He does not **blame** anyone **for** his mother's death.
  그는 어머니의 죽음에 대해 아무도 탓하지 않는다.
  = He does not **blame** his mother's death **on** anyone.
- Some people **criticize** us **for** going on strike.
  어떤 사람들은 우리가 파업을 계속하는 것을 비난한다.
  ※ 기타: 「S + V + O(사람) + for + something(사물)」

  excuse, exchange, forgive, mistake, name, substitute, take

(7) '걱정/근심'류 동사: about

be concerned about, be worried about(= be anxious about)

- She **was** extremely **concerned about** her husband.
  그녀는 그녀의 남편을 매우 걱정했다.

(8) '구별'류 동사: from

distinguish, differentiate, tell, know, mark off, discriminate

- She was not able to **differentiate** a potato **from** a sweet potato.
  그녀는 감자와 고구마를 구별할 수 없었다.

(9) '유명/악명'류 동사: for

be known for(= be famous for), be noted for

- She **was known for** the sculpture. 그녀는 그 조각으로 유명했다.

(10) '결과의 변화'류 동사: into

convert, translate, change, develop

- He **translated** the scenario **into** Spanish. 그는 그 시나리오를 스페인어로 번역했다.

POINT CHECK

02 전치사

[01~15] 다음 중 어법상 옳은 것을 고르시오.

01 He counts [on / to] his father.

02 She prevented herself [from / of] laughing.

03 Jack looked forward [to / with] receiving a birthday present from you.

04 Big companies are modifying their strategies in accordance [with / at] this new trend.

05 They resorted [in / to] force.

06 Nothing distinguished her [as / from] her friends.

07 People must adjust [at / to] this new way of life.

08 They go abroad [for / in] the first time.

09 She spent her vacation painting [for / during] three months.

10 The project was canceled because [of / for] a small mistake.

11 The government provided them [with / for] water.

12 The thief robbed her [of / from] a bag.

13 The coffee plant grew [to / for] a height of twenty feet.

14 This fire lasts for a very long time in comparison [with / on] other fires.

15 He must ask for forgiveness from the war victims on behalf [of / for] Japan.

정답&해설

01 on

| 해석 | 그는 그의 아버지를 믿는다.

| 해설 | 「count on + 목적어」는 '~에 의존하다, ~을 믿다'를 뜻하며, 「count to + 목적어」는 '~까지 세다'를 의미한다.

02 from

| 해석 | 그녀는 웃음을 참았다.

| 해설 | 'prevent'는 「prevent + 목적어 + from -ing」의 형태로 '~이 …하는 것을 막다, 방해하다'를 뜻한다.

03 to

| 해석 | Jack은 너로부터 생일 선물을 받는 것을 기대했다.

| 해설 | 「look forward to + 목적어(명사/동명사)」는 '~하기를 기대하다'를 뜻한다.

04 with

| 해석 | 대기업들은 이러한 새로운 추세에 따라 그들의 전략을 수정 중이다.

| 해설 | 「in accordance with + 목적어」는 '~과 일치하여, ~에 따라서'를 뜻한다.

05 to

| 해석 | 그들은 힘에 호소했다.

| 해설 | 「resort to + 목적어」는 '~에 의지하다, ~에 호소하다'를 뜻한다.

06 from

| 해석 | 어떤 것도 그녀와 그녀의 친구들을 구별짓지 않았다.

| 해설 | 'distinguish A from B'는 'A와 B를 구별하다'라는 의미이다.

07 to

| 해석 | 사람들은 이러한 새로운 생활방식에 적응해야 한다.

| 해설 | 「adjust to + 목적어」는 '~에 맞추다, ~에 적응하다'를 뜻한다.

08 for

| 해석 | 그들은 처음으로 해외에 간다.

| 해설 | 'for the first time'은 관용표현으로 '처음으로'를 뜻한다.

09 for

| 해석 | 그녀는 세 달 동안 그림을 그리면서 휴가를 보냈다.

| 해설 | 'for'는 불특정 기간을 나타내는 명사(구)를 목적어로 가지며 'during'은 특정 기간을 나타내는 명사(구)를 목적어로 가진다.

10 of

| 해석 | 그 프로젝트는 사소한 실수 때문에 취소되었다.

| 해설 | '~때문에'라는 뜻으로 이유를 나타내는 구 전치사는 'because of'이다.

11 with

| 해석 | 정부는 그들에게 물을 제공했다.

| 해설 | 'provide'는 '~에게 …을 제공하다'라는 의미로 「provide + 목적어(대상) + with + 목적어(사물)」의 형태를 취한다.

12 of

| 해석 | 그 도둑은 그녀에게서 가방을 훔쳤다.

| 해설 | 'rob'은 '~에게 …을 훔치다'라는 의미로 「rob + 목적어(대상) + of + 목적어(사물)」의 형태를 취한다.

13 to

| 해석 | 그 커피나무는 20피트 높이까지 자랐다.

| 해설 | 「grow to + 목적어」는 '~까지 자라다, ~까지 성장하다'를 뜻한다.

14 with

| 해석 | 이번 화재는 다른 화재들과 비교하면 매우 오랜 시간 동안 지속되고 있다.

| 해설 | 「in comparison with + 목적어」는 '~와 비교하면'을 뜻한다.

15 of

| 해석 | 그는 일본을 대표하여 전쟁 희생자들로부터 용서를 구하여야 한다.

| 해설 | 「on behalf of + 목적어」는 '~을 대표하여'를 뜻한다.

02 전치사

교수님 코멘트▶ 전치사는 수식 요소이므로 단독으로 출제되는 경우는 드물지만 꼭 알아두어야 하는 요소이다. 이에 최대한 전치사의 다양한 역할을 살펴볼 수 있는 문제들을 선별하였다. 관용 표현은 암기가 선행되어야 하니 이 점도 유의하자.

01

2015 사회복지직 9급

우리말을 영어로 잘못 옮긴 것은?

① 우리는 그녀의 행방에 대해서 아는 바가 전혀 없다.
→ We don't have the faintest notion of her whereabouts.

② 항구 폐쇄에 대한 정부의 계획이 격렬한 항의를 유발했다.
→ Government plans to close the harbor provoked a storm of protest.

③ 총기 규제에 대한 너의 의견에 전적으로 동의한다.
→ I couldn't agree with you more on your views on gun control.

④ 학교는 어린이들의 과다한 TV 시청을 막기 위한 프로그램을 시작할 것이다.
→ The school will start a program designed to deter kids to watch TV too much.

02

다음 중 어법상 옳지 않은 것을 고르시오.

The Royal Academy was founded ① on 1886 at the suggestion of Korea's first diplomatic mission to the United States upon their return home. Primarily it was established with the purpose of ② introducing Western learning into Korea. ③ What was remarkable about this school, from the point of the teaching of English, ④ was that every subject was taught in English.

---

01 「deter + 목적어 + from -ing」

④ 'deter'는 '막다, 단념시키다'의 의미로, 「deter A from B」의 구문이 되어야 한다. 이때 'from'은 전치사이므로 뒤에는 'watch'의 동명사 형태가 와야 한다. 따라서 'to watch'는 'from watching'으로 고치는 것이 옳다.

| 오답해설 | ① 'of her whereabouts'에서 'of'는 '~에 대해'라는 뜻이며 'don't have the faintest notion'은 '전혀 알지 못하다'라는 표현이다.
② 'to close'는 앞의 'plans'를 수식하는 to부정사의 형용사적 용법이다.
③ 'I couldn't agree with you more ~'은 부정적인 의미가 아니라 '매우 동의한다'는 긍정 의미의 표현이다. '~에 대한'이라는 뜻의 전치사 'on'의 쓰임도 알맞다.

02 전치사 in

① 연도를 나타낼 때는 「in + 연도」로 표현하므로 'on' 대신에 'in'이 되어야 한다.

| 오답해설 | ② 전치사 'of'의 목적어로 동명사 'introducing'이 쓰인 것은 옳다.
③ 'What'은 명사절의 주어에 해당하는 선행사를 포함한 관계대명사이다.
④ 주어는 'What was remarkable about this school'이므로 단수 취급하여 'was'가 쓰인 것은 옳다.

| 해석 | 왕립 아카데미는 미국을 방문한 한국의 첫 번째 외교 사절단이 돌아왔을 때 그들의 제안으로 1886년에 설립되었다. 원래 그것은 서양식 학습을 한국에 소개하려는 목적으로 설립되었다. 영어 교습의 측면에서 이 학교의 놀라운 점은 모든 과목이 영어로 교육되었다는 것이었다.

03

우리말을 영어로 옮긴 문장 중 옳지 않은 것을 고르시오.

① 그가 그런 호텔을 고른 것은 기이한 일이다.
→ I wonder that he chose such a hotel.

② 뉴턴이 없었다면 중력 법칙은 발견되지 않았을 것이다.
→ If it had not been for Newton, the law of gravitation would not have been discovered.

③ 그녀는 사내에서 데이트하는 것에 대해 반대한다.
→ She objects to be asked out by people at work.

④ 당신은 사랑에 빠지는 것보다 초콜릿 먹는 것을 선호하나요?
→ Do you prefer eating chocolate to being in love?

---

03 전치사의 목적어

③ 'object to ~'는 '~에 반대하다'라는 의미로 여기서 'to'는 전치사이므로 명사 또는 동명사를 목적어로 갖는다. 따라서 'be asked'는 'being asked'가 되어야 한다.

| 오답해설 | ① 'wonder'는 '~을 의아하게 여기다'라는 타동사의 의미로 알맞게 쓰였다.

② 'If it had not been for ~'는 가정법 과거완료 표현으로 과거 사실에 대한 반대의 내용을 나타내고 있다. 해당 문장에서는 Newton이라는 과거 인물의 존재를 부정하는 형태로 옳게 사용되었다.

④ 「prefer A to B」의 경우는 'A를 B보다 더 좋아하다'라는 의미로 쓰이며 A와 B는 병렬 구조를 이뤄야 한다. 해당 구는 'eating chocolate'과 'being in love'가 각각 동명사의 형태로 병렬 구조를 이루어 옳게 사용되었다.

04

2022 국가직 9급

어법상 옳은 것은?

① A horse should be fed according to its individual needs and the nature of its work.

② My hat was blown off by the wind while walking down a narrow street.

③ She has known primarily as a political cartoonist throughout her career.

④ Even young children like to be complimented for a job done good.

---

04 「according to + 명사(구)」

① 주어인 'A horse'는 먹이를 공급받는 대상이므로 수동형인 'should be fed'가 올바르게 사용되었다. 또한 'according to'는 전치사구이므로 명사구 'its individual needs and the nature of its work'를 알맞게 이끌고 있다.

| 오답해설 | ② 주절과 종속절의 주어가 같은 경우 종속절의 주어를 생략하고 「접속사 + 분사」 형태로 쓸 수 있으나, 해당 문장에서는 주절의 주어 'My hat'이고 종속절의 주어는 I로 서로 다르기 때문에 종속절의 주어와 be동사를 생략할 수 없다. 따라서 'My hat was blown off by the wind while I was walking down a narrow street.'으로 고쳐야 알맞다.

③ 주어인 'She'는 정치 만화가로 알려져 있는 대상이므로 동사는 수동태로 써야 한다. 따라서 'She has been primarily known as ~.'가 되어야 알맞다.

④ 'done'은 과거분사이므로 부사의 수식을 받아야 한다. 'good'은 형용사이므로 부사인 'well'로 고쳐야 알맞다.

| 해석 | ① 말은 각자의 요구와 일의 종류에 따라 먹이를 공급받아야 한다.

② 내가 좁은 길을 걷고 있을 때, 바람 때문에 모자가 날아갔다.

③ 그녀는 경력 내내 정치 만화가로 주로 알려져 왔다.

④ 어린아이들조차도 잘한 일에 대해서는 칭찬받기를 좋아한다.

| 정답 | 01 ④ 02 ① 03 ③ 04 ①

05

2019 서울시 7급

어법상 가장 옳지 <u>않은</u> 것은?

① The boss wants our team to go the documents through before the board of directors begins.

② Not only has the number of baseball players increased but so have the values of the players.

③ Bob tends to borrow more money from the bank than he can pay back.

④ A huge research fund was given to a local private university by the Ministry of Education.

06

2017 국가직 9급(사회복지직 9급)

밑줄 친 부분 중 의미상 옳지 <u>않은</u> 것은?

① I'm going to <u>take over</u> his former position.

② I can't <u>take on</u> any more work at the moment.

③ The plane couldn't <u>take off</u> because of the heavy fog.

④ I can't go out because I have to <u>take after</u> my baby sister.

---

05 「타동사 + 전치사」 vs. 「타동사 + 부사」

① 'go through'는 「go through + 명사」로 사용하여 '~을 검토하다, 조사하다'라는 뜻을 갖는 표현이다. 'through'가 부사가 아닌 전치사이므로 해당 문장처럼 'go the documents through'로 동사와 전치사 사이에 목적어 명사가 올 수 없는 구조이다. 따라서 'go through the documents'로 고쳐야 한다. 반면에 「타동사 + 부사」의 경우, 「타동사 + 목적어 + 부사」 또는 「타동사 + 부사 + 목적어」의 어순을 둘 다 취할 수 있으나 대명사 목적어는 반드시 동사와 부사 사이에 위치해야 한다.

※ put on your coat (○)
　put your coat on (○)
　put it on (○)
　put on it (×)

| 오답해설 | ② 'Not only'가 문두에 있으면 주어와 동사가 도치되어야 한다. 해당 절에서 주어가 단수로 받는 'the number of baseball players(야구 선수들의 수)'이므로 동사로 'has increased'가 오는 것은 수 일치된 적절한 표현이다. 따라서 'Not only has the number of baseball players increased'는 올바르게 쓰였다. 접속사 'but' 이후의 문장 역시 'so'를 강조하여 도치된 문장 형태이다. 따라서 'but so' 이후에 나오는 절의 주어가 'the values of the players(선수들의 가치)'로 복수이므로 'have'가 도치되어 주어 앞에 위치하는 것은 적절하다.

③ 비교급 구문이 'more money ~ than ...'으로 적절하게 사용되었다.

④ 수여동사 'give'가 3형식으로 전환된 후 수동태로 쓰인 구문이다. 능동태로 바꾼 문장은 'The Ministry of Education gave a huge research fund to a local private university.'이다.

| 해석 | ① 사장님은 이사회가 시작되기 전에 우리 팀이 서류를 검토하기를 원한다.

② 야구 선수들의 수가 증가해 왔을 뿐만 아니라 선수들의 가치도 증가해 왔다.

③ Bob은 그가 갚을 수 있는 것보다 더 많은 돈을 은행에서 빌리는 경향이 있다.

④ 막대한 연구 펀드가 교육부에 의해 한 지방 사립대에 주어졌다.

---

06 take 관용표현

④ 'take after'는 '~을 닮다'라는 의미로 문맥상 어색하다. '~을 돌보다'라는 의미의 'take care of' 또는 'look after'로 써야 옳다.

| 오답해설 | ① '~을 인계받다, 받다'라는 의미로 옳게 사용되었다.

② '(일 등을) 맡다, (책임을) 지다'라는 의미로 옳게 사용되었다.

③ '이륙하다'라는 의미로 옳게 사용되었다.

| 해석 | ① 나는 그의 이전 직위를 인계받게 될 것이다.

② 나는 지금 더 이상의 일을 맡을 수 없다.

③ 그 비행기는 짙은 안개 때문에 이륙할 수 없었다.

④ 나는 내 막내 동생을 닮아야(→ 돌봐야) 하기 때문에 나갈 수 없다.

07

2020 국가직 9급

어법상 옳은 것은?

① The traffic of a big city is busier than those of a small city.

② I'll think of you when I'll be lying on the beach next week.

③ Raisins were once an expensive food, and only the wealth ate them.

④ The intensity of a color is related to how much gray the color contains.

08

2011 국회직 9급 변형

밑줄 친 부분 중 어법상 옳지 않은 것을 고르시오.

Playing dice has been a popular game for Western people, and 6 ① is considered to be the strongest number since it is the biggest number from a dice. Meanwhile, 7 is regarded ② as the lucky number probably because it is ③ most likely to have 7 in a dice game when you roll two dice at ④ a same time.

07 전치사의 목적어

④ 'how much'가 이끄는 명사절이 전치사 'to'의 목적어 역할을 하고 있으므로 「의문사 + 형용사 + 명사 + 주어 + 동사」의 어순이 되어야 한다. 따라서 'how much gray the color contains'는 어법상 알맞다.

| 오답해설 | ① 'those'와 비교하는 대상이 단수명사 'The traffic'이므로, 'than' 이하에는 단수 대명사인 'that'이 들어가야 한다. 따라서 'those'를 'that'으로 수정해야 한다.

② 시간, 조건을 나타내는 부사절에서는 현재시제가 미래시제를 대신한다. 해당 문장은 'when I'll be lying on the beach'가 시간의 부사절로 사용되었으나 시제가 미래이므로 옳지 않은 문장이다. 따라서 'I'll be lying'을 'I'm lying'으로 수정해야 한다.

③ 「the + 형용사/분사」는 '~하는 사람들'이라는 뜻이다. 해당 문장의 'the wealth ate them'은 '부유함이 그것들을 먹었다'는 의미가 되어 어색하므로 'the wealth'를 'the wealthy'로 수정해 '부유한 사람들이 그것들을 먹었다'라고 해야 자연스럽다. 따라서 'the wealth'를 'the wealthy'로 수정해야 한다.

| 해석 | ① 대도시의 교통은 소도시의 그것보다 더 붐빈다.

② 내가 다음 주에 해변에 누워 있을 때 너를 생각할게.

③ 건포도는 한때 값비싼 음식이었고, 오직 부유한 사람들만이 그것들을 먹었다.

④ 색의 채도는 그 색이 얼마나 많은 회색을 포함하고 있는지와 관련되어 있다.

08 전치사 at과 관련된 관용표현

④ '동시에'라는 뜻을 갖는 표현은 'at the same time'이다.

| 오답해설 | ① 주어(6)와 동사(consider)가 수동(간주되다) 관계이므로 수동태 'is considered'는 알맞다.

② 「regard A as B」를 수동태로 바꾸면 「A be regarded as B」가 되며, 'A는 B로 여겨지다', 즉 'A를 B로 여기다'라는 뜻이 된다.

③ 'likely'의 최상급 'most likely'는 옳은 표현이다.

| 해석 | 주사위 게임은 서양 사람들에게 인기 있는 게임이었고, 6은 가장 강력한 숫자로 여겨지는데, 왜냐하면 주사위에서 가장 큰 숫자이기 때문이다. 반면에, 7은 행운의 숫자로 여겨지는데, 아마도 주사위 게임에서 당신이 두 개의 주사위를 동시에 굴렸을 때 7을 가질 수 있는 가능성이 가장 많기 때문이다.

| 정답 | 05 ① 06 ④ 07 ④ 08 ④

09

어법상 옳은 것은?

① He is a hard worker, so naturally he has succeeded to the exam.

② Did you remember the time when we climbed the mountain together and saw the sun raise?

③ We did our shopping at a store on the main street.

④ The Nile is longer than any other rivers in the world.

10

다음 우리말을 영어로 옮긴 문장 중 옳지 않은 것은?

① 사회적인 상황에 대해 부정적 반응을 가진 성인들은 심장 질환에 걸리기 더 쉬운 경향이 있다.
→ Adults who have a negative reaction to social situations tend to be more prone to heart disease.

② 그는 유망한 기업들을 발굴하고 그들을 키우는 것에 탁월하다는 것이 판명되었다.
→ He has proven to be excellent in discovering promising companies and expanding them.

③ 한 가지 이유는 눈이 그것을 자극하는 어떤 것으로부터 그들 스스로를 보호하는 것이다.
→ One reason is that the eyes are protecting themselves for something that is irritating them.

④ 경찰은 그녀가 전화했을 때 그녀가 어디에 있었는지 몰랐기에 대응할 수 없었다.
→ The police were unable to respond because they had no idea where she was when she made the call.

---

09 전치사 at과 on의 쓰임

③ 좁은 장소 앞에는 전치사 'at'을 쓰므로 'at a store(가게에서)'는 옳은 표현이다. 거리 이름 앞에는 전치사 'on'을 쓰므로 'on the main street'도 옳은 표현이다.

| 오답해설 | ① '~에 성공하다'는 'succeed in'이다.

② 'raise(~을 올리다, ~을 일으키다)'는 타동사로 목적어가 있어야 하지만 주어진 문장에서는 목적어가 없으므로 자동사 'rise(오르다, 뜨다)'로 바꾸어야 한다. 또한 지각동사 'saw'의 목적격 보어 자리에 해당되므로 원형부정사 또는 현재분사의 형태인 'rise' 또는 'rising'이어야만 한다.

④ 「주어 + 동사 + 비교급 + than any other + 단수명사」와 「주어 + 동사 + 비교급 + than all the other + 복수명사」는 비교급을 이용한 최상급 대용 표현이다. 따라서 'any'를 'all the'로 바꾸거나 'rivers'를 'river'로 바꾸어야 한다.

| 해석 | ① 그는 열심히 공부하는 사람이므로 당연히 시험에 통과했다.

② 너는 우리가 산에 함께 올라 해가 뜨는 것을 본 때가 기억났니?

③ 우리는 중심가에 있는 한 상점에서 쇼핑을 했다.

④ 나일강은 전 세계의 다른 어떤 강보다 더 길다.

---

10 「protect + 목적어 + from + 명사/동명사」

③ '~을 …로부터 보호하다'는 「protect + 목적어 + from + 명사/동명사」으로 표현해야 한다. 따라서 'for'는 'from'으로 바뀌어야 한다. 이때 'from' 대신에 'against'를 사용하기도 한다.

| 오답해설 | ① 주어가 복수명사 'Adults'이므로 복수동사 'tend'는 올바르게 사용되었다.

② 'prove'는 자동사로 '알려지다, 판명되다'의 의미로 쓰이며 「prove (to be) + 형용사」 형태로 사용할 수 있다. 'promising'은 '유망한'이라는 의미로 올바르게 사용되었다.

④ 'where she was'는 간접의문문으로 '어디에 있었는지'에 해당된다. 「의문사 + 주어 + 동사」로 올바른 어순이 사용되었다.

| 정답 | 09 ③ 10 ③

CHAPTER

03 시제

☐ 1회독	월	일
☐ 2회독	월	일
☐ 3회독	월	일
☐ 4회독	월	일
☐ 5회독	월	일

VISUAL G

POINT CHECK

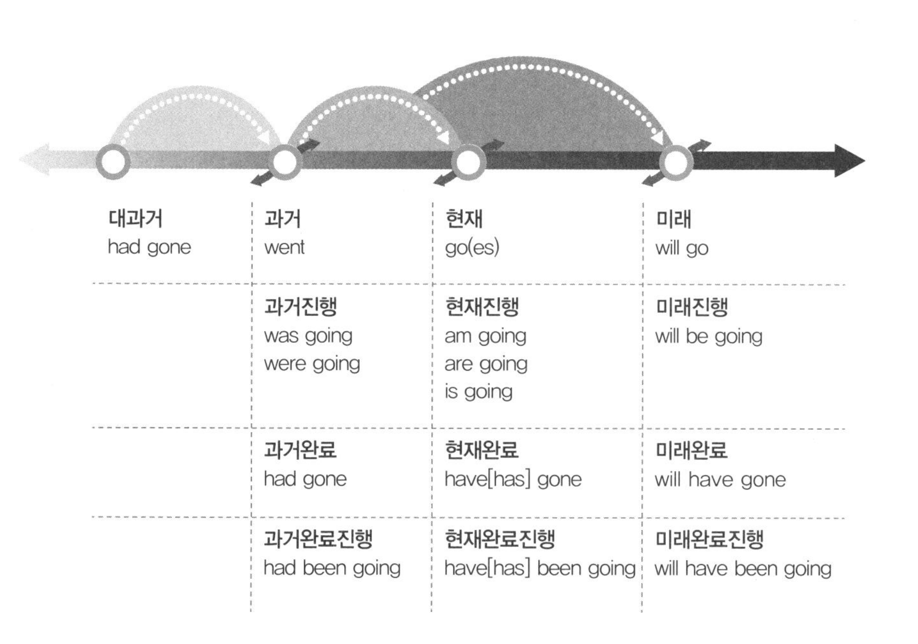

동사의 12시제			
현재	am, are, is	현재진행	am[are/is] -ing
과거	was, were	과거진행	was[were] -ing
미래	will + 동사원형	미래진행	will be -ing
현재완료	have[has] p.p.	현재완료진행	have[has] been -ing
과거완료	had p.p.	과거완료진행	had been -ing
미래완료	will have p.p.	미래완료진행	will have been -ing

01 단순 시제_현재

교수님 한마디 단순 시제의 출제 포인트는 상식적인 시제가 아닌 예외적인 규칙이므로 규칙을 먼저 이해하고 암기하자.

(1) 현재의 습관, 직업, 성격

- He **gets** up at six every morning. 그는 매일 아침 6시에 일어난다.
- He **doesn't tell** a lie. 그는 거짓말을 하지 않는다.

POINT CHECK

01 불변의 진리 및 격언은 반드시 □□ 시제로 나타낸다.

02 왕래발착시종 동사는 가까운 미래를 □□, □□□□, □□ 시제로 나타낼 수 있다.

| 정답 | 01 현재
02 현재, 현재진행, 미래

(2) 불변의 진리, 격언

- The Earth **moves** round the sun. 지구는 태양을 돈다.
- Practice **makes** perfect. 훈련이 완벽을 만든다.

O The teacher taught that the Earth **moves** round the sun.

그 선생님은 지구가 태양을 돈다고 가르쳤다.

X The teacher taught that the Earth **moved** round the sun.

➡ 종속절로 쓰인 경우에도 불변의 진리는 시제 일치가 필요 없는 절대시제이니 잊지 말자.

(3) 현재의 상태

- I **have** a brother. 나는 남자 형제가 한 명 있다.
- He **lives** in England. 그는 영국에 산다.

(4) 왕(往) · 래(來) · 발(發) · 착(着) · 시(始) · 종(終) 동사 + 가까운 미래를 나타내는 부사어구

come, go, arrive, reach, leave, depart, open, close, start, begin, end

왕래발착시종 동사와 가까운 미래를 나타내는 부사어구가 함께 쓰일 때 현재시제나 현재진행 시제로 미래시제를 대신할 수 있다.

- They **leave** for L.A. tomorrow. 그들은 내일 L.A.로 떠난다.

  참 We **will leave** for London the day after tomorrow. 우리는 모레 런던으로 떠날 것이다.
- I **start** for Spain tomorrow. 나는 내일 스페인으로 출발한다.
- Her mother **leaves** for Japan next Sunday. 그녀의 어머니는 다음 주 일요일에 일본으로 떠난다.

(5) 미래의 일을 나타낼 때

확정되고 정해진 미래는 현재시제를 쓴다. 미래를 의미하는 부사어구와 쓰여서 가까운 미래를 나타낸다.

- Tomorrow **is** Monday. 내일은 월요일이다.
- My school **starts** next week. 우리 학교는 다음 주에 시작한다.

(6) 인용, 생생한 표현

- Bill Gates **says** that life is not fair. 빌 게이츠는 삶은 공평하지 않다고 말한다.

02 단순 시제_과거

(1) 과거의 습관적 행위, 반복적 동작, 경험, 사실

① 통상적, 일반적, 반복적 행위를 나타내는 말 → 현재시제
(usually, generally, always 등)

- People usually **use** their right hand at table. 사람들은 식사할 때 일반적으로 오른손을 사용한다.

② 단, 과거 시간 부사어와 같이 쓰이는 경우 → 과거시제

- He usually **got** up at six when he was young. 그는 젊었을 때 보통 6시에 일어났다.

(2) 과거완료시제의 대용

시간 접속사로 연결되어 시간적 전후 관계가 명백할 때 과거완료시제 대신 과거시제를 사용할 수 있다.

[O] My girlfriend **left** before I got to the terminal.

내 여자친구는 내가 터미널에 도착하기 전에 떠났다.

[O] My girlfriend **had left** before I got to the terminal.

(3) 과거의 역사적 사실

- The general **told** us that World War II **broke** out in 1939.

  장군은 우리에게 제2차 세계대전이 1939년에 발발했다고 말해 주었다.

[O] It was said that Columbus **discovered** America in 1492.

콜럼버스가 1492년에 아메리카를 발견했다고 회자되었다.

[X] It was said that Columbus **had discovered** America in 1492.

➡ 과거의 역사적 사건은 단순 과거시제로 나타내는 것이 시제의 절대적 규칙이다.

03 단순 시제_미래

● will과 shall의 쓰임

I will (나는 ~하겠다)	You will (너는 ~할 것이다)	He will (그는 ~할 것이다)
I shall (나는 ~하게 될 것이다)	You shall ((내가) 너를 ~하도록 하겠다)	He shall ((내가) 그를 ~하도록 하겠다)
Shall I ~? (내가 ~할까요?)	Will you ~? (~하겠어요?)	Shall he ~? ((내가) 그를 ~하도록 할까요?)

(1) 단순 미래(미래에 자연히 일어나는 사실: 현대 영어에서는 구분이 중요하지 않음)

- I **shall** be twenty next year. 나는 내년에 20살이 될 것이다.
- You **shall** join the club. 당신을 클럽에 참여하도록 하겠다. (○) / 당신이 클럽에 참여할 것이다. (×)

  ※ shall은 '~에게 …하도록 하겠다'라는 의미로 사용된다.

(2) 의지 미래(사람의 의지에 따라 결정되는 경우: 현대 영어에서는 구분이 중요하지 않음)

- I **will** give you the money. 나는 너에게 그 돈을 줄 것이다.

(3) 미래를 나타내는 다양한 표현

be going to	~할 예정이다	be supposed to	~하기로 되어 있다(예정) ~해야만 한다(의무)
intend to	~할 작정이다	be + to부정사	~할 예정이다(be to 용법: 예정)

- He **is going to** buy some shoes. 그는 신발을 살 예정이다.
- I **intend to** go there. 나는 그곳에 갈 작정이다.
- They **are supposed to** meet here. 그들은 여기서 만나기로 되어 있다.
- He **is to** arrive tomorrow morning. (be to 용법) 그는 내일 아침에 도착할 예정이다.

POINT CHECK

03 과거의 역사적 사실은 예외 없이 □□ 시제로 나타낸다.

04 미래시제는 동사의 변화형이 존재하지 않는다. 그래서 동사원형 앞에 □□□□을[를] 써서 미래의 의미를 나타낸다.

| 정답 | 03 과거 04 will

POINT CHECK

05 시간, 조건의 부사절에서 현재(완료) 시제가 □□(□□)의 의미를 대신한다.

06 현재완료 vs. 과거 → □□□□□ now vs. □□□ now

07 현재완료시제는 □□가 현재에 미치는 영향을 나타낸다.

| 정답 | 05 미래(완료) 06 until, not 07 과거

- 시간 부사절: till, until, after, before, when, as soon as, whenever, by the time
- 조건 부사절: if (only), unless, in case, on condition that, so long as(= as long as)

- We must wait **till** he **comes**. 우리는 그가 올 때까지 기다려야 한다.
- Let's start **when** it **stops** raining. 비가 그치면 출발하자.
- I will be told the reason **when** he **comes** back. 그가 돌아오면, 나는 그 이유를 듣게 될 것이다.
- Phone me **when** you **arrive**. 네가 도착하면 나에게 전화해.

※ 주절의 동사가 미래형이 아니어도 의미상 미래를 의미한다면 종속절의 현재시제는 미래를 나타내는 것으로 보아야 한다.

O We will be pleased **if** he **comes** again. 그가 다시 온다면 우리는 기쁠 것이다.

※ 시간, 조건의 부사절에서 미래시제를 현재시제가 대신할 때, 종속절의 주어가 3인칭 단수일 경우 동사의 형태(-s(es))에 주의해야 한다.

X We will be pleased **if** he **will come** again.

➡ 시간, 조건의 부사절에서는 미래시제 대신 현재시제를 사용해야 옳은 문장이다.

참 I don't know **when** he **will come** back. (명사절을 이끄는 의문사 when절)
나는 그가 언제 돌아올지 모른다.

참 I don't know **if** he **will come back**. (명사절을 이끄는 접속사 if절)
나는 그가 돌아올지 모른다.

참 I don't know the time **when** he **will come** back. (형용사절을 이끄는 관계부사 when절)
나는 그가 돌아오는 시간을 모른다.

※ 시간, 조건의 부사절을 제외한 그 외 부사절, 명사절, 형용사절의 경우에는 미래시제를 그대로 사용해야 한다. 암기문법

조만간 ~하게 될 것이다	before	주어 + 현재동사 ~.
It will not be long		
~하려면 아직 멀었다		
It will be long		

- **It will not be long before** they **meet** again. 조만간 그들은 다시 만날 것이다.
- **It will be long before** they **meet** again. 그들이 다시 만나려면 아직 멀었다.

04 구간 시제_현재완료

과거부터 현재까지: have[has] + 과거분사

- **I have never been to** America. 나는 미국에 가 본 적이 없다.

참 **I didn't go to** America last year. 나는 작년에 미국에 가지 않았다.

(1) 현재완료

교수님 한마디 현재완료를 완료, 계속, 경험, 결과로 나누는 기준이 학습 포인트가 아니다. 이 영역은 완료시제에 어울리는 적절한 부사구를 파악해서 현재완료를 이해하는 것이 목적이다.

과거에 시작되어 현재 끝난 상황 혹은 현재까지 상태나 동작이 계속 이어지는 상황을 나타내는 표현이며 「have[has] p.p.」로 쓴다. 현재완료시제는 완료, 계속, 경험, 결과의 유형으로 나뉜다.

완료	과거의 상태 또는 동작이 현재 종료
계속	과거부터 현재까지 계속되는 상태 또는 동작
경험	과거부터 현재까지의 경험
결과	과거의 사건이 현재의 상태에 영향을 미침

POINT CHECK

① 완료: '(과거부터 현재까지) ~했다'의 의미로 현재의 시점에서 동작의 완료를 나타낸다. just, already, today, recently, not yet, by this time 등과 함께 사용된다.

- She **has just read** the book through. 그녀는 그 책을 막 다 읽었다.
- He **has already finished** his work. 그는 벌써 그의 일을 다 끝마쳤다.
- My husband **has not yet come** back home. 내 남편은 아직 집에 들어오지 않았다.

O My husband **came** home **just now**.

X My husband **has come** home **just now**.

➡ just now는 주로 현재 및 과거 시제와는 사용되지만, 현재완료시제와 같이 사용되는 경우는 없다.

② 계속: 과거부터 진행되던 사건이 현재에도 계속되고 있음을 나타낸다. 「since + 과거 시점」, 「for + 기간」과 함께 사용될 수 있다.

- I **have known** them **since** I was a child. 나는 내가 어릴 때부터 그들을 알고 지냈다.
- I **have known** them **for** 10 years. 나는 10년 동안 그들을 알고 지냈다.

③ 경험: 과거부터 현재까지의 기간 중 어떤 일의 경험 유무와 빈도를 나타낸다. ever, never, once, before, seldom, sometimes, often 등을 이용해서 빈도를 나타낼 수 있다.

- **Have** you **ever seen** snow? 눈을 본 적이 있습니까?
- She **has never seen** snow. 그녀는 눈을 본 적이 없다.

④ 결과: 과거의 사건이 현재에 영향을 미치는 것을 나타낸다. 특별한 부사구는 존재하지 않지만 결과 용법으로 쓰이는 동사가 있다.

● **have[has] been to(현재완료 경험 용법)와 have[has] gone to(현재완료 결과 용법)의 차이**

- 「have[has] been to + 장소 명사」: ~에 가 본 적이 있다, ~에 갔다 왔다
- 「have[has] gone to + 장소 명사」: ~로 가 버렸다 (주어는 3인칭만 가능)
- 「have[has] gone + 장소 부사」: ~로 가 버렸다 (주어는 3인칭만 가능)

- She **has gone to** Tokyo. (결과) 그녀는 도쿄에 가 버렸다. (지금 여기 없다.)

참 She **has been to** Tokyo. (경험) 그녀는 도쿄에 가 본 적이 있다.

O **She has gone to** Miami. 그녀는 Miami에 가 버렸다.

X **I have gone to** Miami.

➡ 1인칭 주어는 have gone (to) 표현을 사용할 수 없다.

(2) 현재완료를 쓰지 못하는 경우

현재완료시제는 명백한 과거를 나타내는 부사와 절대로 같이 쓸 수 없다. 즉, ago, then, last, past, that time, those days, yesterday, 「in + 지난 연도」와 같이 명백한 과거를 나타내는 부사들은 현재완료시제가 아니라 과거시제와 쓴다.

- They **met** me three years **ago**. 그들은 3년 전에 나를 만났다.

O I **was** there 3 years **ago**. 나는 그곳에 3년 전에 있었다.

X I **have been** there 3 years **ago**.

➡ ago와 같이 명백한 과거를 나타내는 부사는 과거시제와 함께 사용한다.

POINT CHECK

08 '~하자마자'를 나타내는 구문에서 scarcely가 문두에 올 때, 따라오는 절은 □□□ 어순이다.

| 정답 | 08 의문문

Ⓞ They met me **before**. 그들은 이전에 나를 만났다.

☒ They met me **ago**.

➡ before는 단독 사용이 가능하고, ago는 단독으로 사용할 수 없다.

참 They said that they **had met** me **three years before**.

그들은 3년 전에 나를 만난 적이 있다고 말했다.

※ 「기수 + 시간을 나타내는 단위명사 + ago」는 과거시제와만 사용하고, 「기수 + 시간을 나타내는 단위명사 + before」는 과거완료시제와 사용할 수 있다. 단, before가 단독으로 쓰이는 경우 과거, 현재완료, 과거완료시제 모두와 사용할 수 있다.

Ⓞ I **arrived** in Japan **last year**. 나는 작년에 일본에 도착했다.

☒ I **have arrived** in Japan **last year**.

➡ 현재완료시제는 특정 시점의 과거 부사구와 함께 사용할 수 없다.

Ⓞ **When did** they **finish** the operation? 그들은 언제 수술을 끝냈니?

☒ **When have** they **finished** the operation?

➡ 의문사 when은 현재완료시제와 함께 쓸 수 없다.

(3) 현재완료와 함께 쓰는 since와 for의 차이점 암기문법

주어 + 현재완료 ~ since + 과거 시점 → 주어 + 현재완료 ~ for + 과거 기간 → It is + 시간 ~ since + 과거 시점

- She **died in 2012**. 그녀는 2012년에 죽었다.

→ She **has been** dead **since 2012**.

→ She **has been** dead **for 10 years**.

→ Ten years **have[has] passed since** she **died**.

※ 'Ten years'와 같이 주어가 시간의 개념을 나타내는 경우, 하나의 단위로 보아 단수 형태의 동사를 사용할 수 있다.

→ It **has been** ten years **since** she **died**.

→ It **is** ten years **since** she **died**.

- She **got married** 10 years **ago**. 그녀는 10년 전에 결혼했다.

→ She **has been** married **for 10 years**.

→ Ten years **have passed since** she **got** married.

→ It **has been** 10 years **since** she **got** married.

→ It **is** 10 years **since** she **got** married.

(4) 시제 관련 관용표현 암기문법

~하자마자		…했다
주어 + had no sooner p.p. ~ No sooner had + 주어 + p.p. ~	than	주어 + 과거동사 ….
주어 + had hardly p.p. ~ Hardly[Scarcely] had + 주어 + p.p. ~	when/before	
As soon as + 주어 + 과거동사 ~, On[Upon] -ing ~, The moment[minute/instant] + 주어 + 과거동사 ~, Instantly[Immediately/Directly] + 주어 + 과거동사 ~,	–	

- The rabbit had **no sooner** seen the hunter **than** it ran away.
  토끼가 사냥꾼을 보자마자, (토끼는) 달아났다.
  = **No sooner had** the rabbit **seen** the hunter **than** it ran away.
  = **Hardly**[**Scarcely**] **had** the rabbit **seen** the hunter **when** it ran away.
  = **As soon as** the rabbit **saw** the hunter, it ran away.
  = **On**[**Upon**] **seeing** the hunter, the rabbit ran away.
  = **The moment**[**minute/instant**] the rabbit **saw** the hunter, it ran away.
  = **Instantly**[**Immediately/Directly**] the rabbit **saw** the hunter, it ran away.

~하지 않아 암기문법	when before	…하고 말았다
주어 + had + 부정어 + p.p. ~ far/long		주어 + 과거동사 ….

- He **had not gone** far **before** he **came** to his destination.
  그는 얼마 가지 않아 목적지에 도착했다.
- He **had not waited** long **before** she came.
  그가 오래 기다리지 않아 그녀가 왔다.

다음 부사구들은 주로 아래와 같은 특정 시제와 결합해서 사용되므로 주의할 필요가 있다.

● 시제와 함께 쓰이는 시간의 부사구/절

미래	next + 시간 표현 as of + 미래	by the time + S + 현재동사 someday(언젠가)
현재완료	in the past[last] + 숫자 + 단위 복수 for the past[last] + 숫자 + 단위 복수 during the past[last] + 숫자 + 단위 복수 so far(= up to now: 지금까지) as yet since + 과거(since절이 과거시제이면, 주절은 완료시제) before	※ lately(현재완료) ※ these days(현재완료, 현재 가능) ※ nowadays(현재완료, 현재 가능) ※ recently(현재완료, 과거 가능) ※ today(현재완료, 현재 가능)
현재	for now at present today these days	nowadays this year this time
과거	once last 시간 + ago in + 지난 연도 역사적 사실 at that time after + 과거 시점	then in those days(그 당시에) the other day(며칠 전에) ※ before(과거, 과거완료, 현재완료 가능) yesterday when the last[first] time + 주어 + 과거동사 just now

※ just now는 미국식 영어의 경우 '방금 전에'를 뜻하는 시간의 부사구로 보아 과거동사와 결합한다.
단, 영국식 영어의 경우 '방금 전에'와 '지금 당장'으로 나뉜다.
just now(방금 전에): 과거동사와 결합
just now(지금 당장은, 현재로서는): 현재동사와 결합

- I **have** only **been** there **once**. 나는 그곳에 한 번밖에 안 가 보았다.
※ once가 '한 번'이라는 의미일 경우 현재완료시제와도 사용 가능하다.

POINT CHECK

POINT CHECK

09 과거완료시제는 □□, □□, □□, □□의 4가지 용법이 있다.

10 □□보다 더 이전의 시점이 대과거이다.

11 현재 또는 과거의 알 수 없는 시점에서부터 미래의 특정한 시점까지 일어날 사건이나 상태는 □□□□ 시제로 나타낸다.

| 정답 | 09 완료, 계속, 경험, 결과 10 과거 11 미래완료

- **When is your birthday?** 너의 생일은 언제니?

※ when은 '언제'라는 의미일 경우 현재시제와 함께 사용 가능하다.

05 구간 시제_과거완료

(1) 과거완료

과거완료는 대과거에서 시작된 사건이나 상태가 과거까지 지속되는 상황을 「had + 과거분사」로 나타낸 시제이다.

① 완료: 대과거부터 과거 사이에 일어난 사건이나 상태의 완료

- He **had** already **finished** his homework when his mom came back.

  그는 엄마가 돌아왔을 때 이미 숙제를 끝냈다.

② 계속: 대과거부터 과거 사이에 일어난 사건이나 상태의 계속

- We **had lived** there for ten years when we received the letter.

  그 편지를 받았을 때 우리는 거기에서 10년 동안 살고 있었다.

③ 경험: 대과거부터 과거 사이에 일어난 사건 및 상태의 경험

- He **had watched** the movie twice before he was 10 years old.

  그는 10살 전에 그 영화를 2번 봤다.

④ 결과: 대과거부터 과거 사이에 일어난 사건이나 상태가 과거에 영향을 미치는 상황

- My mother **had** already **gone** to work when I woke up.

  내가 일어났을 때 어머니는 벌써 회사에 가셨다.

(2) 대과거

교수님 한마디 과거완료와 대과거는 형태가 동일하고 의미도 유사하다. 이 둘을 구분하는 것은 문맥을 보고 결정해야 한다.

과거보다 먼저 일어난 사건이나 상태에 대한 시점 서술로서 반드시 과거 시점을 기준으로 더 이전에 일어난 사건에 사용한다.

- She lost the ring which I **had bought** the day before.

  그녀는 내가 전날 산 반지를 잃어버렸다.

- When I arrived at the airport, my plane **had** already **taken** off.

  내가 공항에 도착했을 때, 내가 탈 비행기는 이미 이륙해 버렸다.

- I **had come** back before he called me. 나는 그가 내게 전화하기 전에 돌아왔다.

  = I **came** back before he called me.

※ 시간의 선후 관계가 확실한 과거시제의 문장에서 before, after가 이끄는 절의 시제는 과거완료, 과거 둘 다 가능하다.

06 구간 시제_미래완료

(1) 미래완료

① 완료: 현재나 과거의 알 수 없는 시점부터 미래의 특정 시점까지 일어날 사건/상태의 완료

- Beckham **will have finished** his homework by dinner time.

  Beckham은 저녁 식사 시간까지는 숙제를 끝낼 것이다.

② 계속: 현재나 과거의 알 수 없는 시점부터 미래의 특정 시점까지 일어날 사건/상태의 계속

- My aunt **shall have stayed** here for ten days. (shall을 이용한 의지 미래)

  (내가) 우리 이모를 열흘간 여기에 머물게 할 것이다.

③ 경험: 현재나 과거의 알 수 없는 시점부터 미래의 특정 시점까지 일어날 사건/상태의 경험

- We **will have been** to L.A. three times if we visit there next month.

  우리가 다음 달에 그곳을 방문하면 L.A.에 3번째 방문하는 것이다.

④ 결과: 현재나 과거의 알 수 없는 시점에 일어난 사건/상태가 미래에 영향을 미치는 상황

- By the time I come home, they **will have gone.**

  내가 집에 돌아왔을 때 쯤, 그들은 가 버렸을 것이다.

(2) 미래완료 사용 시 주의해야 할 사항

By the time + S + V, S + V ~

- **By the time** you **get back**, the children **will have gone** to bed.

  당신이 돌아올 때 쯤, 아이들은 자러 갔을 것이다.

  ※ by the time절의 현재시제는 문맥상 미래를 나타내므로 주절의 시제는 미래 또는 미래완료를 사용한다.

  참 **By the time** you **got back,** the children **had gone** to bed.

  당신이 돌아왔을 때 쯤, 아이들은 자러 가고 없었다.

- His grandmother **will have been** in hospital **for two weeks** by next Sunday. (상태)

  그의 할머니는 다음 주 일요일이면 2주째 병원에 입원 중일 것이다.

  ※ 과거 사건의 결과가 미래에 영향을 미치고 있음을 나타낼 때는 기간 부사구를 동반할 수 있다.

 It will be the best book **when** it **has been** completed.

그것이 완성되면 그것은 최고의 책이 될 것이다.

 It will be the best book **when** it **will have been** completed.

➡ 시간, 조건의 부사절에서 미래완료시제는 현재완료시제로 나타내야 한다.

07 복합 시제_완료진행

(1) 현재완료진행: 과거부터 현재까지 계속되는 동작(have[has] been -ing)

- **I've been waiting** for an hour and he still has not turned up.

  나는 한 시간째 기다리고 있는데 그는 여전히 모습을 드러내지 않았다.

헷갈리지 말자 It has rained ~ vs. It has been raining ~

Do's
- It **has rained** for three days.

  비가 3일째 오고 있어.

Do's
- It **has been raining** for three days.

  비가 3일째 오고 있는 중이야.

➡ 현재완료시제와 현재완료진행시제의 의미는 거의 비슷하다. 단, 현재완료진행시제의 경우에는 동사의 진행형이 필요한데, 감정, 소유, 인지, 상태 동사 등은 진행형이 불가능하므로, 현재완료 용법 중 '계속' 용법으로 나타낼 수 있다. 두 문장 모두 옳고 실생활에서는 'It has been raining ~'을 더 많이 사용한다.

POINT CHECK

12「현재완료 + 진행」= □□□□[□□□] □□□□ □□□

| 정답 | 12 have[has] been -ing

POINT CHECK

13 "I'm loving you."라는 문장은 어법상 (옳다 / 옳지 않다).

(2) 과거완료진행: 과거 이전부터 과거까지 계속되는 동작(had been -ing)

- He **had been looking** out of the window for the last half hour.

  그는 지난 30분 동안 창밖을 보고 있었다.

(3) 미래완료진행: 미래 어떤 시점까지 계속되는 동작(will have been -ing)

- By the end of the month, he **will have been teaching** English for 10 years.

  월말이면, 그는 10년 동안 영어를 가르치고 있을 것이다. (그가 영어를 가르친 지 10년이 될 것이다.)

08 진행형을 쓸 수 없는 동사

● 진행시제가 불가능한 동사

존재	lie(놓여 있다), consist, exist
상태	resemble, lack, remain, seem
무의지 감각	look, smell, sound, taste
무의지 지각	see, hear
소유	have(가지다), possess, belong to, include, own, contain
감정	want, like, hate, prefer, mind
인지	think(판단하다), know, believe

참 He is the worker **belonging** to the labor union. 그는 노동 조합에 속한 근로자이다.

※ belong이 동사로 사용된 경우 진행형이 불가하나 분사구를 이끌 때는 현재분사 형태로도 사용될 수 있다.

(1) 존재/상태를 나타내는 동사

- She **resembles** her mother.

  그녀는 그녀의 어머니를 닮았다.

헷갈리지 말자 resemble vs. resemble with

- She **is resembling** her father.
- She resembles **with** her father.
- She **is resembled by** her father.

- She **resembles** her father.

  그녀는 그녀의 아버지를 닮았다.

➡ resemble은 진행형으로 쓸 수 없는 상태동사이면서 타동사이므로 전치사 with와 함께 쓸 수 없고 수동태로도 쓸 수 없다.

참 You **are resembling** your father more and more as you grow older.

넌 커 가면서 네 아빠를 점점 닮아가는구나.

※ 진행형 불가 동사라 하더라도 정중한 표현이나 일시성을 강조할 목적으로 진행시제를 쓰기도 한다.

(2) 무의지 감각/지각을 나타내는 동사

- He **looks** better. 그는 더 좋아 보인다.
- He **sees** her playing the piano. 그는 그녀가 피아노를 치고 있는 것을 본다.

| 정답 | 13 옳지 않다

참 Some tourists **are seeing** the sights of London.

몇몇 관광객들이 런던의 관광지를 구경하고 있다.

※ see가 의지동사로서 '구경하다, 면회하다'의 뜻일 때는 진행형이 가능하다.

참 We **are hearing** his lectures. 우리는 그의 강의를 듣고 있다.

※ hear가 '청강하다'의 뜻일 때는 진행형이 가능하다.

(3) 소유를 나타내는 동사

• Does she **own** your house?

그녀가 당신의 집을 소유하고 있나요?

O I **have** an umbrella with me. 나는 우산이 있다.

X I **am having** an umbrella with me.

참 They **are having** breakfast. 그들은 아침을 먹고 있다.

※ have가 소유의 뜻이 아닌 '먹다' 등 다른 의미로 쓰이면 진행형이 가능하다.

O This car **belongs to** my father. 이 차는 나의 아버지의 소유이다.

X This car **is belonging to** my father.

➡ belong to는 '~에 속하다, ~의 소유이다'의 뜻이므로 진행형으로 쓸 수 없다.

(4) 주의해야 할 진행시제

① 일시적 동작을 강조하는 진행형

• She **is getting** up in the early morning. 그녀는 (최근에) 이른 아침에 일어나고 있다.

② 불만을 나타내는 표현

• She **is always nagging** me. 그녀는 나에게 항상 잔소리한다.

※ always, constantly, continuously, unceasingly, forever 등의 부사를 수반할 때, 불만을 나타낼 수 있다.

③ 예정된 미래

• They **are leaving** for New York **tomorrow**. 그들은 내일 뉴욕으로 떠날 것이다.

09 시제와 부사(구)

교수님 한마디 ▶ 시제 편의 핵심은 시제에 부응하는 부사(구)이다. 앞서 배운 시제들과 어울리는 특정 부사(구)를 여기에서 다시 한 번 정리하여 실전에 대비하자!

(1) when

특정한 시점을 나타내는 when은 현재완료시제와 함께 사용할 수 없다.

• **When did** you see him? 당신은 언제 그를 만났습니까?

• **When will** you see him? 당신은 언제 그를 만날 것입니까?

O **How long have** you **seen** him? 그를 만난 지 얼마나 되었습니까?

X **When have** you **seen** him?

➡ 의문사 when은 완료시제와 함께 사용할 수 없으나 how long은 완료시제와 함께 사용될 수 있다.

(2) before

숫자를 동반하지 않고 단독으로 쓰이면 막연히 '전에, 이전에'의 뜻으로 과거, 과거완료, 현재완료시제에 모두 쓰인다.

POINT CHECK

14 의문사 when은 □□시제와 함께 사용하고 □□시제와는 사용할 수 없다.

| 정답 | 14 단순, 완료

POINT CHECK

● **before 관련 주의해야 할 표현**

the day before	그 전날	long before	오래 전에
before long	조만간	before and after	~ 전후로

• She **has met** him **before.** 그녀는 전에 그를 만났었다.

• I heard that he **had left** for New York **three years before.**

그가 3년 전에 뉴욕으로 떠났다는 것을 나는 들었다.

참 He **left** for New York **three years ago.** 그는 3년 전에 뉴욕으로 떠났다.

※「기간+ago」는 과거시제와 함께 사용하고「기간+before」는 과거완료시제와 함께 사용한다.

(3) till/until

접속사 및 전치사로 쓰인다.

① 긍정문: ~까지 계속되다

• The driver drove carelessly, **till** he ran into a truck. (= and at last)

그 운전사는 난폭하게 운전해서 마침내 트럭과 충돌했다.

② 부정문: ~되어서야 …하다(not A until[till] B: B하고 나서야 비로소 A하다) 암기문법

• I did **not** learn the truth **until** she told me of it.

그녀가 나에게 그것을 말해 주고 나서야 나는 비로소 진실을 알게 되었다.

→ It was **not until** she told me of it **that** I learned the truth.

헷갈리지 말자 by vs. till

• He will finish the work **by tomorrow.**

그는 내일까지 일을 끝마칠 것이다.

• He worked on the project **till midnight.**

그는 자정까지 그 프로젝트 작업을 했다.

➡ by와 till 둘 다 '~까지'라는 의미를 가지고 있지만, by는 상태의 완료를 나타내고, till은 상태의 지속을 나타낸다. finish는 행위를 계속하는 것이 아니라 행위가 완료되는 것이므로 여기서는 by를 사용해야 한다. 그에 반해서 work라는 행동은 자정까지 계속되는 것이므로 till을 사용한다.

(4) ago

ago는 '~ 전에'라는 의미로 명백한 과거를 나타내는 부사이므로 과거시제와 함께 쓰이며, 현재완료시제와는 사용할 수 없다.

• I **met** her two months **ago.** 나는 두 달 전에 그녀를 만났다.

(5) since

과거부터 지금까지 계속 또는 그 이후부터 지금까지라는 의미로, 주절에는 현재완료시제가, since 뒤에는 과거시제가 와야 한다.

• I **have written** five letters **since** I **met** her. 나는 그녀를 만난 이후로 다섯 통의 편지를 썼다.

● 완료시제와 함께 사용할 수 없는 시간의 부사구

just now	last year	then
in + 특정 시점	when(언제)	what time

※ 특정 시점을 나타내는 부사(구)와 현재완료 시제는 함께 사용할 수 없다.

☒ **When** have you **been** there?

헷갈리지 말자 just now vs. just vs. now

- I **have finished** it **just now.**

- I **finished** it **just now.**
  나는 그것을 방금 전에 끝냈다.
- My son **has just come** back home.
  아들이 막 집으로 돌아왔다.
- The festival **has begun now.**
  축제가 이제 시작되었다.

➡ just now는 특정 시점을 의미하므로 현재완료시제와는 사용할 수 없으나, just나 now는 현재완료시제와 함께 사용이 가능하다.

POINT CHECK

10 시제 예외 규칙 정리

(1) 불변의 진리/격언/속담/현재의 습관/직업/성격 → 현재

- She said that two and two **makes** four. (불변의 진리)
  그녀는 2 더하기 2는 4라고 말했다.
- The man proved that the Earth **moves** round the sun. (불변의 진리)
  그 남자는 지구가 태양 주위를 돈다는 것을 증명했다.
- She told her customer that fine feathers **make** fine birds. (속담)
  그녀는 손님에게 옷이 날개라고 말해 주었다.
- We asked the man when the bank **opens.** (현재의 습관)
  우리는 그 남자에게 은행이 언제 여는지 물어봤다.
- The lady said that her mother **teaches** children. (직업)
  그 숙녀는 그녀의 어머니가 아이들을 가르치신다고 말했다.
- They said that I **keep** my promise. (성격) 그들은 내가 약속을 잘 지킨다고 말했다.

(2) 과거의 사건이나 상태가 현재에 계속 → 현재, 현재완료, 현재진행

- He told us that the road **is** still across the city.
  그는 그 길이 여전히 도시를 가로지른다고 우리에게 말해 주었다.
- The mayor told us that the roads in this city **are** still under construction.
  시장은 우리에게 이 도시의 길들이 아직 공사 중이라고 말해 주었다.
- The waiter told me that lunch **is** now **being served.**
  점원은 나에게 지금 점심이 제공되고 있는 중이라고 말했다.

POINT CHECK

(3) 역사적 사실 → 과거

- Our teacher said that Columbus **discovered** America in 1492.
  우리 선생님은 콜럼버스가 1492년에 아메리카를 발견했다고 말했다.
- She said that Shakespeare **wrote** many plays.
  그녀는 셰익스피어가 많은 극작품을 썼다고 말했다.

(4) 감성적 판단('~하다니') → 「형용사 + that + 주어 + should + 동사원형」

surprising(놀라운), odd(이상한), strange(이상한), curious(궁금한),
wonderful(놀라운), regrettable(후회스러운) 참 a pity(유감: 명사)

- It is **surprising that** he **should** do such a thing. 그가 그러한 것을 해야 하다니 이상하다.
- It is **strange that** she **is** so late. 그녀가 이렇게 늦다니 이상하다.
  ※ 직설법 시제로 현재시제를 쓰기도 한다.

(5) 이성적 판단 → 「형용사 + that + 주어 + (should) + 동사원형」

necessary(필요한), important(중요한), essential(필수적인), natural(자연스러운),
proper(적절한), good(좋은), right(옳은), wrong(틀린), rational(이성적인)

- It is **necessary that** we (**should**) visit him tonight. 오늘 밤 우리는 그를 방문할 필요가 있다.
  → It is **necessary** for us **to** visit him tonight.
- It is **essential that** everybody fully **understands** the reason.
  모든 사람들이 그 이유를 완전히 이해하는 것은 필수적이다.
  ※ 직설법 시제를 이용해서 현재시제를 쓰기도 한다.

(6) 종속절의 가정법 시제 → 그대로 사용

- Father said, "I **would go** with them if I **were** not busy."
  아버지는 "내가 바쁘지 않다면 그들과 함께 갈 텐데."라고 말씀하셨다.
  → Father said that he **would go** with them if he **were** not busy.
  아버지는 그가 바쁘지 않다면 그들과 함께 갈 것이라고 말씀하셨다.
  → Father said that he **would have gone** with them if he **hadn't been** busy.
  ※ 종속절의 가정법 시제의 경우, 시제를 반영해서 나타낼 수도 있다.

(7) 「주장/요구/명령 동사 + that + 주어 + (should) + 동사원형」

suggest(제안하다), insist(주장하다), order(명령하다), urge(촉구하다),
demand(요구하다), recommend(권고하다)

- The doctors **insisted that** the old man (**should**) **remain** in bed.
  의사들은 그 노인이 누워 있어야 한다고 말했다.
  ※ should는 생략이 가능하므로 뒤에는 동사원형만 남을 수 있다.

(8) 종속절의 must, ought to, should, had better 등 → 그대로 사용

- They say that I **should[must] go** swimming. 그들은 내가 수영을 하러 가야만 한다고 말한다.
  → They said that I **should[must] go** swimming.

03 시제

[01~10] **다음 중 어법상 옳은 것을 고르시오.**

01 In ancient days, people believed that the Earth [is / was] the center of the universe.

02 Jane [was / has been] a vegetarian since she was ten.

03 His father [has died / died] ten years ago.

04 The man said the early bird [catches / caught] the worm.

05 She knows when he [will reply / replies] to her.

06 I'll cry loudly if I [will meet / meet] the wolf.

07 She will not move until they [will arrive / arrive].

08 When [have you left / did you leave] Seoul?

09 How long [have you stayed / did you stay] in New York?

10 They [have missed / missed] you in the past 10 years.

정답&해설

01 **was**

| 해석 | 고대에 사람들은 지구가 우주의 중심이라고 믿었다.

| 해설 | 불변의 진리가 아닌 과거의 사실이므로 과거시제 'was'가 알맞다.

02 **has been**

| 해석 | Jane은 그녀가 열 살이었던 이래로 채식주의자였다.

| 해설 | 열 살부터 현재까지 죽 채식주의자였으므로, 현재완료시제 'has been'이 알맞다.

03 **died**

| 해석 | 그의 아버지는 10년 전에 돌아가셨다.

| 해설 | 「시간 + ago」는 과거시제와 함께 쓰이는 시간의 부사구이다.

04 **catches**

| 해석 | 그 남자는 일찍 일어나는 새가 벌레를 잡는다고 말했다.

| 해설 | 격언의 경우 현재시제만 사용하며 시제 일치 예외에 해당한다.

05 **will reply**

| 해석 | 그녀는 그가 언제 그녀에게 답장할지 안다.

| 해설 | 'when'이 이끄는 시간의 명사절이 미래를 나타내는 경우, 미래시제인 「will + 동사원형」을 사용한다.

06 **meet**

| 해석 | 내가 늑대를 만난다면 큰 소리로 울 것이다.

| 해설 | 'if'가 이끄는 조건의 부사절이 미래를 나타내는 경우, 현재시제를 사용한다.

07 **arrive**

| 해석 | 그들이 도착할 때까지 그녀는 움직이지 않을 것이다.

| 해설 | 'until'이 이끄는 시간의 부사절이 미래를 나타내는 경우, 현재시제를 사용한다.

08 **did you leave**

| 해석 | 언제 서울을 떠났나요?

| 해설 | 의문사 'when'은 특정 시점을 물어보므로 현재완료시제와 함께 사용할 수 없다.

09 **have you stayed**

| 해석 | 뉴욕에 얼마나 계셨나요?

| 해설 | 'how long'은 기간을 묻는 의문사이므로 단순시제와 함께 사용할 수 없다.

10 **have missed**

| 해석 | 과거 10년간 그들은 너를 그리워해 왔다.

| 해설 | 「in the past + 기수 + 시간을 나타내는 단위명사」는 현재완료시제와 함께 쓰이는 시간의 부사구이다.

[11~20] 다음 중 어법상 옳은 것을 고르시오.

11 John [has won / won] the game at that time.

12 I found that he [had left / leaves] three years before.

13 I [had / have] not seen him since last year.

14 Julia [had / did] no sooner met Jack than she embraced him.

15 As soon as he [had thrown / threw] a ball, his puppy ran toward it.

16 Hardly [had / did] the Welsh corgi heard the sound of footsteps when he barked loudly.

17 They [are existing / exist] everywhere.

18 The house [was remaining / remained] unchanged.

19 John [is having / has] a nice building.

20 It will be long before he [will propose / proposes] marriage.

정답&해설

11 won

|해석| John은 그때 그 경기를 이겼다.

|해설| 'at that time'은 과거시제와 함께 쓰이는 시간의 부사구이다.

12 had left

|해석| 나는 그가 3년 전에 떠났다는 것을 알게 되었다.

|해설| 주절의 시제가 과거형이며 종속절에 「기간+before」라는 시간 부사구가 있으므로 종속절의 시제는 과거완료 'had left'가 옳다.

13 have

|해석| 나는 작년 이래로 그를 본 적이 없다.

|해설| 「since+과거 시점」이 있으므로 주절에는 현재완료시제를 사용하여 '~이래로 줄곧 …하다'의 의미로 만들어야 하므로 'have'가 옳다.

14 had

|해석| Julia는 Jack을 만나자마자 그를 안아 주었다.

|해설| '~하자마자 …했다'를 뜻하는 'no sooner' 구문은 「주어+had no sooner p.p. ~ than+주어+과거동사 …」의 구조로 사용한다.

15 threw

|해석| 그가 공을 던지자마자 그의 강아지가 그것을 향해 달려갔다.

|해설| 「as soon as+주어+과거동사 ~, 주어+과거동사 …」는 '~하자마자 …했다'를 뜻한다.

16 had

|해석| 그 웰시코기는 발자국 소리를 듣자마자 크게 짖었다.

|해설| 「Hardly had+주어+p.p. ~ when[before]+주어+과거동사 …」는 '~하자마자 …했다'를 뜻한다.

17 exist

|해석| 그것들은 어디에나 존재한다.

|해설| 'exist'는 '존재하다'라는 뜻의 완전자동사로 진행형이 불가능한 동사이다.

18 remained

|해석| 그 집은 변하지 않고 그대로였다.

|해설| 'remain'은 '계속 ~인 상태이다'라는 뜻의 불완전자동사로 진행형이 불가능한 동사이다.

19 has

|해석| John은 멋진 빌딩을 가지고 있다.

|해설| 'have'가 '~을 소유하다'를 뜻하는 경우, 진행형이 불가능하다.

20 proposes

|해석| 그가 그녀에게 청혼하려면 아직 멀었다.

|해설| 「It will be long before+주어+현재동사 ~」는 '~하려면 아직 멀었다'를 뜻한다.

03 시제

교수님 코멘트▶ 시제는 동사와 밀접한 관계가 있는 영역이다. 시제에 대한 이해뿐만 아니라 시간의 부사구와 결합된 표현들을 익혀 문제에서 정답을 선택하고, 헷갈릴 수 있는 매력적인 오답을 골라내는 것에 주력할 수 있는 문제들로 선별하였다.

01

다음 문장 중 어법상 가장 옳지 않은 것은?

① As long as you will remain in that emotional situation, you will be likely to stay angry.
② The laser pointer, which became popular in the 1990s, was at first typically thick.
③ No sooner had the cinema festival ended than the cherry blossom festival began.
④ Seeing many women competing to eat the cake, I learned that the early bird catches the worm.

02

2019 서울시 9급 제1회

어법상 가장 옳은 것은?

① Had never flown in an airplane before, the little boy was surprised and a little frightened when his ears popped.
② Scarcely had we reached there when it began to snow.
③ Despite his name, Freddie Frankenstein has a good chance of electing to the local school board.
④ I would rather to be lying on a beach in India than sitting in class right now.

01 시간·조건의 부사절에서 시제 일치 예외

① 'as long as'가 이끄는 조건의 부사절이 미래를 나타내는 경우 부사절의 시제는 현재로 써야 한다. 따라서 'will remain'을 'remain'으로 바꾸어야 한다.

| 오답해설 | ② 'in the 1990s'는 과거를 나타내는 시간의 부사구이므로 과거동사 'became'을 사용한 것은 옳다.
③ 「No sooner had + 주어 + p.p. ~ than + 주어 + 과거동사 …」의 구문이 옳게 사용되었다.
④ 'the early bird catches the worm'은 격언으로 현재시제로만 사용하며 시제 일치의 예외에 해당한다.

| 해석 | ① 그 감정적 상황 속에 남아 있는 한 당신은 화가 난 상태로 있기 쉬울 것이다.
② 1990년대에 인기를 끌었던 레이저 포인터는 처음에는 대체로 두꺼웠다.
③ 영화 축제가 끝나자마자 벚꽃 축제가 시작되었다.
④ 그 케이크를 먹기 위해 경쟁하는 많은 여성들을 보면서, 나는 일찍 일어나는 새가 벌레를 잡는다는 사실을 배웠다.

02 「Hardly[Scarcely] had + 주어 + p.p. ~ when[before] + 주어 + 과거동사 …」

② '~하자마자 …했다'라는 의미의 「Hardly[Scarcely] had + S + p.p. ~ when[before] + S + 과거동사 …」가 바르게 사용되었다.

| 오답해설 | ① 'the little boy was surprised ~'가 주절이며, 'Had never flown ~ before'는 종속절이거나 분사구문이 되어야 한다. 따라서 'Because he had never flown ~'이나 분사구문으로 'Never having flown ~'이 되어야 한다.
③ 주어인 Freddie Frankenstein이 지역 학교 이사회에 '선출될' 가능성이 있다는 의미가 되어야 하므로 'electing'은 능동태가 아니라 수동태로 쓰여야 어법상 올바르다. 따라서 'electing'이 아니라 'being elected'가 되어야 한다.
④ 'B하는 것보다는 A하는 것이 낫다'는 「would rather A than B」이며 A와 B는 모두 동사원형으로 써야 한다. 따라서 'to be lying' 대신 'lie' 혹은 'be lying'이, 'than sitting' 대신 'than sit' 혹은 'than be sitting'이 되어야 한다.

| 해석 | ① 예전에 비행기를 타고 비행을 해 본 적이 없기 때문에, 그 어린 소년은 그의 귀가 뻥하고 뚫렸을 때 놀라면서도 약간 겁이 났다.
② 우리가 거기에 도착하자마자 눈이 내리기 시작했다.
③ 그의 이름에도 불구하고, Freddie Frankenstein은 지역 학교 이사회에 선출될 가능성이 높다.
④ 나는 지금 수업에 앉아 있는 것보다 인도의 바닷가에 누워 있는 것이 낫겠다.

| 정답 | 01 ① 02 ②

03

2020 지방직 9급

어법상 옳은 것은?

① Of the billions of stars in the galaxy, how much are able to hatch life?

② The Christmas party was really excited and I totally lost track of time.

③ I must leave right now because I am starting work at noon today.

④ They used to loving books much more when they were younger.

04

다음 문장 중 어법상 가장 옳지 않은 것은?

① You need to be careful because the possibility that everyone can commit such crimes are existing elsewhere.

② In the past 50 years, pesticide use has increased ten times while crop losses from pest damage have doubled.

③ When you develop a reputation for always telling the truth, you will enjoy strong relationships based on trust.

④ They became regular reminders of my dreams and this method has worked consistently for me for the last two years.

---

03 왕래발착동사

③ 왕래발착동사 'start'의 현재진행시제(be -ing)는 현재 진행 중인 상황을 나타낼 때뿐만 아니라, 실현 가능성이 큰 미래의 약속, 계획 등에 대해 언급할 때 미래시제 대신 사용할 수 있다. 따라서 'I am starting work at noon today(나는 오늘 정오에 일을 시작할 것이다)'는 어법상 옳다.

| 오답해설 | ① 'much'는 불가산명사와 함께 쓰이는데, 주어진 문장에서는 가산명사인 'stars'가 나온다. '얼마나 많은 별이 생명을 탄생시킬 수 있는가?'를 질문하고 있으므로, 불가산명사를 받는 'much' 대신에 가산명사를 받는 'many'가 들어가야 어법상 알맞다.

② 주어인 'The Christmas party(크리스마스 파티)'는 사물이며 감정을 제공하고 있으므로, 감정 제공 형용사인 '-ing' 형태의 현재분사가 와야 한다. 따라서 'excited'는 'exciting'으로 수정해야 어법상 알맞다.

④ 'used to'는 '(과거에) ~이었다, ~하곤 했다'라는 의미의 조동사로, to 뒤에는 동사원형이 와야 한다. 따라서 'loving'을 'love'로 수정해야 한다.

| 해석 | ① 은하계에 있는 수십억 개의 별들 중, 몇 개가 생명체를 부화시킬(탄생시킬) 수 있는가?

② 크리스마스 파티는 정말 재미있었고 나는 시간 가는 것을 완전히 잊었다.

③ 나는 오늘 정오에 일을 시작할 것이기 때문에 지금 당장 떠나야만 한다.

④ 그들은 그들이 더 어렸을 때 책을 훨씬 더 많이 좋아했다.

---

04 진행형 불가 동사

① 'exist'는 진행형을 사용할 수 없는 동사이므로 'are existing'을 'exists'로 고쳐야 한다. because절의 주어는 'crimes'가 아니라 'the possibility'이므로 단수동사 'exists'가 와야 한다는 것에도 유의해야 한다.

| 오답해설 | ② 'In the past 50 years'는 '과거 50년 동안'이라는 뜻의 시간의 부사구로 현재완료시제와 함께 쓰인다.

③ 'when'이 이끄는 시간의 부사절의 시제가 미래를 나타내는 경우, 미래시제 대신 현재시제를 사용한다.

④ 'for the last two years'는 '과거 2년 동안'이라는 뜻의 시간의 부사구로 현재완료시제와 함께 쓰인다.

| 해석 | ① 모든 사람들이 그러한 범죄를 저지를 가능성이 다른 곳에도 존재하기 때문에 당신은 조심해야 할 필요가 있다.

② 지난 50년 동안, 해충의 피해로 인한 작물 손실이 두 배가 되는 동안 살충제 사용은 열 배 증가했다.

③ 항상 진실만을 말한다는 평판을 발전시킨다면, 당신은 신뢰를 바탕으로 굳건한 관계를 누릴 것이다.

④ 그것들은 나의 꿈을 규칙적으로 상기시켜 주는 것이 되었고 이 방법은 지난 2년간 꾸준히 나에게 효과가 있었다.

05

2021 국가직 9급

어법상 옳은 것은?

① This guide book tells you where should you visit in Hong Kong.
② I was born in Taiwan, but I have lived in Korea since I started work.
③ The novel was so excited that I lost track of time and missed the bus.
④ It's not surprising that book stores don't carry newspapers any more, doesn't it?

06

다음 중 문법상 바른 것을 고르시오.

① Brad had known the story long before he received the book.
② John is talking to the man at the door when his mother phoned.
③ Soon after she has arrived, her aunt took her downtown in the city.
④ The children have just begun school when their father lost the job.

05 「주어 + 현재완료동사 ~ since + 주어 + 과거동사 …」

② 'since'는 '~ 이래로'라는 의미로 since가 포함된 전명구 또는 시간 부사절의 시간 표현은 과거로 나타내며, 주절의 시제는 현재완료 또는 현재완료진행이어야 하므로 옳게 사용되었다.

| 오답해설 | ① 의문사 'where'이 이끄는 절이 직접목적어로 사용되었으므로 where 절의 주어와 동사는 의문문 어순으로 바뀌지 않는다. 따라서 'where you should ~' 어순으로 수정해야 한다.
③ 감정 형용사가 '감정 제공'을 나타내며 사람 또는 사물의 상태를 설명할 때는 현재분사형(-ing)이 쓰이며, 사람의 '감정 상태'를 설명할 때는 과거분사형(-ed)으로 나타낸다. 여기에서는 사물인 'novel'의 상태를 '감정 상태' 즉 '흥분한' 상태가 아니라, '감정 제공' 즉 '흥미진진한'으로 나타내야 하므로 'excited'가 'exciting'으로 바뀌어야 옳다.
④ 부가의문문은 주절이 긍정이면 부정형, 주절이 부정이면 긍정형이어야 하며, 주절의 동사가 be동사이면 be동사로, 일반동사이면 대동사(do)로 받아야 하고 수와 시제 또한 주절에 일치시켜야 한다. 주절의 동사가 'is not'으로 be동사의 부정형이므로 부가의문문에는 긍정형 be동사가 사용되어야 한다. 따라서, 'doesn't'가 'is'로 바뀌어야 한다.

| 해석 | ① 이 안내 책자는 홍콩에서 어디를 방문해야 하는지 당신에게 말해준다.
② 나는 대만에서 태어났지만, 일을 시작한 이래로 한국에 살고 있다.
③ 그 소설이 너무 재미있어서 나는 시간 가는 줄 몰랐고 버스를 놓쳤다.
④ 서점들이 신문을 더 이상 취급하지 않는다는 것은 놀랍지 않아, 그렇지?

06 과거완료

① 주절의 시제가 종속절의 시제보다 앞서기 때문에 주절은 대과거, 종속절은 과거 시제로 올바르게 쓰였다.

| 오답해설 | ② 'when'이 이끄는 절의 시제가 과거이므로 주절의 시제는 과거진행시제가 되어야 한다. 즉 'is talking'은 'was talking'이 되어야 한다.
③ 주절의 시제가 과거이므로 종속절(Soon after ~)의 시제는 과거 혹은 과거완료가 되어야 한다. 즉, 'has arrived'는 'arrived' 또는 'had arrived'가 되는 것이 알맞다.
④ 현재완료시제는 과거를 나타내는 부사절(when ~)과 사용할 수 없다. 따라서 'have just begun'은 단순 과거시제인 'just began'이나 과거완료시제인 'had just begun'이 되어야 한다.

| 해석 | ① Brad는 그 책을 받기 오래 전에 그 이야기를 알고 있었다.
② John은 그의 엄마가 전화를 걸었을 때 문 앞에서 그 남자와 대화하고 있었다.
③ 그녀가 도착한 후 곧 그녀의 이모가 그녀를 그 도시의 시내로 데려갔다.
④ 그 어린이들은 아버지가 일자리를 잃었을 때 학교에 막 다니기 시작했다.

| 정답 | 03 ③ 04 ① 05 ② 06 ①

07

2017 국가직 9급(사회복지직 9급)

어법상 옳지 않은 것은?

① A few words caught in passing set me thinking.
② Hardly did she enter the house when someone turned on the light.
③ We drove on to the hotel, from whose balcony we could look down at the town.
④ The homeless usually have great difficulty getting a job, so they are losing their hope.

08

2018 서울시 9급 제2회

어법상 가장 옳은 것은?

① If the item should not be delivered tomorrow, they would complain about it.
② He was more skillful than any other baseball players in his class.
③ Hardly has the violinist finished his performance before the audience stood up and applauded.
④ Bakers have been made come out, asking for promoting wheat consumption.

---

07 「Hardly[Scarcely] had + 주어 + p.p. ~ when[before] + 주어 + 과거동사 …」

② 「Hardly + had + 주어 + p.p. ~ when + 주어 + 과거동사 …」는 '~하자마자 …했다'라는 의미이다. 따라서 'did she enter'는 'had she entered'가 되어야 한다.

| 오답해설 | ① 「set + 목적어 + -ing」는 '~에게 …을 하게 하다'라는 의미로 목적어와 목적격 보어의 관계가 능동일 때 사용하므로 옳다. 또한 'caught in passing'은 앞에 있는 'words'를 수식하는 분사구인데, 수동 관계이므로 과거분사 'caught'를 쓴 것은 옳다.

③ 소유격 관계대명사 'whose'의 선행사는 'the hotel'이다. 관계대명사와 연결되는 전치사는 관계대명사 앞으로 나올 수 있으므로 'from whose balcony'는 옳은 표현이다.

④ 'have (great) difficulty (in) -ing'는 '~하는 데 (무척) 고생하다'의 의미로 옳게 쓰였다. 이때 'in'은 생략될 수 있다. 또한 「the + 형용사(homeless)」는 복수 취급하므로 복수동사 'have'를 사용한 것도 옳다.

| 해석 | ① 지나면서 들은 몇몇 단어들이 나를 생각하게 만들었다.
② 그녀가 그 집에 들어가자마자 누군가 불을 켰다.
③ 우리는 호텔까지 차를 몰고 갔는데, 그곳의 발코니에서 우리는 마을을 내려다 볼 수 있었다.
④ 노숙자는 대개 직업을 구하는 데 무척 고생하기 때문에, 그들은 희망을 잃고 있다.

---

08 가정법 미래

① 가정법 미래는 '미래의 희박한 가능성에 대한 조건'을 나타내는 표현으로 「If + 주어 + should + 동사원형 ~, 주어 + 조동사의 현재형 또는 과거형 + 동사원형 …」으로 나타낼 수 있다. 주어진 문장에서는 시간 부사 'tomorrow'를 통해서 가정법 미래의 사용이 적절함을 알 수 있다.

| 오답해설 | ② 비교급을 이용한 최상급 표현은 「비교급 + than any other + 단수명사」 형태로 나타내므로 'any other baseball players'는 'any other baseball player'로 고쳐야 한다.

③ '~하자마자 …했다' 표현은 「Hardly[Scarcely] had + 주어 + p.p. ~ + when [before] + 주어 + 과거동사…」로 나타낼 수 있다. 주절의 시제가 과거이므로, 'Hardly' 뒤의 동사는 과거완료시제로 써야 한다. 즉, 'Hardly has'는 'Hardly had'가 되어야 한다.

④ 'make'가 사역동사로 사용될 때 수동태는 「be made + to부정사」로 나타낸다. 즉, 'come out'은 'to come out'이 되어야 한다.

| 해석 | ① 만일 그 물건이 내일까지 배달되지 않는다면, 그들은 그것에 대하여 불평할 것이다.
② 그는 그의 반에서 다른 어떤 야구 선수보다 더 기술이 좋다.
③ 그 바이올리니스트가 그의 연주를 끝내자마자 청중들은 일어나 박수를 쳤다.
④ 제빵업자들은 밀 소비 장려를 요구하며 밖으로 나오게 되었다.

09

우리말을 영어로 가장 잘못 옮긴 것을 고르시오.

① 나의 자식들이 그들의 피부색에 의해서가 아니라 그들의 인격에 따라 평가되는 나라에서 살게 될 날이 올 것이라는 꿈이 나에게는 있습니다.
→ I have a dream that my children will one day live in a nation where they will not be judged by the color of their skin but by the content of their character.

② 그는 곧 집에 돌아오지 못할 것이다.
→ It will not be long before he comes back home.

③ 뉴욕의 대부분의 도로는 체계적으로 설계되지 않았다.
→ Most of the streets in New York were not laid out systematically.

④ 그 남자는 그의 동생이 어디에 있는지 발견할 때까지는 결코 편안하지 못할 것이다.
→ The man will never be at peace until he has found where his brother is.

09 It will not be long before 관용표현

② 'It will not be long before ~'는 '머지않아 곧 ~하다'의 의미로 사용된다. 이때 before가 이끄는 절은 시간의 부사절로서 현재시제가 미래시제를 대신함에 주의하자. 따라서 해당 영어 문장은 '그는 머지않아 곧 집에 돌아올 것이다.'의 의미이므로 주어진 우리말과 다르다.

| 오답해설 | ① 등위상관접속사 「not A but B」는 'A가 아니고 B이다'의 의미이다. 'by the color of their skin'과 'by the content of their character'가 병렬 구조 형태로 올바르게 사용되었다.

③ 「most of + 명사」가 주어일 때, 동사는 명사의 수에 일치시킨다. 즉, 이 문장에서는 'streets'에 수 일치를 시켜야 하므로, 동사 'were'는 옳게 사용되었다. 또한 'were laid out'은 수동태 표현으로 '설계되었다'는 의미를 옳게 표현하고 있다.

④ 'until' 이하가 시간 부사절이므로 현재완료가 미래완료를 대신한다. 'will have found' 대신에 'has found'를 사용하였으므로 옳은 문장이다.

10

밑줄 친 부분 중에서 어법상 틀린 것을 고르시오.

Although Kant was ① the first to construct an elaborate account, motivated by broad philosophical considerations, ② of how morality could be ③ rationally binding even if it doesn't bring happiness, essential parts of the Kantian scheme ④ have already been conceived and deployed by others.

10 현재완료 vs. 대과거

④ 'although'가 이끄는 부사절의 시제가 'was'로 과거를 나타내며, 주절의 시제는 문맥상 그보다 더 이전의 사실을 나타내고 있으므로, 과거완료시제를 사용해야 한다. 즉, 'have already been'은 'had already been'이 되어야 한다.

| 오답해설 | ① 「be the first + to + 동사원형」는 '맨 먼저 ~하다'라는 표현으로 옳게 사용되었다.

② 전치사 'of'의 목적어로 의문사 'how'가 이끄는 의문사절이 옳게 사용되었다.

③ 'rationally'가 부사로서 동사 'be binding'을 수식하고 있다. 또는 직접적으로 현재분사 'binding'을 단독 수식하는 부사로서의 쓰임으로도 옳다.

| 해석 | 비록 도덕이 행복을 가져오지 않더라도, 어떻게 도덕이 이성적으로 구속력이 있을 수 있는지에 대한 정교한 설명을 폭넓은 철학적 고찰에 동기 부여를 받아 추구한 최초의 사람이 칸트라 할지라도, 칸트의 체계 중 필수적인 부분은 이미 다른 사람들에 의해 생각되고 전개되어 왔다.

| 정답 | 07 ② 08 ① 09 ② 10 ④

04 태

□ 1회독	월	일
□ 2회독	월	일
□ 3회독	월	일
□ 4회독	월	일
□ 5회독	월	일

POINT CHECK

VISUAL G

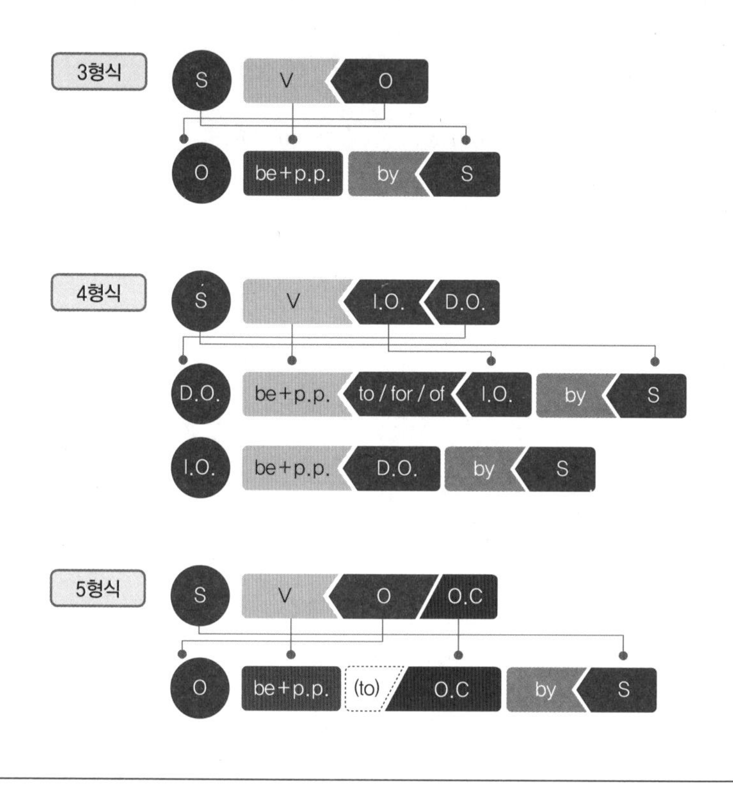

01 능동태는 □□□ 중심의 서술이며, 수동태는 행위를 당하는 대상 중심의 서술이다.

(1) 능동태와 수동태

동작의 주체를 바라보는 관점의 차이에 의해서 생기는 표현 방식으로, 주어에 따라오는 동사의 형태에 변화를 주어 나타낼 수 있다.

① 능동태: 주어가 동작을 행하여 '주어가 ~하다'라는 의미의 문장
② 수동태: 주어가 동작을 받아 '주어가 ~당하다, ~하여지다'라는 의미의 문장

구분	현재	과거	미래
단순형	It is done.	It was done.	It will be done.
완료형	It has been done.	It had been done.	It will have been done.
진행형	It is being done.	It was being done.	× (사용 빈도 낮음)

| 정답 | 01 행위자

(2) 수동태 만드는 방법

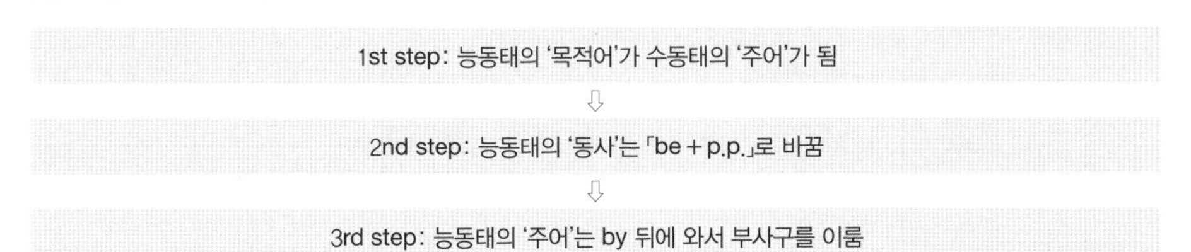

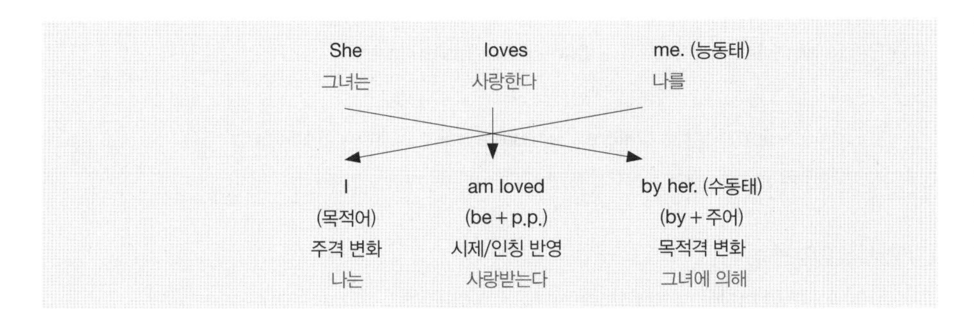

01 시제와 수동태

교수님 한마디 ▶ 모든 시제는 수동태 표현이 가능하다. 진행시제의 경우에는 현재진행형이나 과거진행형의 수동태 표현이 주가 되고 미래진행형의 수동태는 실제 사용 빈도가 극히 낮다.

(1) 현재 시제 수동태

- Beckham **builds** the stadium for his children.

  Beckham은 그의 아이들을 위한 경기장을 만든다.

  → The stadium for his children **is built** by Beckham.

  Beckham에 의해서 그의 아이들을 위한 경기장이 만들어진다.

(2) 과거 시제 수동태

- Beckham **built** the stadium for his children.

  Beckham은 그의 아이들을 위한 경기장을 만들었다.

  → The stadium for his children **was built** by Beckham.

  Beckham에 의해서 그의 아이들을 위한 경기장이 만들어졌다.

(3) 미래 시제 수동태

- Beckham **will build** the stadium for his children.

  Beckham은 그의 아이들을 위한 경기장을 만들 것이다.

  → The stadium for his children **will be built** by Beckham.

  Beckham에 의해서 그의 아이들을 위한 경기장이 만들어질 것이다.

(4) 현재완료 수동태

- Beckham **has built** the stadium for his children.

  Beckham은 그의 아이들을 위한 경기장을 만들었다.

  → The stadium for his children **has been built** by Beckham.

  Beckham에 의해서 그의 아이들을 위한 경기장이 만들어졌다.

POINT CHECK

02 수동태 「be + p.p.」 형태에서 be는 □ □와(과) □ □을(를), p.p.는 □ □이나 □ □을(를) 의미한다.

| 정답 | 02 시제, 인칭, 동작, 상태

POINT CHECK

03 수동태 문장의 형태는 「be + p.p. + □□ + □□□」이다.

| 정답 | 03 by, 행위자

(5) 과거완료 수동태

- Beckham **had built** the stadium for his children.
  Beckham은 그의 아이들을 위한 경기장을 만들었었다.
  → The stadium for his children **had been built** by Beckham.
  Beckham에 의해서 그의 아이들을 위한 경기장이 만들어졌었다.

(6) 미래완료 수동태

- Beckham **will have built** the stadium for his children.
  Beckham은 그의 아이들을 위한 경기장을 만들었을 것이다.
  → The stadium for his children **will have been built** by Beckham.
  Beckham에 의해서 그의 아이들을 위한 경기장이 만들어졌을 것이다.

(7) 현재진행형 수동태

- Beckham **is building** the stadium for his children.
  Beckham은 그의 아이들을 위한 경기장을 만들고 있다.
  → The stadium for his children **is being built** by Beckham.
  Beckham에 의해서 그의 아이들을 위한 경기장이 만들어지고 있다.

(8) 과거진행형 수동태

- Beckham **was building** the stadium for his children.
  Beckham은 그의 아이들을 위한 경기장을 만들고 있었다.
  → The stadium for his children **was being built** by Beckham.
  Beckham에 의해서 그의 아이들을 위한 경기장이 만들어지고 있었다.

(9) 조동사의 수동태

- Beckham **can build** the stadium for his children.
  Beckham은 그의 아이들을 위한 경기장을 만들 수 있다.
  → The stadium for his children **can be built** by Beckham.
  Beckham에 의해서 그의 아이들을 위한 경기장이 만들어질 수 있다.

02 수동태의 행위를 나타내는 전명구

(1) 「by + 행위자」를 사용하지 않는 예외의 경우

능동태의 주어는 수동태에서 대개 전치사구로 나타나는데, 이때 대표적인 전치사는 by이지만, 동사에 따라 다른 전치사가 오기도 한다.

① with

- Snow **covers** the field. 눈이 들판을 뒤덮고 있다.
  → The field **is covered with** snow. 들판이 눈으로 뒤덮여 있다.

② at

- Her sudden death **surprised** him. 그녀의 갑작스러운 죽음이 그를 놀라게 했다.
  → He **was surprised at** her sudden death. 그는 그녀의 갑작스러운 죽음에 놀랐다.

③ in

- This movie **interests** me. 이 영화는 나의 관심을 끈다.
  → I **am interested in** this movie. 나는 이 영화에 관심이 있다.

④ from/of

- He **was tired from** the long flight. 그는 긴 비행으로 피곤했다.
- The old man **was tired of** his quiet life. 그 노인은 조용한 삶에 지쳤다.

(2) 「by + 행위자」를 표시하지 않는 경우

① 행위자가 일반인일 때 생략한다.

- English **is spoken** in Singapore (by them).
  싱가포르에서는 영어가 말해진다.

② 행위자가 명백하지 않을 때, 또는 누군지 알 수 없을 때 생략한다.

- The bridge **was built** in 1450 (by somebody).
  그 다리는 1450년에 지어졌다.

③ 행위자가 누군지 표현할 필요가 없을 때 생략한다.

- Beckham and his wife **were invited** to a party (by the host and hostess).
  Beckham과 그의 아내는 한 파티에 초대받았다.

03 타동사의 수동태

3형식 문장: 주어 + 동사 + 목적어

- I **saw** him there. 나는 그가 거기 있는 것을 봤다.
  → He **was seen** there by me. 그가 거기 있는 것이 나에 의해 보여졌다.
- They **have spoken** English in Singapore since 1890.
  그들은 1890년 이래로 싱가포르에서 영어로 말해 왔다.
  → English **has been spoken** in Singapore since 1890 (by them).
  1890년 이래로 싱가포르에서는 (그들에 의해) 영어가 말해져 왔다.

04 수여동사의 수동태

교수님 한마디 수여동사는 목적어가 2개라는 특징이 있어서 출제 포인트가 많은 만큼, 정확하게 이해하고 분류해야 한다. 간접목적어를 수동태의 주어로 만드는 경우, 직접목적어를 수동태의 주어로 만드는 경우, 그 외 목적어의 제한을 받는 경우까지 파악해야 한다.

4형식 문장: 주어 + 동사 + 간접목적어 + 직접목적어

- I **told** him a story. 나는 그에게 하나의 이야기를 말해 주었다.
  → He **was told** a story by me. 그는 나에 의해 하나의 이야기를 들었다.
  → A story **was told to** him by me. 하나의 이야기가 나에 의해 그에게 들려졌다.

POINT CHECK

04 수동태에서 「by + 행위자」는 반드시 표시해 주어야 한다. (T / F)

05 반드시 □□□이(가) 있는 문장만 수동태로 전환될 수 있다.

06 목적어가 2개인 수여동사 문장의 경우 최대 □개의 수동태 문장으로 전환될 수 있다.

■ **4형식의 3형식 전환 방법**

주어 + 동사 + 간접목적어 + 직접목적어
S V I.O. D.O.

S + V + D.O. + 전치사(to/for/of) + I.O.

| 정답 | **04** F **05** 목적어 **06** 2

POINT CHECK

07 수여동사 수동태의 경우 직접목적어가 주어가 되고 간접목적어가 보류목적어로 남을 때, 전치사 □□, □□□, □□을(를) 사용하여 행위를 당하는 대상이 누구인지를 명확하게 나타낸다.

08 수여동사 make는 수동태로 문장 전환을 할 때 □□□□□ 만을 주어로 사용한다.

| 정답 | 07 to, for, of
08 직접목적어

(1) 직접목적어(D.O.)가 수동태의 주어인 경우 「전치사 + 목적어」의 형태

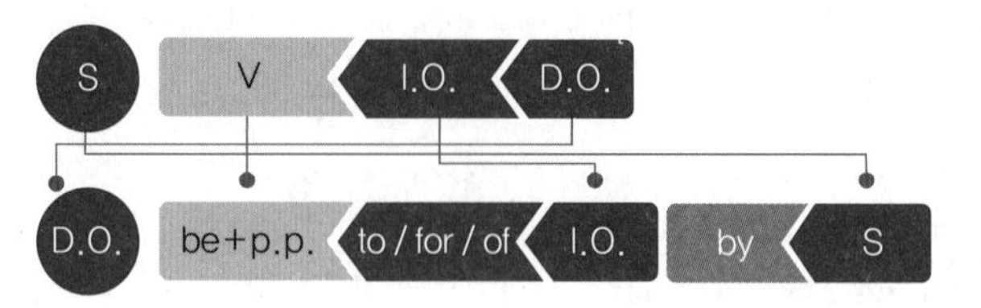

① to를 사용하는 동사

send, tell, lend, give, offer, bring, owe, teach, show, write, read

- He **gave** her a letter. 그는 그녀에게 편지 한 통을 주었다.
  → A letter **was given to** her by him. 편지 한 통이 그에 의해 그녀에게 주어졌다.
  → She **was given** a letter by him. 그녀는 그에 의해 편지 한 통을 받았다.

② for를 사용하는 동사

buy, make, build, cook, leave, find, get

- She **cooked** me tomato soup. 그녀는 나에게 토마토 수프를 요리해 주었다.
  → Tomato soup **was cooked for** me by her. 토마토 수프가 나를 위해 그녀에 의해 요리되어졌다.
  ☒ I was cooked tomato soup by her.
  ➡ cook은 간접목적어를 주어로 하는 수동태 문장은 만들 수 없다. (의미상 불가)

③ of를 사용하는 동사

ask

- He **asked** the teacher some questions. 그는 선생님께 질문을 몇 개 했다.
  → Some questions **were asked of** the teacher by him.
  질문 몇 개가 그에 의해 선생님께 물어보아졌다.
  → The teacher **was asked** some questions by him.
  그 선생님은 그에 의해 질문을 몇 개 받았다.

(2) 직접목적어(D.O.)만 수동태의 주어로 하는 동사

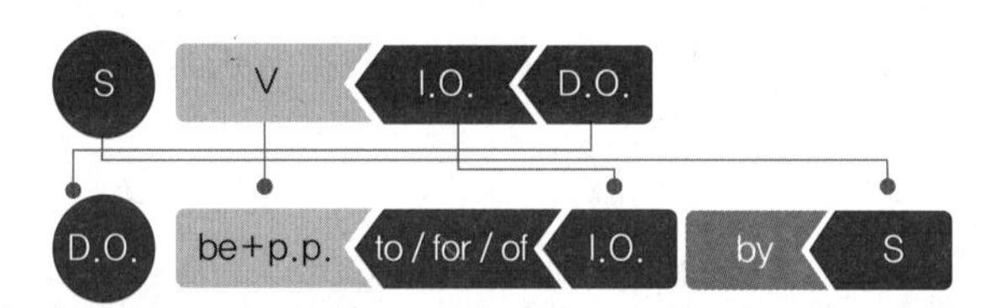

make, write, read, get, send, throw, pass,
return, wire, hand, sell, sing, do, buy, cook

- She **made** me a cake. 그녀는 내게 케이크를 만들어 주었다.
  → **A cake was made** for me by her. 케이크가 나를 위해 그녀에 의해 만들어졌다.
  ☒ I was made a cake by her.
  ➡ make는 간접목적어를 주어로 하는 수동태 문장은 만들 수 없다. (의미상 불가)

• She **wrote** him a letter. 그녀는 그에게 편지 한 통을 썼다.

→ **A letter was written** to him by her. 편지 한 통이 그녀에 의해 그에게 쓰여졌다.

☒ He was written a letter by her.

• I **bought** her a hat. 나는 그녀에게 모자 하나를 사 주었다.

→ A hat **was bought** for her by me.

모자 하나가 나에 의해 그녀를 위해 구입되었다.

☒ She was bought a hat by me.

(3) 간접목적어(I.O.)만 수동태의 주어로 하는 동사

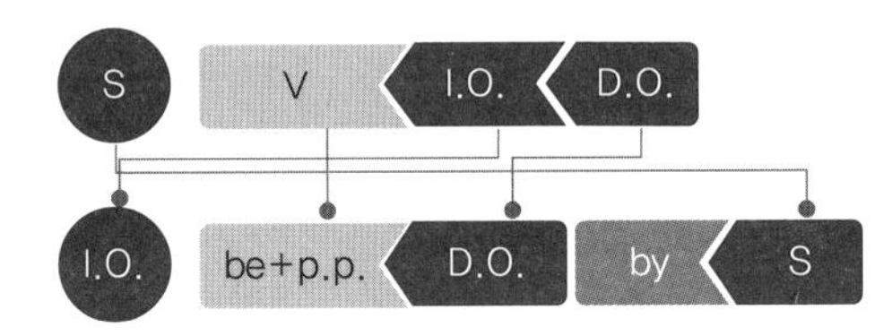

envy, kiss, answer, save, spare

• We **envied** him his fortune. 우리는 그의 행운을 부러워했다.

→ **He was envied** his fortune (by us). 그는 그의 행운으로 (우리에 의해) 부러움을 샀다.

☒ His fortune was envied him by us.

• They **kissed** the baby goodnight. 그들은 그 아기에게 굿나잇 키스를 했다.

→ **The baby was kissed** goodnight by them. 그 아기는 그들에 의해 굿나잇 키스를 받았다.

☒ Goodnight was kissed the baby by them.

05 불완전타동사의 수동태

교수님 한마디 불완전타동사의 수동태에서 핵심은 목적격 보어의 형태이다. 목적격 보어의 형태 및 위치를 파악하는 것이 관건이다.

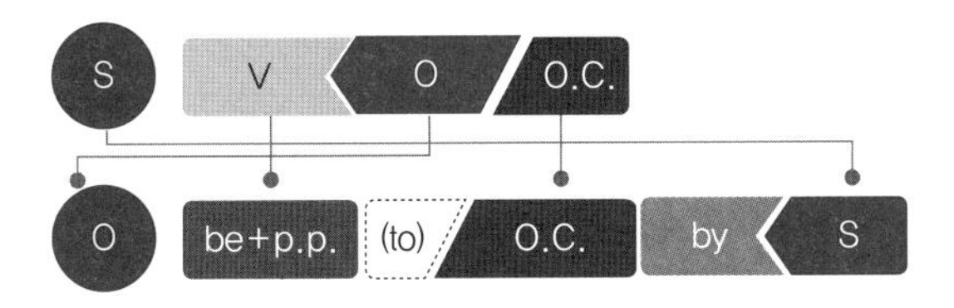

• I **found** the book interesting. 나는 그 책을 재미있다고 여겼다.

→ The book **was found** interesting by me. 그 책은 나에 의해 재미있다고 여겨졌다.

• I **forced** him to go there. 나는 그에게 그곳에 가라고 강요했다.

→ He **was forced to go** there by me. 그는 나에 의해 그곳에 가라고 강요받았다.

(1) 목적격 보어가 원형부정사인 능동태의 수동태 전환

지각동사, 사역동사가 있는 5형식 문장에서 목적격 보어가 원형부정사인 경우 수동태로 전환 시 보어는 to부정사로 써야 한다.

• He **heard** her sing a song. 그는 그녀가 노래를 부르는 것을 들었다.

→ She **was heard to sing** a song by him. 그녀는 그에 의해서 노래부르는 것을 들려주게 되었다.

POINT CHECK

09 수여동사 envy는 수동태로 문장 전환을 할 때 □□□□□만을 주어로 사용한다.

10 5형식 문장 「주어 + 동사 + 목적어 + 목적격 보어」의 수동태는 「목적어 + be + p.p. + □□□ □□ + by + 주어」로 쓴다.

11 지각동사와 사역동사의 수동태는 「be + p.p. + □□□□□」이다.

| 정답 | 09 간접목적어
10 목적격 보어
11 to부정사

POINT CHECK

12 사역동사 let과 have는 동사 형태 그대로 수동태 전환이 □□□하다.

• He **made** me do it.

그는 나에게 그것을 하도록 했다.

→ I **was made to do** it by him.

나는 그에 의해서 그것을 하도록 강요받았다.

헷갈리지 말자 지각동사의 수동태 변환

• He heard her singing a song.

→ She **was heard singing** a song by him.

→ She **was heard** to sing a song by him.

➡ 지각동사의 보어로는 원형부정사와 현재분사가 쓰인다. 수동태로 전환 시, 목적격 보어가 현재분사인 경우는 to부정사로 만들지 않고, 그대로 분사 형태를 사용해야 한다.

사역동사 let, make, have 가운데 make만 make동사 그대로 수동태로 전환 가능하며, let이나 have 동사는 유사한 의미의 다른 동사로 바꾸어 수동의 의미를 표현한다.

• 사역동사 let의 수동 표현: 「be allowed + to부정사」
• 사역동사 have의 수동 표현: 「be asked + to부정사」

• He **let** his daughter go to the concert.

그는 딸이 그 콘서트에 가도록 허락했다.

→ ☒ His daughter was let go to the concert by him.

→ ☒ His daughter was let to go to the concert by him.

→ ⓞ His daughter **was allowed to go** to the concert by him.

그녀의 딸은 그에 의해 그 콘서트에 가는 것이 허락되었다.

• She **had** the waiter bring him a cup of tea.

그녀는 종업원이 차 한 잔을 그에게 가져다주게 했다.

→ ☒ The waiter was had bring him a cup of tea by her.

→ ☒ The waiter was had to bring him a cup of tea by her.

→ ⓞ The waiter **was asked to bring** him a cup of tea by her.

종업원은 그녀에 의해 차 한 잔을 그에게 가져다 줄 것을 요청받았다.

• You **made** me drink it. 당신은 나에게 그것을 마시게 했다.

→ ☒ I was made drink it by you.

→ ⓞ I **was made to drink** it by you.

→ ⓞ I **was forced to drink** it by you.

나는 당신에 의해 그것을 마시도록 강요받았다.

| 정답 | 12 불가능

06 주의해야 할 수동태

교수님 한마디 능동태의 수동태 전환은 주어와 목적어의 위치를 바꾸고 동사를 「be+p.p.」 형태로 만드는 것만으로 그치지 않는다. 절 형태의 수동태를 비롯한 기타 수동태에 주의를 기울여 학습하자.

(1) 목적어절을 수동태의 주어로 취하는 경우

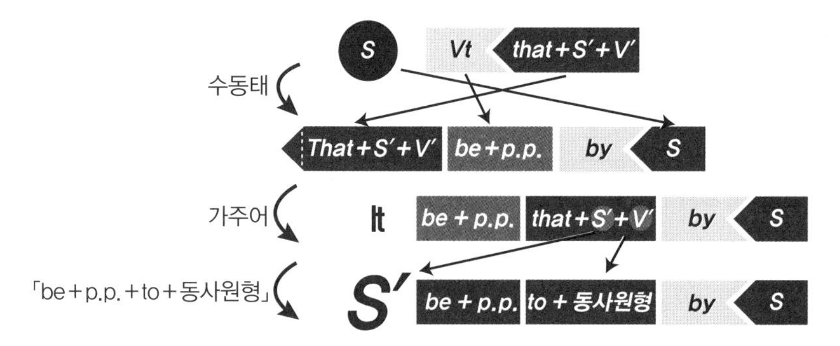

능동태	S	V	that + S′ + V′
→ 수동태	That + S′ + V′	be p.p.	(by + S)
→ 가주어	It	be p.p.	that + S′ + V′ (+ by + S)
복문 → 단문	S′	be p.p.	to + V′/to have p.p.

① 주절과 종속절의 시제가 같은 경우

- They say that he is rich. 그들은 그가 부유하다고 말한다.
  → That he is rich **is said** (by them).
  → It **is said that** he is rich (by them).
  → He **is said to be** rich (by them).

② 주절과 종속절의 시제가 다른 경우

- They say that he was rich. 그들은 그가 부유했다고 말한다.
  → That he was rich **is said** (by them).
  → It **is said that** he was rich (by them).
  → He **is said to have been** rich (by them).

③ 「It + be + p.p. + that + 주어 + 동사」 구문 암기문법

It is believed (~라고 믿어진다)	that + 주어 + 동사
It is alleged (~라고 주장된다)	
It is said (~라고 회자된다)	
It is kept (~라고 유지된다)	
It is expected (~라고 기대된다)	
It is ensured (~라고 확신된다)	
It is thought (~라고 생각된다)	

O **It is said that** she is a genius. 그녀는 천재라고 회자된다.

O **She is said to be** a genius.

X **It is said to be** a genius.

※ 「It is said that + 주어 + 동사」 또는 「주어 + be said + to + 동사원형」는 가능하지만, It이 주어일 때는 진주어로 to부정사를 취할 수 없다.

POINT CHECK

13 타동사가 목적어절을 취하는 문장의 수동태 전환 시, that절의 주어가 문장 전체의 주어가 되면 동사는 「□□+□□+□□□□□」 형태로 쓴다.

| 정답 | 13 be, p.p., to부정사

POINT CHECK

(2) 의문문의 수동태

의문문을 수동태로 전환할 때는 '평서문 → 수동태 → 의문문'의 순서로 바꾸어서 진행한다.

• Did you **plant** these flowers? 당신이 이 꽃들을 심었습니까?
→ You **planted** these flowers. (평서문) 당신은 이 꽃들을 심었다.
→ These flowers **were planted** by you. (평서문의 수동태) 이 꽃들은 당신에 의해서 심어졌다.
→ **Were** these flowers **planted** by you? (의문문의 수동태) 이 꽃들은 당신에 의해서 심어졌습니까?

(3) 명령문의 수동태

① 「Let + 목적어 + be + p.p.」의 형태를 사용한다.

• Do it right now. 지금 바로 그것을 해라.
→ **Let** it **be done** right now. 지금 바로 그것이 되게 하라.

② 부정 명령문의 수동태는 두 가지가 있다.

• 「Don't let + 목적어 + be + p.p.」	• 「Let + 목적어 + not + be + p.p.」

• Don't touch the statue. 그 동상을 만지지 마시오.
→ **Don't let** the statue **be touched.**
→ **Let** the statue **not be touched.**

(4) 부정문의 수동태

① 「be + not p.p.」의 형태를 사용한다.

• She **is not given** anything. 그녀는 아무것도 받지 못한다.

14 부정문의 수동태에서 no는 「not + □□□」(으)로 바뀐다.

② 부정어(no + 명사) 주어는 부사 not을 이용하여 「not ~ by any + 명사」 형태로 만든다.

• no → not ~ any	• nobody → not ~ anybody
• never → not ~ ever	• nothing → not ~ anything
• neither → not ~ either	• no one → not ~ anyone

• **Nobody** can solve the problem. 누구도 그 문제를 풀 수 없다.
→ O The problem can**not** be solved by **anybody.**
→ X The problem can be solved by **nobody.**
➡ 부정어 주어는 수동태가 될 때 by 뒤에 그대로 쓰일 수 없다.

15 look up to와 같은 □□□도 수동태가 가능하다.

(5) 군동사의 수동태

교수님 한마디 군동사의 수동태 개념을 이해한 후, 반드시 해당 동사의 패턴을 암기해 전치사 누락에 주의해야 한다.

자동사는 원칙적으로 수동태가 될 수 없으나 하나의 의미 덩어리로 쓰이는 군동사의 경우 수동태가 가능하다.

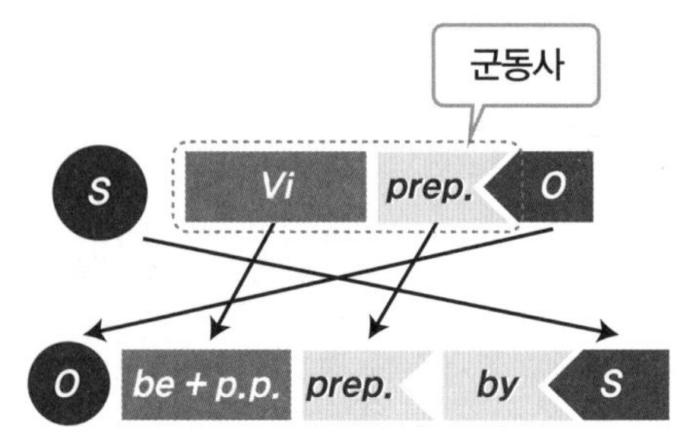

| 정답 | 14 any 15 군동사

POINT CHECK

① 「자동사 + 전치사」로 이루어진 타동사구의 수동태 암기문법

be laughed at	비웃음 받다	be talked about	토의되다
be dealt with	다뤄지다	be relied on	의지되어지다
be run over	치이다	be listened to	청취되다
be depended on	의존되어지다	be added to	더해지다
be accounted for	설명되다	be thought of	생각되다
be agreed on	동의되어지다	be spoken to	(누가) 말을 걸다
be referred to (as ~)	(~로) 불리다		

※ add는 자동사와 타동사 쓰임이 모두 가능하니 주의하자.

- I laughed at them. 나는 그들을 보고 비웃었다.

  → O They **were laughed at** by me.
  그들은 나에 의해 비웃음을 받았다.

  → X They were laughed by me.

- This century **is referred to as** the digital age.
  이 세기는 디지털 시대라고 불린다.

② 「타동사 + 목적어 + 전치사」로 이루어진 타동사구의 수동태

be taken care of	돌보아지다	be paid attention to	주의가 기울여지다
be taken advantage of	이용되다	be made use of	이용되다
be made fun of	놀림받다	be caught sight of	발견되다

- She **took good care of** her children.
  그녀는 그녀의 아이들을 잘 돌보았다.

  → O Her children **were taken good care of** by her.
  그녀의 아이들은 그녀에 의해 잘 돌봐졌다.

  → O Good care **was taken of** her children by her.

  → X Care was taken of her children by her.

  ➡ take의 목적어는 수식어가 없는 상태에서는 수동태의 주어로 쓸 수 없다. 「타동사 + 명사 + 전치사」로 이루어진 타동사구인 경우, 타동사의 1차 목적어인 '명사'도 수동태의 주어가 될 수 있으나, 명사 앞에 수식어가 있는 경우에만 가능하다.

③ 「자동사 + 부사 + 전치사」로 이루어진 타동사구의 수동태

be well spoken of	칭찬받다	be looked up to	존경받다
be ill spoken of	욕을 먹다	be looked down on	무시를 당하다
be done away with	폐지되다		

- People **spoke well of** the girl. 사람들은 그 소녀를 칭찬했다.

  → O The girl **was well spoken of** by people.
  그 소녀는 사람들에게서 칭찬을 받았다.

  → X The girl was spoken well of by people.

  ➡ 수동태가 되면서 well은 과거분사인 spoken을 수식하므로 그 앞에 위치하도록 위치가 바뀌어야 한다.

POINT CHECK

16 have, resemble, belong to, sit, disappear는 수동태로 쓰일 수 (있다 / 없다).

④ 「타동사＋부사」로 이루어진 타동사구의 수동태

be brought up	양육되다	be taken on	맡아지다

- My friend **took on** more work. 나의 친구는 더 많은 일을 맡았다.
  → More work **was taken on** by my friend. 더 많은 일이 내 친구에 의해 맡아졌다.

(6) 수동태 불가 동사

수동형으로 출제되었을 때 오답을 불러오는 표현들이다. 익숙해 보일 수 있지만 비문이므로 주의해야 한다.

① 완전자동사형

disappear	사라지다		be disappeared (×)
happen	발생하다		be happened (×)
occur	발생하다		be occurred (×)
take place	발생하다		be taken place (×)
belong to	~에 속하다		be belonged to (×)
consist of	~로 구성되다	➡	be consisted of (×)
rise	일어나다		be risen (×)
arrive	도착하다		be arrived (×)
come	오다		be come (×)
emerge	나타나다		be emerged (×)
result	기인하다		be resulted (×)

② 불완전자동사형

lie	눕다		be lain (×)
sit	앉다		be sat (×)
remain	남다, 남아 있다		be remained (×)
become	되다	➡	be become (×)
stand	서 있다		be stood (×)
appear	보이다, ~인 듯 보이다		be appeared (×)
expire	만료되다, 숨을 거두다		be expired (×)

③ 완전타동사형

resemble	닮다		be resembled (×)
have	소유하다		be had (×)
possess	소유하다	➡	be possessed (×)
meet	만나다		be met (×)
cost	(금액을) 쓰게 하다		be cost(ed) (×)

※ possess는 타동사로 '~을 소유하다'의 의미인 경우 수동형이 불가능하나, 'be possessed'는 '사로잡히다'의 의미로 사용 가능하다.

※ meet이 '~을 만나다'의 의미일 경우 수동형이 불가능하나, '(요구 등을) 충족시키다'의 의미일 경우 수동형 사용이 가능하다.

| 정답 | 16 없다

※ cost가 '(금액을) 쓰게 하다'의 의미인 경우 수동형이 불가능하나, '(~에 들어갈) 비용[원가]을 산출하다'의 의미인 경우 수동형 사용이 가능하다.

- He felt as if he **were possessed.** 그는 사로잡힌 기분이었다.
- She **resembles** her mother. 그녀는 그녀의 어머니를 닮았다.
  ☒ Her mother is resembled by her.
- She **has** a pretty doll. 그녀는 예쁜 인형을 가지고 있다.
  ⓞ A pretty doll **belongs to** her. 예쁜 인형은 그녀의 것이다.
  ☒ A pretty doll **is had** by her.
  ➡ have는 수동태 대신에 belong to를 사용해서 수동의 소속 관계를 나타낼 수 있다.

POINT CHECK

(7) 수동태 관용표현

① 주의해야 할 be known 표현

be known	+	by + 주체	~에 의해서 알려지다
		to + 대상	~에게 알려지다
		as + 이름/자격/직위	~로서 알려지다
		for + 특산품/소유물/재능	~ 때문에[로] 알려지다
		to + 동사원형	~한 것으로 알려지다

※ 「A be known as B」 표현의 경우 우리말로는 구별하기 어렵지만, 'A = B'라는 특징을 가지고 있다는 점에 주의해야 한다.

- He **is** well **known as** a great novelist. (~로서 알려지다, He = a great novelist)
  그는 훌륭한 소설가로서 잘 알려져 있다.
- He **is known as** a doctor. (~로서 알려지다, He = a doctor)
  그는 의사로서 알려져 있다.
- He **is** well **known for** his writing skills. (~로 알려지다, He ≠ his writing skills)
  그는 작문 실력으로 잘 알려져 있다.
- She **was known for** her beauty. (~으로 알려지다, she ≠ her beauty)
  그녀는 그녀의 아름다움으로 알려졌다.
- A man **is known by** the company he keeps. (~에 의해서 알려지다)
  사람은 그가 사귀는 친구를 보면 알 수 있다.
- His name **is known to** all the people. ((대상)에게 알려지다)
  그의 이름은 모든 사람들에게 알려져 있다.
- She **is known to** be healthy.
  그녀는 건강한 것으로 알려져 있다.

② 기타 관용표현

- Butter **is made from** milk. (~로부터 만들어지다(성분 변화 있음))
  버터는 우유로부터 만들어진다.
- This desk **is made of** wood. (~로부터 만들어지다(성분 변화 없음))
  이 책상은 나무로 만들어진다.

POINT CHECK

17 The road sign is read like this. (T / F)

| 정답 | 17 F

- They **are interested in** my hobby. (~에 관심 있다)
  그들은 내 취미에 관심이 있다.
- She **was surprised at** the news. (~에 깜짝 놀라다)
  그녀는 그 뉴스에 깜짝 놀랐다.
- Her boss **was satisfied with** her good job. (~에 만족하다)
  그녀의 상사는 그녀가 일을 잘한 것에 만족했다.
- Her eyes **were filled with** tears. (~으로 가득 차다)
  그녀의 눈은 눈물로 가득 찼다.
- I **was pleased at[with]** her coming back. (~에 기쁘다)
  나는 그녀가 돌아와서 기뻤다.
- The top of the mountain **is covered with** snow. (~으로 덮이다)
  산꼭대기가 눈으로 덮여 있다.
- I **am tired of** eating boiled eggs. (~에 질리다)
  나는 삶은 달걀을 먹는 것에 질린다.
- She **got married to** a rich man. (~와 결혼하다)
  그녀는 부자와 결혼했다.

(8) 능동형 수동태

주어와 동사의 관계가 수동의 의미를 갖지만 수동태가 아니라 능동태로 써야 하는 것으로, 간혹 중간태라는 말을 쓰기도 한다. 하지만 대부분 자동사의 의미가 숨겨져 있는 경우가 많다. 단독으로 쓰이지 않고 보통 양태부사인 well, easily, quickly, better 또는 이에 준하는 전명구와 함께 사용된다.

peel	껍질이 벗겨지다	close	닫히다
wash	세탁되다	open	열리다
sell	팔리다	build	지어지다
photograph	사진에 찍히다	break	깨지다
read	읽히다	cut	베다

- The oranges **peel** well. 그 오렌지들은 껍질이 잘 벗겨진다.
- The book **sells** like hot cakes. 그 책은 날개 돋친 듯 팔린다.
- The door **opens** well. 그 문은 잘 열린다.
- Glass **breaks** well. 유리는 잘 깨진다.
- The bank **closes** at 4 p.m. 그 은행은 오후 4시에 문이 닫힌다(문을 닫는다).
- The artist **photographed** well. 그 예술가는 사진에 잘 찍혔다(받았다).

Ⓞ This tablecloth **washed well.** 이 식탁보는 잘 세탁되었다.

☒ This tablecloth **washed.**

※ 능동형 수동태는 주로 「주어 + 동사 + 양태부사」의 구조로 쓰인다. 위의 문장처럼 양태부사 well을 삭제하면 어색한 표현이 된다.

04 태

[01~10] 다음 중 어법상 옳은 것을 고르시오.

01 The book [is consisted / consists] of some interesting topics.

02 This novel [reads / is read] well.

03 [It / She] is said that she was smart.

04 He [was told / told] John the rumor.

05 Jack [was appeared / appeared] suddenly.

06 He [was given / gave] a letter to Jane.

07 [Was / Had] this letter written by her?

08 The sweater [was remained / remained] dirty.

09 The mechanic [was had / was asked] to fix the car by me.

10 Wine is made [of / from] grapes.

정답&해설

01 consists

|해석| 그 책은 몇 가지 흥미로운 주제들로 구성되어 있다.

|해설| 'consist'는 완전자동사로 수동태로 사용할 수 없다.

02 reads

|해석| 이 소설은 잘 읽힌다.

|해설| 'read'가 '읽히다'를 뜻하는 경우 능동태가 자연스럽다.

03 It

|해석| 그녀는 똑똑했다고 한다.

|해설| 'is said'를 통해 수동태가 사용되었음을 알 수 있으며 'said' 뒤에 온 'that she was smart'는 진주어에 해당한다. 따라서 주어 자리에 가주어 'It'을 사용하는 것이 옳다.

04 told

|해석| 그는 John에게 그 소문을 말했다.

|해설| 해당 문장은 「간접목적어 + 직접목적어」의 구조이므로 능동태 동사를 사용하는 것이 옳다.

05 appeared

|해석| Jack이 갑자기 나타났다.

|해설| 'appear'는 완전자동사로 수동태로 사용할 수 없다.

06 gave

|해석| 그는 편지를 Jane에게 주었다.

|해설| 해당 문장은 「직접목적어 + to + 간접목적어」의 구조이므로 능동태 동사를 사용하는 것이 알맞다.

07 Was

|해석| 이 편지는 그녀에 의해 작성되었습니까?

|해설| 과거분사 'written' 뒤에 「by + 행위자」에 해당하는 'by her'가 왔으므로 'written'이 수동태에 사용된 과거분사임을 알 수 있다. 따라서 'Was'를 사용하는 것이 옳다.

08 remained

|해석| 그 스웨터는 계속 더러운 상태였다.

|해설| 'remain'은 불완전자동사로 수동태로 사용할 수 없다.

09 was asked

|해석| 그 정비공은 나에 의해 차를 수리하도록 요구받았다.

|해설| 사역동사 'have'의 수동태는 「주어 + be asked + to부정사」의 구조를 가진다.

10 from

|해석| 포도주는 포도로 만들어진다.

|해설| 포도에서 포도주가 만들어질 때 화학적 변화가 일어나므로 'be made from'의 형태가 알맞다. 따라서 전치사 'from'이 옳다.

[11~20] **다음 중 어법상 옳은 것을 고르시오.**

11 His sister [was let / was allowed] to use his laptop by him.

12 John [was laughed / was laughed at] by them.

13 He [was resembled / resembled] Jim.

14 Jack [was run over / ran over] by the taxi.

15 They [were taken care / took care] of by Jane.

16 The criminal [was forced / forced] to say the truth.

17 The ship [was made use / made use] of by us.

18 The package [is belonged / belongs] to me.

19 His mother [was begged / begged] to go shopping by him.

20 The apples [peel / are peeled] very well.

정답&해설

11 was allowed

| 해석 | 그의 여동생은 그의 노트북을 사용하도록 그에 의해 허용되었다.

| 해설 | 사역동사 'let'의 수동태는 「주어 + be allowed + to부정사」의 구조를 가진다.

12 was laughed at

| 해석 | John은 그들에게 비웃음을 받았다.

| 해설 | 'laugh at'은 군동사로 수동태로 사용될 수 있으나 'laugh'는 완전자동사로 수동태로 사용될 수 없다.

13 resembled

| 해석 | 그는 Jim을 닮았었다.

| 해설 | 'resemble'은 수동태가 불가능한 완전타동사이다.

14 was run over

| 해석 | Jack은 그 택시에 치였다.

| 해설 | 'run over'는 군동사로 능동태로 쓰일 경우 목적어가 있어야 한다.

15 were taken care

| 해석 | 그들은 Jane에 의해 돌봐졌다.

| 해설 | 'take care of'는 '~을 돌보다'를 뜻하며 목적어가 있어야 하나 'of' 뒤에 목적어가 없으므로 수동태를 사용하는 것이 옳다.

16 was forced

| 해석 | 그 범죄자는 진실을 말하도록 강요받았다.

| 해설 | to부정사 앞에 동사 force의 목적어가 없으므로 수동태를 사용하는 것이 옳다.

17 was made use

| 해석 | 그 배는 우리에 의해 이용되었다.

| 해설 | 'make use of'는 '~을 이용하다'를 뜻하며 목적어가 있어야 하나 'of' 뒤에 목적어가 없으므로 수동태를 사용하는 것이 옳다.

18 belongs

| 해석 | 그 소포는 나의 것이다.

| 해설 | 「belong to + 목적어」는 수동태로 쓸 수 없다.

19 was begged

| 해석 | 그의 엄마는 그에 의해 쇼핑을 가자고 청해졌다.

| 해설 | to부정사 앞에 목적어가 없으므로 수동태를 사용하는 것이 옳다.

20 peel

| 해석 | 그 사과들은 껍질이 매우 잘 벗겨진다.

| 해설 | 'peel'은 수동의 의미를 지닌 능동형 동사로 '벗겨지다'의 의미로 사용된다.

04 태

교수님 코멘트▶ 출제 가능성이 많은 다양한 능동태와 수동태 문제를 골랐으며, 단순히 동사뿐만 아니라 목적어를 가질 수 있는 동사구까지 문제에 포함하여 수험생들의 경쟁력을 제고하도록 하였다.

01

2015 국가직 9급 변형

다음 영작이 올바르지 않은 것을 고르시오.

① 가능한 모든 일자리를 알아보았음에도 불구하고, 그는 적당한 일자리를 찾지 못했다.
→ Despite searching for every job opening possible, he could not find a suitable job.

② 당신이 누군가를 믿을 수 있는지 알아보는 최선책은 그 사람을 믿는 것이다.
→ The best way to find out if you can trust somebody is to trust that person.

③ 그 지역에 사는 학생들은 기숙사를 배정받는 것에 있어 우선권을 받는다.
→ Students who live in the area give priority in being assigned a dormitory.

④ 부모는 그들의 자녀가 성장하고 학습하는 데 알맞은 환경을 제공할 책임이 있다.
→ Parents are responsible for providing the right environment for their children to grow and learn in.

02

2018 국가직 9급

밑줄 친 부분 중 어법상 옳지 않은 것은?

It would be difficult ① to imagine life without the beauty and richness of forests. But scientists warn we cannot take our forest for ② granted. By some estimates, deforestation ③ has been resulted in the loss of as much as eighty percent of the natural forests of the world. Currently, deforestation is a global problem, ④ affecting wilderness regions such as the temperate rainforests of the Pacific.

01 능동태 vs. 수동태

③ 주어진 해석을 통해 주어인 'Students'가 동사 'give'의 간접목적어에 해당한다는 것을 알 수 있다. 따라서 해당 문장은 간접목적어가 주어로 쓰인 4형식 수동태이며 이때 4형식 수동태는 「간접목적어+be+과거분사+직접목적어」의 형태이어야 하므로 'give'를 'are given'으로 수정해야 한다.

| 오답해설 | ① 'despite'는 전치사이므로 다음에 동명사가 오는 것이 적절하며, 'every' 다음에 온 단수명사도 적절하다.

② 'The best way'가 주어, 'is'가 동사이며, 'to trust'가 보어이다. 'if ~ somebody'는 'find out'의 목적어 역할을 하는 명사절로 적절하게 쓰였다.

④ 'to grow and learn in'이 'environment'를 수식하고 있으며, '~을 위해 …을 제공하다'라는 의미의 'provide … for ~'도 적절하게 사용되었다.

02 수동태가 불가능한 자동사

③ 'result'는 「원인+result in+결과」의 형태로 쓰여 '(결과를) 낳다, 야기하다'라는 의미가 되는 자동사이므로 수동태로 쓸 수 없다. 따라서 'has been resulted in'은 현재완료 능동태인 'has resulted in'으로 고치는 것이 옳다.

| 오답해설 | ① to부정사의 명사적 용법인 'to imagine'은 진주어로 사용되었으며, 가주어는 'It'이다.

② 'take ~ for granted'는 '~을 당연한 것으로 여기다'라는 의미의 구문으로 사용된다. 여기서 'take' 뒤에 목적어 'our forest'가 왔으므로 옳게 사용되었다. 「take+it(가목적어)+for granted+that(진목적어)」 구문과 구별해서 사용해야 한다.

④ 문장 전체의 주어인 'deforestation'이 분사구문에서도 문맥상 능동적으로 영향을 미치는 것이므로 현재분사 'affecting'이 적절하게 쓰였다.

| 해석 | 숲의 아름다움과 풍요로움이 없는 삶을 상상하기란 어렵다. 그러나 과학자들은 우리가 숲을 당연한 것으로 여겨서는 안 된다고 경고한다. 몇몇 추정치에 따르면, 삼림 벌채는 전 세계 천연 숲의 80퍼센트에 달하는 손실을 야기했다. 현재, 삼림 벌채는 태평양의 온난한 열대우림과 같은 황무지 지역에 영향을 미치며 전 지구적인 문젯거리이다.

| 정답 | 01 ③ 02 ③

03

우리말을 영어로 잘못 옮긴 것은?

① 질병을 치료하기 위해 의사 대신 승려와 마술사들이 요청받았다.
→ Priests and magicians were called on to treat disease instead of a physician.

② 만약 그때 그 할인 판매를 이용하지 않았더라면, 당신은 지금 그 기회를 놓쳤을 텐데.
→ If you had not taken advantage of the sale then, you would miss out on the opportunity now.

③ 가장 중요한 것은 그 차이를 만들고 당신 자신 또는 타인에게 그 가치를 가져다주는 모든 것이다.
→ The most important thing is whatever makes the difference and brings the value either to yourself or to others.

④ 만일 학생이 예정된 시험 기간 중에 나타나지 않는다면, 그 학생은 가능한 한 빨리 학과장에게 통지해야 한다.
→ If a student is not appeared during the scheduled examination period, the student must notify a dean as soon as possible.

04

2018 지방직 7급 변형

어법상 옳지 않은 것은?

① Because of its perfect cone shape and proximity to the beautiful Albay Gulf, Mount Tarn is a popular tourist attraction.

② Its base is 80 miles wide in circumference, and it stands a dramatic 8,077 feet tall.

③ The volcano is said that it is located in the center of Gulf National Park, where many people come to camp and climb.

④ Authorities hope that by issuing early warnings, they will help avoid major destruction and danger.

---

03 수동태 불가 동사

④ 'appear'는 완전자동사이므로 수동태로 쓸 수 없다. 수동태인 'is not appeared'를 능동태인 'does not appear'로 수정해야 한다.

| 오답해설 | ① 「call on + 목적어」는 관용표현으로 '~을 요청하다'를 뜻한다. 해당 문장은 주어진 해석이 '요청받다'이며 'call on' 뒤에 목적어가 없으므로 'call on'의 수동태인 'were called on'은 옳은 표현이다.

② 혼합가정법은 「If + 주어 + had + 과거분사 ~ 시간의 부사(구), 주어 + would/should/could/might + 동사원형 ~ 시간의 부사(구)」의 형태이다. 이때 종속절의 시간의 부사(구)는 과거(then)를 가리키며, 주절의 시간의 부사(구)는 현재(now)를 가리킨다. 따라서 해당 문장의 경우, 종속절의 동사와 주절의 동사에 각각 과거완료와 「would + 동사원형」을 사용하는 것이 옳다.

③ 'whatever'는 선행사를 포함하는 복합관계대명사로 '~하는 것은 무엇이나(모두)'를 뜻하며 이후에 오는 문장은 불완전하다. 해당 문장에서는 'whatever'가 이끄는 절이 불완전자동사 'is'의 주격 보어 역할을 하고 있다.

---

04 완전타동사의 수동태

③ 'say'는 완전타동사로 「It + be said that + 주어 + 동사」 또는 「주어 + be said + to 부정사」의 형태로 사용할 수 있다. 그런데 해당 문장에서는 가주어 'it' 자리에 'The volcano'를 썼으므로 옳지 않다. 따라서 'The volcano'를 가주어 'it'으로, 명사절의 주어인 대명사 'it'을 'the volcano'로 수정하거나 'that it is located'를 'to be located'로 고쳐야 옳은 문장이 된다.

| 오답해설 | ① 'because of'는 전치사구로 명사(구)를 이끈다.

② 'stand'는 불완전자동사로, 형용사구 'a dramatic 8,077 feet tall'을 보어로 사용하였다.

④ 'hope'는 완전타동사로 that절을 목적어로 사용하였다.

| 해석 | ① 그것의 완벽한 원뿔 모양과 아름다운 Albay Gulf로의 근접성 때문에 Tarn산은 인기 있는 관광 명소이다.

② 그것의 기슭은 너비가 80마일이며, 높이는 인상적인 8,077피트이다.

③ 그 화산은 많은 사람들이 캠핑하고 오르기 위해 오는 Gulf National Park의 중심에 위치하고 있다고 한다.

④ 정부 당국은 조기 경보를 발령하여 그들이 심각한 파괴와 위험을 피하는 데 도움을 주기를 희망한다.

05
2017 국가직 9급 추가 채용

어법상 옳은 것을 고르시오.

① She would like to be financial independent.
② The whole family is suffered from the flu.
③ She never so much as mentioned it.
④ My father was in the hospital during six weeks.

06
2017 서울시 사회복지직 9급

다음 중 문법적으로 올바른 문장은?

① Both adolescents and adults should be cognizant to the risks of second-hand smoking.
② His address at the luncheon meeting was such great that the entire audience appeared to support him.
③ Appropriate experience and academic background are required of qualified applicants for the position.
④ The major threat to plants, animals, and people is the extremely toxic chemicals releasing into the air and water.

---

05 「not[never] so much as」 구문, 수동태 불가 동사

③ 'never so much as ~'는 '~조차 하지 않는'이라는 의미의 부사구로 주어와 동사 사이에 삽입되어 옳게 쓰였다.

| 오답해설 | ① 'financial'은 문맥상 'independent'를 수식해야 한다. 형용사를 수식하는 것은 부사여야 하므로 'financial'은 'financially'가 되어야 한다.
② 동사 'suffer'는 전치사 'from'과 함께 사용하면 자동사로 쓰여 수동태가 불가능하다. 따라서 'is suffered from'은 'suffers from(현재시제)', 'suffered from(과거시제)', 'is suffering from(현재진행시제)', 'was suffering from(과거진행시제)' 중 하나로 바뀌어야 한다.
④ 기간을 나타내는 부사구의 올바른 표현을 묻는 문제로, 수사를 포함한 기간을 나타낼 때는 「for + 수사 명사」를, 특정한 기간을 나타낼 때는 「during + 구간 명사」를 쓴다. 따라서 'during six weeks'는 'for six weeks'로 바뀌어야 한다.

| 해석 | ① 그녀는 경제적으로 독립하고 싶어 한다.
② 가족 전체가 감기로 고생하고 있다.
③ 그녀는 그것을 언급조차 하지 않았다.
④ 우리 아버지는 6주간 병원에 계셨다.

---

06 「완전타동사 + 목적어 + 전치사 + 목적어」의 수동태

③ 완전타동사 'require'는 '~에게 …을 요구하다'를 뜻하는 경우 「require + 목적어[사물] + of + 목적어[대상]」의 형태로 사용하며, 이를 수동태로 전환하면 「목적어[사물] + be required of + 목적어[대상]」의 어순이 된다. 해당 문장은 「목적어[사물] + be required of + 목적어[대상]」가 쓰인 문장으로 해석상 '~가 …에게 요구된다'가 적절하므로 옳은 문장이다.

| 오답해설 | ① 'cognizant'는 관용적으로 'be cognizant of'의 형태로 쓰인다. 전치사 'to'가 사용되어 옳지 않다.
② 형용사인 'great'를 수식하기 위해서는 형용사 'such' 대신 부사인 'so'를 써야 한다.
④ 명사구인 'the extremely toxic chemicals'를 수식하는 현재분사 'releasing'은 목적어를 취하는 타동사이다. 현재분사 뒤에 목적어가 없으며, 또한 의미상 'chemicals(화학물질)'가 '방출하는' 것이 아니라 '방출되는' 것이므로 'releasing'은 과거분사인 'released'로 써야 한다.

| 해석 | ① 청소년과 성인 둘 다 간접흡연의 위험을 인식해야 한다.
② 오찬 모임에서 그의 연설은 아주 훌륭해서 모든 청중이 그를 지지하는 것처럼 보였다.
③ 그 일자리에 자격을 갖춘 지원자에게는 적절한 경험과 학력이 요구된다.
④ 식물, 동물 및 사람들에 대한 주요 위협은 대기 및 물로 방출되는 매우 유독한 화학 물질이다.

| 정답 | 03 ④ 04 ③ 05 ③ 06 ③

07

2019 서울시 7급 제1회 변형

밑줄 친 부분 중 어법상 가장 옳지 않은 것은?

Losing just a couple of hours of sleep at night makes you angrier, especially in ① frustrating situations, according to new research. While the results may ② be seemed intuitive, the study is one of the first to ③ provide evidence that sleep loss causes anger. The research also provides new insight on our ability to adjust ④ to irritating conditions when tired.

08

2017 서울시 7급

밑줄 친 부분 중 어법상 가장 옳지 않은 것은?

Plastics ① are artificial, or human-made materials ② that consist of polymers — long molecules ③ made of smaller molecules joined in chains. Not all polymers are artificial — wood and cotton are types of a natural polymer called cellulose, but they are not considered plastics because they cannot ④ melt and mold.

07 수동태 불가 동사

② 'seem'은 불완전자동사로 수동태로 쓸 수 없다. 따라서 'be seemed'를 'seem'으로 고쳐야 한다.

| 오답해설 | ① 감정형용사가 사물을 수식할 때는 능동형 분사를 사용하는 것이 적절하다.

③ 'to provide'는 'the first'를 수식하는 형용사적 용법의 to부정사이다. 여기서 'provide'는 '~을 제공하다'라는 뜻의 타동사로 목적어 'evidence'가 오는 것은 적절하다.

④ 'adjust to'는 '~에 적응하다'라는 뜻으로 to가 전치사이므로 명사구 'irritating conditions'가 온 것은 적절하며, 여기서 'irritating'은 명사 'conditions'를 수식하는 능동 의미의 현재분사이다.

| 해석 | 새로운 연구에 따르면, 밤에 단 두세 시간의 수면을 잃는 것만으로도 당신을 더 화나게 만드는데, 특히 절망적인 상황들에서 그렇다. 그 결과는 직관적인 것처럼 보일지 모르지만, 그 연구는 수면 부족이 분노를 야기한다는 증거를 제시한 첫 번째 것 중 하나이다. 그 연구는 또한 피곤할 때 짜증 나는 상태에 적응하는 우리의 능력에 대한 새로운 통찰력을 제공한다.

08 능동태 vs. 수동태

④ 밑줄 친 동사 'melt and mold'의 주어는 'they'로, 이는 'wood and cotton'을 가리킨다. 의미상 주어와 동사의 관계가 능동이 아닌 수동의 관계이므로 수동태인 'be melted and molded'로 고쳐야 한다.

| 오답해설 | ① 주어인 'Plastics'가 복수 형태이기 때문에 복수동사인 'are'는 적절하다.

② 선행사가 'materials'인 주격 관계대명사 'that'이 적절하게 쓰였다.

③ 수식받는 명사인 'long molecules'와 과거분사 'made'는 문맥상 수동의 관계이므로 옳게 사용되었다.

| 해석 | 플라스틱은 사슬로 연결되어진 더 작은 입자들로 이루어진 긴 분자인 폴리머로 구성된 인공적인, 즉 인간이 만든 물질이다. 모든 폴리머가 인공적인 것은 아니다. 나무와 목화도 셀룰로스라고 불리는 천연 폴리머 종류이지만 그것들은 녹여 성형될 수 없기 때문에 플라스틱으로 여겨지지는 않는다.

09

2018 서울시 7급 제1회

밑줄 친 부분 중 어법상 가장 옳지 않은 것은?

A swing vote is a vote that ① is seen as potentially going to any of a number of candidates in an election, or, in a two-party system, may go to either of the two dominant political parties. Such votes ② are usually sought after in election campaigns, since they can play a big role in determining the outcome. A swing voter or floating voter is a voter who may not ③ be affiliated with a particular political party(Independent) or who will vote across party lines. In American politics, many centrists, liberal Republicans, and conservative Democrats are considered "swing voters" since their voting patterns cannot ④ predict with certainty.

10

2018 서울시 7급 제1회

어법상 가장 옳지 않은 문장은?

① Born in Genoa, Italy, Piccolo Paganini was one of the greatest composers of the nineteenth century. ② While he widely acclaimed as a violinist, Paganini had other musical talents which included tuning, arranging, and composing. ③ More often than not, he turned to the viola and the piano, and in his last years began to practice as an orchestra conductor. ④ But above all he left many beautiful scores for the violin concerto.

---

09 능동태 vs. 수동태

④ 'predict'는 '~을 예측하다'라는 의미의 타동사이다. 따라서 목적어가 존재해야 하는데 'with certainty'는 '확실히'라는 뜻의 전명구로서 목적어의 역할을 할 수 없으므로 어법상 옳지 않다. 문맥상 '예상하는' 것이 아니라 '예상되는' 것이므로 'predict'는 'be predicted'가 되어야 한다.

| 오답해설 | ① 「see A as B」가 수동태로 전환된 형태인 「A be seen as B」가 'vote'를 선행사로 취하는 주격 관계대명사 'that'이 이끄는 절의 동사로 사용되었으므로 적절하다.

② 'seek after'가 수동태로 전환된 형태로 'be sought after'로 적절하게 사용되었다. 빈도부사인 'usually'의 위치도 be동사 뒤, 일반동사 앞으로 적절하다.

③ 'affiliate'는 '결부시키다, 관련짓다'의 의미로, 여기서는 '~와 관련되다'라는 수동의 의미로 'be affiliated with'가 알맞게 쓰였다.

| 해석 | 부동표는 어쩌면 선거에서 많은 후보자들 중 누구에게라도 잠재적으로 가는 것처럼 보이는 표이거나, 아니면 양당 체제에서 두 지배 정당의 어느 한 쪽으로 갈 수 있는 표이다. 대개 이러한 표들은 결과를 결정짓는 데 큰 역할을 할 수 있기 때문에, 선거 운동에서는 그런 표들을 찾게 된다(그런 표들을 얻으려고 한다). 부동표 투표자, 혹은 부동성 투표자는 특정한 정당과는 관련이 없거나(무소속인) 당을 초월해서 투표를 할 유권자이다. 미국 정치에서, 많은 중도파들, 진보적인 공화당원들, 그리고 보수적인 민주당원들은 그들의 투표 양상을 확실히 예측할 수 없기 때문에 "부동표 투표자들"로 간주된다.

---

10 능동태 vs. 수동태

② 동사 'acclaim'이 능동태로 사용되었으나 목적어가 존재하지 않으므로 해당 문장은 적절하지 못하다. 동사가 수동태가 되어야 이어지는 'as a violinist'가 문맥상 '바이올린 연주자로서'의 의미로 적절하게 연결된다. 이때 동사를 수식하는 부사 'widely'는 동사가 수동태로 전환될 때 분사 앞에 위치해 이를 수식한다. 즉 'widely acclaimed'는 'was widely acclaimed'가 되어야 한다.

| 오답해설 | ① 과거분사 'Born'으로 시작되는 분사구문으로 Piccolo Paganini가 '태어난' 것이므로 적절하게 사용되었다.

③ 과거의 시점을 나타내는 부사구 'in his last years'가 제시되었으므로 과거시제인 'began'을 사용한 것은 적절하다.

④ 'left'는 'leave(~을 남기다)'의 과거형으로 알맞게 쓰였다.

| 해석 | 이탈리아 제노바에서 태어난 Piccolo Paganini는 19세기의 가장 위대한 작곡가 중 한 사람이었다. 바이올린 연주자로서 널리 인정받은 Paganini는 조율, 편곡, 그리고 작곡 등을 포함한 다른 음악적 재능도 가지고 있었다. 종종, 그는 비올라와 피아노로 방향 전환을 하기도 했고, 말년에는 오케스트라 지휘자로 일하기 시작했다. 그러나 무엇보다도, 그는 바이올린 협주곡을 위한 많은 아름다운 악보를 남겼다.

| 정답 | 07 ② 08 ④ 09 ④ 10 ②

ENERGY

행동의 가치는 그 행동을 끝까지 이루는 데 있다.

– 칭기즈 칸(Chingiz Khan)

CHAPTER

05 조동사

□ 1회독	월	일
□ 2회독	월	일
□ 3회독	월	일
□ 4회독	월	일
□ 5회독	월	일

1 조동사의 특징
2 조동사의 종류
3 조동사 should의 특수 용법
4 조동사와 완료 시제
5 준조동사

POINT CHECK

01 조동사 뒤에는 반드시 □□□□이(가) 따라온다.

| 정답 | 01 동사원형

VISUAL G

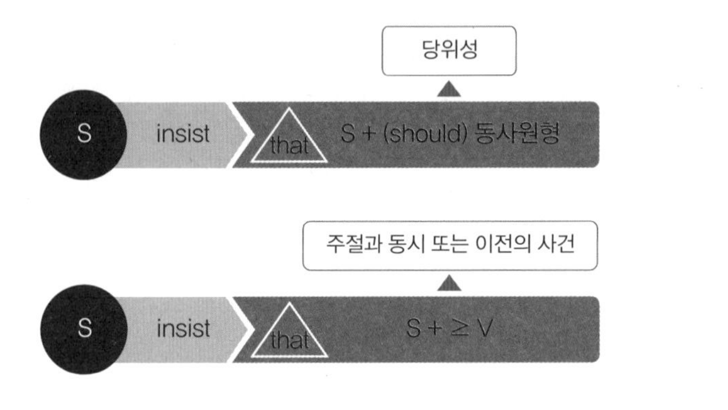

01 조동사의 특징

(1)「조동사 + 동사원형」

- He **can play** the guitar.
  그는 기타를 연주할 수 있다.

O She **can** always **be** there for you.
그녀는 너를 위해 항상 그곳에 있을 수 있다.

X She **can** always **is** there for you.

➡ 조동사 뒤에 동사원형이 오는 것은 당연한 것 같지만, 부사구나 삽입절이 중간에 위치하면 놓치기 쉬우므로 주의하자.

(2) 인칭과 수에 영향을 받지 않는다.

- They **can** play the guitar.
  그들은 기타를 연주할 수 있다.
- You **can** play the guitar.
  당신은 기타를 연주할 수 있다.
- She **can** play the guitar.
  그녀는 기타를 연주할 수 있다.

(3) 부정문에서는 「조동사 + not」으로 나타낸다.

- He **cannot** swim. 그는 수영을 못한다.
- He **has not** finished the homework yet.
  그는 숙제를 아직 끝내지 못했다.
- I **do not** go to church on Sundays.
  나는 일요일마다 교회에 가지 않는다.

(4) 「조동사 + 조동사」 사용 불가

한 문장에 2가지 이상의 조동사를 사용할 수 없다.

X She will can enjoy herself there.

O She **will be able to** enjoy herself there.

그녀는 거기에서 즐겁게 보낼 수 있을 거야.

➡ can은 be able to로 대신할 수 있다.

POINT CHECK

02 조동사의 종류

조(助)동사의 기능을 크게 정리하면 아래와 같다.

	may	might	can	could	will	would	should	must
추측	O	O	O	O	O(미래)	O(시제 일치)	O	O
허가	O		O					
능력[가능]	O		O	O(과거)	O	O(과거)		
공손		O		O		O		
목적	O	O(시제 일치)						
양보	O	O(시제 일치)						
기원문	O							
암기문법 당연하다	may well							
암기문법 ~하는 편이 낫다	may as well	might as well						
지나치지 않다			cannot ~ too					
의지					O	O(과거)		
습관					O	O(과거)		
고집					O	O(과거)		
경향					O			
소망						O(현재) would like to		
차라리 낫다						would rather		
의무							O	O

POINT CHECK

(1) can

	can	be able to
능력	She **can** swim well.	She **is able to** swim well.
가능	The theater **can** seat 100 people.	The theater **is able to** seat 100 people.
허락	**Can** I come in for a minute?	
추측	It **can't** be true.	

① 가능: ~할 수 있다(=「be able to + 동사원형」= 「be capable of -ing」)

- He **can** answer the question. 그는 그 질문에 대답할 수 있다.
- Water **is able to** rust iron. 물은 철을 부식시킬 수 있다.

② 추측

- 「cannot be」: ~일 리 없다(현재에 대한 부정적 추측)
- 「cannot have p.p.」: ~이었을 리 없다(과거에 대한 추측)

- She **cannot have been** sick last week. 그녀가 지난주에 아팠을 리 없다.

③ 「cannot ~ too …」: 아무리 ~해도 지나치지 않다 암기문법

- 주어 + cannot + 동사원형 + too ~
  = 주어 + cannot + 동사원형 + ~ enough
  = 주어 + cannot over동사원형
  = It is impossible for + 의미상 주어 + to부정사 + too ~
  = It is impossible for + 의미상 주어 + to부정사 + ~ enough
  = It is impossible for + 의미상 주어 + to over동사원형

- We **cannot praise** her effort **too** much. 우리는 그녀의 노력을 아무리 칭찬해도 지나치지 않다.
  = We **cannot praise** her effort **enough**.
  = We **cannot overpraise** her effort.
  = **It is impossible for** us **to praise** her effort **too** much.
  = **It is impossible for** us **to praise** her effort **enough**.
  = **It is impossible for** us **to overpraise** her effort.

O It is impossible for us to **overemphasize** our safety.
우리의 안전을 아무리 강조해도 지나치지 않다.

X It is impossible for us to **overemphasize** our safety **enough**.
➡ over와 enough를 문장에 함께 두어 수험생을 헷갈리게 하는 기출 형태이다. 이외에도 fully, excessively 등의 부사와도 의미가 중복되므로 함께 쓸 수 없다.

④ 「cannot but + 동사원형 ~」: ~하지 않을 수 없다 암기문법

- cannot but + 동사원형 ~
  = cannot help but + 동사원형 ~
  = cannot choose but + 동사원형 ~
  = have no choice but + to + 동사원형 ~
  = have no alternative but + to + 동사원형 ~
  = cannot help -ing
  = cannot refrain from -ing

- I **cannot but laugh** at him. 나는 그를 보고 웃지 않을 수 없다.

⑤ 「cannot ~ without …」: …하지 않고 ~할 수 없다(항상 …하게 된다) 암기문법

- I **cannot see** her **without** thinking of my mother.

  나는 엄마를 생각하지 않고는 그녀를 볼 수가 없다. (그녀를 보면 항상 엄마를 생각하게 된다.)

  = I **cannot see** her **if** I **don't** think of my mother.

  = I **cannot see** her **unless** I think of my mother.

  = I **cannot see** her **but** I think of my mother.

  = **Whenever** I see her, I think of my mother.

  = **Every time** I see her, I think of my mother.

POINT CHECK

(2) must, have to, had to(의무, 추측)

교수님 한마디 must의 의미는 두 가지로, 그 의미의 동의 · 반의 관계가 복잡하다. 정확하게 그 관계와 역할을 이해해야 한다.

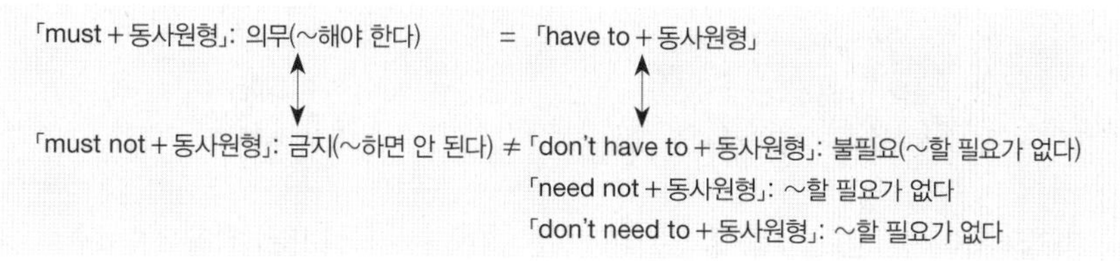

「must + 동사원형」: 강한 긍정의 추측(~임에 틀림없다)

↕

「cannot + 동사원형」: 강한 부정의 추측(~일 리 없다)

① 필요, 의무(= have to ↔ don't have to = need not = don't need to)

- She **must** come back by midnight. 그녀는 자정까지 돌아와야 한다.

  = She **has to** come back by midnight.

  참 I **have only to** check the flow. 나는 흐름만 확인하면 된다.

  ※ 의무의 must는 have to와 같은 의미이며, 참고로 「have only to + 동사원형」은 '~하기만 하면 된다'의 의미이므로 주의해야 한다.

- You **don't have to** call me back. 당신은 내게 다시 전화할 필요가 없다.

  = You **need not** call me back.

- You **have to** finish the work, but you **need not** do so at once.

  당신은 그 일을 끝내야만 하지만, 지금 당장 그렇게 할 필요는 없다.

  ※ have to(~해야 한다)의 부정은 need not이나 don't have to, don't need to를 사용하며, '~할 필요가 없다'의 의미이다.

② 추측(must be): ~임에 틀림없다(↔ cannot be(~일 리 없다))

- She **must be** my new boss. 그녀는 나의 새로운 상사임이 틀림없다.

  → **I am sure** that she is my new boss. 나는 그녀가 나의 새로운 상사라고 확신한다.

  → **It is certain** that she is my new boss. 그녀는 나의 새로운 상사임이 확실하다.

(3) would

- He **would** often sit for hours without saying a word.

  그는 종종 몇 시간 동안 아무 말도 하지 않고 앉아 있곤 했다.

  ※ would는 위 문장에서 과거의 불규칙적인 습관적 동작을 나타내고 있다.

02 조동사 must는 □□, □□의 의미를 갖는다.

03 조동사 would는 과거의 □□□적인 습관적 동작을 나타낼 때 사용한다.

| 정답 | 02 의무, 추측
03 불규칙

POINT CHECK

04 「□ □ □ □ to + 동사원형」은 과거의 규칙적인 습관적 동작 및 상태를 나타낼 때 사용한다.

| 정답 | 04 used

• **Would you mind opening** the door? 문을 열어 주실 수 있습니까?

※ 「Would you mind -ing ~?」 = 「Do you mind -ing ~?」: ~하는 것을 꺼리십니까?, ~해 주실 수 있으십니까?

• She **would like to play** basketball. 그녀는 농구를 하고 싶어 한다.

※ 「would like[love] to + 동사원형」: ~하고 싶다

• You **would rather stay** at school **than** go with him.

너는 그와 함께 가느니 차라리 학교에 머무르는 게 낫다.

※ 「would rather A than B」: B하느니 차라리 A하는 게 낫다 **암기문법**

= You **may as well** stay at school **as** go with him.

(4) used to(과거의 규칙적인 습관적 동작 또는 상태)

used to + 동사원형	~하곤 했었다, ~이었다
be used + to + 동사원형	~하기 위해서 사용되다(수동태)
be used to -ing(명사 계열 가능)	~하는 것에 익숙하다

① 과거의 규칙적인 습관적 동작: 언제나 ~했다, ~하는 것이 보통이었다

• He **used to call** her every day.

그는 매일 그녀에게 전화를 하곤 했다. (그러나 지금은 하지 않는다.)

• We **used to go** fishing every Sunday. 우리는 매주 일요일에 낚시를 하러 가곤 했다.

↔ We **didn't use to go** fishing every Sunday.

↔ We **used not to go** fishing every Sunday.

우리는 매주 일요일에는 낚시를 하러 가지 않곤 했다.

※ used to의 부정은 「didn't use to + 동사원형」이나 「used not to + 동사원형」으로 쓴다.

② 과거의 상태: 원래는[전에는] ~이었다(그러나 현재는 ~이 아니다)

현재와 대조적인 이전의 사실이나 상태를 나타내며, would는 과거의 불규칙적 동작만을 나타내므로 혼동하지 않도록 주의한다.

• There **used to be** a big tree. 거기에 커다란 나무가 있었다. (그러나 지금은 없다.)

O There **used to** be a church. 거기에 교회가 있었다. (그러나 지금은 없다.)

X There **would** be a church.

➡ 과거의 상태를 나타낼 때는 조동사 would를 사용할 수 없다.

③ 「be used to + 동사원형」: ~ 하기 위해서 사용되다(수동태)

• Dictionaries **are used to look** up the words we don't know.

(to look up은 to부정사의 부사적 용법 중 '목적'을 나타냄)

사전은 우리가 모르는 단어들을 찾아보는 데 사용된다.

④ 「be/get/become/grow used to + 명사/동명사」 = 「be accustomed to + 명사/동명사」

: ~하는 것에 익숙하다/익숙해지다

• She **is not used to being** treated in this way.

그녀는 이런 방식으로 대우받는 것에 익숙하지 않다.

참 They **are accustomed to eat** raw fish. 그들은 날생선을 먹는 데 익숙하다.

※ 「be accustomed to + 동사원형」의 표현도 간혹 쓰인다.

03 조동사 should의 특수 용법

(1) shall, should

shall은 주어의 의지로서가 아니라 주위의 사정으로 인하여 '~하지 않을 수 없다'는 의미가 내포된 미래시제 조동사이다.

① shall의 용법

㉠ 법률, 규칙

• The fine **shall** not exceed 50 dollars. 벌금은 50달러를 초과해서는 안 된다.

㉡ 예언

• All life **shall** one day be extinct. 모든 생명체는 언젠가 사라질 것이다.

② should의 의미

㉠ 의무, 당연(= ought to)

• Every citizen **should** obey the law. 모든 시민은 법에 따라야 한다.

• Students **should** be here on time. 학생들은 제시간에 이곳에 와야 한다.

• I **should not** miss this bus. 나는 이번 버스를 놓쳐서는 안 된다.

• You **shouldn't** stay here. 너는 여기에 머물러서는 안 된다.

※ 부정형인 should not은 '금지'를 나타낸다.

㉡ 과거 일에 대한 후회·유감: 「should have p.p.」는 '~했어야 했는데 (하지 못했다)'라는 의미이다.

• You **should[ought to] have listened** to me.

너는 내 말을 들었어야 했다. (그런데 듣지 않았다.)

→ I **am sorry** (that) you didn't listen to me. 네가 내 말을 듣지 않았어서 유감이다.

→ I **wish** you had listened to me. 네가 내 말을 들었다면 좋았을 텐데.

(2) ought to(= should)

① 의무, 당연: 부정형은 「ought not to + 동사원형」이므로 주의해야 한다.

• Such a competent man **ought to** succeed. 그런 유능한 사람은 성공해야 한다.

• You **ought not to** do such things. 너는 그런 일들을 해서는 안 된다.

② 과거의 유감: 「ought to have p.p.」로 나타내며 「should have p.p.」와 같은 의미이다.

• He **ought to have checked** the prices.

그는 가격을 확인했어야 했다. (그런데 확인하지 않았다.)

→ He **should have checked** the prices.

→ I **am sorry** (that) he did not check the prices.

O He **ought not to** have checked the prices.

그는 가격을 확인해서는 안 됐다. (그런데 했다.)

X He **ought to not** have checked the prices.

➠ ought to의 부정형은 ought not to로 표현하므로 not의 위치에 주의해야 한다.

POINT CHECK

05 「should have p.p.」는 과거 일에 대한 □□와 □□을(를) 나타낸다.

| 정답 | 05 후회, 유감

POINT CHECK

06 「이성적/감성적 판단의 형용사 + that + S + (□□□□□□) + 동사원형」

07 「lest ~ should」에 이미 □□의 의미가 포함되어 있으므로 이중 □□으로 쓰지 않도록 주의하자.

08 「주장, 요구, 명령, 제안 동사 + (that) + S + (□□□□□□) + 동사원형」

| 정답 | 06 should
07 부정, 부정
08 should

(3) 「이성적/감성적 판단의 형용사 + that + S + should + 동사원형」

교수님 한마디 이성적 판단의 형용사는 조동사와의 쓰임에 주의해야 한다.

① 이성적 판단: ~하는 것은 …하다

necessary(필요한), important(중요한), essential(필수적인), natural(자연스러운), proper(적절한), good(좋은), right(옳은), wrong(틀린), rational(이성적인)

- It is **necessary** that children (**should**) learn how to swim.
  아이들이 수영을 배울 필요가 있다.
  ☒ Children are necessary to learn how to swim.
- It is **natural** that she (**should**) get angry. 그녀가 화를 내는 것은 당연하다.
  ⓞ It is natural for her to get angry.
  ☒ She is natural to get angry.
  ➡ 이성적 판단의 형용사는 that절의 주어가 문장 전체의 주어가 될 수 없다.

② 감성적 판단: ~하다니 …하다

surprising(놀라운), odd(이상한), strange(이상한), curious(궁금한), wonderful(멋진), regrettable(후회스러운) 참 a pity(유감: 명사)

- It is **strange** that you **should** not accept his proposal.
  당신이 그의 제안을 받아들여야 하다니 이상하다.
- It is **strange** that she **is** so late. 그녀가 이렇게 늦는 것은 이상하다.
  ※ that절의 내용에 당위의 의미가 없을 때는 직설법 시제를 사용한다.

③ 「lest ~ (should)」 = 「for fear (that) ~ should[might]」 = 「so that ~ may not」
: ~하지 않도록, ~할까 봐

- She exercised hard **lest** she **should** fail in the test.
  그녀는 테스트에 떨어지지 않도록 열심히 운동을 했다.

ⓞ Make haste **lest** you **should** be late. 늦지 않도록 서둘러라.
☒ Make haste **lest** you **should not** be late.
➡ lest는 '~하지 않도록'의 의미이므로 부정부사 not을 더해 이중 부정이 되지 않도록 유의해야 한다.

- She **was afraid lest** her son should be in danger.
  그녀는 그녀의 아들이 위험에 빠질까 봐 두려웠다.
- We **fear lest** he should die. 우리는 그가 죽을까 봐 두렵다.
  ※ fear, danger, be afraid 등과 같이 두려움, 위험을 나타내는 표현과 함께 사용되면 '~하지 않을까'라는 의미로도 해석된다.

(4) 「S + 주장/요구/명령/제안 동사 + (that) + S + (should) + 동사원형」 암기문법

주장, 제안	propose, insist, argue, suggest
요구, 명령	require, request, ask, demand, order, command
조언, 권고	advise, recommend

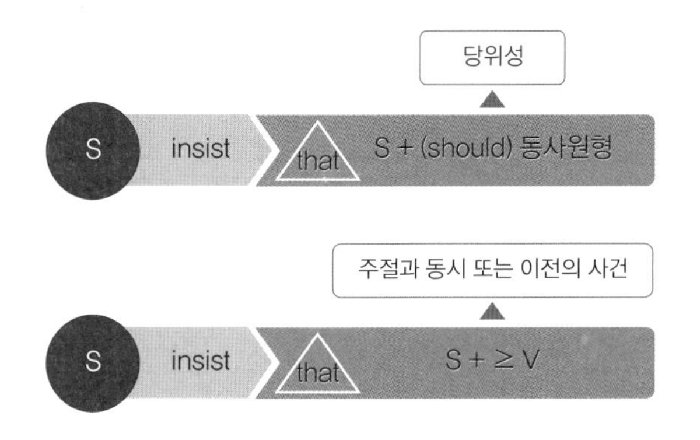

- insist that: ~을 주장하다 (앞으로의 일에 대한 주장)
- suggest that: ~을 제안하다 (앞으로의 일에 대한 제안)

① insist의 목적어절이 미래의 당위성을 나타낼 때만 that절의 동사로 「should + 동사원형」을 쓴다.

- I **insisted** that he (**should**) **go** there at once.
  나는 그가 즉시 거기에 가야 한다고 주장했다.

  참 Some people **insisted** that the truck **had run over** the pedestrian.
  일부 사람들은 그 트럭이 그 행인을 쳤다고 주장했다.

  참 She **insisted on** the justice of the claim.
  그녀는 그 요구의 정당성을 주장했다.
  ※ insist가 자동사로 쓰이면 전치사 on과 결합하여 사용되기도 한다.

② suggest가 '제안하다'라는 주관적 판단을 나타내는 의미로 쓰인 경우에는 목적어 역할을 하는 명사절의 동사는 「should + 동사원형」이 된다. 이때 should는 생략 가능하다. 단, suggest가 '암시하다'라는 뜻으로 쓰인 경우에는 동사 앞에 should가 오지 않는다.

- He **suggested** that the game (**should**) **be** put off.
  그는 그 경기가 연기되어야 한다고 제안했다.
  → There was a suggestion that the game (should) be put off.
  그 경기가 연기되어야 한다는 제안이 있었다.
- Her face **suggests** that she **knows** the fact.
  그녀의 얼굴은 그녀가 사실을 알고 있음을 말해 준다(암시한다).

(5) 「It's time that + S + should + 동사원형」: ~해야 할 시간이다 암기문법

- **It's time that** you **should go** to bed.
  네가 잠자리에 들 시간이다.
  = **It's time that** you **went** to bed.
  = **It's time for** you **to go** to bed.

  ☒ It's time that you go to bed.
  ➡ It's time that ~ 구문에서 조동사 should는 생략할 수 없다.

POINT CHECK

09 「It's time that + S + □□□□□□ + 동사원형」 = 「It's time that + S + □□□□」 = 「It's time for ~ to부정사」

| 정답 | 09 should, 과거동사

POINT CHECK

10「조동사+have p.p.」는 □□의 행위나 사실에 대해 말할 때 사용한다.

| 정답 | 10 과거

04 조동사와 완료 시제 암기문법

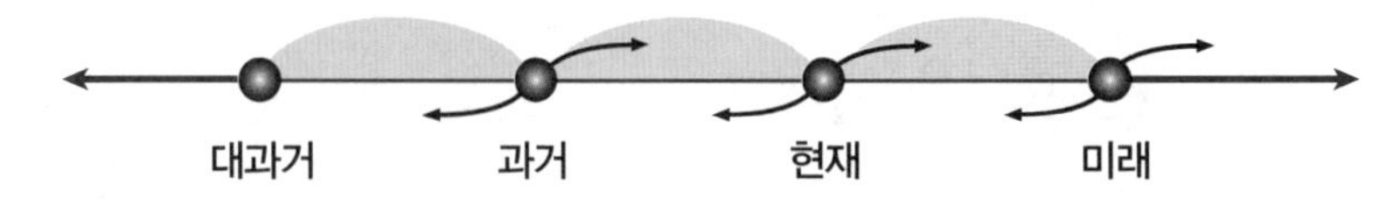

「조동사+동사원형」
「조동사+have p.p.」 ⟶ 과거동사를 조동사와 함께 표현할 때

should have p.p.	~했어야 했는데 (하지 못했다)	cannot have p.p.	~이었을 리 없다
must have p.p.	~이었음에 틀림없다	could have p.p.	~했을 수도 있다
may[might] have p.p.	~이었을지도 모른다	need not have p.p.	~할 필요는 없었는데 (했다)

(1)「should have p.p.」=「ought to have p.p.」: ~했어야 했는데 (하지 못했다)

과거의 유감이나 후회를 의미한다.

- I **should have left** earlier. 나는 더 일찍 떠났어야 했다. (그런데 그러지 못했다.)
  = I **ought to have left** earlier.
  = I **had better have left** earlier.
  = I **would rather have left** earlier.
  = I **may as well have left** earlier.
  = I **might as well have left** earlier.

(2)「must have p.p.」: ~이었음에 틀림없다(「should have p.p.」와 반드시 구분할 것)

과거에 있었던 일에 대한 확실한 단정을 의미하며, 여기서 must는 의무가 아닌 강한 추측의 의미로 쓰인다.

- It **must have rained** last night. 어젯밤에 비가 왔었음에 틀림없다.

(3)「may[might] have p.p.」: ~이었을지도 모른다

과거의 막연한 추측을 의미한다.

- She **might have been** there. 그녀가 거기에 있었을지도 모른다.

(4)「cannot have p.p.」: ~이었을 리 없다

과거에 있었던 일에 대한 부정적 추측으로,「must have p.p.」와는 반대되는 의미이다.

- They **cannot have done** it. 그들은 그것을 했을 리가 없다.

(5)「could have p.p.」: ~했을 수도 있다

- The offer **could have had** another problem. 그 제안은 또 다른 문제점을 가졌을 수도 있다.

O They **could have left** yesterday. 그들은 어제 떠났을 수도 있다.

X They **can have left** yesterday.

➡ 과거의 추측을 나타낼 때는「can have p.p.」를 사용하지 않는다는 점에 유의하자.
단, 추측의 부정은 반드시「cannot have p.p.」로 표현한다.

(6)「need not have p.p.」: ~할 필요가 없었는데 (했다)

• We **need not have finished** the project earlier.

우리는 그 프로젝트를 더 일찍 끝낼 필요는 없었다. (그런데 끝냈다.)

●상황에 따른 「조동사+have p.p.」 표현 익히기

문맥에 따라 조동사의 시제가 결정되는 만큼 글의 맥락을 반드시 이해해야 한다.

A: Has Jason arrived yet?
Jason이 벌써 도착했니?

B: No, he should have come an hour ago. When I called him two hours ago, he said he would start on hanging up the phone.
아니, 그는 한 시간 전에 도착했어야 했어. 내가 그에게 두 시간 전에 전화했을 때, 그는 전화를 끊고 바로 출발한다고 했어.

A: He can't have started at that time. If he had started, he would have arrived already.
그가 그 시간에 출발했을 리가 없어. 그가 출발했다면, 벌써 도착했을 거야.

B: He might have met with a traffic accident.
교통사고가 난 건지도 모르잖아.

A: It can't be. He is always late for an appointment. He must have idled away.
그럴 리 없어. 그는 항상 약속에 늦어. 그는 빈둥댔을 게 틀림없어.

05 준조동사

교수님 한마디 준조동사의 경우에는 조동사로 쓰였는지, 일반동사로 쓰였는지를 확인해 봐야 한다.

		긍정문	부정문	의문문
need (필요가 있다)	일반동사	need+to+동사원형	don't need+to+동사원형	Do+주어+need+to+동사원형 ~?
	조동사		need not+동사원형	Need+주어+동사원형 ~?
dare (감히 ~하다)	일반동사	dare+to+동사원형	don't dare+to+동사원형	Do+주어+dare+to+동사원형 ~?
	조동사		dare not+동사원형	Dare+주어+동사원형 ~?

준조동사란 실제 조동사가 아님에도, 부정문이나 의문문에서 조동사처럼 사용되는 동사를 말하며, 주로 need, dare, used to가 준조동사에 해당된다.

(1) need

① need는 긍정 평서문을 제외한 부정문과 의문문에서 조동사처럼 사용되기도 한다.

• You **need not** feed the cat. 당신은 그 고양이에게 밥을 줄 필요가 없다.

• She **need not** go to bed. 그녀는 자러 갈 필요가 없다.

• I **need not** attend the meeting. 나는 회의에 참석할 필요가 없다.

• **Need** I study hard? (= **Do I need to** study hard?)

제가 공부를 열심히 해야 합니까?

• You **need not** clean the room. (= You **don't need to** clean the room.)

너는 그 방을 청소할 필요가 없다.

② 「need not have p.p.」: '~할 필요가 없었는데 (했다)'라는 의미로 해석한다.

• She **need not have done** it. 그녀는 그것을 할 필요가 없었다. (그런데 했다.)

참 She **did not need to** do it. 그녀는 그것을 할 필요가 없었다.

※ 했는지 여부는 알 수 없는 문장이다.

POINT CHECK

11 need와 dare는 □□□과(와) □□□에서 조동사처럼 사용될 수 있다.

| 정답 | 11 부정문, 의문문

POINT CHECK

[O] We **don't need to go** there. 우리는 그곳에 갈 필요가 없다.

[O] We **need not go** there.

[X] We **need not to go** there.

➡ need가 일반동사로 쓰일 경우 부정형은 「don't need + to + 동사원형」이며, 조동사로 쓰일 경우 부정형은 「need not + 동사원형」이다.

(2) dare

① dare는 '감히 ~하다, ~할 용기가 있다'라는 뜻으로 부정문과 의문문에서만 조동사로 쓰인다. 긍정 평서문에서는 일반동사로만 쓰이므로 뒤에 목적어로 to부정사가 따르게 된다.

- Children **dare not** go there. (조동사) 아이들은 감히 그곳에 가지 않는다.
  = Children **don't dare to** go there. (일반동사)
- She **dare not** try it again. 그녀는 다시 그것을 먹어 볼 용기가 없다.
- **How dare** you say such a thing behind my back?
  내 뒤에서 네가 감히 그런 말을 할 수 있는가?

② 「dare + to + 동사원형」: 본동사로서 '감히 ~하다'의 뜻을 나타낸다.

- He does not **dare to tell** the truth. 그는 감히 진실을 말하지 않는다.
- He **dared to insult** us by saying so. 그는 그렇게 말하며 감히 우리를 모욕했다.

05 조동사

[01~10] 다음 중 어법상 옳은 것을 고르시오.

01 Jane [cannot / won't] help smiling when she sees a cute baby.

02 John [cannot / would] but sleep because he is very tired.

03 There [would / used to] be a big pond.

04 She [ought not to / ought to not] break the rule.

05 It is important that Jane [should know / might know] about the rumor.

06 Jack studied hard lest he [should / should not] get a failing grade.

07 Julia eats like a bird for fear she [should / should not] have a stomachache.

08 The results of the research suggest that polar bears [will / should] be extinct soon.

09 She suggested that Jack [should start / starts] the project.

10 It's time that you [should finish / finish] your homework.

정답&해설

01 cannot

| 해석 | Jane은 귀여운 아기를 볼 때 미소 짓지 않을 수 없다.

| 해설 | 「cannot help -ing」는 '~하지 않을 수 없다, ~할 수밖에 없다'를 뜻한다.

02 cannot

| 해석 | John은 매우 피곤하기 때문에 잘 수밖에 없다.

| 해설 | 「cannot but + 동사원형」은 '~하지 않을 수 없다, ~할 수밖에 없다'를 뜻한다.

03 used to

| 해석 | 큰 연못 하나가 있었다.

| 해설 | 「used to + 동사원형」은 과거의 상태를 나타낼 수 있으나 「would + 동사원형」은 과거의 상태를 나타낼 수 없다.

04 ought not to

| 해석 | 그녀는 그 규칙을 어기지 말아야 한다.

| 해설 | 「ought to + 동사원형」의 부정형은 「ought not to + 동사원형」이다.

05 should know

| 해석 | Jane이 그 소문에 대해 알아야 하는 것은 중요하다.

| 해설 | 'important'는 이성적 판단의 형용사로 뒤따라오는 that절의 동사는 「(should) + 동사원형」으로 써야 한다.

06 should

| 해석 | Jack은 낙제점을 받지 않도록 열심히 공부했다.

| 해설 | 'lest ~ should'는 '~하지 않도록'이라는 부정의 의미를 나타내므로 should 뒤에 부정부사 'not'을 쓰면 이중 부정이 되어 어법상 옳지 않다.

07 should

| 해석 | Julia는 배탈이 나지 않도록 소식한다.

| 해설 | 'for fear ~ should'는 '~하지 않도록'이라는 부정의 의미를 나타내므로 should 뒤에 부정부사 'not'을 쓰면 이중 부정이 되어 어법상 옳지 않다.

08 will

| 해석 | 그 연구 결과들은 북극곰이 곧 멸종할 것임을 암시한다.

| 해설 | 'suggest'가 '암시하다'를 뜻하는 경우 목적어로 쓰인 that절은 직설법 시제로 써야 한다.

09 should start

| 해석 | 그녀는 Jack이 그 프로젝트를 시작해야 한다고 제안했다.

| 해설 | 'suggest'가 '제안하다'를 뜻하는 경우 목적어로 쓰인 that절의 동사는 「(should) + 동사원형」으로 써야 한다.

10 should finish

| 해석 | 네가 숙제를 끝마쳐야 할 시간이다.

| 해설 | 'It's time that ~' 구문에서 조동사 'should'는 생략할 수 없다.

[11~20] 다음 중 어법상 옳은 것을 고르시오.

11 He [should / need not] have taken the examination again because he already passed it.

12 He [dared / dared to] laugh at me.

13 I couldn't meet him because I was late. I [should have started / have started] earlier.

14 John [must have been / need not have been] the robber because he reappeared at the site of the murder.

15 Jane required that everyone in the facility [should be / is] kept safe.

16 It is surprising that he [should make / made] these mistakes.

17 My sister [would / might] like to travel abroad.

18 I [will / would] rather play outside than stay at home.

19 They used to [call / calling] on him every Sunday.

20 She [must not leave / need not leave] for Vietnam to find her husband because he has just arrived in Seoul.

정답&해설

11 **need not**

| 해석 | 그는 이미 통과했기 때문에 그 시험을 다시 볼 필요가 없었다.

| 해설 | 문맥상 시험을 이미 통과했음을 알 수 있으므로 '시험을 다시 볼 필요가 없었는데 보았다'는 의미의 「need not + 동사원형」을 쓰는 것이 적절하다.

12 **dared to**

| 해석 | 그는 감히 나를 비웃었다.

| 해설 | 일반동사 'dare'는 긍정 평서문에서 「dare + to + 동사원형」의 구조로 쓰인다. 조동사 'dare'는 「dare + 동사원형」의 구조를 가지며 긍정 평서문에서는 사용할 수 없다.

13 **should have started**

| 해석 | 내가 늦었기 때문에 그를 만날 수 없었다. 나는 좀 더 일찍 출발했어야 했다.

| 해설 | 「should have p.p.」는 '~했어야 했는데 (하지 못했다)'를 뜻한다.

14 **must have been**

| 해석 | 그 살인 현장에 다시 나타났기 때문에 John이 그 강도였음에 틀림없다.

| 해설 | 「must have p.p.」는 '~이었음에 틀림없다'를 뜻한다.

15 **should be**

| 해석 | Jane은 그 시설에 있는 모든 사람들이 안전해야 한다고 요구했다.

| 해설 | 'require'의 목적어로 that절이 오는 경우 동사는 「(should) + 동사원형」으로 써야 한다.

16 **made**

| 해석 | 그가 실수들을 했다니 놀랍다.

| 해설 | that절의 내용에 당위성이 없으므로 동사는 「should + 동사원형」이 아니라 직설법으로 써야 한다. 따라서 과거시제 동사 'made'가 답이다.

17 **would**

| 해석 | 내 여동생은 해외여행을 하고 싶어 한다.

| 해설 | 「would like to + 동사원형」은 '~하고 싶다'를 뜻한다.

18 **would**

| 해석 | 나는 집에서 머무르느니 차라리 밖에서 놀겠다.

| 해설 | 「would rather A than B」는 'B하느니 차라리 A하는 게 낫다'를 뜻하며 A와 B는 동사원형이어야 한다.

19 **call**

| 해석 | 그들은 매주 일요일에 그를 방문하곤 했다.

| 해설 | 「used to + 동사원형」은 '~하곤 했다'라는 표현이다.

20 **need not leave**

| 해석 | 남편이 이제 막 서울에 도착했기 때문에 그녀가 그를 찾으러 베트남으로 떠날 필요는 없었다.

| 해설 | 「need not + 동사원형'은 '~할 필요가 없다'를 뜻하고, 「must not + 동사원형」은 '~해서는 안 된다'라는 의미이다.

05 조동사

교수님 코멘트▶ 조동사는 관용표현 문제가 많이 출제된다. 조동사 영역의 문제풀이는 해석을 통해 옳은 답을 골랐는지 한 번 더 확인하는 것이 중요하다.

01

2020 국가직 9급

우리말을 영어로 가장 잘 옮긴 것은?

① 몇 가지 문제가 새로운 회원들 때문에 생겼다.
→ Several problems have raised due to the new members.

② 그 위원회는 그 건물의 건설을 중단하라고 명했다.
→ The committee commanded that construction of the building cease.

③ 그들은 한 시간에 40마일이 넘는 바람과 싸워야 했다.
→ They had to fight against winds that will blow over 40 miles an hour.

④ 거의 모든 식물의 씨앗은 혹독한 날씨에도 살아남는다.
→ The seeds of most plants are survived by harsh weather.

02

다음 우리말을 영어로 잘못 옮긴 것은?

① 그가 그렇게 어리석은 짓을 했을 리가 없다.
→ He cannot have done such a stupid thing.

② 실험실에 불빛이 하나도 없는 것을 보니 그들은 분명히 일찍 떠났을 것이다.
→ Since there are no lights on in the laboratory, they must have left early.

③ 그는 마치 자신이 미국 사람인 것처럼 유창하게 영어로 말한다.
→ He speaks English fluently as if he had been an American.

④ 아프면 운전을 하지 말아야 한다.
→ You ought not to drive if you're sick.

---

01 주장/요구/명령/제안 동사의 목적어로 쓰인 that절의 should 생략

② 주장, 요구, 명령, 제안을 나타내는 동사의 목적어로 that절이 올 때, that절의 동사는 조동사 'should'를 생략하고 동사원형만으로 나타낼 수 있다. 해당 문장은 명령을 나타내는 동사 'command(명령하다)'의 목적어로 온 that절의 동사 자리에 'should'가 생략되고 동사원형인 'cease'가 남았으므로 옳게 사용되었다. 여기에서 'cease'는 자동사로 쓰였음에 유의해야 한다.

| 오답해설 | ① 'raise'는 '타동사'이므로 목적어가 필요한데, 해당 문장에서는 동사 뒤에 전치사구가 위치하므로, '(사건 등이) 발생하다'의 의미인 자동사 'arise'가 쓰여야 적절하다. 따라서 'have raised'를 'have arisen'으로 수정해야 한다. 또한 타동사 'raise(~을 일으키다)'를 수동태로 쓴 'have been raised'로도 수정 가능하다.
③ 주절의 시제가 과거형 'had to fight'이므로, 관계대명사절의 시제 또한 과거여야 한다. 따라서 'will blow'는 'blew'가 되어야 알맞다.
④ 'survive'는 자동사로 쓰일 때 수동태로 사용할 수 없고, '~로부터 살아남다'의 의미가 되려면 전치사 'from'과 함께 쓰므로 'are survived by'는 'survive from'이 되어야 한다. 또한 'most'는 '대부분'을 뜻하므로 주어진 해석과 맞지 않다. 'most'는 'almost all(거의 전부의)'로 수정해야 우리말 해석과 일치한다. 따라서 해당 문장을 우리말과 일치하도록 하려면 'The seeds of almost all plants survive from harsh weather.'라고 해야 한다.

02 as if 가정법, 다양한 조동사의 용법

③ 주절의 시제가 현재이고 as if 가정법절에서 시제가 과거완료인 경우, 주절의 시제보다 앞선 시제, 즉 과거의 상황을 나타낸다. 따라서 '마치 미국 사람이었던 것처럼'의 의미가 되어 어색하다. 여기서 'had been'은 'were'가 되어야 우리말과 일치한다.

| 오답해설 | ① 「cannot have p.p.」는 '~했을 리가 없다'의 의미로 옳은 표현이다. 또한 「such + a[an] + 형용사 + 명사」의 어순도 올바르다.
② 「must have p.p.」는 '~이었음에 틀림없다'라는 의미로 옳은 표현이다.
④ 조동사 'ought to'의 부정은 'ought not to'의 형태이므로 옳은 문장이다.

| 정답 | 01 ② 02 ③

03

2016 서울시 7급

다음 중 어법상 가장 옳지 않은 것을 고르면?

① Nutritionists recommended that everyone eat from three to five servings of vegetables a day.

② Their human rights record remained among the worst, with other abuses taking place in the country.

③ It has been widely known that he is more receptive to new ideas than any other men.

④ He proposed creating a space where musicians would be able to practice for free.

04

2015 기상직 9급 변형

(A), (B), (C)의 각 괄호 안에서 어법에 맞는 것으로 가장 적절한 것은?

> No doubt man wishes to feel younger than his age, but the wiser of men (A) [may / should] generally prefer what their age implies. Their wisdom lies in the realization of the fact that every age has its own charms and handicaps. (B) [During / While] the youth, it is nice to enjoy the development of mind and body. Old age is the stage for the consolidation of mental achievements. A wise man does not despair over the end of youth. (C) [Despite / Although] his body may have lost the physical vigor of youth, his mind becomes a vast ocean of knowledge and experience.

	(A)		(B)		(C)
①	should	–	During	–	Despite
②	should	–	While	–	Although
③	may	–	During	–	Although
④	may	–	While	–	Despite

---

03 최상급 대용 표현, 주장/요구/명령/제안 동사의 목적어로 쓰인 that절의 should 생략

③ 최상급의 의미를 갖는 비교급 표현은 「비교급 + than any other + 단수명사」이다. 따라서 'men'을 'man'으로 변경하는 것이 옳다.

| 오답해설 | ① 권고동사 'recommended'의 목적어로 쓰인 that절이 당위의 의미를 가질 때는 동사를 「should + 동사원형」의 형태로 쓴다. 그러나 이때 'should'는 생략이 가능하다. 따라서 단수 주어 'everyone' 다음에 나오는 동사는 'should eat'이나 'eat'이어야 하므로 옳다.

② 「with + 목적어 + 분사」 형태는 동시 상황을 나타낸다. 'other abuses'와 'taking place'는 능동의 관계로 옳게 사용되었다.

④ 관계부사 'where' 이후가 완전한 문장 구조를 이루어 선행사 'a space'를 수식하고 있다.

| 해석 | ① 영양학자들은 모든 사람이 하루에 3~5인분의 채소를 먹어야 한다고 권고했다.

② 그 나라에 다른 (인권) 남용이 발생하면서, 그들의 인권 기록은 최악의 것 중 하나로 남았다.

③ 그가 다른 어떠한 사람보다 새로운 생각에 더 수용적이라는 사실은 널리 알려져 왔다.

④ 그는 음악가들이 공짜로 연습을 할 수 있는 공간을 만드는 것을 제안했다.

---

04 조동사 may, 전치사 vs. 접속사

③ (A) 문맥상 의무를 나타내는 'should'가 아니라 추측의 의미를 나타내는 표현인 조동사 'may(~일지도 모른다)'를 사용하는 것이 자연스럽다.

(B) 전치사(During) 뒤에는 명사가, 접속사(While) 뒤에는 절이 오므로 'the youth(명사)' 앞에는 전치사 'During'이 와야 한다.

(C) 뒤에 'his body(주어) may have lost(동사)'의 절이 왔으므로 접속사 'Although'가 와야 한다.

| 해석 | 사람이 자신의 나이보다 더 어리게 느끼길 원하는 것은 의심할 필요가 없지만, 현명한 사람들은 일반적으로 자신의 나이가 암시하는 것을 선호할지도 모른다. 그들의 지혜는 모든 나이가 그만의 매력과 약점을 지닌다는 사실을 깨닫는 데 있다. 청년기에는, 몸과 마음의 성장을 즐기는 편이 좋다. 노년은 정신적 성취를 굳건히 하는 단계이다. 현명한 사람은 젊음이 끝났다고 절망하지 않는다. 그의 몸이 젊음의 신체적 활기를 잃었을지라도, 그의 정신은 지식과 경험의 방대한 바다가 된다.

05

다음 빈칸에 들어갈 알맞은 표현을 고르시오.

> Former Defense Secretary Robert McNamara has broken a 27–year silence about America's slide into the Vietnam War, which ended in 1975, and his central role in it, saying ____________ as early as 1963.

① Vietnam had to be pulled out of their conflict
② America should have pulled out of Vietnam
③ America had to pull out of the Vietnam War
④ The UN should be involved in the Vietnam War

06

2017 지방직 7급

우리말을 영어로 가장 잘 옮긴 것은?

> 의사들은 하루 음주량이 소주 다섯 잔을 초과하지 않도록 하고, 과한 음주 후에는 2~3일 동안 알코올성 음료를 자제하라고 권고한다.

① Doctors recommend that we do not drink as much as 5 shots of soju a day and stay away from alcoholic beverages for 2~3 days after excessive drinking.
② Doctors recommend no more than 5 shots of soju a day and keep away from any kind of alcoholic beverages for 2~3 days after heavy drinking.
③ Doctors recommend drinking no more than 5 shots of soju every day and making sure that we refrain from excessive drinking for 2~3 days after a party.
④ Doctors recommend that we not drink more than 5 shots of soju a day, and that we refrain from alcoholic beverages for 2~3 days after heavy drinking.

---

05 「should have p.p.」

② '1963년에 미국이 베트남에서 철수했어야 했다'는 내용이다. 즉, 1963년에 철수를 못했다는 의미이므로 과거에 대한 후회를 나타내는 표현인 「should have p.p.」를 사용하는 것이 올바르다.

| **해석** | 전임 국방장관인 Robert McNamara는 1975년 종전한 베트남 전쟁에의 미국 참전과 그 전쟁에서의 자신의 핵심적인 역할에 대한 27년간의 침묵을 깨고 1963년에 진작 미국이 베트남에서 철수했어야 했다고 말했다.

---

06 주장/요구/명령/제안 동사의 목적어로 쓰인 that절의 should의 생략

④ 권고동사 'recommend'의 목적어로 쓰인 that절이 당위의 의미를 가질 때, that절은 「that + 주어 + (should) + 동사원형」의 형태여야 한다. 또한 접속사 'and'에 의해 두 개의 목적어절 'that we not ~ a day'와 'that we refrain ~ drinking'이 병렬 구조를 이루고 있다. 동사 형태는 'should'가 생략된 동사원형으로, 각각 'not drink'와 'refrain'이 옳게 사용되었다.

| **오답해설** | ① 우선 동사 'recommend'로 보아 that절의 동사 형태는 「(should) + 동사원형」이 되어야 하므로 'do not drink'는 적절하지 않다. 'as much as 5 shots of soju'는 '소주 다섯 잔만큼'이라는 의미로 '소주 다섯 잔을 초과하지 않도록'이라는 의미로 영작하려면 'no more than 5 shots of soju'가 더 적절하다.
② 'keep away'의 주어가 'Doctors'가 되므로 의미상 적절하지 않다.
③ 주어진 우리말 해석에 '소주 다섯 잔을 초과하지 않도록'이라는 부정의 의미가 포함되어 있는데, 'recommend drinking no more than 5 shots of soju'는 '소주 5잔 이하를 마시도록 추천했다'는 의미가 되어 일치하지 않는다. 또한 주어진 우리말 해석상 '과한 음주 후에는'이라는 부분에 해당하는 표현이 포함되어 있지 않다.

| 정답 | 03 ③ 04 ③ 05 ② 06 ④

07

2014 사회복지직 9급

우리말을 영어로 잘못 옮긴 것을 고르시오.

① 당신은 그 영화를 봤어야 했다.
→ You should have watched the movie.

② 당신을 성공으로 이끄는 것은 재능이 아니라 열정이다.
→ It is not talent but passion that leads you to success.

③ 시간을 엄수하는 것은 모든 사람들이 갖추어야 할 미덕이다.
→ Being punctual is the virtue everyone has to have.

④ 사람들은 나이가 들면서 엄해지는 경향이 있다.
→ People tend to be strict as though they got old.

08

우리말을 영어로 옮긴 것 중 가장 어색한 것을 고르시오.

① 우리는 결혼한 지 10년 되었다.
→ It has been 10 years since we got married.

② 그녀는 분수에 넘치는 생활을 하고 있다.
→ She is living beyond her means.

③ 자신의 가족을 사랑하지 않는 사람이 누가 있겠는가?
→ Who is there but loves his family?

④ 이것은 깨지기 쉬우니 깨뜨리지 않도록 조심해라.
→ Since this is fragile, be careful lest you should not break it.

---

07 접속사 as의 쓰임, 「should have p.p」

④ '마치 ~인 것처럼'을 의미하는 'as though' 대신에 '~하면서, ~함에 따라'라는 의미의 접속사인 'as'를 써야 한다. 또한 일반적인 사실을 진술하는 문장이므로 주절과 종속절의 시제를 일치시켜 'they got old'를 'they get old'로 고쳐 써야 한다. 즉, 'as though they got old'는 'as they get old'가 되어야 올바른 영작이 된다.

| 오답해설 | ① 「should have p.p.」는 '(과거에) ~했어야 했다'라는 의미로 과거에 하지 않은 일에 대해 후회나 유감을 표현한다.

② 「not A but B」는 'A가 아니라 B이다'라는 뜻이며, 「It is ~ that …」의 강조 구문도 옳게 쓰였다.

③ 동명사 주어는 단수 취급하며, 'the virtue' 뒤에는 목적격 관계대명사 'which[that]'가 생략되어 있다.

---

08 「lest ~ should」

④ 「lest ~ should」는 '~하지 않도록'의 의미로, 부정의 뜻이 포함되어 있기 때문에 'should' 뒤의 'not'은 빠져야 한다.

| 오답해설 | ① 'since' 절에는 과거시제가, 주절에는 현재완료시제가 알맞게 쓰였다.

② 'beyond one's means'는 '자기 분수에 넘치는'이라는 뜻으로 사용된다.

③ 'but'은 유사 관계대명사로서 주격 관계대명사와 'not'의 의미를 함께 지닌다.

09

다음 우리말을 영어로 바르게 옮긴 문장은?

① 우리는 수백 명의 사람들에게 그가 집 없는 사람들을 돕기 위해서 무엇을 했는지를 설명할 수 있었다.
→ We were able to explain hundreds of people what he had done to help people without a house.

② 그것은 또한 남아 있는 실종선을 발견하기 위해서 더 많이 노력할 것이다.
→ It also tries more to discover the remaining missed ship.

③ 음악은 디지털화되어 MP3 또는 WAV 파일로 저장될 수 있고 그러고 나서 다시 우리가 들을 수 있는 소리로 바뀔 수 있다.
→ Music can be stored digitally as MP3 or WAV files and then changed back into sounds that we can hear.

④ 점성학이 평가받고 있지 못하는 한 분야는 학술적인 세계이다.
→ One place where astrology has not appreciated is the academic world.

10

밑줄 친 부분 중 어법상 옳지 않은 것은?

> She may protest or attempt ① to rewrite this version of her story, thereby possibly adding further material that Harry could use in this way. This exchange of stories ② needs not always be employed in such malevolent ways. These ③ reconstructed memories can become very powerful, to a point where each partner may become confused even about the simple factual details of what actually did ④ happen in their past.

09 조동사의 수동태

③ 문맥상 'Music'은 '저장되어지는' 것이므로 수동태로 써야 한다. 따라서 'can store'의 수동태인 'can be stored'는 올바른 표현이다.

| 오답해설 | ① 타동사 'explain'은 목적어로 대상을 갖지 않는다. 따라서 대상을 나타낼 때는 「explain to + 대상 + 목적어」의 형태를 가져야만 한다. 따라서 'hundreds of people'은 'to hundreds of people'이 되어야 한다.

② 주어진 해석이 '~할 것이다'이므로 조동사 'will'을 사용해야 한다. 따라서 'also tries'는 'will also try'가 되어야 한다. 또한 주어진 우리말 해석의 '실종선'에 해당하는 표현을 나타내려면, 고착형 분사 형태인 'missing'으로 '실종된[사라진]'의 의미를 나타내야 한다. 따라서 'missed'도 'missing'으로 수정해야 옳다.

④ 점성학이 '평가받고 있지 못한' 것이므로 'has not appreciated'는 수동태인 'has not been appreciated'로 써야 옳다.

10 준조동사 need

② 뒤에 온 빈도부사 'always'와 동사원형 'be'를 통해 밑줄 친 'needs not'에서 'needs'가 조동사임을 알 수 있다. 이때 조동사는 인칭과 수에 영향을 받지 않으므로 'needs'를 'need'로 수정해야 한다.

| 오답해설 | ① 'to rewrite'는 완전타동사 'attempt'의 목적어로 사용된 to부정사의 명사적 용법에 해당한다.

③ 'reconstructed'는 완전타동사 'reconstruct'의 과거분사로 문맥상 '재구성된 기억들'이 자연스러우므로 'reconstructed'는 옳은 표현이다.

④ 'happen'은 완전자동사이므로 수동태로 사용할 수 없다.

| 해석 | 그녀는 이의를 제기하거나 자신의 이야기의 이 버전을 다시 쓰려고 시도할 수도 있는데, 그렇게 함으로써 어쩌면 Harry가 이런 식으로 이용할 수도 있을 추가 자료를 더할 수도 있다. 이러한 이야기들의 교환이 항상 그렇게 악의 있는 방식으로 이용될 필요는 없다. 이 재구성된 기억들은 매우 강력해질 수 있어서, 각 파트너가 그들의 과거에 정말로 일어났던 일의 간단한 사실적 세부 사항에 대해서조차 혼란스러워하는 지경까지 이를 수 있다.

| 정답 | 07 ④ 08 ④ 09 ③ 10 ②

CHAPTER

06 가정법

□ 1 회 독	월	일
□ 2 회 독	월	일
□ 3 회 독	월	일
□ 4 회 독	월	일
□ 5 회 독	월	일

POINT CHECK

VISUAL G

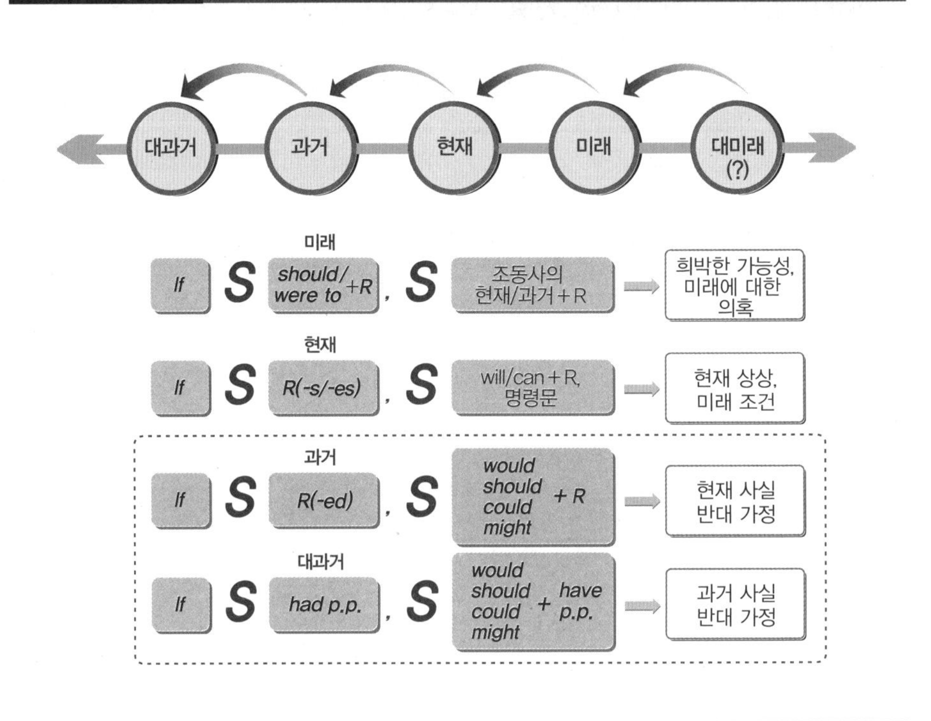

01 문장의 법(mood)

교수님 한마디 본격적으로 들어가기 전에, 가정법의 세 가지 종류를 파악하고 해석에 유의하여 시험에 대비하자.

01 문장을 나타내는 방법에는 □□□, □□□, □□□이(가) 있다.

(1) 법의 종류

말하는 사람의 심리 태도에 의한 동사의 표현 형식을 법이라고 하며, 직설법, 명령법, 가정법이 있다.

① 직설법(indicative)

- I am hungry. (사실을 반영) 나는 배고프다.

② 명령법(imperative)

- Give me something to eat. 먹을 것 좀 주십시오.

③ 가정법(subjunctive)

- I wish I had something to eat. 먹을 것이 있으면 좋겠다.

| 정답 | 01 직설법, 명령법, 가정법

(2) 법의 형식과 용법

① 명령법

㉠ 직접 명령

- **Be** polite. 예의 바르게 행동하시오.

㉡ 간접 명령

- **Let** my people go. 제 백성들을 풀어 주십시오.

㉢ 청유 명령

- **Let's** get started. 시작합시다.

② 명령문, and …: ~하라, 그러면 …할 것이다(= If you ~) 암기문법

- **Work** hard, **and** you will succeed.

  열심히 일하라, 그러면 성공할 것이다.

  → **If you** work hard, you will succeed.

  만약 열심히 일하면, 성공할 것이다.

③ 명령문, or …: ~하라, 그렇지 않으면 …할 것이다(= If you don't ~) 암기문법

- **Hurry up, or** you will miss the bus.

  서둘러라, 그렇지 않으면 버스를 놓칠 것이다.

  → **If you don't** hurry up, you will miss the bus.

  만약 서두르지 않으면, 버스를 놓칠 것이다.

02 가정법 미래

- If + 주어 + should + 동사원형 ~, 주어 + will/would + 동사원형 …
- If + 주어 + were to + 동사원형 ~, 주어 + would + 동사원형 …

- If anyone **should call** me, I **would[will] call** him soon.

  만약 누군가 나에게 전화를 하면, 나는 곧 그에게 연락을 할 것이다.

- If anyone **should call** me, just **tell** me.

  만약 누군가 나에게 전화하면, 나에게 말만 해줘.

  ※ 가정법 미래의 if절에 should가 있으면 주절에 명령문이 오는 경우가 있다.

- If the sun **were to** rise in the west, I **would marry** him.

  만약 태양이 서쪽에서 뜬다면, 나는 그와 결혼할 텐데. (절대 결혼하지 않겠다.)

가정법 현재(단순 조건문)와 가정법 미래 비교

- 가정법 현재: If + 주어 + 현재동사 ~, 주어 + will/can/may + 동사원형 …
- 가정법 미래: If + 주어 + should + 동사원형 ~, 주어 + will/would + 동사원형 …

- If he **is** honest, I **will marry** him. (정직한지 아닌지 모름, 가정법 현재)

  만약 그가 정직하다면, 나는 그와 결혼할 것이다.

- If he **should be** honest, I **would marry** him. (정직할 가능성이 희박함, 가정법 미래)

  만약 그가 정직하다면, 나는 그와 결혼할 텐데.

POINT CHECK

02 명령문, and/or …: ~하라, 그러면/□□□ □□□ …할 것이다

03 가정법 미래는 미래에 대한 강한 □□ 또는 □□□이(가) 희박한 일을 가정한다.

04 가정법 현재(단순 조건문)는 알 수 없는 □□ 또는 현재 사실에 대한 가정이다.

| 정답 | 02 그렇지 않으면
03 의혹, 가능성
04 미래

POINT CHECK

05 가정법 과거는 □□ 사실에 대한 반대를 가정한다.

| 정답 | 05 현재

헷갈리지 말자 가정법 현재 vs. 가정법 미래

가정법 현재

- If it **rains** tomorrow in Seoul, I **will not go** there.
  만약 내일 서울에 비가 오면, 나는 그곳에 가지 않을 것이다.

가정법 미래

- If it **should rain** tomorrow in desert, I **would not go** there.
  만에 하나라도 내일 사막에 비가 오면, 나는 그곳에 가지 않을 것이다.

➡ 우리말 표현으로는 가정법 현재와 미래의 차이를 나타내는 데 한계가 있다. 그러나 의미상 서울의 강수 확률은 단순 조건에 해당되며 어느 정도 비가 올 가능성이 존재하지만, 사막에 비가 올 확률은 매우 희박하므로 가정법 미래를 사용해서 나타낼 수 있다.

03 가정법 과거

교수님 한마디 본격적인 가정법의 시작! 회화에서도 많이 쓰이고, 출제 비중도 가장 높다. 시제와 긍정, 부정의 관계를 정확하게 파악하여 앞으로 나올 다양한 가정법 시제에 대비할 수 있도록 첫 단추를 잘 채우자.

If + 주어 + 과거동사/were ~, 주어 + would/should/could/might + 동사원형 …

- If you **were** in my shoes, you could not say anything.
  만약 네가 내 입장이라면, 너는 아무 말도 못할 텐데.

O If I **were** you, I **would not listen** to him.
  만약 내가 너라면, 나는 그의 말을 듣지 않을 텐데.

  참 가정법 과거의 경우 종속절(if절)에 be동사가 나오면, were로 통일한다.
  단, 현대 미국식 영어 일부에서 주어가 1, 3인칭인 경우 종종 was를 사용하기도 한다.
  - If I **was** you, I would not listen to him.

- If I **had** the book, I **could lend** it to you.
  만약 내가 그 책을 가지고 있다면, 나는 당신에게 그것을 빌려줄 수 있을 텐데.
- If you **had** two children, how **would** you **manage** them?
  만약 당신에게 아이가 둘 있다면, 당신은 그들을 어떻게 다루겠는가?
  ※ 주절을 의문문의 형태로 표현할 수도 있다. 단, 시제에 주의해야 한다.

- As I **am** ill, I **cannot** go there. (직설법 현재)
  내가 아파서, 나는 거기에 못 가.

⇩

→ **If I were** not ill, I **could** go there. (가정법 과거)
→ **Were** I not ill, I **could** go there. (if 생략)
→ **If it were not for** my illness, I **could** go there.
→ **Were it not for** my illness, I **could** go there. (if 생략)
→ **But for**[**Without**] my illness, I **could** go there.
만약 내가 아프지 않다면, 거기에 갈 수 있을 텐데.

가정법 현재(단순 조건문)와 가정법 과거 비교

• 가정법 현재: If + 주어 + 현재동사 ~, 주어 + will/can/may + 동사원형 …
• 가정법 과거: if + 주어 + 과거동사/were ~, 주어 + would/should/could/might + 동사원형 …

• If you **have** a boyfriend, you **can take** him to the party.
(남자친구가 현재 있는지 앞으로 생길지 알 수 없음, 가정법 현재)
만약 당신에게 남자친구가 있다면, 당신은 그를 파티에 데려갈 수 있다.

• If you **had** a boyfriend, you **could take** him to the party.
(실제로 현재 남자 친구가 없음, 가정법 과거)
만약 당신에게 남자친구가 있다면, 당신은 그를 파티에 데려갈 수 있을 텐데.

헷갈리지 말자 가정법 현재 vs. 가정법 과거

가정법 현재
• If he **is** at home, I **will tell** him about it.
만약 그가 집에 있다면, 나는 그것에 관해 그에게 말할 것이다.
※ 그가 집에 있는지 없는지 모른다.

가정법 과거
• If he **were** at home, I **would tell** him about it.
만약 그가 집에 있다면, 나는 그것에 관해 그에게 말할 텐데.
※ 그는 지금 집에 없다.

➡ 가정법 현재나 단순 조건문은 아직 확정되지 않은 현재의 사실을 가정하는 표현이고, 가정법 과거는 명확하거나 이미 확정된 현재 사실의 반대 상황을 가정하는 표현이니, 구별에 유의해야 한다.

04 가정법 대과거(과거완료)

If + 주어 + had p.p. ~, 주어 + would/should/could/might + have p.p. …

• If I **had studied** English harder, I **could have passed** the English test.
만약 내가 영어를 더 열심히 공부했더라면, 나는 영어 시험을 통과했을 텐데.

• If I **had had** much more experience, I **might have been** employed.
만약 내가 훨씬 더 많은 경험이 있었더라면, 나는 고용될 수도 있었을 텐데.
※ had had라는 표현이 낯설 수 있으나, 대과거(과거완료) 형태임을 잊지 말자.

• As Beckham **helped** me, I **did not fail**. (직설법 과거)
Beckham이 나를 도와줬기 때문에, 나는 실패하지 않았다.
⇩
→ **If** Beckham **had not helped** me, I **would have failed.** (가정법 대과거(과거완료))
→ **Had** Beckham **not helped** me, I **would have failed.** (if 생략)
→ **If it had not been for** Beckham's help, **I would have failed.**
→ **Had it not been for** Beckham's help, **I would have failed.** (if 생략)
→ **But for**[**Without**] Beckham's help, **I would have failed.**
만약 Beckham이 나를 도와주지 않았더라면, 나는 실패했을 텐데.

POINT CHECK

06 가정법 대과거(과거완료)는 □□ 사실에 대한 반대를 가정한다.

| 정답 | 06 과거

POINT CHECK

07 과거 사실이 현재에 영향을 미칠 때 □□□□□을(를) 사용한다.

08 가정법 문장에서 if를 생략하면, if절은 □□□ 어순으로 배열된다.

| 정답 | 07 혼합가정법
08 의문문

05 혼합가정법

If + 주어 + had p.p. ~, 주어 + would/should/could/might + 동사원형 …

- As I **didn't finish** the work last night, I **am** so busy today.
  어젯밤에 일을 다 끝마치지 않아서, 나는 오늘 아주 바쁘다.

⇩

→ If I **had finished** the work last night, I **would not be** so busy today.
  (had finished: 가정법 과거완료 / would not be: 가정법 과거)
  만약 내가 어젯밤에 일을 다 끝냈더라면, 나는 오늘 아주 바쁘지 않을 텐데.

- If we **had listened** to him then, we **would not be** in danger now.
  만약 우리가 그때 그의 말을 들었더라면, 우리가 지금 위험에 빠져 있지 않을 텐데.
  → As we **didn't listen** to him then, we **are** in danger now.
  ※ 혼합가정법의 경우, 가정법 대과거(과거완료)와의 비교를 위해서 종속절과 주절에 각각 과거와 현재를 나타내는 시간 부사(구)를 제시하기도 한다.
- If she **had** not **died** in that flood, she **would be** sixty years old now.
  만약 그녀가 그 홍수에 죽지 않았더라면, 그녀는 지금 예순 살일 텐데.
- If the war **had** not **broken** out, their family **would** still **live** there.
  만약 그 전쟁이 발발하지 않았더라면, 그들의 가족은 아직까지 그곳에 살고 있을 텐데.

06 if 생략 가정법

교수님 한마디 if 생략은 결국 문장 어순의 도치를 의미한다. do동사 또는 조동사가 문장 맨 앞에 있음에도 불구하고 물음표가 없다면, if 도치를 가장 먼저 의심하라!

- If + S + be동사 ~ ⇨ Be동사 + S ~
- If + S + 조동사 ~ ⇨ 조동사 + S + 동사원형 ~
- If + S + had + 과거분사 ~ ⇨ Had + S + 과거분사 ~

가정법 과거와 대과거[과거완료] 문장에서 if절의 if는 생략될 수 있으며, 이때 주어와 동사가 도치된다.

- **If I were** rich, I could buy it.
  만약 내가 부유하다면, 나는 그것을 살 수 있을 텐데.
  → **Were I rich,** I could buy it.
- **If I could speak** English, I would be given much more chances.
  만약 내가 영어를 할 줄 알면, 내게 훨씬 더 많은 기회가 주어질 텐데.
  → **Could I speak** English, I would be given much more chances.
- **If I had had** a cell phone, I could have lent it to you.
  만약 내가 휴대 전화를 가지고 있었다면, 당신에게 그것을 빌려줄 수 있었을 텐데.
  → **Had I had** a cell phone, I could have lent it to you.

07 I wish 가정법

● I wish 가정법 영작 유형 대비 동사 시제 결정 방법

<table>
<tr><th colspan="2">[1단계: 주절] 직설법 시제 결정</th><th></th><th colspan="2">[2단계: 종속절] 가정법 시제 결정</th></tr>
<tr><td rowspan="4">주어</td><td rowspan="2">wish(es)</td><td rowspan="4">(that)</td><td rowspan="4">주어</td><td>-ed(과거)</td></tr>
<tr><td>had p.p.(대과거)</td></tr>
<tr><td rowspan="2">wished</td><td>-ed(과거)</td></tr>
<tr><td>had p.p.(대과거)</td></tr>
</table>

1단계: 주절의 직설법 시제를 결정한다.
- 원하는 시점이 현재이면 **wish(es)**
- 원하는 시점이 과거이면 **wished**

2단계: 종속절의 가정법 시제를 결정한다.
- 원하는 시점이 주절의 시점과 같으면 **과거**
- 원하는 시점이 주절의 시점보다 이전이면 **대과거(과거완료)**

- I wish + 가정법 과거 → 현재 사실의 반대
- I wished + 가정법 과거 → 과거 사실의 반대
- I wish + 가정법 대과거(과거완료) → 과거 사실의 반대
- I wished + 가정법 대과거(과거완료) → 대과거(과거완료) 사실의 반대

(1) 「I wish/wished + 주어 + 과거동사 ~」

현재 또는 미래의 실현될 수 없는 후회나 소망을 나타내는 표현으로 '~하면 좋을 텐데', '~이기를 바란다'의 뜻을 갖는다.

- **I wish I had** a reason.
  내게 이유가 있다면 좋을 텐데.
- **I wished I had** a reason.
  내게 이유가 있었더라면 좋았을 텐데.

※ 주절의 동사가 I wished인 경우는 종속절의 시제가 과거일지라도 주절의 시제가 과거이기 때문에 사실상 '과거 사실에 대한 소망'을 나타낸다.

(2) 「I wish/wished + 주어 + had p.p. ~」

과거에 실현되지 못한 일에 대한 후회를 나타내는 표현으로 '~했더라면 좋을 텐데'의 뜻을 갖는다.

- **I wish** he **had heard** the news earlier.
  그가 그 소식을 더 일찍 들었더라면 좋을 텐데.
- **I wished** he **had heard** the news earlier.
  그가 그 소식을 더 일찍 들었었더라면 좋았을 텐데.

※ 주절의 시제가 wished인 상태로 종속절의 시제가 「had p.p.」인 경우 '대과거에 실현되지 못한 일에 대한 후회'를 나타낸다.

POINT CHECK

09 I wish 가정법의 주절은 직설법 동사로, 종속절은 □□□ 동사로 표현한다.

| 정답 | 09 가정법

POINT CHECK

10 as if 가정법은 주절과 종속절의 □□에 유의해야 한다.

11 without/but for 가정법의 시제는 □□의 □□에 주목하라.

| 정답 | 10 시제
11 주절, 시제

08 as if 가정법

● as if 가정법 영작 유형 대비 동사 시제 결정 방법

[1단계: 주절] 직설법 시제 결정			[2단계: 종속절] 가정법 시제 결정	
주어	현재 시제(-(e)s)	as if / as though	주어	-ed(과거 동사)
				had p.p.(대과거)
	과거 시제(-ed)			-ed(과거 동사)
				had p.p.(대과거)

1단계: 주절의 직설법 시제를 결정한다.
– 원하는 시점이 현재이면 **현재시제**
– 원하는 시점이 과거이면 **과거시제**
2단계: 종속절의 가정법 시제를 결정한다.
– 원하는 시점이 주절의 시점과 같으면 **과거**
– 원하는 시점이 주절의 시점보다 이전이면 **대과거(과거완료)**

- 동사 현재형 + as if + 가정법 과거 → 현재 사실의 반대
- 동사 과거형 + as if + 가정법 과거 → 과거 사실의 반대
- 동사 현재형 + as if + 가정법 과거완료 → 과거 사실의 반대
- 동사 과거형 + as if + 가정법 과거완료 → 대과거(과거완료) 사실의 반대

'마치 ~인 것처럼'이라는 뜻의 as if나 as though 뒤에는 반드시 가정법 형식의 동사가 오게 된다. 두 표현 모두 같은 뜻이나 as if가 as though보다 많이 쓰이는 편이다.

(1) 「**주절 + as if + 주어 + 과거동사**」
- He **talks as if** he **were** there. 그는 마치 거기에 있는 것처럼 말한다.
- He **talked as if** he **were** there. 그는 마치 거기에 있는 것처럼 말했다.

(2) 「**주절 + as if + 주어 +** had p.p.」
- They **act as if** nothing **had happened**. 그들은 아무 일도 없었던 것처럼 행동한다.
- They **acted as if** nothing **had happened.** 그들은 아무 일도 없었던 것처럼 행동했다.

09 without 가정법 암기문법

- **가정법 과거**
If it were not for ~, 주어 + would/should/could/might + 동사원형 ···
→ Were it not for ~, 주어 + would/should/could/might + 동사원형 ···
→ Without ~, 주어 + would/should/could/might + 동사원형 ···
→ But for ~, 주어 + would/should/could/might + 동사원형 ···

- **가정법 대과거(과거완료)**
If it had not been for ~, 주어 + would/should/could/might + have p.p. ...
→ Had it not been for ~, 주어 + would/should/could/might + have p.p. ...
→ Without ~, 주어 + would/should/could/might + have p.p. ...
→ But for ~, 주어 + would/should/could/might + have p.p. ...

(1) without/but for 가정법

if절의 if를 생략하고 대신 without, but for를 사용하여 가정법 문장을 만들 수 있다. 이때 가정법 과거와 가정법 대과거(과거완료)를 구분할 수 있는 방법은 주절의 시제를 확인하는 것이다.

- **If it were not for** his help, I **couldn't save** her. (가정법 과거)
  만약 그의 도움이 없다면, 나는 그녀를 구할 수 없을 것이다.
  → **Were it not for** his help, I **couldn't save** her.
  → **Without** his help, I **couldn't save** her.
  → **But for** his help, I **couldn't save** her.
- **If it had not been for** his help, I **couldn't have saved** her. (가정법 대과거(과거완료))
  만약 그의 도움이 없었더라면, 나는 그녀를 구할 수 없었을 것이다.
  → **Had it not been for** his help, I **couldn't have saved** her.
  → **Without** his help, I **couldn't have saved** her.
  → **But for** his help, I **couldn't have saved** her.

(2) but that/otherwise 가정법

주절에는 직설법, 종속절에는 가정법을 사용하는 형태로, 시제에 주의해야 한다.

- **If it were not for** his help, I **couldn't save** her. (가정법 과거)
  만약 그의 도움이 없다면, 나는 그녀를 구할 수 없을 것이다.
  → **But that** he **helps** me, I **couldn't save** her.
  → He **helps** me. **Otherwise,** I **couldn't save** her.
- **If it had not been for** his help, I **couldn't have saved** her. (가정법 대과거(과거완료))
  만약 그의 도움이 없었더라면, 나는 그녀를 구할 수 없었을 것이다.
  → **But that** he **helped** me, I **couldn't have saved** her.
  → He **helped** me. **Otherwise,** I **couldn't have saved** her.

10 가정법 관용표현

(1) 「It is (about/high/the right) time that + S + should + 동사원형」 암기문법
= 「It is (about/high/the right) time that + S + 과거동사」: ~할 시간이다 (당연, 필요)

- **It is** (about/high) **time that** you **went** home. 네가 집에 갈 시간이다.
  → **It is time** that you **should go** home.
  → **It is time** for you **to go** home.
  ※ 가주어, 진주어 문장으로도 같은 의미를 나타낼 수 있다.

(2) 「had better + 동사원형」: ~하는 편이 낫다, ~하는 게 좋다

- You **had better not** try it. 그것을 시도해 보지 않는 편이 낫다.
  ※ had better의 부정형은 had better not이며 '~하지 않는 편이 낫다'의 의미로 사용한다.
- You **had better turn** off the TV at once. 너는 당장 TV를 끄는 것이 좋다.
  → **It would be better** for you **to turn** off the TV at once.
  ※ 의미상 '(지금 하고 있지 않는 것을) 하는 게 좋다'라고 현재 사실과 반대되는 일을 말하는 것이므로, 가정법으로 표현할 수 있다.

POINT CHECK

12 「It is time that + 주어 + □□ 동사」 = 「It is time that + 주어 + □□□□□□+□□□□」: ~할 시간이다

| 정답 | 12 과거, should, 동사원형

POINT CHECK

Ⓞ You **had better start** at once. 너는 당장 출발하는 것이 좋겠다.

☒ It **had better to start** at once.

➡ 위의 표현은 언뜻 옳은 것처럼 보이나 「It would be better to + 동사원형」과 「You had better + 동사원형」을 조합한 비문이니 주의하자.

(3) 「I would rather + 동사원형 ~ than … = 「I had rather + 동사원형 ~ than …」
 : …하느니 차라리 ~하고 싶다

- I **would rather** do it **than** give up. 나는 그것을 포기하느니 차라리 하겠다.

(4) as it were: 말하자면(= so to speak)

- She is, **as it were**, a walking dictionary. 그녀는, 말하자면, 걸어 다니는 사전이다.

(5) if any: 설사 있다 해도

- He has, **if any**, very little money. 그는, 설사 있다 해도, 돈이 거의 없다.

(6) if ever: 설사 한다 해도

- He seldom, **if ever**, makes a mistake. 그는, 설사 한다 해도, 거의 실수를 하지 않는다.

(7) if anything: 오히려 사실은

- GNP is, **if anything**, steadily decreasing. GNP는, 오히려 사실은, 꾸준하게 감소하고 있다.

(8) 조건절을 이끄는 접속사 대용어구 암기문법

if only ~	오직 ~하기만 하면
provided[providing] (that) ~	만약 ~라면
granted[granting] (that) ~	가령 ~라 할지라도
suppose[supposing] (that) ~	만약 ~라면, ~라 할지라도
in case ~	만약 ~라면, ~하는 경우
so[as] long as ~	~하는 한, ~하는 동안
unless ~	만약 ~하지 않으면(= if ~ not)
given (that) ~	~을 가정하면, ~이 주어진다고 하면

- I can make it right now **if only** I want it. 내가 그것을 원하기면 하면 나는 지금 당장 해낼 수 있다.
 ※ if only 역시 가정법으로 사용되며, I wish와 같이 소망을 나타내지만 좀 더 강조된 표현이다.

 참 I will lend you money **only if** you sign the paper.
 네가 서류에 서명해야만 나는 너에게 돈을 빌려줄 것이다.
 ※ only if ~는 '~해야만'의 의미를 갖는다.

- I will go with you, **provided that** you go too. 만약 너도 간다면, 나는 너와 함께 갈 것이다.
- **Supposing** no one had been there, what would have happened?
 만약 거기에 아무도 없었다면, 무슨 일이 발생했었을까?

Ⓞ **Suppose** flights are fully booked on that day, which other day could I go?
가령 그날에 비행기 예약이 다 찬다면, 나는 다른 날 언제 갈 수 있을까?

☒ **Supposed** flights are fully booked on that day, which other day could I go?

➡ 조건절 표현으로 suppose (that), supposing (that)은 가능하지만, supposed (that)은 불가하므로 주의해야 한다.

06 가정법

[01~10] 다음 중 어법상 옳은 것을 고르시오.

01 If he [had been / were] to exercise hard, he would be a member of the national team.

02 She talks as if she [is / were] a new CEO.

03 If Jack told Jane the rumor, she would not [say / have said] such things.

04 If John [met / had met] Julia, he would say thank you to her.

05 [Were it not / Had it not been] for his sacrifice, we could not have survived.

06 If her brother had arrived at the subway station earlier, he could [transfer / have transferred] from the subway to a bus.

07 If she [ran / had run] faster, she could have got on the bus.

08 [Was / Were] she a teacher, she would not do so.

09 If the general had defeated his enemies then, the nation would not [be / have been] in danger now.

10 [Should / Had] he come to the laboratory, he would be a hero.

정답&해설

01 were

|해석| 만약 그가 열심히 운동을 한다면, 그는 국가대표 팀의 일원이 될 것이다.

|해설| 가정법 미래는 「If + 주어 + were to + 동사원형 ~, 주어 + would + 동사원형 …」으로 나타내며 가정법의 조건절에 사용되는 be동사의 과거형은 주어의 인칭에 관계없이 were를 사용하는 것이 원칙이다.

02 were

|해석| 그녀는 마치 새로운 CEO인 것처럼 말한다.

|해설| 'as if' 뒤에는 가정법 시제가 나오므로 'were'가 어법상 옳다.

03 say

|해석| 만약 Jack이 Jane에게 그 소문을 말한다면, 그녀는 그러한 말을 하지 않을 텐데.

|해설| If절의 'told'로 보아 가정법 과거 문장이 되어야 하므로 「If + 주어 + 과거동사/were ~, 주어 + would/should/could/might + 동사원형 …」의 구조가 되어야 한다.

04 met

|해석| 만약 John이 Julia를 만난다면 그는 그녀에게 고맙다고 말할 것이다.

|해설| 가정법 과거는 「If + 주어 + 과거동사/were ~, 주어 + would/should/could/might + 동사원형 …」의 구조를 가진다.

05 Had it not been

|해석| 그의 희생이 없었더라면, 우리는 생존하지 못했을 것이다.

|해설| 주절이 「could have p.p.」이므로 가정법 과거완료 문장이 되어야 한다. 따라서 if를 생략하고 주어와 동사를 도치시킨 'Had it not been'을 사용하는 것이 옳다.

06 have transferred

|해석| 만약 그녀의 오빠가 더 일찍 그 지하철역에 도착했었더라면, 그는 지하철에서 버스로 갈아탈 수 있었을 텐데.

|해설| 가정법 과거완료는 「If + 주어 + had p.p. ~, 주어 + would/should/could/might + have p.p. …」의 구조를 가진다.

07 had run

|해석| 만약 그녀가 좀 더 빨리 뛰었더라면, 그녀는 버스를 탈 수 있었을 텐데.

|해설| 가정법 과거완료는 「If + 주어 + had p.p. ~, 주어 + would/should/could/might + have p.p. …」의 구조를 가진다.

08 Were

|해석| 그녀가 선생님이라면, 그렇게 하지 않을 텐데.

|해설| 'if'가 생략된 가정법 과거로 if절의 동사가 be동사인 경우 주어의 인칭에 상관 없이 'were'를 사용하는 것이 원칙이다.

09 be

|해석| 만약 그 장군이 그때 적들을 물리쳤더라면, 그 나라는 지금 위험에 처해 있지 않을 텐데.

|해설| 혼합가정법은 「If + 주어 + had p.p. ~, 주어 + would/should/could/might + 동사원형 …」의 구조를 가진다. 과거를 나타내는 부사 then과 현재를 나타내는 부사 now에서 힌트를 얻을 수 있다.

10 Should

|해석| 만약 그가 연구실에 온다면, 그는 영웅이 될 것이다.

|해설| 주절이 「would + 동사원형」이므로 가정법 미래는 가능하나 가정법 과거완료는 불가능하므로 'Should'를 사용하는 것이 옳다.

[11~20] 다음 중 어법상 옳은 것을 고르시오.

11 If the fire [didn't break out / had not broken out] in the cinema last week, many people could see the movie today.

12 [Did / Had] the balloon popped, the mission would have failed.

13 [Have / Had] Jack seen the book, he could have solved the problem.

14 I wish Julia [sold / had sold] the house when she left Seoul.

15 If he [reported / had reported] the theory last month, he could be a famous professor now.

16 [Were it not / Had it not been] for water, people would die of thirst.

17 If I [enjoyed / had enjoyed] the food then, she would be happy now.

18 If John [has / had] remembered to lock the door, his house would not have been broken into.

19 If the writer had changed the content of the novel then, it would [be / have been] a best-seller novel now.

20 [Was / Were] it not for her help, he could not pass the exam.

정답&해설

11 had not broken out

|해석| 만약 지난주에 영화관에서 화재가 발생하지 않았었더라면, 많은 사람들이 오늘 그 영화를 볼 수 있을 텐데.

|해설| if절과 주절에 각각 다른 시간대를 나타내는 부사가 있으므로 「If + 주어 + had p.p. + 시간의 부사(구)(과거) ~, 주어 + would/should/could/might + 동사원형 + 시간의 부사(구)(현재) …」의 혼합가정법 문장으로 완성해야 한다.

12 Had

|해석| 풍선이 터졌다면, 그 미션은 실패했을 텐데.

|해설| 'if'가 생략된 가정법 과거완료 문장이므로 'Had'를 사용하는 것이 옳다.

13 Had

|해석| Jack이 그 책을 보았더라면, 그는 그 문제를 풀 수 있었을 텐데.

|해설| 'if'가 생략된 가정법 과거완료 문장으로 「Had + 주어 + p.p. ~, 주어 + would/should/could/might + have p.p. …」의 구조를 가진다.

14 had sold

|해석| Julia가 서울을 떠났을 때 그 집을 팔았기를 바란다.

|해설| I wish 뒤에 이어진 가정법에서 과거를 나타내는 부사절이 있으므로 과거 사실에 대한 반대가 되도록 가정법 과거완료 구문을 완성해야 한다. 즉, 「I wish + 주어 + had p.p. ~」의 구조가 되는 것이 옳다.

15 had reported

|해석| 만약 그가 지난달에 그 이론을 보고했더라면, 그는 지금 유명한 교수일 텐데.

|해설| if절과 주절에 각각 다른 시간대를 나타내는 부사가 있으므로 「If + 주어 + had p.p. + 시간의 부사(구)(과거) ~, 주어 + would/should/could/might + 동사원형 + 시간의 부사(구)(현재) …」의 혼합가정법 문장으로 완성해야 한다.

16 Were it not

|해석| 물이 없다면, 사람들은 갈증으로 죽을 것이다.

|해설| 주절의 동사 형태가 「would + 동사원형」이므로 가정법 과거 문장이 되도록 'Were it not'을 사용하는 것이 옳다.

17 had enjoyed

|해석| 만약 내가 그때 그 음식을 맛있게 먹었더라면, 그녀는 지금 행복할 텐데.

|해설| if절과 주절에 각각 다른 시간대를 나타내는 부사가 있으므로 「If + 주어 + had p.p. + 시간의 부사(구)(과거) ~, 주어 + would/should/could/might + 동사원형 + 시간의 부사(구)(현재) …」의 혼합가정법 문장으로 완성해야 한다.

18 had

|해석| 만약 John이 문을 잠가야 할 것을 기억했었더라면, 그의 집에 도둑이 들지는 않았을텐데.

|해설| 주절의 동사가 'would not have been broken into'이므로 「If + 주어 + had p.p. ~, 주어 + would/should/could/might + have p.p. …」의 가정법 과거완료 문장으로 완성해야 한다.

19 be

|해석| 만약 작가가 그때 소설의 내용을 바꿨었더라면, 그것은 지금 베스트셀러 소설일 텐데.

|해설| if절과 주절에 각각 다른 시간대를 나타내는 부사가 있으므로 「If + 주어 + had p.p. + 시간의 부사(구)(과거) ~, 주어 + would/should/could/might + 동사원형 + 시간의 부사(구)(현재) …」의 혼합가정법 문장으로 완성해야 한다.

20 Were

|해석| 그녀의 도움이 없다면, 그는 시험을 통과할 수 없을 텐데.

|해설| 'if'가 생략된 가정법 과거로 if절의 동사가 be동사인 경우 주어의 인칭에 상관 없이 'were'를 사용하는 것이 원칙이다.

06 가정법

교수님 코멘트▶ 가정법은 크게 5가지 시제의 동사들로 표현이 가능하다. 시제 선택이 관건인데, 이를 다양하게 연습할 수 있는 문제들을 골라 보았다. 시간의 부사구를 통해서 시제 한정 등을 확인할 수 있는 문제들을 수록하였으므로, 수험생들은 문제풀이 후 문맥이 자연스러운지 해석해 보고 확인하는 것이 필요하다.

01

2015 지방직 9급

다음 중 어법상 옳은 것은?

① She supposed to phone me last night, but she didn't.
② I have been knowing Jose until I was seven.
③ You'd better to go now or you'll be late.
④ Sarah would be offended if I didn't go to her party.

02

2014 서울시 9급

어법상 빈칸에 들어가기에 적절한 것은?

> ____________ test positive for antibiotics when tanker trucks arrive at a milk processing plant, according to the Federal Law, the entire truckload must be discarded.

① Should milk
② If milk
③ If milk is
④ Were milk
⑤ Milk will

---

01 가정법 과거

④ 가정법 과거를 잘 나타내고 있으며, 이는 현재 사실의 반대를 가정한다.

| 오답해설 | ① 문맥상 '~할 예정이다, ~하기로 되어 있다'의 의미가 되어야 하므로 동사를 「be supposed to + 동사원형」의 형태로 써야 한다. 따라서 'supposed'를 'was supposed'로 고쳐 주어야 적절하다.
② 'know'는 상태동사로 진행형으로 쓸 수 없다. 따라서 'been knowing'을 'known'으로 고치고, 시간의 부사절 또한 내가 Jose를 처음 알게 된 때를 나타낼 수 있도록 'until'을 'since'로 고치는 것이 적절하다.
③ 'had better' 뒤에는 동사원형이 오므로, 'to'를 삭제한다.

| 해석 | ① 그녀는 어젯밤에 나에게 전화하기로 되어 있었으나 하지 않았다.
② 나는 7살 이후로 Jose를 알고 지냈다.
③ 너는 지금 가는 것이 좋을 거다, 그렇지 않으면 늦을 것이다.
④ 만약 내가 Sarah의 파티에 가지 않는다면 그녀는 기분이 상할 것이다.

02 가정법 미래

① 문맥상 가능성이 희박한 미래의 일에 대한 가정을 하는 가정법 미래 문장이 알맞다. 즉, 'If milk should test positive ~'의 문장에서 접속사 'If'가 생략되면 'Should milk test positive ~'의 형태가 된다.

| 해석 | 연방법에 따르면, 탱커 트럭이 우유를 처리하는 공장에 도착할 때 우유가 항생제에 양성 반응을 보인다면, 그 트럭에 실린 우유는 전량 폐기되어야 한다.

| 정답 | 01 ④ 02 ①

03

2018 지방직 9급(사회복지직 9급)

어법상 옳은 것은?

① Please contact to me at the email address I gave you last week.
② Were it not for water, all living creatures on earth would be extinct.
③ The laptop allows people who is away from their offices to continue to work.
④ The more they attempted to explain their mistakes, the worst their story sounded.

04

2018 국회직 8급

Which of the following best fits in the blank?

> Most cases of emotional maladjustment are due to the fact that people will not accept themselves. They keep daydreaming about ________________ if they had another's chance. And so, disregarding their own possibilities, they never make anything worthwhile out of themselves. Well, anybody can find sufficient cause to dislike their own lot. But the most stimulating successes in history have come from persons who, facing some kind of limitations and handicaps, took them as part of life's game and played splendidly in spite of them.

① the things they've done
② all the things they do
③ what had been done
④ what they would do
⑤ which would have done

---

03 if가 생략된 가정법 과거

② 'if it were not for ~((현재) ~이 없다면)' 구문에서 'if'가 생략되면 의문문 어순으로 바뀐다. 즉, 종속절의 동사 'were'가 주어 앞으로 도치되면서 'Were it not for ~'의 형태로 쓰이게 된다.

|오답해설| ① 'contact'는 타동사로 전치사를 동반할 수 없다. 따라서 'contact to me'는 'contact me'로 바꾸는 것이 옳다. 'the email address'와 'I gave you' 사이에는 목적격 관계대명사 'which' 혹은 'that'이 생략되어 있다.
③ 「allow + 목적어 + to부정사」는 '목적어가 ~하게끔 허락하다'의 뜻으로 목적격 보어로 'to continue'가 알맞게 쓰였다. 다만 'who' 이하 주격 관계대명사절의 동사는 선행사인 'people'과 수 일치를 시켜야 하므로 'is'는 'are'가 되어야 한다.
④ 「The + 비교급 ~, the + 비교급 …」은 '~할수록, 더 …하다'라는 뜻이다. 따라서 최상급인 'the worst'를 비교급인 'the worse'로 바꾸어야 한다.

| 해석 | ① 지난주에 제가 드린 이메일 주소로 제게 연락해 주세요.
② 물이 없다면, 지구상의 모든 살아 있는 생명체들은 멸종될 것이다.
③ 노트북은 사무실을 떠나 있는 사람들이 일을 계속해서 할 수 있게끔 해 준다.
④ 그들이 그들의 실수에 대해 설명하려고 더 시도할수록, 그들의 이야기는 더 나쁘게 들렸다.

---

04 가정법 과거

④ if절에 과거 동사 had가 사용되었으므로 가정법 과거임을 알 수 있다. 가정법 과거는 「If + 주어 + 과거동사/were ~, 주어 + would/should/could/might + 동사원형 …」으로 나타내므로 빈칸에 들어갈 말로 가장 적절한 것은 「would + 동사원형」이 사용된 'what they would do'이다.

|오답해설| ① 가정법 과거이므로 주절에 현재완료동사를 사용할 수 없다.
② 가정법 과거이므로 주절에 현재동사를 사용할 수 없다.
③ 가정법 과거이므로 주절에 대과거(과거완료)동사를 사용할 수 없다.
⑤ 가정법 과거이므로 주절에 「would have p.p.」를 사용할 수 없다.

| 해석 | 정서적 부적응의 대부분의 경우는 사람들이 스스로를 받아들이려 하지 않는다는 사실 때문이다. 그들은 만약 그들이 다른 사람이 갖는 기회를 가지게 된다면 무엇을 할 것인지에 대해 공상을 계속한다. 그래서, 그들 자신의 가능성을 무시하고 자신들로부터 가치 있는 것을 결코 만들어 내지 못한다. 음, 누구나 자신의 운명을 싫어할 충분한 이유를 찾을 수는 있다. 그러나 역사상 가장 고무적인 성공은 어느 정도의 한계와 장애에 직면하면서 그것들을 삶이란 게임의 일부로 받아들이고, 그것들에도 불구하고 훌륭하게 경기를 했던 사람들에게서 나왔다.

05

2017 국가직 9급(사회복지직 9급)

우리말로 잘못 옮긴 것은?

① 이 편지를 받는 대로 곧 본사로 와 주십시오.
→ Please come to the headquarters as soon as you receive this letter.

② 나는 소년 시절에 독서하는 버릇을 길러 놓았어야만 했다.
→ I ought to have formed a habit of reading in my boyhood.

③ 그는 10년 동안 외국에 있었기 때문에 영어를 매우 유창하게 말할 수 있다.
→ Having been abroad for ten years, he can speak English very fluently.

④ 내가 그때 그 계획을 포기했었다면 이렇게 훌륭한 성과를 얻지 못했을 것이다.
→ Had I given up the project at that time, I should have achieved such a splendid result.

06

우리말을 영어로 잘못 옮긴 것을 고르시오.

① 그는 여행하는 동안 어디에서 머물지 결정하지 않았다.
→ He hasn't decided where to stay during his trip.

② 그녀는 살을 빼기 위해 점점 더 적게 먹기 시작했다.
→ She started to eat less and less to lose weight.

③ 민지네 가족은 벌써 파리로 이사 갔니?
→ Has Minji's family moved to Paris yet?

④ 우리가 지금 방학 중이라면 좋을 텐데.
→ I wish that we are on vacation now.

---

05 가정법 대과거(과거완료)

④ 주어진 우리말 표현은 '못했을 것이다'라는 부정의 의미를 나타내고 있다. 그러나 주절은 「should have p.p.」로 '~했어야 했는데 (하지 못했다)'라는 뜻으로 영작했으므로 옳지 않다. 따라서 'should have achieved'는 'could not have achieved' 또는 'would not have achieved'가 되어야 한다.

| 오답해설 | ① 명령문 형태이며 'as soon as'가 이끄는 시간 부사절의 동사는 현재시제로 미래를 나타내야 하므로 옳게 사용되었다.

② 「ought to have p.p.」는 '~했어야 했는데'라는 뜻으로 과거의 일에 대한 후회나 유감을 나타내는 표현이다. 「should have p.p.」로도 바꿔 쓸 수 있다.

③ '10년 동안 외국에 있었기 때문에'가 과거부터 현재까지 지속되는 사실이므로, 'As he has been abroad'로 표현할 수 있다. 이를 완료 분사구문으로 표현한 것이므로 올바르다.

06 I wish 가정법

④ 현재 사실에 반대되는 소망을 표현하는 것이므로 「I wish + 가정법 과거」가 사용되어야 한다. 따라서 'we are'는 'we were'가 되어야 한다.

| 오답해설 | ① 과거에 결정하지 못한 일이 지금까지 완료되지 않은 것이므로 현재완료시제의 사용은 올바르다.

② 'less and less'는 '점점 더 적게'라는 뜻으로 사용된다.

③ 'yet'은 부정문에서는 '아직', 의문문에서는 '벌써'라는 뜻으로 사용된다.

| 정답 | 03 ② 04 ④ 05 ④ 06 ④

07

어법상 옳은 것은?

① Little did we think three months ago that we'd be working together.
② I would love to see you tonight if you will have finished your work.
③ Were it not for your help, I would have failed.
④ This book has been the best seller for weeks, but it hasn't come in any paperback yet, is it?

08

2016 국가직 7급

어법상 옳지 않은 것은?

① Hardly had the new recruits started training when they were sent into battle.
② Disagreements over the treaty arose among the indigenous peoples of Africa.
③ If I had enough money, I would have bought a fancy yacht.
④ Do you want me to come with you, or do you want to go alone?

---

07 부정어 도치, 가정법 과거

① 부정어 'little(거의 ~하지 않은)'이 문두에 위치하면서 주어, 동사가 도치된 구문이다. 일반동사 'think'는 주어 앞에 위치하는 것이 아니라 「조동사(do, does, did)+주어+동사원형」의 형태로 도치되므로 옳은 문장이다.

| 오답해설 | ② if가 이끄는 조건절에서는 현재시제로 미래의 의미를 대신한다. 따라서 will have finished는 finish나 have finished로 써야 어법상 옳은 문장이 된다.
③ 'Were it not for ~'는 가정법 과거로서 'If it were not for ~'에서 if가 생략되고 주어와 동사가 도치된 형태이다. 따라서 주절은 「would+동사원형」이어야 하므로 'would fail'이 옳은 표현이다. 또는 주절의 시제인 가정법 과거완료 형태를 반영해서 종속절을 'Had it not been for your help'로 수정해도 옳은 표현이다.
④ 부가의문문은 주절 동사의 종류와 시제에 일치시켜야 한다. 주절의 시제가 현재완료이므로 'is it?'이 아니라 'has it?'이 올바른 표현이다.

| 해석 | ① 우리는 3개월 전만 해도 우리가 함께 일하고 있을 것이라고는 거의 생각도 하지 못했다.
② 만약 당신이 일을 끝마친다면 오늘 밤에 나는 당신을 만나기를 원한다.
③ 당신의 도움이 없다면 나는 실패할 것이다.
④ 이 책은 몇 주째 베스트셀러였지만, 아직 어떤 종이책도 나오지 않았어, 그렇지?

---

08 가정법 과거

③ if절은 가정법 과거인데, 주절은 가정법 대과거(과거완료)가 사용되었으므로 옳지 않다. 따라서 if절의 시제를 가정법 대과거(과거완료)로 바꾸어 'If I had had enough money, I would have bought a fancy yacht.(만약 내가 충분한 돈이 있었다면, 나는 멋진 요트를 샀을 것이다.)'로 고치거나 주절을 가정법 과거로 바꾸어 'If I had enough money, I would buy a fancy yacht.(만약 내가 충분한 돈이 있다면, 나는 멋진 요트를 살 것이다.)'로 고쳐야 한다.

| 오답해설 | ① 「Hardly had+주어+p.p.~ when[before]+주어+과거동사 …」는 '~하자마자 …하다'의 의미를 가진다. 부정어 'Hardly'가 문두에 있으므로 이어지는 문장의 어순은 의문문의 형태임에 유의하자.
② 'arise(arose)'는 자동사로 목적어를 필요로 하지 않는다.
④ 'want'의 목적격 보어로 to부정사가 사용되며, 'or'을 중심으로 절과 절이 병렬 구조를 이루는 것도 옳다.

| 해석 | ① 신병들은 훈련을 시작하자마자 전쟁에 보내졌다.
② 아프리카의 토착민들 사이에서 그 조약에 대한 반대가 일어났다.
③ 만약 내가 충분한 돈이 있다면, 나는 멋진 요트를 살 것이다.
④ 내가 당신과 함께 가길 원해요? 아니면 당신 혼자 가길 원해요?

09

2016 서울시 7급

어법상 옳지 않은 것은?

① No amateur can participate in the contest except that he is recommended by a previous prize winner.
② There go the last piece of cake and the last spoonful of ice cream.
③ Such was the country's solutions that they drew international attention to the issue.
④ I wish I had studied biology when I was a college student.

10

2016 국가직 7급 변형

우리말을 영어로 가장 잘 옮긴 것은?

① 어떤 교수의 스타일에 적응하는 데는 항상 시간이 좀 걸린다.
→ Time always takes little to tune in on a professor's style.
② 나는 마지막 순간까지 기다렸다가 밤을 새우는 데 익숙해 있다.
→ I'm used to waiting until the last minute and staying up all night.
③ 그 수학 문제가 어려웠다면, 학생들은 답을 할 수 없었을 것이다.
→ If the math question was tough, the students would not answer it.
④ 나는 너무 많은 시간의 힘든 일로 정말 지쳤다.
→ Too many hours of hard work really tired of me.

---

09 수 일치, I wish 가정법

③ 'such'가 도치된 문장으로 문장의 주어는 'the country's solutions'이다. 그런데 문장의 동사 'was'와 수가 일치하지 않으므로 'was'를 'were'로 변경하거나 'the country's solutions'를 'the country's solution'으로 변경해야 옳다.

| 오답해설 | ① 'except that'은 '~을 제외하고'의 의미이며 뒤에 절이 온다.
② 유도부사 구문이며, 유도부사 뒤에 오는 주어와 동사의 순서가 도치되었으므로 수 일치에 유의하여야 한다. 주어는 'the last piece of cake and the last spoonful of ice cream'이므로 복수동사 'go'가 쓰인 것은 적절하다.
④ I wish 가정법으로 과거 사실과 반대되는 소망을 표현하고 있다. 시간의 부사절에서 과거동사 'was'를 사용하고 있으므로, 과거 사실에 대한 후회나 유감을 나타내고 있어 옳다.

| 해석 | ① 이전 수상자에 의해 추천을 받지 않는 이상 아마추어는 콘테스트에 참가할 수 없다.
② 마지막 한 조각의 케이크와 마지막 한 숟가락의 아이스크림이 (여기) 있습니다.
③ 그 나라의 해결책들이 너무 대단해서 그 문제에 대한 국제적인 이목을 끌게 되었다.
④ 내가 대학생이었을 때 생물학을 공부했었더라면 좋을 텐데.

---

10 「be used to -ing」, 가정법 대과거(과거완료)

② 「be used to -ing」는 '~하는 데 익숙하다'의 의미로 적절하게 사용되었다.

| 오답해설 | ① '~에 시간이 걸리다'라는 표현은 가주어를 사용하여 「It takes + 시간 + to부정사」로 표현한다. 따라서 'It always takes a little time to tune ~'이 되어야 알맞은 영작이 된다.
③ 해석이 과거에 대한 가정이므로, if절의 was는 had been으로, 주절의 would not answer는 would not have answered로 고쳐야 한다.
④ 'tire'는 타동사로 '~을 지치게 하다'의 의미로 사용된다. 따라서 'of'를 삭제해야 한다.

| 정답 | 07 ① 08 ③ 09 ③ 10 ②

PART

III

Structure Constituent

5개년 챕터별 출제 비중 & 출제 개념

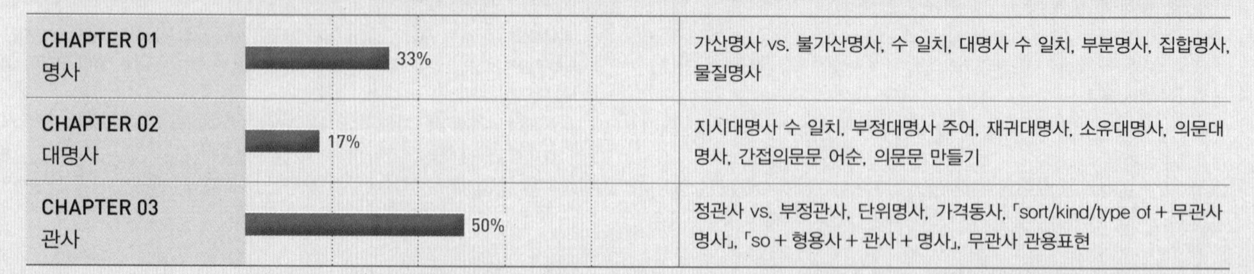

챕터	출제 비중	출제 개념
CHAPTER 01 명사	33%	가산명사 vs. 불가산명사, 수 일치, 대명사 수 일치, 부분명사, 집합명사, 물질명사
CHAPTER 02 대명사	17%	지시대명사 수 일치, 부정대명사 주어, 재귀대명사, 소유대명사, 의문대명사, 간접의문문 어순, 의문문 만들기
CHAPTER 03 관사	50%	정관사 vs. 부정관사, 단위명사, 가격동사, 「sort/kind/type of + 무관사 명사」, 「so + 형용사 + 관사 + 명사」, 무관사 관용표현

※ 문법은 문항 기준이 아닌 출제된 문항의 선지 기준으로 분석하였습니다.

4%

※최근 5개년(국, 지, 서)
출제 비중

학습목표

CHAPTER 01 명사	❶ 가산명사와 불가산명사를 정확하게 구별한다. ❷ 명사와 직접적인 관련이 있는 관사의 쓰임을 익힌다.
CHAPTER 02 대명사	❶ 대명사의 단수와 복수 형태를 알아본다. ❷ 부정대명사의 용법을 명확히 구분한다.
CHAPTER 03 관사	❶ 정관사, 부정관사, 무관사의 차이점을 파악한다. ❷ 관사 유무에 따라 달라지는 명사의 의미를 암기한다.

CHAPTER

01 명사

☐ 1 회 독	월	일
☐ 2 회 독	월	일
☐ 3 회 독	월	일
☐ 4 회 독	월	일
☐ 5 회 독	월	일

1 가산명사
2 불가산명사
3 명사의 수

POINT CHECK

01 명사는 □□명사와 □□□명사로 나뉜다.

| 정답 | 01 가산, 불가산

VISUAL G

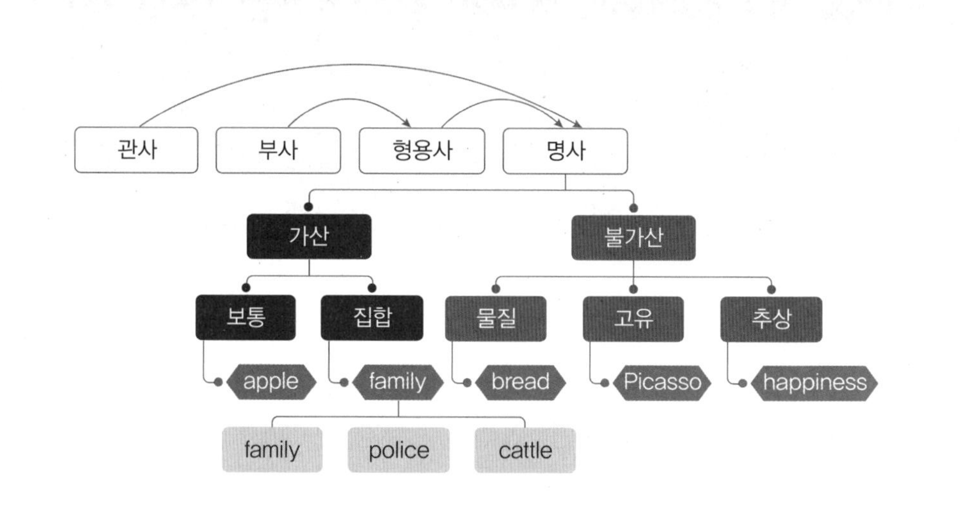

01 가산명사

가산명사			
보통명사	단 · 복수 (○)	관사 (○)	추상명사화 주의
집합명사	단 · 복수 (○)	관사 (○)	집합/군집 주의

(1) 보통명사

- a[an] + 가산명사
- 가산명사 + -(e)s

보통명사	boy, girl, desk, book, computer 등 일반적인 사람 또는 사물의 이름
집합명사	family, people, cattle, police 등 집합적인 단어

POINT CHECK

① 일정한 형태가 있는 명사

desk, pen, bottle, book 등

② 형태는 없어도 셀 수 있는 명사: 형태는 없지만 일정한 단위를 나타내기 때문에 보통명사에 속한다.

hour, day 등의 시간 / pound, gram 등의 무게 / feet, mile 등의 거리 / plan, mistake 등

③ 「the + 단수 보통명사」 = 추상명사

the mother	모성(애)	the patriot	애국심
the beggar	거지 근성	the cradle	유년기

• What is learned in **the cradle** is carried to the grave.
유년기에 배운 것은 무덤까지 간다.

④ 종족 대표: 어떤 종류[종족]의 전체를 나타낸다.

㉠ 「a[an] + 단수 보통명사」

• **A pig** is a useful animal. 돼지는 유용한 동물이다.

㉡ 「the + 단수 보통명사」

• **The pig** is a useful animal. 돼지는 유용한 동물이다.

㉢ 「무관사 + 복수 보통명사」

• **Pigs** are useful animals. 돼지는 유용한 동물이다.

⑤ 셀 수 없는 것처럼 보이는 가산명사 암기문법

a discount	할인	a statement	보고서
a price	가격	a workplace	일터
a purpose	목적	a source	근원, 출처
a refund	환불	a result	결과
a relation	관계	a mistake	실수
a job	직업		

(2) 집합명사

교수님 한마디 가산명사 중 가장 다양한 개념상의 분류가 존재하는 영역이다.
우리말의 개념과 큰 차이가 있는 만큼 정확한 분류 체계와 예시를 파악해야겠다.

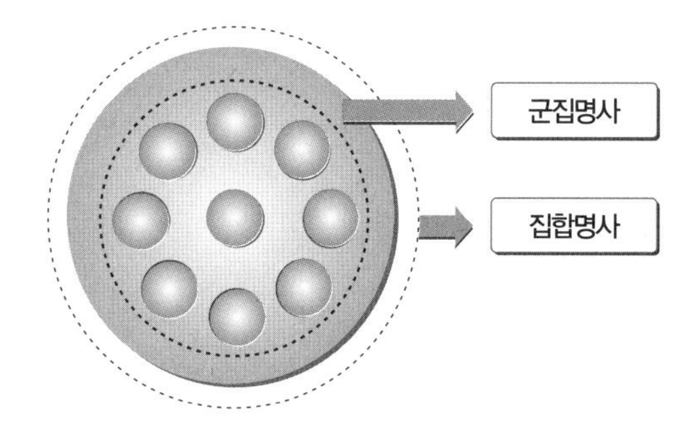

여러 개의 개체로 구성된 집합체를 지칭하는 명사를 '집합명사'라고 한다.

POINT CHECK

02 집합명사
1. family형
2. □□□□□□□형
3. □□□□□□□형

| 정답 | 02 cattle, police

① family형

family	가족	class	계층
audience	청중	jury	배심원
army	군대	committee	위원회
party	정당	assembly	의회, 모임
crowd	군중	people	민족
public	대중	nation	국가
crew	근무조	staff	직원, 부원

● 집합명사와 군집명사의 비교

집합명사	군집명사
하나의 통합체(덩어리)로 볼 때는 집합명사라고 칭하고 단수 취급	개개의 구성원 각자에 초점을 둘 때는 군집명사라고 칭하고 복수 취급
• Today's **audience is** very small. 관중 전체 오늘의 관중은 (규모가) 작다.	• The **audience were** overwhelmed. 관중들 관중들은 압도되었다.
• My **family lives** here. 가족 전체 우리 가족은 여기에 산다.	• My **family are** all Christian. 가족 구성원들 우리 가족들은 전부 기독교인이다.
• The **jury consists** of twenty persons. 배심원단 전체 배심원단은 20명으로 구성된다.	• The **jury were** divided in their opinions again. 배심원들 배심원들은 또 다시 의견이 갈렸다.

② cattle형

cattle	소떼
people	사람들
poultry	가금류

~~a/the~~ cattle/cattle~~s~~ – 복수 취급

• There **are cattle** grazing in the pasture.
목초지에서 풀을 뜯고 있는 소들이 있다.

참 The wolves are scaring the cattle.
그 늑대들은 그 소떼를 겁주고 있다.

※ 특정 소떼를 나타낼 때는 정관사 the를 사용하여 범위를 한정한다.

③ police형

police	경찰	nobility	귀족
clergy	성직자	peasantry	소작농

~~a~~/the police/police~~s~~ – 복수 취급

• the police(경찰들) → a police officer(경찰 한 사람)
• the clergy(성직자들) → a clergyman(성직자 한 사람)
• the nobility(귀족들) → a nobleman(귀족 한 사람)
• the peasantry(소작농들) → a peasant(소작농 한 사람)

• **The clergy are** assembled in the room.

성직자들은 그 방에 모여 있다.

O **The police are** ready to do the project on the street.

경찰들은 거리에서 그 프로젝트를 수행하기 위한 준비가 되어 있다.

X **The police is** ready to do the project on the street.

➡ police는 항상 복수 취급한다는 것을 잊지 말자.

헷갈리지 말자 people vs. peoples

• many people 많은 사람들
• many peoples 많은 민족들

• people 사람들 (군집)
• two peoples 두 민족들 (집합)

➡ many people(많은 사람들), some people(어떤 사람들)처럼 people이 '사람들'의 뜻으로서 군집명사로 쓰일 때는 복수 취급을 하며 복수동사와 함께 사용한다. 그러나 people이 '국민, 민족'의 뜻으로 쓰일 때는 집합명사로 단수 취급한다.

(3) 항 단순집합명사

항상 집합체 자체를 가리키며, 불가산명사로 취급하여 단수 취급한다.

• much game: 많은 사냥감(불가산명사)
• little game: 적은 사냥감(불가산명사)
• big game: 큰 사냥감
• a big game: 큰 시합, 중요한 시합
• many games: 많은 게임들

※ game은 '게임, 경기'를 뜻하는 경우, 가산명사로 취급하며 단수, 복수 모두 가능하다.

baggage[luggage]	수하물	clothing	의류
machinery	기계류	equipment	장비류
weaponry	무기류	poetry	시
furniture	가구류	food	음식류
merchandise	상품	scenery	경치, 풍경
pottery	도자기류	game	사냥감
jewelry	보석류	produce	농산물

O **Much furniture was** delivered to our home.

많은 가구가 우리 집으로 배달되었다.

X **Many furnitures were** delivered to our home.

➡ furniture는 항 단순집합명사로 단수 취급하며, 복수 형태로 쓸 수 없다. 또한 형용사 many의 수식을 받을 수 없다.

POINT CHECK

03 games: 게임들
much game: □□ □□□

| 정답 | 03 많은 사냥감

POINT CHECK

04 She has many informations. (T/F)

05 고유명사는 관사와 함께 쓸 수 없다. (T/F)

| 정답 | 04 F 05 F

02 불가산명사

불가산명사의 경우, 관사를 붙이거나 복수형으로 쓸 수 없으며 단수 취급한다.

- ~~a[an]~~ + 불가산명사 • 불가산명사 + ~~S~~

고유명사	사람의 이름, England, Everest 등 세상에서 유일무이한 것
추상명사	art, music, love, truth, beauty 등 추상적인 단어
물질명사	water, rice, bread, juice 등 일정 형태가 없는 물질을 표현한 단어

information	정보	patience	인내	knowledge	지식
advice	충고	homework	숙제	wealth	부
equipment	장비	health	건강	significance	중요성
business	사업, 장사	evidence	증거	confidence	신뢰, 자신
behavior	행동	exercise	운동	smoke	연기
news	뉴스, 소식	violence	폭력	iron	철
money	돈	sunshine	햇빛	stone	바위, 석재
time	시간	attention	주의	oxygen	산소
influenza	독감	pollution	오염, 공해	water	물
weather	날씨	efficiency	능률	oil	기름, 석유
progress	진보	driving	운전	air	공기
fun	재미	traveling	여행		

O She has so **much homework** to do. 그녀는 해야 할 숙제가 아주 많다.

X She has so **many homeworks** to do.

➡ homework와 같은 불가산명사는 복수형으로 쓰이지 못하며, many의 수식을 받지 못한다.

고유명사	단 · 복수 (×)	관사 (×)	보통명사화 주의
추상명사	단 · 복수 (×)	관사 (×)	특수 용법 주의
물질명사	단 · 복수 (×)	관사 (×)	보통명사화/수량 표시 주의

(1) 고유명사

사람 이름, 지명, 요일, 월 이름과 같이 사물의 고유한 이름을 나타내는 명사를 가리킨다. 원칙은 첫 글자는 대문자로 쓰고, 부정관사(a[an])나 정관사(the)를 붙이지 않으며 복수형으로 쓰지 않는 것이다. 그러나 보통명사화하는 경우가 많으니 아래의 예들에 주의해서 해석을 한다.

- There are three **Jacks** and three **Browns** in my class.
  우리 반에는 3명의 Jack과 3명의 Brown이 있다.
  ※ 같은 이름의 사람이 여럿일 때 복수형으로 쓴다.
- He bought **a Benz**. (제품을 의미)
  그는 벤츠 자동차 한 대를 구입했다.
- There are **two Picassos** in the gallery. (특정 작품을 의미)
  갤러리에 피카소 작품이 두 점 있다.
- Her grandfather is **a Beckham**. ('가문의 한 사람'이라는 의미)
  그녀의 할아버지는 Beckham 가문의 사람이다.

• **The Smiths** knew how to entertain others. (「the + 성s」: ~ 일가족, ~ 부부)

Smith 부부는 다른 사람들을 즐겁게 해 주는 방법을 알고 있었다.

• **A Newton** cannot become **a Galileo.** ('~와 같은 사람'을 의미)

Newton 같은 사람은 Galileo 같은 사람이 될 수 없다.

(2) 추상명사

형태가 없는 성질, 감정, 동작, 상태 등을 나타내는 명사로, 원칙적으로 부정관사를 붙일 수 없고 복수 형태도 불가능하다.

① 「have the + 추상명사 + to + 동사원형」: ~하게도 …하다 암기문법

= 「be + 형용사 + enough to + 동사원형」

have the kindness + to + 동사원형	친절하게도 ~하다
have the boldness + to + 동사원형	대담하게도 ~하다
have the courage + to + 동사원형	용감하게도 ~하다
have the wisdom + to + 동사원형	현명하게도 ~하다
have the nerve + to + 동사원형	~할 용기가 있다, 뻔뻔스럽게 ~하다

• Beckham **had the kindness to walk** me to the door.

= Beckham **was kind enough to walk** me to the door.

= Beckham kindly walked me to the door.

Beckham은 친절하게도 나를 문까지 바래다주었다.

② 「of + 추상명사」 = 형용사

of talent	talented(재능이 있는)	of sense	sensible(분별 있는)
of learning	learned(학식이 있는)	of ability	able(유능한)
of use	useful(유용한)	of importance	important(중요한)

• They are the youngsters **of sense and ability.**

그들은 분별 있고 유능한 젊은이들이다.

• He is **of no use.** 그는 쓸모없다.

= He is **useless.**

③ 「to one's + 추상명사(감정명사)」: ~하게도 암기문법

to one's sorrow	슬프게도	to one's relief	안심이 되게도
to one's shame	창피하게도	to one's grief	슬프게도
to one's regret	후회스럽게도	to one's distress	비탄스럽게도
to one's disappointment	실망스럽게도	to one's surprise	놀랍게도

• **To my sorrow,** I can never go back to my country.

슬프게도, 나는 내 고국으로 결코 돌아갈 수 없다.

POINT CHECK

06 「전치사 + 추상명사」는 □□□ 또는 □□의 역할을 한다.

| 정답 | 06 형용사, 부사

POINT CHECK

07 I need a beer. (T / F)
I need a bottle of coke. (T / F)

| 정답 | 07 F, T

④ 「전치사 + 추상명사」 = 부사

with ease	easily(쉽게)	in particular	particularly(특히)
with care	carefully(주의 깊게)	in peace	peacefully(평화롭게)
with confidence	confidently(자신 있게)	in earnest	earnestly(진정으로, 진지하게)
with patience	patiently(참을성 있게)	in reality	really(사실상)
with rapidity	rapidly(재빨리)	in haste	hastily(급히)
with kindness	kindly(친절하게)	on occasion	occasionally(가끔)
with fluency	fluently(유창하게)	on purpose	purposely(고의로)
with safety	safely(안전하게)	by accident	accidentally(우연히)

• He makes it **with ease.** 그는 쉽게 그것을 해낸다.
= He makes it **easily.**

⑤ 「관사 + 추상명사」 관용표현

a beauty	미인	a success	성공한 사람[사건]
an authority	권위자	a failure	실패한 사람[사건]
a cure	치료제	an invention	발명품
a democracy	민주주의 국가	a favor	친절한 행위
a pity	유감스런 일		

• My mother was **a beauty** when she was young.
엄마는 젊었을 때 미인이셨다.

(3) 물질명사

부정관사를 붙일 수도 없고 복수형으로 쓸 수도 없는 불가산명사로서, 일반적으로는 단위명사를 이용하여 세며, 다른 명사로 전용될 수 있다.

① 물질명사의 수량을 나타내야 하는 경우: 「수사 + 단위명사 + of + 물질명사」

a piece of bread	빵 한 조각	a cup of tea	한 잔의 차
a flash of lightning	번개 한 번	a piece of meat	고기 한 조각
a slice of toast	토스트 한 조각	a lump of sugar	각설탕 한 개
a piece of chalk	분필 한 자루	a bottle of ink	잉크 한 병
a glass of milk	우유 한 잔	a shower of rain	한줄기의 소나기
a roar of laughter	한 번의 웃음	a pound of sugar	1파운드의 설탕
a handful of sand	모래 한 줌	a bolt of thunder	천둥 한 번
a spoonful of sugar	설탕 한 숟가락	a sheet of paper	종이 한 장
two cups of coffee	두 잔의 커피	a piece of paper	종이 한 장
three cakes of soap	비누 세 개	two grains of rice	쌀 낟알 두 개
two loaves of bread	두 덩어리의 빵	an armful of flowers	한 아름의 꽃

O I need **a handful of sand.** 나는 모래 한 줌이 필요하다.

X I need **handful of** sand.

➡ handful은 단위명사이므로 단수일 경우 반드시 부정관사 a[an]과 함께 사용해야 한다. 참고로 handful, armful, spoonful 모두 형용사가 아닌 단위명사임에 주의하자.

② 물질명사의 보통명사화 📖암기문법

물질명사는 관사가 붙거나 복수 형태가 되면 다른 의미가 될 수 있다.

a fire	화재	an iron	다리미
a paper	신문, 서류	a glass	유리잔

• **Glass** can be transformed. 유리는 변형될 수 있다.

※ 물질명사로 '유리'를 의미한다.

• She wears **glasses**. 그녀는 안경을 쓴다.

※ 보통명사로 '안경'을 의미한다.

• She has **a glass** in her hand. 그녀는 손에 유리잔을 들고 있다.

※ 관사 a로 인해 보통명사화되어 '유리잔'을 의미한다.

03 명사의 수

(1) 불규칙 변화

① 불규칙 명사 복수형

의미	단수형	복수형
여성	woman	women
치아	tooth	teeth
발	foot	feet
거위	goose	geese
쥐	mouse	mice
황소	ox	oxen
아이	child	children
기준	criterion	criteria
현상	phenomenon	phenomena
데이터	datum	data
매체	medium	media
세균	bacterium	bacteria

② 단수 형태와 복수 형태가 동일한 명사 📖암기문법

sheep	양/양떼	deer	사슴/사슴떼
swine	돼지/돼지 무리	fish	물고기/물고기떼
trout	송어/송어떼	salmon	연어/연어떼
species	종/종들	aircraft	항공기/항공기 무리
means	수단/수단들	Japanese	일본인/일본인들
Chinese	중국인/중국인들	percent	퍼센트/퍼센트(복수형)

※ 단, 여러 종류의 물고기를 나타낼 때는 fishes를 사용하기도 한다.

• This **species** of the animals actually **lives** in this way.

그 동물들 중에 이 종은 실제로 이러한 방식으로 살아간다.

• These three **species** of the animals actually **live** in this way.

그 동물들 중에 이 세 가지 종들은 실제로 이러한 방식으로 살아간다.

POINT CHECK

POINT CHECK

08 pants는 한 벌이라도 항상 □□(으)로 취급한다.

(2) 이중복수: 복수형의 형태가 두 가지로 각각 다른 의미를 가지고 있다.

단어	복수형	의미
cloth [klɔ: θ] 천, 옷감	cloths [klɔθs: 美 klɔ:ðz]	천, 옷감
	clothes [klou(ð)z]	의복, 옷
	clothing [klóuðiŋ]	의류, 특정 용도의 옷
penny [péni] 페니, 푼돈	pennies [péniz]	'동전'의 복수
	pence [pens]	가격 단위로서의 복수

※ cloth가 가산명사로 쓰이는 경우 '(특정 용도의) 천'을 말하며, clothes는 few, some 등과는 같이 쓰이나 수사와는 같이 쓰이지 않는다.

(3) 절대복수: 복수 형태로 존재하는 명사

① 의류 및 도구 → 복수 취급

trousers	바지	pants	바지
socks	양말	gloves	장갑
scissors	가위	glasses	안경

② 학문명 → 단수 취급

physics	물리학	linguistics	언어학
ethics	윤리학		

※ '-s'로 끝나는 학문명: '~학문'의 의미로 사용되는 경우 단수 취급하나, 그 이외의 의미는 복수 취급한다. 따라서 statistics(통계 수치), economics(경제 상태), politics(술책), mathematics(계산 능력)는 일반적으로 복수 취급한다.

	단수 취급	복수 취급
statistics	통계학	통계 수치
economics	경제학	경제 상태
politics	정치학	술책
mathematics	수학	계산 (능력)

- The **economics** of the United Kingdom **have** many problems.
  영국의 경제 상태는 많은 문제점을 가지고 있다.
- His **mathematics are** not correct at this point.
  그의 계산은 이 점에서 옳지 않다.

③ 병명 → 단수 취급

shivers	오한	diabetes	당뇨병

④ 게임 → 단수 취급

billiards	당구	cards	카드 게임
darts	다트 게임		

| 정답 | 08 복수

⑤ 기타 복수 취급하는 복수형 명사

goods	상품	riches	재산
valuables	귀중품	belongings	소유물
brains	두뇌, 지성	suburbs	교외
odds	가능성	stairs	계단
earnings	수입	savings	저금

POINT CHECK

(4) 분화복수 암기문법

복수 형태가 되면서 전혀 다른 뜻을 갖게 된 명사로, 의미에 주의해서 암기하자.

단수 형태		복수 형태		단수 형태		복수 형태	
air	공기	airs	뽐내는 태도	time	시간, 시, 때	times	시대
advice	충고	advices	보고, 통지	good	이익, 선	goods	상품, 화물
arm	팔	arms	무기	people	사람들	peoples	국민, 민족
ash	재	ashes	유골	letter	문자, 편지	letters	문학, 학문
water	물	waters	바다, 강	manner	방법, 태도	manners	예법
custom	습관	customs	관세, 세관	writing	쓰기	writings	저작
respect	존경	respects	인사	part	부분	parts	부품, 지역
pain	고통	pains	노력, 수고	circumstance	환경, 사정	circumstances	환경, 상황, 형편, 사정
sand	모래	sands	사막	content	만족	contents	내용, 차례
force	힘	forces	군대	quarter	4분의 1	quarters	숙사, 진영
paper	종이	papers	서류	glass	유리	glasses	안경
physic	의술, 약	physics	물리학	work	일	works	공장
color	색	colors	깃발	spectacle	광경	spectacles	안경
spirit	정신	spirits	기분	cloth	천, 옷감	clothes	옷

※ circumstance는 주로 '(개인이 어쩔 수 없는 주변) 환경 사정'이며, circumstances는 '(일, 사건 등을 둘러싼) 환경, 상황, (개인의) 형편, 사정'의 의미로 쓰인다.

(5) 상호복수

의미상 반드시 복수 형태로 사용되어야 하는 구문이다.

change trains	열차를 갈아타다	make friends with	~와 친구가 되다
exchange seats with	~와 자리를 바꾸다	take turns	교대하다
exchange greetings	인사를 주고 받다	shake hands	악수하다

O It is also important to **make friends with** people who think positively.

긍정적으로 생각하는 사람들과 친구가 되는 것도 중요하다.

X It is also important to **make friend with** people who think positively.

➡ 상호복수 형태의 명사는 복수 형태로 잘 쓰였는지를 꼭 먼저 확인하자.

POINT CHECK

09 「숫자-□ □ 단위명사-형용사+명사」: ~한 …

10 three □□□□□□□ people: 300명의 사람들
□□□□□□□□ of people: 수백 명의 사람들

11 시간, 거리, 금액, 무게는 □□ 취급한다.

| 정답 | 09 단수
10 hundred, hundreds
11 단수

(6) 복수 어미 생략

① 형용사 역할 시 단수 형태로 쓴다.

- The child is five years old. 그 아이는 5살이다.

→ The child is a **five-year-old** boy.

② 수사와 함께하는 수량명사는 단수를 사용한다.

수사 + dozen, score, hundred, thousand, million

- a **dozen** eggs 12개의 계란
- two **dozen** eggs 24개의 계란
- three **dozen** eggs 36개의 계란
- **dozens** of eggs 수십 개의 계란
- a **score** of eggs 20개의 계란
- **scores** of eggs 수십 개의 계란
- There are **scores of** old books about the topic in the library.

도서관에 그 주제와 관련된 수십 권의 오래된 책들이 있다.

Ⓞ She wants **two dozen eggs.** 그녀는 계란 24개를 원한다.

☒ She wants **two dozen of eggs.**

➡ dozen이 기수와 함께 사용될 때는 「기수 + dozen + 복수명사」의 형태로 사용한다. 2015년도 기출에서 전치사 of와 함께 쓰여 논란의 여지가 있었으나 정문으로 분류되었다.

Ⓞ Dogs have been man's best friend for **thousands of** years.

개는 수천 년 동안 인간의 가장 친한 친구이다.

☒ Dogs have been man's best friend for **thousand of** years.

➡ dozen, score, hundred, thousand, million 등이 수사와 결합하지 않는 경우 복수형을 사용해야 한다.

(7) 시간, 거리, 금액, 무게(하나의 단위) → 단수 취급

- **Ten miles is** a good distance to run.

10마일은 뛰기 좋은 거리이다.

- **Ten years is** too long for me to wait for the sequel to the movie.

그 영화의 속편을 기다리기에 10년은 내게 너무 길다.

- **Ten years has** passed since I watched the movie.

내가 그 영화를 본 후 10년이 지났다.

참 **Ten years have** passed since I watched the movie.

※ 시간의 개념을 복수로 사용하는 경우는 해마다 흘렀던 '시간의 흐름'에 초점을 맞춘 것이고, 단수 취급하는 경우는 '하나의 완성된 시간의 개념'으로 접근한 것이다.

(8) 다양한 명사의 복수 형태

① 「명사 + 명사」의 복합명사는 뒤에 오는 명사에 한 번만 -s를 붙인다.

gift shops	선물 가게	car doors	자동차 문

※ 단, man-, woman- 이 붙어 성별을 나타내는 복합명사는 양쪽 명사 모두를 복수형으로 바꾼다.

women-writers	여성 작가	men-servants	남자 하인

② 「명사 + 부사/전치사(타품사)」의 복합명사는 명사 부분에 -s를 붙인다.

passers-by	행인	sisters-in-law	처제, 올케, 시누
lookers-on	구경꾼		

③ 원래 명사가 아닌 것을 명사로 쓸 때는 다양한 형태로 -s를 붙인다.

grown-ups	성인	do's and don'ts	주의 사항
haves and have-nots	부자와 빈자	chin-ups	턱걸이
sit-ups	윗몸 일으키기	push-ups	팔굽혀펴기

④ 국가명 또는 연합은 -s로 끝나더라도 단수 취급한다.

Athens	아테네	the United States	미국
news	소식	the Philippines	필리핀
the United Nations	국제연합	the Netherlands	네덜란드

• **Athens is** one of the world's main centers of archaeological research.
아테네는 전 세계 고고학 연구의 중심지 중 하나이다.

(9) 명사의 소유격

① 사람이나 동물의 경우 's를 붙인다.

• men's clothes 남자 옷

• Beckham's car Beckham의 자동차

② -s로 끝난 복수형은 그냥 '만 붙인다.

• girls' high school 여자 고등학교

③ -s로 끝난 고유명사인 경우 's를 붙인다.

• Charles's address Charles의 주소

• Jesus' disciples, Columbus' discovery of America
예수의 제자들, 콜럼버스의 미 대륙 발견

※ 고대 희랍인, Socrates, Jesus, Moses, Columbus 등의 고유명사는 -s로 끝날지라도 '만 붙여서 소유격을 만든다.

④ 무생물의 소유격은 「~ of + 무생물」

• the legs **of** the desk 책상의 다리

• the arms **of** the clock 시계의 바늘

⑤ 소유격의 관용표현

㉠ 무생물의 의인화

• Heaven's will 하늘의 뜻

• Nature's works 자연의 작품

POINT CHECK

12 '여자 고등학교'는 girls's high school로 표기한다. (T / F)

| 정답 | 12 F

POINT CHECK

ⓛ 시간, 거리, 금액, 무게

- ten minutes' walk 걸어서 10분
- ten miles' distance 10마일 거리
- a pound's weight 1파운드의 무게

ⓒ 개별 소유 vs. 공동 소유

- Beckham's and Frank's pens (개별 소유: 복수 취급)

  Beckham의 펜과 Frank의 펜
- Beckham and Frank's pen (공동 소유: 단수 취급)

  Beckham과 Frank의 펜

O **Beckham's and Pitt's cars are red.** Beckham의 차와 Pitt의 차는 빨간색이다.

X Beckham's and Pitt's **car is** red.

➡ Beckham과 Pitt가 각각 소유한 차를 말하는 것이므로 단수명사 car가 아니라 복수명사 cars를 사용하며 동사도 복수형으로 써야 한다.

01 명사

[01~15] 다음 중 어법상 옳은 것을 고르시오.

01 The [trouser / trousers] are too tight for me.

02 You can apply [discount / a discount] to this product.

03 Jack mainly deals with [machinery / machineries].

04 I want to get [refund / a refund].

05 The nation consisted of five [people / peoples].

06 She was looking for some [furniture / furnitures].

07 He needed two [dozen / dozens] eggs.

08 He ate [two breads / two pieces of bread].

09 The researcher found [diabete / diabetes] is one of the causes of the disease.

10 He really hates doing [homework / homeworks].

11 We need to transmit the [knowledge / knowledges] to our descendants.

12 They exhibited many [aircraft / aircrafts] last Friday.

13 Jane drinks [two teas / two cups of tea] every day.

14 The [sheep / sheeps] are feeding on grass.

15 The doctor expected the spread of [measle / measles].

정답&해설

01 trousers

| 해석 | 그 바지는 나에게 너무 꽉 낀다.

| 해설 | 'trousers'는 항상 복수 취급하는 명사로 단수형을 사용할 수 없다.

02 a discount

| 해석 | 당신은 이 상품에 할인을 적용할 수 있습니다.

| 해설 | 'discount'는 가산명사로, 단수형으로 사용할 경우 관사를 붙여야 한다.

03 machinery

| 해석 | Jack은 주로 기계류를 다룬다.

| 해설 | 'machinery'는 항 단순집합명사로 복수형을 사용할 수 없다.

04 a refund

| 해석 | 나는 환불받기를 원한다.

| 해설 | 'refund'는 가산명사로, 단수형으로 사용할 경우 관사를 붙여야 한다.

05 peoples

| 해석 | 그 나라는 5개의 민족으로 구성되어 있었다.

| 해설 | '그 나라는 5명의 사람들로 구성되어 있었다.'보다 '그 나라는 5개의 민족으로 구성되어 있었다.'가 해석상 자연스러우므로 'peoples'가 알맞다.

06 furniture

| 해석 | 그녀는 가구를 좀 찾고 있는 중이었다.

| 해설 | 'furniture'는 항 단순집합명사로 복수형으로 쓰지 않는다.

07 dozen

| 해석 | 그는 24개의 계란이 필요했다.

| 해설 | 수사와 함께하는 수량명사는 단수 형태이어야 하므로 'dozen'을 사용하는 것이 옳다.

08 two pieces of bread

| 해석 | 그는 빵 두 조각을 먹었다.

| 해설 | 물질명사 'bread'는 수량으로 나타내야 하는 경우 「수사 + 단위명사(-s/-es) + of + 물질명사(단수)」의 형식으로 표현한다.

09 diabetes

| 해석 | 연구원은 당뇨병이 그 질병의 원인들 중 하나라는 것을 발견했다.

| 해설 | '당뇨병'은 'diabetes'이며 항상 단수 취급한다.

10 homework

| 해석 | 그는 숙제하는 것을 정말로 싫어한다.

| 해설 | 'homework'는 불가산명사이므로 복수형을 사용할 수 없다.

11 knowledge

| 해석 | 우리는 우리의 후손들에게 지식을 전달할 필요가 있다.

| 해설 | 'knowledge'는 불가산명사로 복수형을 사용할 수 없다.

12 aircraft

| 해석 | 그들은 지난 금요일에 많은 항공기들을 전시했다.

| 해설 | 'aircraft'는 단수형과 복수형이 같은 가산명사이다.

13 two cups of tea

| 해석 | Jane은 매일 차 두 잔을 마신다.

| 해설 | 물질명사 'tea'는 수량으로 나타내야 하는 경우 「수사 + 단위명사(-s/-es) + of + 물질명사(단수)」의 형식으로 표현한다.

14 sheep

| 해석 | 양들은 풀을 뜯어먹는 중이다.

| 해설 | 'sheep'은 단수형과 복수형이 같은 가산명사이다.

15 measles

| 해석 | 그 의사는 홍역의 확산을 예측했다.

| 해설 | 주어진 문맥상 질병명인 '홍역'을 나타내는 단어는 'measles'이다.

01 명사

교수님 코멘트▶ 명사는 명사의 형태를 직접적으로 묻는 문제보다 명사를 수식하는 수량형용사, 대명사와의 수 일치, 동사와의 수 일치 등이 주로 출제되므로 이를 확인할 수 있는 문제들로 구성하였다. 출제 비중은 높지 않으나 파생 문제로 일치 등의 영역에서 명사가 근간이 되는 문제가 출제되므로 다양한 문제를 통해서 분석력을 키워야 한다.

01

다음 밑줄 친 부분 중 문법상 틀린 것은?

① Informations about almost ② any kind of factual knowledge in the world ③ can be obtained on the Internet within ④ seconds.

02

2019 서울시 7급

어법상 가장 옳지 않은 것은?

① I would rather not go out for dinner tonight because I am totally exhausted.
② I had no idea about where to place my new furniture including desks, sofas, and beds in my new house.
③ She is seeing her family doctor tomorrow to check the result of the medical check-up she had a month ago.
④ The professor strongly suggested one of his students to apply for the job he had recommended because the application deadline was near.

---

01 불가산명사

① 'information'은 불가산명사로 복수형으로 쓸 수 없다. 따라서 'Information'이 되어야 한다.

| 오답해설 | ② 「any + 단수명사」는 '어떤 ~라도'라는 뜻으로 사용되며 강조의 의미를 포함한다.
③ 주어(Information)와 동사(obtain)는 '정보가 얻어지는' 수동 관계이므로 수동태로 바르게 사용되었다.
④ 'second'의 복수로 '몇 초'를 의미한다.

| 해석 | 세상에서 사실적 지식에 관한 거의 어떤 종류의 정보라도(거의 모든 종류의 정보는) 인터넷상에서 몇 초 만에 얻어질 수 있다.

02 동사 suggest의 쓰임, 집합명사

④ 'suggest'는 완전타동사로 5형식으로 사용할 수 없다. 또한 '제안하다'를 뜻하고 목적어로 'that'이 이끄는 절이 오는 경우 「주어 + (should) + 동사원형」의 형식을 사용한다. 해당 문장은 'suggest'를 5형식으로 사용하였으므로 틀린 문장이다. 따라서 5형식 문장을 3형식으로 고쳐야 하며 이때 'suggest'는 문맥상 '제안하다'를 뜻하므로 'to apply'를 'apply' 또는 'should apply'로 수정해야 한다.

| 오답해설 | ① 'would rather'는 조동사이므로 'would rather' 뒤에 'not'이 오는 것이 어법상 적절한 표현이다.
② 'furniture(가구)'는 항 단순집합명사로 불가산명사로 취급한다. 따라서 'my new furniture'는 올바른 표현이다.
③ 해당 문장에서 'see'는 문맥상 '만나다(진료를 보다)'라는 의미로 쓰였다. 현재진행시제로 가까운 미래의 일을 나타낸 옳은 문장이다.

| 해석 | ① 나는 저녁 먹으러 나가지 않는 편이 나을 것 같다. 왜냐하면 나는 완전히 지쳤기 때문이다.
② 나는 내 새집에 책상, 소파, 그리고 침대를 포함한 나의 새 가구들을 어디에 놓을지에 대해 아무 생각이 없었다.
③ 그녀는 내일 그녀가 한 달 전에 받았던 건강 검진의 결과를 확인하기 위해 그녀의 주치의를 보러 갈 예정이다.
④ 교수님은 그의 학생들 중 한 명이 그가 추천했었던 그 일자리에 지원해야 한다고 강력하게 제안했다. 왜냐하면 지원서 마감일이 다가왔기 때문이다.

| 정답 | 01 ① 02 ④

03

다음 문장 중 어법상 틀린 것을 고르시오.

① There were two cups of flours and three apples on the table.
② I was just a little jealous of those privileged travelers in first class.
③ It was clear that artificial heart patients were prone to fatal strokes and infections.
④ The roles that men and women are expected to assume in a society are mostly determined by the culture rather than just by biological differences.

04

다음 문장 중 어법상 틀린 것을 고르시오.

① The report contained information of no using to anyone.
② The more she thought about it, the more devastating it became.
③ Had Hitler invaded England in 1940, he would have won the war.
④ The purpose of the positive comment is to avoid a disagreement.

---

03 물질명사의 수량 표시

① 물질명사는 불가산명사에 해당하므로 복수 형태를 사용할 수 없으며 수량으로 나타내야 하는 경우 「수사+단위명사(s)+of+물질명사(단수)」의 형태를 사용한다. 따라서 물질명사인 'flours'를 'flour'로 수정해야 한다.

| 오답해설 | ② 'privileged'는 '특혜를 누리는'이라는 의미로 'travelers'를 수식하고 있다. 'those'는 지시형용사로 복수형 명사인 'travelers'를 한정하고 있다.
③ 「It was clear that+주어+동사」의 가주어-진주어 구문으로, '~임이 분명했다'라는 의미이다.
④ 주어 'The roles'를 'that' 이하의 관계대명사절이 수식하고 있다. 'assume' 뒤에 목적어가 없으므로 'that'은 목적격 관계대명사이다. 문장 전체의 주어인 'The roles'와 동사 'are'도 수 일치가 잘 되어 있다.

| 해석 | ① 테이블 위에 밀가루 두 컵과 사과 세 개가 있었다.
② 나는 단지 일등석에서 특혜를 누리는 그 여행객들을 약간 질투했을 뿐이었다.
③ 인공 심장 환자가 치명적인 뇌졸중과 감염에 걸릴 경향이 있다는 것은 분명했다.
④ 한 사회 안에서 남자와 여자가 취하도록 기대되는 역할들은 그저 생물학적 차이보다는 문화적인 것에 의해서 주로 결정된다.

---

04 「of+추상명사」의 쓰임

① 전치사 'of'의 목적어로 쓰인 'using'은 완전타동사 'use'의 동명사로 볼 수도 있으나 using의 목적어는 없고 전명구인 'to anyone'만 있으므로 어법에 맞지 않다. 문맥상 '쓸모없는'이라는 뜻으로 information을 수식하는 것이 자연스러우므로 「of+추상명사」 형태가 되도록 'using'을 추상명사 'use'로 수정해야 한다.

| 오답해설 | ② 해당 문장은 「The+비교급 ~, the+비교급 …」 구문이 옳게 사용된 문장으로 첫 번째 절의 'more'는 동사 'thought'를 수식하는 부사이며 두 번째 절의 'more'는 'devastating'과 같은 분사형 형용사의 비교급을 만들기 위해 쓰인 것이다.
③ 'If'가 생략된 가정법 대과거(과거완료) 문장으로 「Had+주어+p.p. ~, 주어+would/should/could/might+have p.p. …」의 형식을 옳게 사용하였다.
④ to부정사(구) 'to avoid a disagreement'를 주격 보어로 사용한 옳은 문장이다.

| 해석 | ① 그 보고서에는 아무에게도 쓸모없는 정보가 들어 있었다.
② 그녀가 그것에 대해 더 생각할수록, 그것은 더 파괴적이 되었다.
③ 히틀러가 1940년에 영국을 침략했었다면 그는 그 전쟁에서 이겼을 것이다.
④ 긍정적인 말의 목적은 의견 충돌을 피하는 것이다.

05

어법상 옳지 않은 것은?

① George has not completed the assignment yet, and Mark hasn't either.
② My sister was upset last night because she had to do too many homeworks.
③ If he had taken more money out of the bank, he could have bought the shoes.
④ It was so quiet in the room that I could hear the leaves being blown off the trees outside.

06

2015 경찰직 2차 변형

다음 중 어법에 맞는 표현을 골라 가장 적절하게 연결한 것은?

> In a house with ㉠ less / little than 1,500 square feet of dining room, all ㉡ furniture / furnitures may need to pull its weight. Pieces that perform multiple functions do just that. Rather than waste space on a living room, Maria made a choice of a movable table she extends ㉢ when / what needed.

	㉠		㉡		㉢
①	less	–	furniture	–	when
②	less	–	furnitures	–	what
③	little	–	furnitures	–	when
④	little	–	furniture	–	what

05 불가산명사

② 'homework'는 불가산명사이기 때문에 복수형으로 사용할 수 없으며 'many' 대신 'much'로 수식한다. 즉, 'many homeworks'는 'much homework'가 되어야 한다.

| 오답해설 | ① 부정문에서 '또한'을 의미하는 부사는 'either'이다.
③ 가정법 대과거(과거완료)의 형태는 「If + 주어 + had p.p. ~, 주어 + would/should/could/might + have p.p. …」로 나타내므로 옳은 문장이다.
④ 「so + 형용사 + that + 주어 + 동사」의 형태가 올바르게 사용되었다.

| 해석 | ① George는 아직 과제를 다 끝내지 못했고, Mark 또한 그렇다.
② 내 여동생은 지난밤에 속상해했는데, 왜냐하면 그녀는 너무 많은 숙제를 해야 했기 때문이었다.
③ 만약 그가 더 많은 돈을 은행에서 인출했다면, 그 신발을 살 수 있었을 텐데.
④ 방 안이 아주 조용해서 나는 바깥의 나무에서 나뭇잎이 바람에 떨어지는 소리를 들을 수 있었다.

06 비교급, 불가산명사, 부사절 접속사 when

㉠ 뒤에 'than'이 나왔으므로 'little'의 비교급 형태인 'less'가 어울린다.
㉡ 'furniture'는 불가산명사이므로 복수 형태를 사용할 수 없다.
㉢ '필요할 때' 탁자를 늘리는 것이지 그것(a movable table)이 '필요한 것'을 그녀가 늘리는 것이 아니므로 'what'이 아닌 'when'이 적절하다. 'when'과 'needed' 사이에는 주어와 be동사(it is)가 생략되어 있다.

| 해석 | 1,500 제곱피트 미만의 주방이 딸린 집에서, 모든 가구는 자신의 역할을 다할 필요가 있을지도 모른다. 복합적인 기능을 하는 가구들이 바로 그렇다. 거실에 공간을 낭비하기보다, Maria는 필요할 때 늘리는 이동이 가능한 탁자를 선택하였다.

| 정답 | 03 ① 04 ① 05 ② 06 ①

07

2017 국가직 9급 추가 채용

어법상 옳은 것을 고르시오.

① Undergraduates are not allowed to using equipments in the laboratory.

② The extent of Mary's knowledge on various subjects astound me.

③ If she had been at home yesterday, I would have visited her.

④ I regret to inform you that your loan application has not approved.

08

다음 밑줄 친 표현 중 어법상 틀린 것은?

> The headline is a unique type of text. It has a range of functions that specifically dictate its shape, content and structure, and it operates within a range of ① restrictions that limit the freedom of the writer. For example, the space that the headline will occupy is ② almost always dictated by the layout of the page, and the size of the typeface will similarly be restricted. The headline will rarely, if ever, be written by the reporter who ③ wrote the news story. It should, in theory, encapsulate the story in a minimum number of words, attract the reader to the story and, if it appears on the front page, ④ attracting the reader to the paper.

07 가정법 대과거(과거완료), 불가산명사

③ 가정법 대과거(과거완료)는 「If + 주어 + had p.p.~, 주어 + would/should/could/might + have p.p. …」의 형식을 취하는데, 해당 문장은 올바른 어순으로 쓰였다.

| 오답해설 | ① 「be allowed + to부정사」는 '~하는 것이 허용[허락]되다'라는 의미로, 여기서 'to'는 전치사가 아닌 to부정사의 to이다. 따라서 'using'을 'use'로 바꿔야 한다. 또한 'equipment'는 불가산명사로 복수 형태로 쓸 수 없으므로 'equipments'는 'equipment'로 고쳐야 한다.

② 주어는 'The extent'로 3인칭 단수이다. 따라서 동사는 주어에 수 일치를 시켜 'astounds'가 되어야 한다.

④ 'regret'은 '유감이다'라는 의미로 목적어로 동명사를 취하면 과거 사실에 대한 후회를 나타내고, to부정사를 취하면 앞으로의 일에 대한 유감을 나타낸다. 따라서 문맥상 옳게 사용되었다. 타동사 'inform'의 목적어절도 「that + 주어 + 동사」의 형태로 옳게 사용되었다. 단, 'approve'는 타동사로 '승인하다'라는 뜻이므로 문맥상 '승인되지 않았다'의 의미를 나타내기 위해서는 'has not approved'가 수동태 'has not been approved'로 바뀌어야 한다.

| 해석 | ① 대학생들은 실험실에서 장비를 사용하도록 허용되지 않는다.

② 다양한 주제들에 대한 Mary의 지식 범위는 나를 놀라게 한다.

③ 만약 그녀가 어제 집에 있었다면, 나는 그녀를 방문했을 텐데.

④ 당신의 대출 신청이 승인되지 않았음을 알리게 되어 유감입니다.

08 병렬 구조, 가산명사

④ 조동사 'should' 뒤에 'encapsulate', 'attract', 'attracting'이 병렬 구조를 이룬 문장이므로 'attracting'은 동사원형 'attract'가 되어야 한다.

| 오답해설 | ① 'a range of'는 뒤에 복수명사를 썼으므로 옳은 표현이다.

② 'almost'는 형용사, 부사, 동사, 대명사 등을 수식하는데, 이 문장에서는 'always (부사)'를 수식하였다.

③ 주절이 미래시제일 경우 종속절의 시제에는 제한이 없다.

| 해석 | 헤드라인은 독특한 유형의 글이다. 헤드라인은 그것의 형태, 내용 그리고 구조를 분명하게 정하는 다양한 기능들이 있으며 작가의 자유를 제한하는 일련의 규정들 내에서 작용한다. 예를 들어, 헤드라인이 차지하는 공간은 거의 언제나 그 지면의 배치에 따라 결정되며, 활자체의 크기도 마찬가지로 제한된다. 헤드라인은 기사를 쓴 기자에 의해 작성되는 경우가 있다고 해도 극히 드물 것이다. 이론상 그것은 최소의 글자 수로 기사를 요약하여, 독자를 이야기로 끌어들여야 하며, 기사가 1면에 나오는 경우라면 독자가 그 신문에 관심을 갖도록 만들어야 한다.

09

2017 지방직 9급 변형

어법상 옳지 않은 것은?

① You might think that just eating a lot of vegetables will keep you perfectly healthy.

② Academic knowledges isn't always what leads you to make right decisions.

③ The fear of getting hurt didn't prevent him from engaging in reckless behaviors.

④ Julie's doctor told her to stop eating so many processed foods.

09 불가산명사

② 'knowledge'는 불가산명사로 복수형으로 쓸 수 없다. 따라서 'knowledges'를 'knowledge'로 바꿔야 한다.

| 오답해설 | ① 'keep'은 불완전타동사로 형용사를 목적격 보어로 취할 수 있다.

③ 'prevent'는 완전타동사로 「prevent + 목적어 + from + 목적어(명사/동명사)」의 형태로 사용할 수 있다.

④ 'told'는 불완전타동사로 to부정사를 목적격 보어로 취할 수 있다. 'stop'의 목적어로 동명사 'eating'이 온 것도 알맞다.

| 해석 | ① 당신은 채소를 많이 먹는 것만으로 건강이 완벽하게 유지될 것이라고 생각할지도 모른다.

② 학문적 지식이 항상 당신이 올바른 결정을 내리도록 이끌지는 않는다.

③ 다치는 것에 대한 두려움이 그가 무모한 행동을 하는 것을 막지는 못했다.

④ Julie의 담당의는 아주 많은 가공식품을 먹는 것을 중단하라고 그녀에게 말했다.

10

우리말을 영어로 가장 잘 옮긴 것은?

① 내전 속에서 많은 사람들이 목숨을 잃었고 수천 수만의 사람들이 고향을 떠나야만 했습니다.
→ Many people were killed and ten of thousands were forced to leave their hometown in the civil war.

② 나는 네가 직장에서 많은 다양한 사람들과 어울릴 것이라 생각한다.
→ I suppose you will mix with a wide variety of people in your job.

③ 첫째로 내가 알고 싶은 것은 그것이 얼마나 걸릴지였다.
→ What I wanted to find out first was how long they were going to take.

④ 많은 12세 아이들은 이것을 전에 해본 적이 있다고 말할 수 있다.
→ Many 12-year-old can say they've done it before.

10 「a variety of + 복수명사」

② 'a (wide) variety of'는 뒤에 반드시 복수명사가 따라 나와야 하며 people이 '사람들'이라는 뜻의 군집명사로 쓰인 옳은 문장이다.

| 오답해설 | ① '수천 수만의 사람들'이라는 의미를 나타내려면 'tens of thousands'로 쓰는 것이 옳다. 참고로 '수십 만의'는 'hundreds of thousands of ~'로 표현할 수 있다.

③ 간접의문문으로 「의문사 + 주어 + 동사」의 어순이 옳게 사용되었으나 간접의문문의 주어가 시간을 나타내야 하므로 주어 'they'를 시간을 나타내는 비인칭 주어 'it'으로 수정해야 한다. 따라서 'they were'를 'it was'로 수정해야 한다.

④ 'old'는 명사로 사용되고 있다. 'Many 12-year-old children'의 줄임 표현이므로 'old'는 'olds'가 되어야 한다. 서울시에서 이미 출제된 적이 있으므로 반드시 알아두어야 할 표현이다.

| 정답 | 07 ③ 08 ④ 09 ② 10 ②

인생은 흘러가고 사라지는 것이 아니다.
성실로써 이루고 쌓아가는 것이다.

– 존 러스킨(John Ruskin)

CHAPTER

02 대명사

☐ 1회독	월	일
☐ 2회독	월	일
☐ 3회독	월	일
☐ 4회독	월	일
☐ 5회독	월	일

POINT CHECK

VISUAL G

종류		1인칭		2인칭		3인칭			
		단수	복수	단수	복수	남성	여성	중성	복수
인칭 대명사	주격	I	we	you	you	he	she	it	they
	목적격	me	us	you	you	him	her	it	them
	소유격	my	our	your	your	his	her	its	their
소유대명사		mine	ours	yours	yours	his	hers	–	theirs
재귀대명사		myself	ourselves	yourself	yourselves	himself	herself	itself	themselves
지시대명사		this, these, that, those, such, so, it, they, them							
부정대명사		all, both, each, every, either, neither, nothing, one, none, nobody, something, someone, somebody, anything, anyone, anybody, some, any, everything, everyone, everybody							
의문대명사		who, whom, which, what							
관계대명사		who, whose, whom, which, what, that[유사관계대명사 as, than, but]							

01 비인칭대명사 it의 용법

(1) 앞에 나온 단수 명사, 구, 절을 대신하며 단수 취급한다.

- The boy took a ball and threw **it.** 소년은 공 하나를 가져가 그것을 던졌다.
- The girl is innocent, and I know **it** quite well.
  그 소녀는 결백하고, 나는 그것을 아주 잘 알고 있다.

(2) 가주어, 가목적어로 사용한다.

- **It** is very hard to study French. (가주어)
  프랑스어를 공부하는 것은 매우 어렵다.
- **It** is very important that you start the work. (가주어)
  당신이 그 일을 시작하는 것이 매우 중요하다.
- I find **it** difficult to study French. (가목적어)
  나는 프랑스어를 공부하는 것이 어렵다는 것을 안다.

(3) 비인칭주어로 시간, 거리, 명암, 계절, 요일, 날씨, 막연한 상황 등을 나타낼 때도 사용된다.

- What time is **it**? (시간) 몇 시입니까?
- How far is **it** from here to the hotel? (거리) 여기서 호텔까지 거리가 얼마나 됩니까?
- **It** is dark at night. (명암) 밤에는 어둡다.
- **It** is summer now. (계절) 이제 여름이다.
- A: What day is **it**? 오늘이 무슨 요일입니까?
  B: **It** is Friday. (요일) 금요일입니다.
- **It** is sunny today. (날씨) 오늘은 화창하다.

02 재귀대명사

(1) 재귀적 용법

재귀대명사가 재귀동사, 타동사, 전치사 등의 목적어로 쓰이는 경우로, 주어의 동작이 주어 자신에게 영향을 미칠 때 '자기 자신을 ~하다'라는 뜻이 된다. 이때의 재귀대명사는 생략이 불가능하다.

- She absented **herself** from school. 그녀는 학교를 결석하였다.

ⓞ I can't make **myself** understood in English. 나는 영어로 남을 이해시킬 수 없다.

☒ I can't make **me** understood in English.

➡ make oneself understood는 '(자기 말을) 남에게 이해시키다'라는 의미로 재귀대명사 관용표현이다.

재귀동사: overdrink, overeat, overwork, oversleep, avail, pride, absent

- overdrink **oneself** 과음하다
- overeat **oneself** 과식하다
- overwork **oneself** 과로하다
- oversleep **oneself** 늦잠 자다

POINT CHECK

01 'it'은 시간, 거리, 명암, 계절, 요일, 날씨 등을 나타내는 문장에서 □□□□□ 역할을 한다.

02 재귀대명사는 □□□의 자릿값으로 사용된다.

| 정답 | 01 비인칭주어
02 목적격

POINT CHECK

(2) 강조적 용법

주어, 목적어 뒤에 동격으로 쓰여, 그 주어나 목적어의 의미를 강조하며 문장 끝에 놓이기도 한다. 생략이 가능하며, '~ 자신, ~까지도, ~도 또한'의 의미를 가진다.

- He must do it **himself.** 그는 반드시 그것을 그 스스로 해야 한다.

O I want **my own** dog. 나는 내 개를 원한다.

X I want **myself** dog.

➡ 재귀대명사는 명사 앞에 사용할 수 없다.

(3) 관용표현

to oneself	혼자
beside oneself (= insane, mad, at the end of self-control)	제정신이 아닌, 미친
lose oneself	길을 잃다
help oneself to	~을 마음껏 들다[먹다]
enjoy oneself(= have a good time (of it))	재미있게 보내다
behave oneself	얌전히 굴다
pride oneself on (= be proud of, take pride in)	~을 자랑하다
absent oneself from(= be absent from)	~에 결석하다
present oneself at (= be present at, take part in, participate in)	~에 참석하다
avail oneself of(= make use of, utilize)	~을 이용하다
accustom oneself to (= be accustomed to, be used to)	~에 익숙해지다
of itself	저절로
by oneself (= alone)	홀로, 혼자서
for oneself(= without other's help)	자신을 위해서, 스스로

- The candle went out **of itself.** 그 촛불은 저절로 꺼졌다.
- The lazy boy **absented himself from** school. 그 게으른 소년은 학교에 결석했다.
- You must look up the word in the dictionary **for yourself.**

너는 스스로 사전에서 그 단어를 찾아봐야 한다.

03 지시대명사

지시대명사	의미	비고
this/these	이것/이것들	비교적 가까운 사물이나 사람을 가리킴
that/those	저것/저것들	비교적 먼 사물이나 사람을 가리킴
such	그런 사람[사물]	
same	같은 것[일]	
so	같은 사람[사물]	

(1) 지시대명사 this/these, that/those

① this는 시·공간적으로 가까운 것, that은 상대적으로 먼 것을 나타낸다.

- One man says **this**, and another says **that.**

  누군가는 이렇게 말하고, 다른 사람은 저렇게 말한다.

② this/that 다음에 명사가 오면 지시형용사가 된다.

	단수	의미	복수	의미
지시대명사	this	이것	these	이것들
지시형용사	this	이(+ 단수명사)	these	이(+ 복수명사)
지시대명사	that	저것	those	저것들
지시형용사	that	저(+ 단수명사)	those	저(+ 복수명사)

- **This** machine is broken. 이 기계는 고장 났다.

③ 전자는 that, 후자는 this로 지칭한다.

전자	the former	the one	that
후자	the latter	the other	this

- The potato and the sweet potato are both delicious; **this** is an ingredient of pizza, **that** is an ingredient of a chip.

  감자와 고구마는 둘 다 맛있다; 후자(고구마)는 피자의 재료이고, 전자(감자)는 칩의 재료이다.

- Health is above wealth; **this** cannot give so much happiness as **that.**

  건강은 부유함보다 중요하다; 후자(부유함)는 전자(건강)만큼 많은 행복을 줄 수 없다.

④ 한 문장 안에서 앞서 나온 명사가 「the + 명사」로 반복되고 한정어구의 수식을 받을 때 「the + 명사」는 that/those로 대신하며, 이는 비교급 문장의 비교 대상을 나타낼 때 주로 사용된다.

- The population of India is much larger than **that** of Korea.

  인도의 인구는 한국의 그것(인구)보다 훨씬 더 많다.

- The cost of the air fare is higher than **that** of the rail fare.

  항공 운임 비용은 철도 운임의 그것(비용)보다 더 높다.

- The climates of Japan are warmer than **those** of Korea.

  일본의 기후는 한국의 그것(기후)보다 더 따뜻하다.

O The ears of a rabbit are longer than **those** of a lion.

토끼의 귀들은 사자의 그것들(귀)보다 길다.

X The ears of a rabbit are longer than **these** of a lion.

➡ 선행 명사의 반복을 피하기 위한 대명사로 this/these는 쓸 수 없다. that/those만 가능하다.

⑤ this/that은 이미 앞에 나왔던 특정 단어, 구, 절, 문장을 대신할 수 있다. 후행구(뒤에 나오는 내용)를 가리킬 때는 this로 표현하며, 앞 내용은 this나 that 둘 다 가능하다.

- They will always keep **this** in mind, "Believe in yourself." (this: 뒤에 나오는 인용구 지칭)

  그들은 언제나 이것(문구)을 가슴에 새길 것이다. "너 자신을 믿어라."

- He will surely win the final. **That** will please his family. (That: 앞 문장 지칭)

  그는 분명히 결승전에서 이길 것이다. 그것이 그의 가족을 기쁘게 할 것이다.

POINT CHECK

03 전자는 that, 후자는 □□□□(으)로 지칭한다.

04 선행구는 this나 that으로 대신하며 후행구는 □□□□(으)로 대신한다.

| 정답 | 03 this
04 this

POINT CHECK

⑥ ~하는 사람(들): those who ~

• Heaven helps **those who** help themselves. 하늘은 스스로 돕는 자를 돕는다.

⑦ 관용표현

• That's just the ticket. 안성맞춤이다.

• That's all. 그것으로 끝이다.

• That is to say, it's a big chance for me. 다시 말해서, 그것은 나에게는 큰 기회이다.

⑧ 지시형용사로 사용될 때의 this/these, that/those

지시형용사		예	
this	현재의	this year	금년
that	그때의	that day	그날
these	현재 포함 기간	these days	요즈음
those	과거 포함 기간	those days	그 당시

(2) 지시대명사 such

① 보어

• She claims to be a friend but she is not **such**.

그녀는 친구라고 주장하지만 그런 것은 아니다.

② 앞에 나온 어구(as such 형태)나 문장 지칭

• He is a criminal and must be treated **as such.** (such = a criminal)

그는 범죄자이므로 그렇게 취급되어야 한다.

• I may have hurt his feelings but **such** was not my intention.

(such = I may have hurt his feelings)

내가 그의 기분을 상하게 했을지도 모르지만 그것은 나의 의도가 아니었다.

(3) 지시형용사 such

① 「such A as B」: B와 같은 A

> such A as B = A such as B = A like B

• We like **such** sports **as** baseball, basketball, and soccer.

→ We like sports **such as** baseball, basketball, and soccer.

우리는 야구, 농구, 그리고 축구와 같은 운동을 좋아한다.

② 「such + a[an] + 형용사 + 명사 + that」 = 「so + 형용사/부사 + that」: 너무 ~해서 …하다

• It was **such a beautiful night that** I didn't want to go home.

너무 아름다운 밤이어서 나는 집에 가고 싶지 않았다.

• The little child had **such a fever that** he nearly died.

→ The little child was **so feverish that** he nearly died.

그 어린아이는 너무 열이 나서 거의 죽을 뻔했다.

③ 「such[quite/rather] + a[an] + 형용사 + 명사」 = 「so[too] + 형용사 + a[an] + 명사」
: 아주 ~한 …

- She is **such a great** cook. 그녀는 아주 훌륭한 요리사이다.

(4) 지시대명사 so

① 목적어: 다음과 같은 동사의 목적어 역할을 한다.

do, say, tell, speak, think, suppose, imagine, hope, expect, believe, be afraid

- Will it snow tomorrow? 내일 눈이 오겠습니까?

㉠ I hope **so**.

→ I hope that it will snow tomorrow. 나는 내일 눈이 오기를 바란다.

참 I hope not.

→ I hope that it will not snow tomorrow.
나는 내일 눈이 오지 않기를 바란다.

㉡ I'm afraid **so**.

→ I'm afraid that it will snow tomorrow. (유감이지만) 내일 눈이 올 것 같다.

참 I'm afraid not.

→ I'm afraid that it will not snow tomorrow.
(유감이지만) 내일 눈이 올 것 같지 않다.

② 보어: 보어의 역할을 할 수 있다.

- If airplanes are fast, jets are much more **so**.
만약 비행기들이 빠르다면, 제트기들은 훨씬 더 그렇다.
※ 이 문장에서 so는 fast의 의미를 나타낸다.

③ 「So/Neither + 조동사 + 주어」: '주어도 역시 그러하다'라는 의미를 가지고 있다.

㉠ 긍정

- Beckham speaks French. Beckham은 프랑스어를 말한다.
→ **So** do I. / I do, too. / Me, too. 나도 그렇다.

㉡ 부정

- Beckham doesn't speak French. Beckham은 프랑스어를 말하지 못한다.
→ **Neither**[Nor] do I. / I **don't,** either. / Me, neither. 나도 못한다.

④ 「So/Neither + 주어 + 조동사」: '주어는 그러하다'라는 의미를 가지고 있다.

- You are young. 당신은 젊습니다.
→ **So** I am. (= Yes, I am young.) 그렇습니다. (네, 저는 젊습니다.)
※ '주어도 역시 그러하다'라는 표현과는 구별되면서 두 사람 간의 대화에서 사용되는 표현이다.

POINT CHECK

05 긍정문/부정문에서의 「□□/□□□□□□□□ + 조동사 + 주어」는 '주어도 역시 그러하다'의 의미이다.

| 정답 | 05 So/Neither

POINT CHECK

06 부정대명사 one은 일반적으로 앞에 나오는 「□[□ □]+□□ □□□□」의 반복을 대신한다.

| 정답 | 06 a[an], 단수 보통명사

04 부정대명사

(1) one

① 일반적인 사람을 지칭할 때: one이 일반적인 뜻으로 '사람, 세상 사람, 누구나'와 같이 사용되는 경우이다.

- **One** should learn. 사람은 배워야 한다.
- **One** has one's secret. 누구나 비밀이 있다.

※ one이 막연한 한 사람을 가리키지 않고 어느 특정한 한 사람을 가리킬 때는 his, him, himself 등으로 대신한다.

② 명사의 반복을 피할 때: 「a[an]+단수 보통명사」의 의미로 같은 종류의 물건을 나타낼 때 사용한다.

- If he needs a computer, I will lend him **one.** (a computer → one)
  만약 그가 컴퓨터가 필요하다면, 내가 그에게 한 대 빌려줄 것이다.

  참 I bought a smart phone, but I lost **it.** (a smart phone → it)
  나는 스마트폰을 샀는데, 그것을 잃어버렸다.
  ※ 「a[an]+단수 보통명사」의 경우에도 문맥상 앞에서 언급된 바로 그 물건을 지칭할 때는 지시대명사 it으로 대신한다.
- I don't have a pen. Can you lend me **one**? (a pen → one)
  나는 펜을 가지고 있지 않습니다. 하나 빌려주실 수 있나요?
- A: Do you have the book? 그 책을 가지고 있습니까?
  B: Yes, I have **it.** (the book → it) 네, 제가 그것을 가지고 있습니다.

  참 I had bought a pen, and I have lost **it.** (a pen → it)
  나는 펜을 하나 샀고, 그것을 잃어버렸다.

③ 「성질형용사/지시형용사+one(s)」: 성질형용사나 지시형용사(this, that 등) 다음에 오는 명사의 대용으로 쓰이는데, 단수이면 one, 복수이면 ones를 사용한다.

- Your smart phone is better than this **one.** (one = smart phone)
  당신의 스마트폰은 이것보다 더 좋다.
- His latest movie is more interesting than the preceding **ones.** (ones = movies)
  그의 최신 영화는 이전 것들보다 더 흥미롭다.

④ '~이라는 사람'의 의미로 사용된다.

- I received a complaint from **one** Beckham.
  나는 Beckham이라는 사람으로부터 항의를 받았다.

⑤ '같은 것, 같은 종류의 것'이라는 의미로 사용된다.

- A dog or a cat, that is all **one** to me.
  개나 고양이나, 나에게는 다 매한가지다.
- She is always humming **one and the same** tune.
  그녀는 항상 동일한 곡조를 흥얼거린다.
  ※ one and the same은 '동일한'의 의미로 사용된다.

⑥ one을 사용할 수 없거나 생략하는 경우

㉠ 셀 수 없는 명사(물질 · 추상명사)는 one으로 대신할 수 없다.

O He liked white wine better than red wine.

그는 레드 와인보다 화이트 와인을 더 좋아했다.

X He liked white wine better than red **one**.

➡ wine이 물질명사이기 때문에 one으로 대신할 수 없다.

㉡ 명사/대명사의 소유격 다음이나 「소유격 + own」 다음에는 one을 생략한다.

• My sister's room is larger than **my brother's ~~one~~.**

우리 언니 방이 오빠 방보다 더 크다.

• This room is **my own ~~one~~.**

이 방은 내 방이다.

㉢ 기수나 서수 다음에 one[ones]은 생략한다.

• He had three cards and I had **two ~~ones~~.**

그는 카드를 세 장 갖고 있었고 나는 두 장 갖고 있었다.

㉣ 최상급의 형용사, 「the + 비교급」 뒤의 one은 생략한다.

• I have two dogs; **the bigger ~~one~~** is more friendly than **the smaller ~~one~~**.

나는 개 두 마리가 있다; 더 큰 개가 더 작은 개보다 사람을 더 잘 따른다.

(2) another, other, others

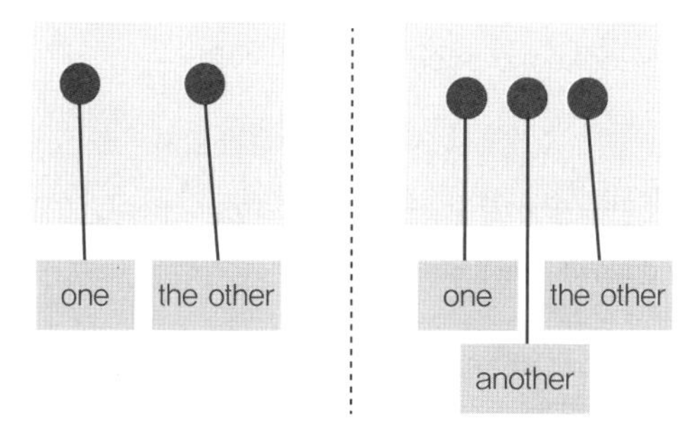

• I have two sons; **one** is a doctor, and **the other** is a teacher.

나는 두 명의 아들이 있다; 한 명은 의사이고, 다른 한 명은 선생님이다.

• I have three brothers; **one** is 5 years old, **another** is 7, and **the other** is 10.

나는 세 명의 형제가 있다; 한 명은 5살이고, 또 다른 한 명은 7살이며, 나머지 한 명은 10살이다.

① another

㉠ 「an + other」의 형태로 단수의 뜻이며, 3개 이상의 복수에서 몇 개를 빼고 남은 것 중의 하나를 가리키는 말이다.

• I have six cars; three of them are blue, **another** is yellow, and **the others** are black.

나는 6대의 자동차를 갖고 있다; 3대는 파란색이고, 다른 한 대는 노란색이며, 그 나머지들은 검정색이다.

POINT CHECK

POINT CHECK

ⓛ another의 다양한 의미

ⓐ one more(하나 더)의 의미로 사용된다.

- We shall have **another** try. 우리는 한 번 더 시도해 볼 것이다.
- Will you have **another** cup of water? 물 한 잔 더 마시겠습니까?

O He is going to stay **another week.** 그는 한 주 더 머물 것이다.

X He is going to stay **another weeks.**

➡ another 뒤에는 단수명사만 올 수 있다.

ⓑ (a) different(다른 (것), 별개의 (것))의 의미로 사용된다.

- It doesn't fit; please show me **another.** 이것은 맞지 않습니다; 다른 것을 보여 주세요.
- There is **another** man in this picture. 이 그림에는 또 다른 사람이 있다.

ⓒ '역시 같은 사람(the same one, a similar one)'의 의미로 사용된다.

- If I am a prince, you are **another.** 내가 왕자이면, 너도 그렇다.

ⓓ 「A is one thing and B is another」: A와 B는 별개의 것이다

- To speak is **one thing and** to listen is **another.**

말하는 것과 듣는 것은 별개이다.

※ 관용표현이므로, another 대신에 the other를 사용하지는 않는다.

ⓔ one another: 서로서로

- They helped **one another** in their work. (셋 이상)

그들은 일하면서 서로서로 도왔다.

참 The players looked at **each other.** (둘 사이)

선수들은 서로서로를 바라봤다.

헷갈리지 말자 서로서로 each other vs. one another

- They are opposite **each other.**
  그들은 서로서로 반대한다.

- They are opposite **one another.**
  그들은 서로서로 반대한다.

➡ one another는 셋 이상에서, each other는 둘 사이에서 '서로서로'의 뜻으로 쓰는 것이 원칙이나, 명확히 구별해서 사용하지는 않는다.

07 셋 이상 중 하나는 one이고, 나머지 전부는 □□□ □□□ □□□(으)로 나타낸다.

② other(s)

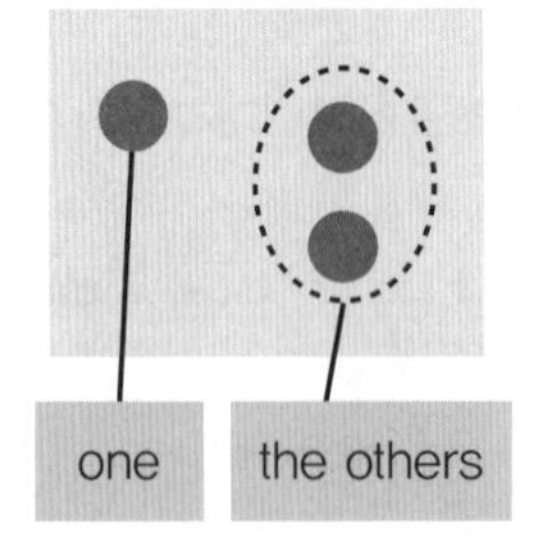

- There are three roses in the vase; **one** is red and **the others** are white.

꽃병에 세 송이의 장미가 있다; 한 송이는 빨간색이고 나머지들은 흰색이다.

| 정답 | 07 the others

● 부정대명사와 부정형용사 비교

부정대명사		부정형용사	
others	다른 것들	other students	다른 학생들
the others	나머지 다른 것들	the other students	나머지 다른 학생들
the other	나머지 다른 하나	the other student	나머지 다른 학생

※ other는 단독으로 부정대명사로 사용할 수 없음에 유의하자.

㉠ 두 개 중에서 하나를 one이라고 하면, 나머지 하나는 특정되므로 the other가 된다.

※ one, the other: 각각 '하나는, 다른 하나는'이라는 의미로 one 이후에 the other이 제시되어야 하므로 독해의 배열 유형에서 중요한 단서가 될 수 있다.

- **One** fed a dog and **the other** fed a cat.
  한 사람은 개에게 밥을 줬고 다른 사람은 고양이에게 밥을 줬다.
- I have two aunts; **one** is in Canada, and **the other** (is) in Japan.
  나에게는 이모가 두 분 계신다; 한 분은 캐나다에, 그리고 다른 한 분은 일본에 계신다.
- He has a white car and a gray car; **the one** is more expensive than **the other.**
  그는 흰색 차와 회색 차가 있다; 전자(흰색 차)가 후자(회색 차)보다 더 비싸다.
  ※ the one, the other는 각각 '전자', '후자'라는 의미로 순서와 관련이 있다.

㉡ one, another[a second], the other: 셋 중 하나하나를 열거할 때 사용한다.

- There are three men. **One** is a farmer, **another** is a teacher, and **the other** is a singer.
  세 남자가 있다. 한 명은 농부이고, 다른 한 명은 교사이며, 나머지 한 명은 가수이다.

㉢ one, another, a third, the other: 넷 중 하나하나를 열거할 때 사용한다.

- There are four flowers in the vase; **one** is rose, **another** is tulip, **a third** is carnation and **the other** is baby's breath.
  꽃병에 꽃이 네 송이 있다; 하나는 장미, 또 다른 것은 튤립, 세 번째는 카네이션, 나머지는 안개꽃이다.

(3) some, any

(전체에서) 어떤 것[사람]들은 some으로, 나머지 중 또 다른 일부는 others로 지칭한다. 나머지 전체는 the others로 나타낸다.

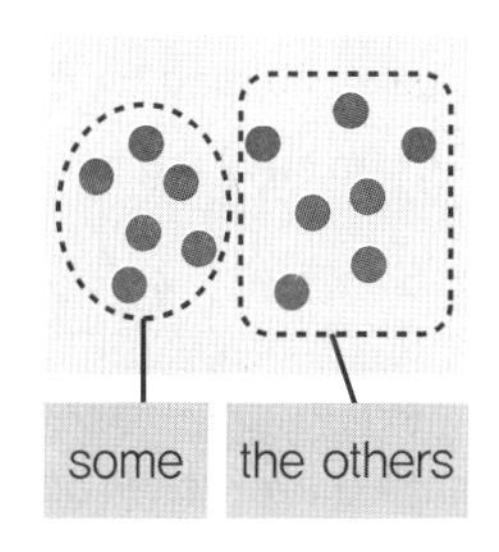

- **Some** like baseball, and **others** like soccer.
  어떤 사람들은 야구를 좋아하고, 다른 사람들은 축구를 좋아한다.
- **Some** are here, and **the others** are there.
  일부 사람들은 여기 있고, 나머지 사람들은 (전부) 저기 있다.

POINT CHECK

08 둘 중의 하나는 one, 나머지 하나는 □□□ □□□□□(으)로 나타낸다.

09 (전체의 일부로서) '어떤 것[사람]들'은 some, '다른 일부의 것[사람]들'은 □□□□□□(으)로 나타낸다.

| 정답 | 08 the other
09 others

POINT CHECK

10 some은 긍정문, 청유문에, any는 부정문, 의문문, □□□에 쓰인다. 단, 긍정문에 any를 사용하는 경우도 있는데, 이는 강조하기 위함이다.

| 정답 | 10 조건문

① some

㉠ 긍정문(some, any): 특정한 것들 중 불특정한 일부를 나타낸다.

- Beckham knows **some** of his classmates.

Beckham은 그의 반 친구들 중 몇 명을 안다.

㉡ 청유문(some): 권유문이나 청유문의 형태에서 긍정적인 대답을 기대하며 사용한다.

- Will you have **some** more? 좀 더 드시겠습니까?

② any

㉠ 긍정문

- You can choose **any** of the computers on the list.

당신은 리스트에 있는 컴퓨터들 중 아무거나 고를 수 있다.

㉡ 부정문

- Beckham doesn't know **any** of his classmates.

Beckham은 그의 반 친구들을 아무도 모른다.

㉢ 의문문(any, some): 단순하게 물어보는 경우 any를 쓰고, 부탁이나 청유의 의도가 있는 경우 some을 사용한다.

- Do you have **any** cash? 당신은 현금이 있나요?

참 Do you have **some** cash? 당신은 현금이 있나요?

※ 빌리려는 의도로 긍정의 대답을 기대하는 의문문 형태의 청유문이다.

㉣ 조건문: 상대방에게 if 등의 조건문의 형태로 물어볼 때는 some 대신 any를 사용한다.

- If you have **any** questions, raise your hand. 질문이 있다면, 손을 들어라.

㉤ 「부정어 + any-」: any를 포함한 anyone, anything 등이 부정어보다 앞에 나와서는 안 된다.

- O I told **nothing** to **anyone**. 나는 어느 누구에게도 아무 말도 안했다.
  O I told **no one anything**.
  O I did **not** tell **anything** to **anyone**.
  O I did **not** tell **anyone anything**.
  X I told **anyone nothing**.
- O Tom was given **nothing** by **anyone**. Tom은 어느 누구로부터도 아무것도 받지 않았다.
  X Tom was given **anything** by **no one**.

(4) none, no

① none: '아무도 ~ 않다' 또는 '어느 것도 ~ 않다'의 의미를 가지고 있다.

- **None** of the people have woken up. (가산명사: 복수)

그 사람들 중 아무도 일어나지 않았다.

- **None** of this furniture is yours. (불가산명사: 단수)

이 가구들 중 어느 하나도 너의 것이 아니다.

※ none은 가산명사와 불가산명사 둘 다로 사용 가능하다. 주어가 「None of + 명사」의 형태일 때, of 뒤의 명사가 단수면 None도 단수 취급하고, of 뒤의 명사가 복수면 None도 복수 취급한다.

· **No one** has woken up. 아무도 일어나지 않았다.

※ no one은 단수 취급한다.

② no: 부정 명사로 '부인, 거부, 불찬성'을 나타낸다. 부정형용사로 쓰이면 「I have ~」, 「There is ~」 문형에서 not any 대신으로 쓰여 '조금도 ~ 아닌'의 뜻을 나타낸다.

· Two **noes** make a yes. 두 번의 거부는 긍정이 된다.

· I have **no** children. 나는 자녀가 없다.

· There is **no** hope. 희망이 조금도 없다.

(5) all, each, every

① all: 단수, 복수 취급 둘 다 가능하며 대명사, 형용사, 부사 역할을 한다.

· **All** of the teachers are supposed to attend the meeting. (대명사)
선생님들 모두는 회의에 참석하기로 되어 있다.

· **All** (the) brothers are tall. (형용사) 모든 남자 형제가 키가 크다.

※ 여기서 All은 형용사로 brothers를 한정한다.

· It was **all** covered with mud. (부사) 그것은 진흙으로 온통 덮여 있었다.

· **All** are well. (복수) 모두 건강하다.

※ 사람을 가리킬 때는 복수 취급한다.

· **All** is well to him. 모든 상황이 그에게 좋다.

※ 「All of the + 명사」가 주어로 쓰이면 of 뒤에 나오는 명사의 수에 따라서 수 일치를 해야 한다.

· All of the books **are** kept. 그 책들 전부는 보관된다.

· All of the bread **is** cheap. 그 빵 전부는 저렴하다.

② each와 every가 형용사로 쓰일 때 뒤에 나오는 명사는 항상 단수명사이며, 동사도 단수로 수 일치시킨다.

· **Each** brother has his own room. 남자 형제는 각각 자신의 방이 있다.

참 **Each** of the brothers has his own room. 남자 형제들 각각은 자신의 방이 있다.

※ 「each of + 복수명사」에서 each는 대명사로 쓰인 것이다.

· She knows **every** student in the school. 그녀는 학교에 있는 모든 학생들을 안다.

③ 「every + 기수 + 복수명사」: = 「every + 서수 + 단수명사」: ~마다 한 번씩

· The Olympics are held **every four years**. 올림픽은 4년마다 한 번씩 개최된다.

= The Olympics are held **every fourth year**.

헷갈리지 말자 every two day vs. every two days

· She takes a shower every two day.

Do's

· She takes a shower **every two days**.

· She takes a shower **every second day**.
그녀는 이틀에 한 번 샤워를 한다.

➡ 형용사 every 뒤에 기수의 수사가 나오는 경우 복수명사가 와야 한다.

· every two days = every second day = every other day

· every three days = every third day

POINT CHECK

11 단독으로 쓰인 all은 사람을 나타낼 때는 복수, 사물을 나타낼 때는 □□ 취급한다.

12 「each/every + 단수명사」는 □□ 취급한다.

| 정답 | 11 단수
12 단수

POINT CHECK

13 의문사는 의문대명사와 의문형용사 그리고 □□□□(으)로 나뉜다.

| 정답 | 13 의문부사

④ each other는 대명사로, 부사의 기능이 없다.

- They love **each other**. 그들은 서로를 사랑한다.

O They take care of themselves **for each other**.

그들은 서로를 위해서 그들 스스로를 돌본다.

X They take care of themselves **each other**.

➡ each other는 대명사의 기능만 하므로, 부사의 역할을 하려면 전명구의 형태가 되어야 한다.

05 의문사

(1) 의문사의 용법

	의문대명사			의문형용사	의문부사	
	주격	소유격	목적격			
사람(person)	who	whose	whom	whose	시간	when
사물(thing)	what/where			–	장소	where
사람/사물	which			what	이유	why
				which	방법	how

의문문을 만드는 who, whom, what, which, when 등을 의문사라고 하며 크게 의문대명사, 의문형용사, 의문부사로 나눈다.

① 의문대명사: who, whom, what 등이 해당된다.

㉠ who: 사람의 성명, 혈족 관계 등을 묻는 의문대명사이다.

- A: **Who** is he? 그는 누구입니까?

  B: He is Beckham, my cousin. 그는 내 사촌 Beckham입니다.

㉡ what: 사람의 직업, 신분 및 사물을 묻는 의문대명사이다.

- A: **What** is he? 그는 직업이 무엇입니까?

  B: He is a soccer player. 그는 축구선수입니다.

㉢ 의문대명사가 주어일 때, do/does나 did와 같은 조동사는 필요 없다.

- **Who** trusts you? 누가 당신을 믿나요?
- **What** makes you believe it?

  당신은 무엇 때문에 그것을 믿나요? (무엇이 당신이 그것을 믿게 하나요?)
- **Where** are you from? 당신은 어디 출신입니까?

  ※ where가 의문대명사로 사용되는 경우, 보통 from이나 to와 같은 전치사의 목적어로 쓰이므로 주의해야 한다.

② 의문형용사: which, what, whose 등이 해당된다.

- **Which** way is the river flowing? 어느 방향으로 강이 흐르고 있나요?
- **What** kind of sports do you like? 어떤 종류의 운동을 좋아하세요?
- **Whose** book is that? 저것이 누구의 책이죠?

※ whose는 의문대명사 who의 소유격이기도 하다.

③ 의문부사: 시간을 묻는 when, 장소를 묻는 where, 이유를 묻는 why, 방법을 묻는 how가 있다.

- **When** are you going to leave? 언제 떠나실 겁니까?
- **Where** shall we meet? 어디서 만날까요?
- **Why** do you study English so hard? 당신은 왜 그렇게 영어를 열심히 공부합니까?
- **How** can you live alone? 어떻게 혼자 살 수 있습니까?
- **When** did he build his house? 그는 언제 그의 집을 지었습니까?
  → He built his house **when.** (의문부사를 부사 취급, 평서문으로 변형)
  → His house was built by him **when.** (수동태로 전환)
  → **When** was his house built by him? (수동태 의문문으로 전환)

(2) 직접의문문과 간접의문문

① 직접의문문: 「의문사 + 동사 + 주어 ~?」의 형태이다.

② 간접의문문: 의문사가 이끄는 절이 다른 문장에 포함되어 종속절이 되면, 그 의문문은 「의문사 + 주어 + 동사」의 형태가 된다.

	직접의문문	간접의문문
의문사가 보어인 경우	Who is that man?	I don't know **who that man is**.
의문사가 목적어인 경우	What does she want?	I don't know **what she wants**.
의문사가 주어인 경우	Who came first?	Ask him **who came first**.
「의문형용사 + 명사」가 목적어인 경우	Which flower do you like better?	Tell me **which flower you like better**.

③ 간접의문문에서 의문사가 문두로 나가는 경우: 동사가 believe, imagine, guess, suppose, think 등의 생각동사일 때는 반드시 의문사를 문두로 도치시킨다. Do you ~?인 경우 의문사를 문두로 이동시키며, Can you ~?는 해당하지 않는다.

- What does she want? 그녀는 무엇을 원합니까?
  → ⭕ Do you know what she wants?
  ※ yes, no의 대답이 가능하다.
  → ⭕ **What** do you **think** she wants?
  → ❌ Do you think what she wants?

(3) 수사의문문

① 수사의문문: 자신의 생각을 강하게 드러내기 위해서 반어적인 의문문 형식으로 표현하는 것이다.

- **Who knew?** (수사의문문) 누가 알았겠는가?
  = Nobody knew. (평서문) 아무도 몰랐다.
- **Who does not know the country?** 누가 그 나라를 모릅니까?
  = Everybody knows the country. 모두가 그 나라를 알고 있다.

POINT CHECK

14 간접의문문은 「의문사 + □ □ + □ □」의 어순으로 나타낸다.

| 정답 | 14 주어, 동사

POINT CHECK

15 평서문 끝에 추가되는 부가의문문은 「□□+□□?」 형태이다.

| 정답 | 15 동사, 주어

② 일반적으로 수사의문문이 긍정이면 평서문은 부정, 부정이면 평서문은 긍정의 의미를 갖는다.

- **Who** is there but desires happiness?
  행복을 원하지 않는 사람이 어디 있겠습니까?
  = There is nobody but desires happiness. (but은 주격 유사관계대명사로 「that ~ not」의 뜻)
  = Who is there that does not desire happiness? (형용사절)
  = There is nobody that does not desire happiness. (형용사절)
  = Everybody desires happiness. 모든 사람은 행복을 원한다.

(4) 부가의문문 암기문법

① 주로 구어체에서 쓰이며, 앞 절이 긍정이면 부정의 부가의문문을 사용하고, 앞 절이 부정이면 긍정의 부가의문문을 사용한다. 부가의문문의 주어는 항상 대명사로 쓰며, 동사와 not은 축약형으로 사용한다. 앞 절의 동사가 be동사일 때는 be동사를, 조동사일 때는 조동사를, 일반동사일 때는 do동사를 사용한다.

- He is a doctor, **isn't he**? 그는 의사야, 그렇지 않니?
- She can't swim, **can she**? 그녀는 수영을 못해, 그렇지?

O Beckham has a house, **doesn't he**? Beckham은 집을 갖고 있어, 그렇지 않니?

X Beckham has a house, **hasn't he**?

➡ 주절의 has는 일반동사로 '가지고 있다'의 뜻이므로 do동사로 부가의문문을 만들어야 한다.

② 완료 시제 문장에서는 have 동사를 사용한다.

- You've been to L.A., **haven't you**?
  당신은 L.A.에 가 본 적이 있죠, 그렇지 않나요?

③ have to나 has to는 have 대신 do를 사용한다.

- He has to get up early, **doesn't he**?
  그는 일찍 일어나야겠네요, 그렇지 않나요?

④ 조동사 should나 ought to는 반드시 「shouldn't + S?」의 형태로 쓴다.

- He should study harder, **shouldn't he**?
  그는 공부를 더 열심히 해야 해, 그렇지 않니?

⑤ 명령문의 부가의문문은 주절이 긍정이든 부정이든 언제나 will you?로 쓴다. 단, 권유의 뜻으로 쓰인 명령문은 won't you?를 사용한다.

- Do it again, **will you**? 다시 해 보세요, 그럴 거죠?

⑥ 앞 절에 부정어 no, nothing, seldom, hardly, scarcely 등이 있으면 부가의문문은 긍정으로 쓴다.

- He seldom visits you, **does he**? 그는 거의 당신을 방문하지 않아요, 그렇죠?

⑦ 청유문의 부가의문문은 항상 shall we?로 쓴다.

- Let's drink to our health, **shall we**? 우리의 건강을 위해서 건배합시다, 그럴까요?

⑧ 기타 부가의문문

- He's doing his best, **isn't he**? 그는 최선을 다하고 있어, 그렇지 않니?
- You'd better leave at once, **hadn't you**? 너는 이만 떠나는 게 좋겠다, 그렇지 않니?
  ※ 여기서 You'd는 You had의 축약형이며 had better의 부가의문문은 「hadn't + S?」이다.

06 소유대명사

소유대명사는 mine, ours, yours 등을 의미하며, 「소유격 + 명사」를 대신한다.

• This dictionary is **mine.** (= my dictionary)
이 사전은 나의 것이다.

(1) 이중소유격

한정사 no, a[an], this, that, these, any, some, another, which 등과 인칭대명사의 소유격을 함께 쓸 때는 다음과 같은 형태를 취한다.

no/a[an]/this/that/these/any/some/another/which + 명사 + of + 소유대명사

a book of yours	당신의 책 한 권	that bag of his	그의 저 가방
some money of hers	그녀의 돈 일부	another car of theirs	그들의 또 다른 차

• She is **a friend of mine.** 그녀는 내 친구 중 한 명이다.
• **This book of his** has become popular. 그의 책 중에 이 책이 인기를 얻고 있다.

O He is **an old friend of my father's.** 그는 우리 아버지의 오랜 친구이다.
X He is **a my father's old friend.**
➡ 관사와 소유격은 나란히 쓸 수 없다.

(2) 비교 표현에서 비교 대상에 중복되는 명사가 있으면 소유대명사를 활용한다.

① 「as + 원급 + as」
• Your hand is **as big as mine.** (mine = my hand)
당신의 손은 나의 것만큼 크다.

② 「비교급 + than」
• My hair is **brighter than yours.** (yours = your hair)
내 머리카락은 당신의 것보다 더 밝다.

③ be different from
• Her opinion **is different from theirs.** (theirs = their opinion)
그녀의 의견은 그들의 것과 다르다.

④ 「compare A with B」
• Don't **compare** your circumstances **with mine.** (mine = my circumstances)
당신의 상황을 나의 것과 비교하지 마라.

POINT CHECK

16 관사와 소유격을 함께 쓸 때는 □□□□□을(를) 사용한다.

| 정답 | 16 이중소유격

02 대명사

[01~10] 다음 중 어법상 옳은 것을 고르시오.

01 His father lent him a book but he lost [it / them].

02 This bag is his and that bag is [my / mine].

03 Jack found [it / that] easy to use the machine in the forest.

04 [It / That] is rainy today.

05 Romance is one thing and marriage is [other / another].

06 The price of the shirt is higher than [it / that] of the skirt.

07 As soon as he lost one of his shoes, he threw [the other / another].

08 John availed [him / himself] of the water.

09 [It / That] is very difficult to develop a new thing.

10 The animals in the zoo are freer than [that / those] in other zoos.

정답&해설

01 it

| 해석 | 그의 아버지가 그에게 책 한 권을 빌려주셨는데 그는 그것을 잃어버렸다.

| 해설 | 대명사가 가리키는 대상인 'a book'은 단수이므로 단수 대명사 'it'을 사용하는 것이 옳다.

02 mine

| 해석 | 이 가방은 그의 것이고 저 가방은 내 것이다.

| 해설 | 'mine'은 소유대명사로 보어로 사용될 수 있으나 'my'는 소유격 인칭대명사로 보어로 사용할 수 없다.

03 it

| 해석 | Jack은 숲에서 그 기계를 사용하는 것이 쉽다는 것을 알아냈다.

| 해설 | 대명사 'it'은 가목적어로 사용할 수 있으나 대명사 'that'은 가목적어로 사용할 수 없다.

04 It

| 해석 | 오늘은 비가 온다.

| 해설 | 대명사 'it'은 날씨를 나타내는 비인칭주어로 사용할 수 있으나 대명사 'that'은 날씨를 나타내는 비인칭주어로 사용할 수 없다.

05 another

| 해석 | 연애와 결혼은 별개의 것이다.

| 해설 | 'A is one thing and B is another'는 관용표현으로 'A와 B는 별개의 것이다'를 뜻한다. 따라서 'another'가 정답이며 'other'는 단독으로 사용할 수 없다는 점에 유의한다.

06 that

| 해석 | 셔츠의 가격은 스커트의 그것(가격)보다 더 비싸다.

| 해설 | 한 문장 안에서 앞서 나온 명사가 「the + 명사」로 반복되고 한정어구의 수식을 받을 때 「the + 명사」는 'that/those'로 대신한다. 여기서는 단수인 'the price'를 대신해야 하므로 단수 대명사인 'that'이 알맞다.

07 the other

| 해석 | 그는 신발 한 짝을 잃어버리자마자 다른 한 짝을 던져 버렸다.

| 해설 | 신발은 두 짝이므로 대명사 'one'과 'the other'를 사용하는 것이 옳다.

08 himself

| 해석 | John은 물을 이용하였다.

| 해설 | 「avail + 재귀대명사 + of」는 관용표현으로 '~을 이용하다'를 뜻한다.

09 It

| 해석 | 새로운 것을 개발한다는 것은 매우 어렵다.

| 해설 | 대명사 'it'은 가주어로 사용할 수 있으나 대명사 'that'은 가주어로 사용할 수 없다.

10 those

| 해석 | 그 동물원에 있는 동물들은 다른 동물원에 있는 그것들(동물들)보다 더 자유롭다.

| 해설 | 비교급 문장에서 반복되는 대상이 복수명사 'the animals'이므로 복수대명사 'those'를 사용하는 것이 옳다.

[11~20] **다음 중 어법상 옳은 것을 고르시오.**

11 The exhibition is held every three [year / years].

12 John likes Jane's horse but she doesn't like [his / him] horse.

13 [It / That] is about three o'clock.

14 I don't know who [are you / you are].

15 The quality of the cake is not so good as [it / that] of the muffin.

16 These areas are mine but one of [that / them] is yours.

17 The teacher found [it / that] his duty to help his students feel interested in English.

18 He accustomed [him / himself] to the rule.

19 Every book in this room is [your / yours].

20 Until the meeting starts, the main topics of [it / them] will be kept confidential.

11 **years**

| 해석 | 그 전시회는 3년마다 한 번씩 개최된다.

| 해설 | 「every + 기수」 뒤에는 복수명사가 온다. 따라서 'years'가 정답이다.

12 **his**

| 해석 | John은 Jane의 말을 좋아하지만 그녀는 그의 말을 좋아하지 않는다.

| 해설 | 'his'는 소유격 인칭대명사로 명사를 수식할 수 있으나 'him'은 목적격 인칭대명사로 명사를 수식할 수 없다.

13 **It**

| 해석 | 대략 세 시이다.

| 해설 | 대명사 'it'은 시간을 나타내는 비인칭주어로 사용할 수 있으나 대명사 'that'은 시간을 나타내는 비인칭주어로 사용할 수 없다.

14 **you are**

| 해석 | 나는 당신이 누구인지 모른다.

| 해설 | 해당 문장에서 'who'는 불완전자동사 'are'의 주격 보어절을 이끄는 의문대명사로 사용되었다. 의문대명사가 이끄는 절이 문장에서 간접의문문으로 사용되는 경우 「의문사 + 주어 + 동사」의 어순으로 사용되므로 'you are'가 적절하다.

15 **that**

| 해석 | 그 케이크의 품질은 그 머핀의 그것(품질)만큼 좋지 않다.

| 해설 | 한 문장 안에서 앞서 나온 명사가 「the + 명사」로 반복되고 한정어구의 수식을 받을 때 「the + 명사」는 'that/those'로 대신한다. 여기서는 'the quality'를 대신해야 하므로 단수대명사 'that'이 알맞다.

16 **them**

| 해석 | 이 지역들은 내 것이지만 그것들 중 하나는 너의 것이다.

| 해설 | '~ 중 하나'는 「one of + 복수(대)명사」로 표현하므로 'them'이 정답이다.

17 **it**

| 해석 | 그 선생님은 그의 학생들이 영어에 흥미를 느끼도록 돕는 것이 자신의 의무라는 것을 알았다.

| 해설 | 대명사 'it'은 가목적어로 사용할 수 있으나 대명사 'that'은 가목적어로 사용할 수 없다.

18 **himself**

| 해석 | 그는 그 규칙에 익숙해졌다.

| 해설 | 「accustom + 재귀대명사 + to」는 관용표현으로 '~에 익숙해지다'를 뜻한다.

19 **yours**

| 해석 | 이 방에 있는 모든 책은 너의 것이다.

| 해설 | 소유격 'your'는 명사 없이 단독으로 쓸 수 없으므로 동사 'is'의 보어로는 소유대명사 'yours'를 써야 한다.

20 **it**

| 해석 | 회의가 시작될 때까지, 그것의 주요 안건들은 기밀로 유지될 것이다.

| 해설 | 가리키는 대상이 'the meeting'이므로 단수대명사 'it'을 사용하는 것이 옳다.

02 대명사

교수님 코멘트▶ 대명사는 명사와 직접적인 관련이 있는 영역이다. 특히, 영어는 대명사에 수를 포함한 개념을 반드시 제시하므로 수 일치 문제 등에 주의해야 한다.

01

우리말을 영어로 잘못 옮긴 것을 고르시오.

① 그들은 그의 정직하지 못함을 비난했다.
→ They charged him with dishonesty.

② 그 사건은 심각한 양상을 띠기 시작했다.
→ The incident began to assume a serious aspect.

③ 언제 당신이 그녀의 어머니를 방문하는 것이 편하시겠습니까?
→ When will you be convenient to visit her mother?

④ 당신의 도움 덕분에 우리는 그 문제를 쉽게 해결할 수 있었습니다.
→ Thanks to your help, we were able to fix the problem with ease.

02

다음 우리말을 영어로 옮긴 것으로 옳지 않은 것은?

① 영어를 배우는 것은 결코 쉬운 일이 아니다.
→ It is by no means easy to learn English.

② 비록 가난하지만 그녀는 정직하고 부지런하다.
→ Poor as she is, she is honest and diligent.

③ 사업에서 신용만큼 중요한 것은 없다.
→ Everything in business is so important as credit.

④ 그 남자뿐만 아니라 너도 그 실패에 책임이 있다.
→ You as well as he are responsible for the failure.

---

01 가주어-진주어 구문

③ 'convenient'는 사람을 주어로 쓸 수 없기 때문에 가주어 'it'을 쓰고 의미상 주어를 사용해야 한다. 즉, 'will you be convenient'는 'will it be convenient for you'가 되어야 한다. 참고로 'necessary, natural, difficult, easy, hard' 또한 사람을 주어로 사용할 수 없는 형용사들이다.

| 오답해설 | ① 「charge A with B」는 'A를 B로 비난하다'라는 뜻을 가지고 있다.
② 'begin'은 to부정사, 동명사 둘 다 목적어로 사용할 수 있다.
④ 'thanks to'는 '~ 덕분에, ~ 때문에'라는 뜻으로 뒤에 명사(구)가 와야 한다.

02 최상급 대용 표현, 가주어-진주어 구문

③ 'Everything'은 '없다'라는 뜻의 'Nothing'이 되어야 문법상 올바르다. 「no(t) ~ so + 원급 + as」의 원급 비교 구문으로 최상급의 의미를 나타내는 표현이다.

| 오답해설 | ① 'It'은 가주어이고 'to learn English'가 진주어이다. 'by no means'는 '결코 ~이 아닌'의 의미로 not과 같은 뜻으로 바르게 쓰였다.
② 종속접속사 'as'가 종속절 안에서 형용사 뒤에 쓰일 경우 '~에도 불구하고'라는 뜻으로 사용된다.
④ 「A as well as B」는 'B뿐만 아니라 A도'라는 뜻으로 사용된다. 이때 동사의 수는 A에 일치시키므로 동사 'are'의 쓰임은 올바르다.

03

다음 중 어법상 옳지 않은 것은?

① The people in the United States speak the same language as those in Great Britain.

② However, American English is different from British English in many ways.

③ First, the sounds of American English are different from that of British English.

④ For example, most Americans pronounce 'r' in the word 'car' but most British people do not.

---

03 비교급 문장에서 반복되는 명사를 대신하는 that/those

③ 비교 대상이 'the sounds'이기 때문에 'that'이 아니라 복수형인 'those'를 사용해야 한다.

| 오답해설 | ① 비교 대상이 'The people in the United States'와 'those in Great Britain'이다. 'those'는 'the people'을 대신한다.

② 'be different from'은 '~와 다르다'라는 뜻으로 사용되며, 전치사(from) 뒤에는 명사(구)를 수반한다.

④ 이 문장에서 반복되는 동사는 대동사로 대신한다. 반복되는 동사가 현재시제의 일반동사인 'pronounce'이고 주어 'most British people'이 복수이므로 'do'로 대신해야 한다. 이 문장에서는 부정의 의미이므로 'do not'이 옳게 쓰였다.

| 해석 | ① 미국에 있는 사람들은 영국에 있는 사람들과 같은 언어를 말한다.

② 그러나, 미국식 영어는 여러 면에서 영국식 영어와 다르다.

③ 첫째, 미국식 영어의 소리는 영국식 영어의 소리와 다르다.

④ 예를 들면, 대부분의 미국인들은 'car'라는 단어의 'r'을 발음하지만 대부분의 영국인들은 발음하지 않는다.

04

밑줄 친 부분 중 어법상 옳지 않은 것은?

Low-balling describes the technique where two individuals arrive at an agreement and then one increases the cost to be incurred by ① another. For example, after the consumer has agreed ② to purchase a car for $8,000, the salesperson begins to add on $100 for tax and $200 for tires. These additional costs might ③ be thought of as a low ball ④ that the salesperson throws the consumer.

---

04 one-the other의 쓰임

① 'the other'는 여러 개의 사물들 또는 사람들 중 마지막 나머지 하나 또는 한 명을 가리키는 부정대명사이며, 'another'는 여러 개의 사물들 또는 사람들 중 어느 또다른 하나 또는 한 명을 가리키는 부정대명사이다. 해당 문장은 'two individuals'를 통해 사람이 2명임을 알 수 있으며, 밑줄 친 'another'이 있는 절의 주어에 'one'을 사용하였으므로 '나머지 한 명'을 지칭할 때는 'the other'을 써야 한다. 따라서 'another'를 'the other'로 수정해야 한다.

| 오답해설 | ② 'agree'가 '찬성하다', '합의를 보다'를 뜻하는 경우 목적어로 to부정사를 사용할 수 있다. 따라서 밑줄 친 'to purchase'는 옳은 표현이다.

③ 「think of A as B」는 'A를 B로 생각하다'라는 의미의 관용표현으로, 수동태의 경우 「A be thought of as B」의 형태를 사용한다. 따라서 밑줄 친 'be thought' 뒤에 'of as B'에 해당하는 'of as a low ball'이 왔으므로 'be thought'는 옳은 표현이다.

④ 밑줄 친 'that'은 목적격 관계대명사로 선행사는 'a low ball'이며 수여동사 'throws'의 직접목적어에 해당한다.

| 해석 | 가격을 과소 산정하는 것은 두 명이 합의를 한 다음, 한 명이 상대방에 의해 초래될 비용을 증가시키는 기술을 말하는 것이다. 예를 들어, 소비자가 8천 달러를 주고 자동차를 구매하기로 합의를 본 다음, 판매자가 세금으로 100달러, 그리고 타이어 가격으로 200달러를 추가하기 시작한다. 이러한 추가 비용은 판매자가 소비자에게 던지는 낮은 공으로 생각될 수 있을 것이다.

| 정답 | 01 ③ 02 ③ 03 ③ 04 ①

05

2015 기상직 9급

다음 중 밑줄 친 one이 어법상 어색한 것은?

① My lab coat needs cleaning. I'd like to borrow one this time.

② I need to buy a workbook. Would you recommend one?

③ My dad has a German dictionary and you can use one.

④ I'd like to buy a vacuum cleaner, so would you show me one?

06

2016 지방교육행정직 9급

다음 밑줄 친 부분 중 어법상 옳지 않은 것을 고르시오.

Indeed, it is the nature of men ① that whenever they see profit, they cannot help chasing after ② them, and whenever they see harm, they cannot help running away. To illustrate, when the merchant engages in trade and travels twice the ordinary distance in a day, ③ uses the night to extend the day, and covers a thousand miles without considering it too far, it is ④ because profit lies ahead.

---

05 지시대명사 one vs. it

③ 영어에서 대명사 'one'은 '특정하지 않은 한 개의 명사'를 가리키기 위해 사용된다. 해당 문장의 경우 앞에 나온 아버지가 가지고 있는 독일어 사전, 즉 '특정한 한 개의 명사'를 가리키므로 'it'을 사용해야 한다.

|오답해설| ① one = another lab coat which is not mine

② one = a workbook I need to buy

④ one = a vacuum cleaner

| 해석 | ① 내 실험복을 세탁해야 해요. 이번에는 하나 빌리고 싶은데요.

② 나는 문제집을 한 권 사야 해요. 한 권 추천해 주시겠어요?

③ 우리 아버지가 독일어 사전을 한 권 가지고 계시니까 너는 그것을 사용하면 돼.

④ 진공청소기를 하나 사고 싶은데, 하나 보여 주시겠어요?

06 대명사 수 일치, 가주어-진주어 구문

② 'them'은 'profit'을 지칭하는 것이어야 하므로 단수인 'it'으로 고쳐 써야 한다.

|오답해설| ① 밑줄 친 부분은 진주어절을 이끄는 'that'이 바르게 사용되었다.

③ 'uses'는 단수 주어 'the merchant'에 연결되는 단수동사로 옳게 사용되었다. 또한 동사 'engages', 'travels', 'uses', 'covers'가 병렬 구조를 이루고 있다.

④ 접속사 'because' 이후가 완전한 절의 형태를 이루고 있으므로 'because'의 사용은 올바르다. 단, 이 문장에서는 보어절을 이끄는 종속접속사로 쓰였는데, 이러한 형태는 주로 비격식체 문장에서 볼 수 있다.

| 해석 | 실제로 이익을 볼 때면 쫓을 수밖에 없고, 손해를 볼 때면 도망갈 수밖에 없는 것이 인간의 본성이다. 예를 들면, 상인이 장사에 임하여 하루에 정상적인 거리의 두 배를 여행하고, 하루를 연장하기 위해 밤을 사용하며, 너무 멀다 생각하지 않고 수천 마일을 이동할 때, 이는 앞에 이익이 놓여 있기 때문이다.

07

2017 국회직 8급

Which of the following best completes the blanks (A) and (B)?

> Since ___(A)___ creation, the Community of Democracies has aspired to actively engage in the promotion of democratic values and practices, whether through supporting countries in ___(B)___ first steps in the democratic world or helping experienced democracies with challenges and dilemmas. The Community realizes this mission by providing and supporting series of initiatives and mechanisms alongside its participating states and its partners.

	(A)	(B)
①	its	our
②	their	their
③	its	its
④	their	its
⑤	its	their

08

2018 국회직 9급

다음 밑줄 친 부분 중 어법상 옳지 않은 것은?

> Democracy, after all, is not just ① a set of practices but a culture. It lives not only ② in so formal mechanisms as party and ballot ③ but in the instincts and expectations of citizens. Objective circumstances – jobs, war, competition from abroad – shape ④ that political culture, but ⑤ so do the words and deeds of leaders.

---

07 대명사의 수 일치

⑤ (A)에는 가리키는 대상이 단수명사 'the Community of Democracies'이므로 단수 대명사 'its'가 와야 하고, (B)에는 복수명사 'countries'를 지칭하는 복수 대명사 'their'를 사용해야 한다.

| 해석 | 그것이 창설된 후로, 민주주의 세계로 진입하는 그들의 첫 단계에 있는 국가들을 지원하는 것을 통해서든 또는 도전과 딜레마를 가진 경험 많은 민주주의 국가들을 돕는 것을 통해서든 간에 민주주의 공동체는 민주주의적인 가치와 관행의 촉진에 적극적으로 참여하기를 갈망해 왔다. 이 공동체는 참여 국가들 및 협력자들과 함께 일련의 계획들과 기구들을 제공하고 지원함으로써 이러한 임무를 실현한다.

08 「such A as B」

② 「such A as B」는 'B와 같은 A'를 뜻한다. 여기서는 문맥상 'such'가 들어가야 할 위치에 'so'를 사용하였으므로 'so'를 'such'로 고쳐야 한다.

|오답해설| ① 가산명사의 단수형 'culture' 앞에 부정관사 'a'를 옳게 사용하였고, 「not just A but B」 구문도 알맞게 쓰였다.

③ 「not only A but (also) B」 구문에서 A와 B가 장소를 뜻하는 부사구로 병렬 구조를 이루고 있다.

④ 'that'은 지시형용사로서 명사 'culture'를 한정하므로 옳다.

⑤ '~ 역시 그러하다'라는 의미로 「so + 동사 + 주어」를 바르게 사용하였다.

| 해석 | 결국 민주주의는 단지 한 세트의 관습이 아니라 하나의 문화이다. 민주주의는 정당이나 투표 같은 공식적 장치에서뿐만 아니라, 시민들의 직관과 기대 속에서 살아간다. 일자리, 전쟁, 해외와의 경쟁 등 객관적인 상황이 그러한 정치 문화를 형성하며, 지도자의 말과 행동 역시 마찬가지이다.

| 정답 | 05 ③ 06 ② 07 ⑤ 08 ②

09

다음 중 어법상 옳은 것은?

① These two boys helped one another.
② I met a friend of him yesterday.
③ My brothers are both abroad; one lives in England and the other in Sweden.
④ Both of his parents is dead.

09 one–the other의 쓰임

③ 두 개 중 하나는 'one', 나머지 하나는 'the other'로 지칭한다.

| 오답해설 | ① 'one another'는 셋 이상일 때 '서로서로'라는 의미로 사용한다. 따라서 'one another'는 둘 사이에서 '서로'를 의미하는 'each other'로 고쳐져야 한다. 단, 현대영어에서는 'one another'와 'each other'를 명확하게 구분하지 않는 경향이 있다.
② 이중소유격은 「a[an] + 명사 + of + 소유대명사」로 쓴다. 즉, 'a friend of him'은 'a friend of his'가 되어야 알맞다.
④ 'both(둘 다)'는 복수 개념으로 사용된다. 'both' 뒤에는 반드시 복수명사가 오며 복수 취급한다. 따라서 동사도 'is'가 아닌 'are'가 되어야 한다.

| 해석 | ① 이 두 소년들은 서로를 도왔다.
② 나는 어제 그의 친구 중 한 명을 만났다.
③ 나의 형제들은 둘 다 해외에 있는데, 한 명은 영국에 살고 다른 한 명은 스웨덴에 산다.
④ 그의 부모님은 두 분 다 돌아가셨다.

10

다음 밑줄 친 표현 중 틀린 것을 고르시오.

Supermarkets encourage us to buy ① on impulse. When we enter, we generally move in the direction the store chooses, down the "power" aisle. This aisle ② is crowded with sale items, although non-sale items may be casually displayed as well. Displays that are placed mid-aisle will ③ slow us down. The more costly merchandise is placed at ④ eye level when shoppers look first.

10 관계부사 where

④ '소비자들이 제일 먼저 보는 눈높이'는 어떤 특정한 위치를 의미하므로 'when'의 사용은 올바르지 않다. 따라서 관계부사절을 이끄는 것은 'when'이 아니라 'where'여야 한다.

| 오답해설 | ① '충동적으로'라는 뜻으로 사용된다.
② '~으로 가득 차 있다'라는 뜻으로 사용된다.
③ 「타동사 + 부사」 형태의 타동사구가 대명사를 목적어로 취하는 경우 「타동사 + 대명사 + 부사」의 형태로 쓴다. 밑줄 친 'slow us down'은 「타동사 + 부사」의 형태인 타동사구 'slow down'이 대명사 목적어 'us'를 취한 형태로 옳게 사용되었다.

| 해석 | 슈퍼마켓은 우리에게 충동구매를 부추긴다. (슈퍼마켓에) 들어서면, 우리는 일반적으로 그 상점이 선정하는 방향, 즉 "구매력이 강한" 통로(구매력을 높이려고 만든 진열 형태)를 따라 이동한다. 이 통로에는, 할인 판매하지 않는 품목들이 우연히 진열되어 있을 수도 있겠지만, 할인 판매 품목들로 꽉 차 있다. 통로 중간에 진열된 상품들은 우리가 장보는 속도를 떨어뜨릴 것이다. 더 비싼 상품은 소비자들이 제일 먼저 보는 눈높이에 놓여 있다.

| 정답 | 09 ③ 10 ④

CHAPTER

03 관사

□ 1회독	월	일
□ 2회독	월	일
□ 3회독	월	일
□ 4회독	월	일
□ 5회독	월	일

VISUAL G

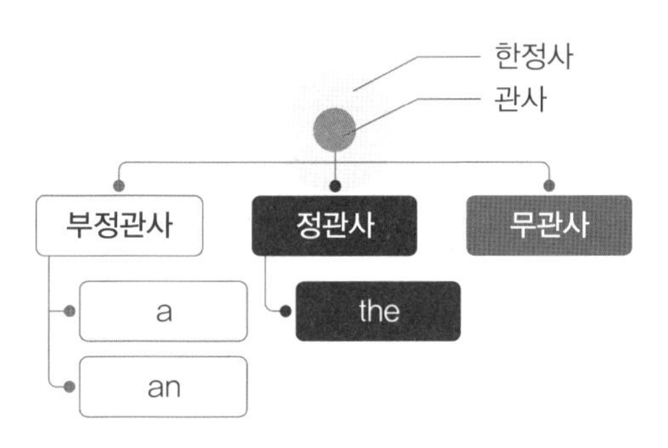

01 부정관사

(1) 부정관사 a[an]의 쓰임

① 하나의 명사 앞에서 개수 '하나'를 의미한다.

- Rome was not built in **a** day.

  로마는 하루아침에 만들어지지 않았다.

② another: 「a[an] + 서수」인 경우, '또 다른 하나'를 의미한다.

- Habit is **a** second nature.

  습관은 또 다른 하나의 천성이다.

  ※ '두 번째'의 의미로 쓰려면 the second, 즉 「정관사(the) + 서수」의 형태로 써야 한다.

③ a certain: '어떤'을 의미한다.

- Do you have **a** Beckham in your office?

  사무실에 Beckham이라는 사람이 있나요?

  ※ 「a[an] + 고유명사」인 경우, 여러 고유명사들 중 '어떤'이라는 의미이다.

④ 종류 중 하나: 흔히 직업을 의미할 때도 사용된다.

- He became **a** famous singer.

  그는 유명한 가수가 되었다.

POINT CHECK

01 셀 수 있으나 구체적이지 않고 막연하게 정해지지 않은 명사의 단수형 앞에는 □/□ □이(가) 온다.

| 정답 | 01 a/an

POINT CHECK

⑤ 대표 단수: 「a[an]+단수 보통명사」는 그 종족을 대표하는 의미로 사용된다.

- **A** dog is a friendly animal. 개는 친근한 동물이다.

⑥ per, each: a[an]이 시간, 거리, 금액을 나타내는 명사와 같이 쓰여서 '각 ~마다', '~당'의 의미를 가진다.

- He rode 60 miles **an** hour. 그는 시간당 60마일로 달렸다.

⑦ 불가산명사를 가산명사화할 때 a[an]을 사용한다.

㉠ 고유명사의 보통명사화

- She is **a** Madonna. (~와 유사한 사람) 그녀는 마돈나와 비슷하다.

㉡ 추상명사의 보통명사화

- We had **a** great time. (일반명사화) 우리는 멋진 시간을 보냈다.

㉢ 물질명사의 보통명사화

- I had **a** good dinner. 나는 훌륭한 저녁 식사를 했다.

⑧ the same: '같은, 동일한'을 의미한다.

- We are of **a** mind. 우리는 같은 생각을 가지고 있다.
- They are of **an** age. 그들은 동갑이다.
- Two of **a** trade usually agree. 같은 장사끼리는 보통 마음이 맞는다.
- Birds of **a** feather flock together. 유유상종

● 관사를 포함한 관용표현

a lot of	많은 수[양]의	a few	몇 개의
a large amount of	많은 양의	a little	약간의
a great deal[quantity] of	많은 양의	in a measure	다소
a great number of	많은 수의	to a degree	어느 정도
a series of	일련의	at a distance	조금 떨어져서
from a distance	멀리서	in the distance	멀리서
a grain of	한 알의, 낟알의	an armful of	한 아름의

02 정관사

02 '그/저'라는 의미로 범위를 한정하거나 특정한 명사를 지칭할 때는 □□□을(를) 사용한다.

(1) 정관사 the의 쓰임

① 앞에 나온 명사를 반복할 때 사용한다.

- I have a car. **The** car is a white RV. 나는 차 한 대가 있다. 그 차는 하얀색 RV이다.

② 수식어가 특정 명사를 뒤에서 수식할 때, 명사 앞에 붙인다.

- She has **the** wisdom of Solomon. 그녀는 솔로몬의 지혜가 있다.

③ 대화의 청자와 화자가 서로 알고 있는 명사를 지칭할 때 사용한다.

- Please open **the** door. 문을 열어 주세요.
- A: Where is **a** post office? 우체국이 어디 있어요?
  B: **The** post office is near **the** church. 우체국은 교회 근처에 있어요.

| 정답 | 02 the

④ 종족을 대표할 때 사용한다.

- **The** dog smells well. 개는 냄새를 잘 맡는다.

헷갈리지 말자 종족 대표 the dog vs. a dog

- **The dog** is a useful animal.
 개는 유용한 동물이다.

- **A dog** is a useful animal.
 개는 유용한 동물이다.

➡ 종족 대표를 의미할 때 정관사와 부정관사 둘 다 사용할 수 있다.

⑤ 단위명사 앞에 사용한다.

- Sugar is sold by **the** pound.
 설탕은 파운드로 팔린다.

⑥ 유일무이한 존재 앞에 사용한다.

the Sun, **the** Moon, **the** Earth, **the** sea, **the** sky, **the** universe, **the** galaxy

⑦ 최상급, 서수, only, same, very, late 등이 명사를 수식하는 경우 그 앞에 정관사가 온다.

- Spring is **the** best season for love.
 봄은 사랑하기에 최고의 계절이다.
- **The** late Mr. Kim was the strong leader.
 고인이 된 Kim 씨는 강한 지도자였다.

⑧ 기계, 발명품, 악기명 앞에 사용한다.

- It is said that **the** steam engine was invented by James Watt.
 증기 기관은 James Watt에 의해 발명되었다고 한다.
- He plays **the** guitar well.
 그는 기타를 잘 연주한다.

⑨ 「가격동사 + 사람(목적어) + 전치사 + the + 신체 부위」: ~의 신체 부위를 …하다 📖암기문법

주어 + catch/pull/take/seize/hold + 사람 + by the + 잡을 수 있는 신체/옷의 일부분(hand/sleeve/collar...)

- He **caught** his fiancée **by the hand.** 그는 자신의 약혼녀의 손을 잡았다.

⭕ She seized him **by the collar.** 그녀는 그의 옷깃을 잡았다.

❌ She seized him **by his collar.**

➡ 신체 부위 앞에는 소유격을 쓰는 것이 원칙이나, 목적어를 통해 대상물이 확인된 경우에는 소유격이 아니라 'the'를 써서 「the + 신체 부위」로 표현한다.

주어 + strike/pat/tap/punch/touch/kiss/hit/beat + 사람
+ on the + 두드릴 수 있는 신체의 일부분(shoulder/back/ear...)

- He **kissed** his baby **on the cheek.**
 그는 그의 아기의 볼에 입맞춤했다.

POINT CHECK

03 동사가 hold, hit, look이고 목적어가 사람일 때, 그 사람의 신체의 □□□을(를) 나타내는 명사 앞에는 정관사 the를 사용한다.

| 정답 | 03 일부분

POINT CHECK

04 「the + 형용사/분사」가 복수 보통명사를 의미하면 □□ 취급한다.

05 강, 바다, 선박, 해협, 운하, 반도, 군도, 산맥 등 유일무이한 존재에는 □□□을(를) 붙인다.

| 정답 | 04 복수
05 the

주어 + look/stare/watch + 사람 + in the + 바라볼 수 있는 신체의 일부분(face/eye ...)

- He **looked** me **in the face.** 그는 내 얼굴을 들여다봤다.

(2) 「the + 형용사/분사」

① 복수 보통명사를 의미한다.

the wounded	= wounded people	the dying	= dying people
the rich	= rich people	the poor	= poor people
the young	= young people	the old	= old people
the wise	= wise people	the foolish	= foolish people

② 추상명사를 의미한다.

the good	= goodness	the beautiful	= beauty

③ 아래의 경우 단수, 복수의 형태 둘 다 가능하니 문맥상 의미에 주의하자.

the accused	고발된 사람/고발된 사람들	the pursued	도망자/도망자들
the deceased	고인(故人)/고인들	the insured	피보험자/피보험자들

헷갈리지 말자 「the + 형용사/분사」 복수 취급 vs. 단수 취급

- **The rich are** happier than the poor.
  부유한 사람들은 가난한 사람들보다 더 행복하다.

- **The accused has** run away.
  그 피고인은 도망갔다.

➡ 「the + 형용사/분사」는 보통 복수 취급을 하나, the deceased(고인), the accused(피고인) 등은 단수 취급하기도 한다.

(3) 「the + 고유명사」

① 정관사를 사용하는 경우

㉠ 복수명사 전체

the Browns	Brown씨네 가족들	the Liberal	자유당원들
the Koreans	한국인들		

㉡ 개체가 모여 이룬 전체(사물 등의 정식 명칭)

the United States	미합중국	the United Nations	국제연합(the UN)
the Philippines	필리핀	the Netherlands	네덜란드

※ 항상 단수 취급하므로 주의해야 한다.

㉢ 산맥, 제도, 반도

the Alps	알프스산맥	the Korean Peninsula	한반도
the West Indies	서인도 제도		

ⓔ 강, 해양, 운하, 해협

the Nile	나일강	the Thames	템즈강
the Pacific Ocean	태평양	the Suez Canal	수에즈 운하

ⓜ 관공서, 공공시설

the White House	백악관	the British Museum	영국박물관

ⓗ 선박, 항공기, 철도

the Titanic	타이타닉호	the Asiana Airlines	아시아나항공

ⓢ 신문, 잡지, 서적 대부분

the Times	타임지	the Economist	이코노미스트(경제지)

② 정관사를 사용하지 않는 경우: 「고유명사 + 공공장소(다리, 사원, 궁전, 지명, 정거장, 역, 항구, 공항, 호수, 공원 이름 등)」

Seoul Station	서울역	Incheon Airport	인천공항
Busan harbor	부산항	Brown University	Brown 대학교
London Bridge	런던 브리지		

헷갈리지 말자 in the twenties vs. in her twenties

• She studied abroad **in the twenties.**
그녀는 20년대에 해외에서 공부했다.

• She studied abroad **in her twenties.**
그녀는 20대에 해외에서 공부했다.

➡ 어떤 사람의 20대 혹은 30대 등 나이를 나타낼 때는 소유격을 사용한다. 반면 the twenties는 '20년대'라는 뜻으로 사용된다.

03 무관사

• **Waiter,** I am ready to order now. 웨이터, 이제 주문하겠습니다.
• **Father** is looking for you, Beckham. Beckham, 아버지께서 너를 찾고 계셔.
• **Mother** is very tired now. 어머니는 지금 매우 피곤하시다.
• **Dinner** is ready! 저녁 식사가 준비되었습니다!
• He plays **baseball** every Sunday morning. 그는 일요일 아침마다 야구를 한다.
• Her older brother died of **cancer.** 그녀의 오빠는 암으로 죽었다.
• Beckham is good at **math.** Beckham은 수학을 잘한다.
• **Spring** comes before **summer.** 봄은 여름 전에 온다.

※ 단, 「in the + 계절」은 사용 가능하다.

POINT CHECK

06 호칭이나 가족 관계를 나타낼 때는 □□□로 쓴다.

07 식사, 운□, 질□, □과, □절 앞에는 관사를 붙이지 않는다.

| 정답 | 06 무관사
07 (운)동, (질)병, 학(과), 계(절)

POINT CHECK

08 「sort/kind/type + of + □□□ 명사」이다.

09 건물이나 장소, 또는 가구 그 자체를 나타낼 때는 관사가 붙지만, 건물이나 장소, 가구 등이 그 본래 목적의 의미를 가질 때는 관사가 □□된다.

10 by 뒤에 교통, □□ 수단이 올 때는 □□□ 없이 사용한다.

| 정답 | 08 무관사
09 생략
10 통신, the

① 「무관사 + 병명」

● 한정되지 않는 병명 앞에는 무관사

pneumonia	폐렴	flu	독감
cancer	암		

※ flu의 경우 influenza의 줄임말로 the flu 또는 a flu(e)를 사용하기도 한다.

● 항시 재발 가능한 가벼운 증세 앞에는 부정관사

a cold	감기	a headache	두통
a cough	기침	a stomachache	위통
a fever	열		

② 「sort/kind/type + of + 무관사 명사」

- The baby doesn't want the **kind of toy.** 그 아기는 그런 종류의 장난감을 원하지 않는다.
- The baby doesn't want those **kinds of toys.** 그 아기는 그런 종류의 장난감들을 원하지 않는다.

O I don't want that **kind of thing.** 나는 그런 종류의 것을 원하지 않는다.

X I don't want that **kind of a thing.**

➡ kind of 뒤에는 무관사가 원칙이다.

③ 「go + 무관사 공공기관」

go to school	학교에 가다	go to court	소송을 제기하다
go to hospital	병원에 다니다	go to market	장 보러 가다
go to prison	수감되다	go to church	교회에 가다

- We **go to school** at 8 o'clock. 우리는 8시에 학교에 (공부하러) 간다.

참 She lives near **the school.** 그녀는 학교 근처에 산다.

※ '학교 건물'을 뜻하므로 관사가 붙었다.

- I'd better **go to bed** now. 나는 이제 가서 자는 게 좋겠다.

※ '잠자리에 들다'라는 의미의 'go to bed'도 'bed' 앞에 관사를 쓰지 않는다는 점에 주의하자.

④ 「by + 교통수단」

by plane/by air	비행기로/항공편으로	by bus	버스로
by train	기차로	by subway	지하철로
by boat[ship]/by sea	배로/해로로	by car	차로
by taxi	택시로	by land	육로로

- Tomorrow he is going to Tokyo **by car.** 내일 그는 차로 도쿄에 갈 것이다.

⑤ 「on + 교통수단」: 일부 교통수단을 나타낼 때는 전치사 on을 쓰며 관사 없이 쓰인다.

on foot	도보로, 걸어서	on horseback	말을 타고

- She wanted to go back home **on foot.** 그녀는 걸어서 집으로 돌아가고 싶었다.
- This polo match is played by the people **on horseback.**
  이 폴로 경기는 말을 탄 사람들에 의해 치러진다.

⑥ 「by + 통신 수단」: 통신 수단 fax, mail, letter 등은 관사 없이 쓴다.

by email	이메일로	by fax	팩스로
by telephone	전화로	by letter	편지로

• She sends a message **by mail.** 그녀는 우편으로 메시지를 보낸다.

⑦ 신분이나 관직을 나타내는 명사가 동격이나 보어로 쓰일 때는 관사를 생략하는 것이 보통이다.

• He became **president** of an IT company.
그는 IT 회사의 사장이 되었다.

• The young man was appointed **president** of our company.
그 젊은 남자는 우리 회사의 사장으로 임명되었다.

• Elizabeth II, **Queen of England** visited Canada.
영국 여왕인 엘리자베스 2세가 캐나다를 방문했다.

⑧ 무관사 관용표현

hand in hand	손에 손을 잡고, 협력하여	under way	진행 중인
catch sight of	~을 보다	for fear of	~을 두려워하여
take place	개최되다, 일어나다	on account of	~ 때문에
starve to death	굶어 죽다	from hand to mouth	하루 벌어 하루 먹고 사는
day and night	밤낮으로		

04 관사의 위치

암기문법

교수님 한마디 수식어구가 포함될 경우 「관사 + 부사 + 형용사 + 명사」의 형태로 쓰며, 그 어순이 출제 포인트이므로 이에 집중하여 공부하자.

(1) half류

such/many/quite/rather/what/half + a[an] + 형용사 + 명사(s)

• It's **quite an interesting story.** 그것은 아주 흥미로운 이야기이다.

• They had **such a good time** at the party.
그들은 파티에서 아주 즐거운 시간을 보냈다.

• **Many a man** came to see me. 많은 사람들이 나를 보러 왔다.

• **What a strong man** he is! 그는 얼마나 힘이 센 사람인가!

• **What beautiful dresses** they are!
얼마나 아름다운 드레스들인가!
※ 복수명사이기 때문에 관사와 같이 쓸 수 없다.

• The show lasted for **half an hour.**
그 쇼는 30분 동안 계속되었다.

◎ They worked for **a half** hour. 그들은 30분 동안 일했다.

◎ They worked for **half an** hour.

➡ half는 부정관사(a[an]) 앞뒤 어디에 위치해도 상관없다.

POINT CHECK

11 many a red apple (T / F)
a many red apple (T / F)

| 정답 | 11 T, F

POINT CHECK

(2) as류

as/too/so/how + 형용사 + a[an] + 단수 가산명사

- She is **as great an artist** as ever lived.
  그녀는 이제까지 생존했던 가장 위대한 화가이다.
- I've never seen **so curious a girl**.
  나는 그렇게 호기심 많은 소녀를 본 적이 없다.
- This was **too expensive a room** for us.
  이것은 우리에게는 너무 비싼 방이었다.
- **How old a house** it is! 얼마나 오래된 집인가!
- She is not **as good a runner** as he is.
  그녀는 그처럼 달리기를 잘하지 못한다.

O He is **as smart a student** as his brother. 그는 그의 형처럼 영리한 학생이다.

O They are **as smart students** as their brothers.

➡ 「how/as/too/so + 형용사 + a[an] + 단수 가산명사」 형태로 사용되지만 성상형용사 뒤에 복수 명사가 사용되면 a[an]을 쓰지 않도록 유의한다.

O It is **so fine a day**. 오늘은 날씨가 매우 좋다.

X It is **so** fine **day**.

➡ so는 반드시 「so + 형용사 + a[an] + 명사」 어순으로 써야 한다.

(3) all류

all/both/double/twice/half + the + 형용사 + 명사(s)

- The family walked **all the way** home. 그 가족은 집까지 내내 걸어갔다.
- **Both the girls** are 10 years old. 그 소녀들은 둘 다 10살이다.
- We had to pay **double the price**. 우리는 두 배의 가격을 지불해야 했다.
- **Half the members** were invited. 회원들 중 반이 초대받았다.

O This is **half the price**. 이것은 반값이다.

X This is **the half price**.

➡ half는 반드시 정관사 앞에 위치해야 한다.

03 관사

[01~15] 다음 중 어법상 옳은 것을 고르시오.

01 Jane saw Jack from [distance / a distance].

02 [A / The] sun helps plants to grow well.

03 Jack is [a / the] best soccer player in England.

04 She pulled her son by [a / the] foot.

05 John is kind in [measure / a measure].

06 Jane helps [a / the] poor to live in the safe place.

07 We must protect [an / the] Earth.

08 She caught [sight / a sight] of him.

09 How can I get to [Incheon Airport / the Incheon Airport]?

10 [Winter / The winter] comes after [autumn / the autumn].

11 John is so [a clever / clever a] boy.

12 Jack doesn't like that sort of [joke / the joke].

13 We promised to meet at [Seoul Station / the Seoul Station].

14 John starved to [death / a death] last year.

15 His mother was looking for that kind of [hat / the hat].

정답&해설

01 a distance

| 해석 | Jane은 멀리서 Jack을 보았다.

| 해설 | 'from a distance'는 관용표현으로 '멀리서, 멀리 떨어져'를 뜻한다.

02 The

| 해석 | 태양은 식물이 잘 자라도록 돕는다.

| 해설 | 유일무이한 존재 앞에는 정관사 'the'를 사용한다.

03 the

| 해석 | Jack은 영국에서 최고의 축구 선수이다.

| 해설 | 최상급이 명사를 수식하는 경우 그 앞에 정관사 'the'를 사용한다.

04 the

| 해석 | 그녀는 아들의 발을 잡아당겼다.

| 해설 | '~의 발을 잡아당기다'는 「pull + 목적어 + by the foot」으로 신체 부위를 나타내는 말 앞에 정관사 'the'를 사용한다.

05 a measure

| 해석 | John은 다소 친절하다.

| 해설 | 'in a measure'는 관용표현으로 '다소, 얼마간'을 뜻한다.

06 the

| 해석 | Jane은 가난한 사람들이 안전한 장소에서 살 수 있도록 돕는다.

| 해설 | 「the + 형용사/분사」는 복수 보통명사를 의미한다.

07 the

| 해석 | 우리는 지구를 보호해야 한다.

| 해설 | 유일무이한 존재 앞에는 정관사 'the'를 사용한다.

08 sight

| 해석 | 그녀는 그를 힐끗 보았다.

| 해설 | 'catch sight of'는 관용표현으로 '~을 힐끗 보다'를 뜻한다.

09 Incheon Airport

| 해석 | 인천공항에는 어떻게 가나요?

| 해설 | 「고유명사 + 공공장소(다리, 정거장, 사원, 궁전, 지명, 역, 항구, 호수, 공항, 공원 이름 등)」에는 정관사 'the'를 쓰지 않는다.

10 Winter, autumn

| 해석 | 겨울은 가을 뒤에 온다.

| 해설 | 일반적으로 계절 앞에는 관사를 사용하지 않는다.

11 clever a

| 해석 | John은 매우 똑똑한 소년이다.

| 해설 | 'so'가 명사를 수식하는 경우, 「so + 형용사 + 부정관사 + 단수명사」의 어순이 된다. 따라서 정답은 'clever a'이다.

12 joke

| 해석 | Jack은 그런 종류의 농담을 좋아하지 않는다.

| 해설 | 「sort/kind/type + of + 목적어」에서 목적어로 쓰이는 명사는 무관사가 원칙이다.

13 Seoul Station

| 해석 | 우리는 서울역에서 만나기로 약속했다.

| 해설 | 「고유명사 + 공공건물」, 다리, 정거장, 사원, 궁전, 지명, 역, 항구, 호수, 공항, 공원 이름 앞에는 정관사 'the'를 쓰지 않는다.

14 death

| 해석 | John은 작년에 굶어 죽었다.

| 해설 | 'starve to death'는 관용표현으로 '굶어 죽다'를 뜻한다.

15 hat

| 해석 | 그의 엄마는 그런 종류의 모자를 찾는 중이었다.

| 해설 | 「sort/kind/type + of + 목적어」에서 목적어로 쓰이는 명사는 무관사가 원칙이다.

03 관사

교수님 코멘트▶ 관사는 명사와 직접적인 관련이 있는 영역이다. 관사의 유무가 문제풀이의 포인트이며, 이를 확인할 수 있는 문제들을 수록하였으므로 이를 통해 수험생들은 경쟁력을 키울 수 있을 것이다.

01

다음 빈칸에 관사가 필요 없는 것은?

① She plays _________ piano.
② The Moon rises in _________ west.
③ He kissed his baby on _________ cheek.
④ She informed me of the news by _________ telephone.

02

다음 중 올바른 문장을 찾으시오.

① He knew the both brothers.
② She seized him by the hand.
③ This is a kind of a plant.
④ He begged from the door to the door.

---

01 「by + 통신 수단」, 정관사 the의 쓰임

④ 「by + 통신 수단」에서 통신 수단 앞에는 관사가 오지 않는다.

| 오답해설 | ① 악기명 앞에는 'the'를 쓴다.
② 방향(동서남북) 앞에는 'the'를 쓴다.
③ 신체의 일부분 앞에는 'the'를 쓴다.

| 해석 | ① 그녀는 피아노를 연주한다.
② 달은 서쪽에서 뜬다.
③ 그는 그의 아기의 볼에 입맞춤했다.
④ 그녀는 전화로 나에게 그 소식을 알려 주었다.

---

02 정관사 the의 쓰임

② 'seized'의 목적어로 쓰인 사람의 신체 일부를 표현할 때는 정관사 'the'를 사용한다. 'by'는 접촉 부분을 나타낸다.

| 오답해설 | ① 'both'는 관사, 소유격 등의 한정사 앞에 쓰므로 'the'를 'both' 뒤에 써야 한다.
③ 'kind of' 뒤에는 무관사 명사가 오므로 'a kind of plant'가 옳다.
④ '집집마다'라는 의미의 관용표현은 관사를 붙이지 않고 'from door to door'로 쓴다.

| 해석 | ① 그는 그 형제 둘 다 알았다.
② 그녀는 그의 손을 잡았다.
③ 이것은 일종의 식물이다.
④ 그는 집집마다 다니며 구걸했다.

| 정답 | 01 ④ 02 ②

03

2019 서울시 9급

밑줄 친 부분 중 어법상 가장 옳지 않은 것은?

> Squid, octopuses, and cuttlefish are all ① types of cephalopods. ② Each of these animals has special cells under its skin that ③ contains pigment, a colored liquid. A cephalopod can move these cells toward or away from its skin. This allows it ④ to change the pattern and color of its appearance.

---

03 수 일치, 「sort/kind/type + of + 무관사 명사」

③ 관계대명사 'that'의 선행사는 'its skin'이 아니라 'cells'이므로 'contains'는 'contain'이 되어야 한다.

| 오답해설 | ① 주어가 복수명사이므로 '형태들'인 'types'가 오는 것이 적절하며, 'types of' 뒤에도 무관사 복수명사 'cephalopods'가 바르게 쓰였다.

② 'Each' 뒤에 나오는 문장의 동사가 3인칭 단수 형태인 'has'이므로 'Each'는 어법상 적절한 표현이다.

④ 불완전타동사 'allow'는 「allow + 목적어 + to부정사」 형태로 사용되므로 목적격 보어 'to change'는 옳은 표현이다.

| 해석 | 오징어, 문어, 갑오징어는 모두 두족류이다. 이 각각의 동물들은 피부 아래에 유색 액체, 즉 색소가 들어 있는 특수 세포를 가지고 있다. 두족류는 이 세포들을 피부 쪽으로 또는 피부로부터 멀어지게 움직일 수 있다. 이것은 그것(두족류)이 자신의 외모의 패턴과 색을 바꿀 수 있게 해 준다.

04

2017 지방직 9급

우리말을 영어로 잘못 옮긴 것을 고르시오.

① 그를 당황하게 한 것은 그녀의 거절이 아니라 그녀의 무례함이었다.
→ It was not her refusal but her rudeness that perplexed him.

② 부모는 아이들 앞에서 그들의 말과 행동에 대해 아무리 신중해도 지나치지 않다.
→ Parents cannot be too careful about their words and actions before their children.

③ 환자들과 부상자들을 돌보기 위해 더 많은 의사가 필요했다.
→ More doctors were required to tend sick and wounded.

④ 설상가상으로, 또 다른 태풍이 곧 올 것이라는 보도가 있다.
→ To make matters worse, there is a report that another typhoon will arrive soon.

---

04 「the + 형용사/분사」

③ 주어진 우리말이 '환자들과 부상자들'이므로 'sick and wounded'를 「the + 형용사/분사」 형태로 바꾸어 복수 보통명사화해야 한다. 따라서 'sick and wounded'는 'the sick and the wounded'로 바꾸어야 한다.

| 오답해설 | ① 「It is ~ that」 강조 구문으로 'not her refusal but her rudeness'를 강조하고 있다. 또한 「not A but B」 구문이 사용되었는데, 여기서 'her refusal'과 'her rudeness'가 각각 명사구로서 병렬 구조를 이루고 있다.

② 「cannot be too + 형용사」는 '아무리 ~해도 지나치지 않다'라는 의미로 옳게 사용되었다. 「주어 + cannot + 동사원형 + too ~」, 「주어 + cannot + 동사원형 + ~ enough」, 「주어 + cannot + over동사원형」 역시 같은 표현이다.

④ 'To make matters worse'는 '설상가상으로'라는 의미의 독립부정사이다. 뒤에 나오는 that절은 'a report'를 설명하는 동격절로 바르게 쓰였다.

05

다음 중 빈칸에 들어갈 가장 적절한 것을 고르시오.

> I have never seen __________ since I began to be interested in them.

① so a beautiful flower
② so beautiful a flower
③ a so beautiful flower
④ a beautiful so flower

06

2017 지방직 7급

밑줄 친 부분 중 어법상 옳지 않은 것은?

> The person ① doing the science is wearing a white lab coat and probably looks rather serious while engaged in some type of ② the experiment. While there are many places where this traditional view of a scientist still holds true, labs aren't the only place ③ where science is at work. Science can also ④ be found at a construction site, on a basketball court, and at a concert.

---

05 「as/too/so/how + 형용사 + a[an] + 단수 가산명사」

② 'so'는 「so + 형용사 + a[an] + 단수 가산명사」의 어순을 취한다.

| 해석 | 그것들에 관심을 가지기 시작한 이후로 나는 그렇게 아름다운 꽃을 본 적이 없다.

---

06 「sort/kind/type + of + 무관사 명사」

② 'type of'는 뒤에는 관사 없이 명사가 와야 한다. 따라서 정관사 'the'를 삭제해야 한다.

| 오답해설 | ① 뒤에 목적어 'the science'가 왔으며 수식하는 대상 'The person'과 'do'가 능동 관계이므로 밑줄 친 현재분사 'doing'은 옳은 표현이다.

③ 'the only place'가 선행사이고 뒤에 오는 절인 'science is at work'는 「주어 + 완전자동사 + 전명구」로 완전한 형태를 이루므로 밑줄 친 관계부사 'where'은 옳은 표현이다.

④ 'be found' 뒤에 전명구가 오며 주어인 'Science'가 발견하는 주체가 아니라 발견되는 대상에 해당하므로 수동태 'be found'는 옳은 표현이다.

| 해석 | 과학을 하는 사람은 흰색 실험 가운을 입고 있으며 어떤 종류의 실험에 몰두하는 동안 아마 상당히 진지해 보일 것이다. 이런 전통적인 모습의 과학자가 여전히 딱 들어맞는 곳도 많이 있지만, 실험실이 과학이 작용하는 유일한 장소는 아니다. 과학은 공사장에서, 농구장에서, 그리고 콘서트에서도 발견될 수 있다.

| 정답 | 03 ③ 04 ③ 05 ② 06 ②

07

2017 국회직 9급 변형

다음 문장 중 어법상 맞는 것은?

① I like that you will await for me.
② I've never seen so clever a boy.
③ She resembles to her mother very closely.
④ He explained to me that John was so a kind gentleman.
⑤ If you are free now, I want to discuss about it with you.

08

2018 서울시 9급 제2회

밑줄 친 부분 중 어법상 가장 옳지 않은 것은?

Lewis Alfred Ellison, a small-business owner and ① a construction foreman, died in 1916 after an operation to cure internal wounds ② suffering after shards from a 100-lb ice block ③ penetrated his abdomen when it was dropped while ④ being loaded into a hopper.

---

07 「as/too/so/how + 형용사 + a[an] + 단수 가산명사」, 자동사 vs. 타동사

② 'so'가 명사를 수식할 때 「so + 형용사 + a[an] + 단수 가산명사」의 형식으로 쓰므로 옳게 사용되었다.

| 오답해설 | ① 'await'는 완전타동사로 전치사 없이 목적어를 가진다. 따라서 전치사 'for'를 삭제해야 한다.
③ 'resemble'은 완전타동사로 전치사 없이 목적어를 가진다. 따라서 전치사 'to'를 삭제해야 한다.
④ 'so'가 명사를 수식할 때는 「so + 형용사 + a[an] + 단수 가산명사」의 형태가 되어야 한다. 따라서 해당 문장의 'so a kind gentleman'을 'so kind a gentleman'으로 수정해야 한다.
⑤ 'discuss'는 완전타동사로 전치사 없이 목적어를 가진다. 따라서 전치사 'about'을 삭제해야 한다.

| 해석 | ① 나는 네가 날 기다려 주는 것이 좋다.
② 나는 그렇게 똑똑한 소년을 본 적이 없다.
③ 그녀는 그녀의 어머니를 매우 꼭 닮았다.
④ 그는 나에게 John이 매우 친절한 신사라고 설명했다.
⑤ 네가 지금 한가하다면, 나는 너와 그것에 대해 논의하고 싶다.

08 능동태 vs. 수동태 부정관사의 쓰임

② 앞의 명사 'wounds'를 동사 'suffer'가 분사 형태로 수식하는 구조이다. 'suffer'는 타동사로 '(부상)을 겪다'라는 의미이므로 'internal wounds'가 주어가 되면 'suffer'는 수동형으로 써야 한다. 따라서 'suffering'은 과거분사의 형태인 'suffered'가 되어야 적절하다.

| 오답해설 | ① 고유명사인 'Lewis Alfred Ellison'을 'a small-business owner and a construction foreman'이 동격으로 설명해 주고 있다. 보통 한 사람이 두 개의 직업을 가지면 관사를 하나만 쓰는 것이 일반적이나, 각각의 직업을 강조하는 경우 관사를 각각 사용하므로 이 점에 유의해야 한다.
③ 접속사로 쓰인 'after' 뒤에는 「주어 + 동사」가 와야 한다. 'shards ~ block'이 주어이고 동사가 'penetrated'이므로 옳게 사용되었다.
④ 부사절 'while it was loaded into a hopper'가 분사구문으로 전환된 것으로 옳게 사용되었다. 접속사를 생략하지 않은 분사구문의 형태이다.

| 해석 | 작은 회사의 소유자이면서 건설 현장 감독인 Lewis Alfred Ellison은 호퍼(V자 용기)에 적재되는 중에 떨어진 100파운드의 얼음 덩어리에서 떨어진 파편이 그의 복부를 관통하고 난 뒤 입은 내상을 치료하기 위한 수술 후 1916년에 사망했다.

09

다음 빈칸에 들어갈 알맞은 단어를 고르시오.

> This lawyer is probably one of the most __________ in the nation in the field of a labor dispute.

① experiential
② experiences
③ experiencing
④ experienced

10

우리말을 영어로 옳게 옮긴 것은?

① 그는 며칠 전에 친구를 배웅하기 위해 서울역으로 갔다.
→ He went to Seoul station a few days ago to see off his friend.

② 버릇없는 그 소년은 아버지가 부르는 것을 못 들은 체했다.
→ The spoiled boy made it believe he didn't hear his father calling.

③ 나는 버팔로에 가본 적이 없어서 그곳에 가기를 고대하고 있다.
→ I have never been to Buffalo, so I am looking forward to go there.

④ 나는 아직 오늘 신문을 못 읽었어. 뭐 재미있는 것 있니?
→ I have not read today's a newspaper yet. Is there anything interesting in it?

---

09 「the + 형용사/분사」

④ 빈칸 뒤에 명사가 없어 헷갈릴 수 있으나, 「the + 형용사/분사」가 '~한 사람들'이란 뜻으로 쓰임에 유의하자. 여기서는 'the most experienced'가 되어 '가장 경험 많은 사람들(변호사들)'이라는 의미가 되는 것이 알맞다.

| 해석 | 이 변호사는 아마도 노동 분쟁 분야에서는 그 나라에서 가장 경험 많은 사람들(변호사들) 중 한 명이다.

---

10 관사를 쓰지 않는 경우

① 역 이름 앞에는 관사를 쓰지 않으므로 'went to Seoul station'은 옳은 표현이다. 또한 「타동사 + 부사」로 된 이어동사의 목적어로 명사가 오면 「타동사 + 목적어 + 부사」와 「타동사 + 부사 + 목적어」 둘 다 가능하므로 'see off his friend'도 옳게 쓰였다.

| 오답해설 | ② 'make believe (that)'은 '~인 체하다'라는 의미의 관용표현으로 'make'와 'believe' 사이에 'it'을 사용할 수 없다. 즉, 'it'을 삭제해야 한다.
③ 「look forward to + 명사/동명사」는 '~하기를 고대하다'라는 뜻으로, 여기서 'to'는 전치사이다. 따라서 'to' 뒤의 동사 'go'를 동명사 'going'으로 바꾸어야 한다.
④ 한정사인 소유격과 관사는 함께 사용할 수 없다. 'today's a newspaper'에서 부정관사 'a'를 삭제해야 한다.

| 정답 | 07 ② 08 ② 09 ④ 10 ①

PART

IV Modifiers

5개년 챕터별 출제 비중 & 출제 개념

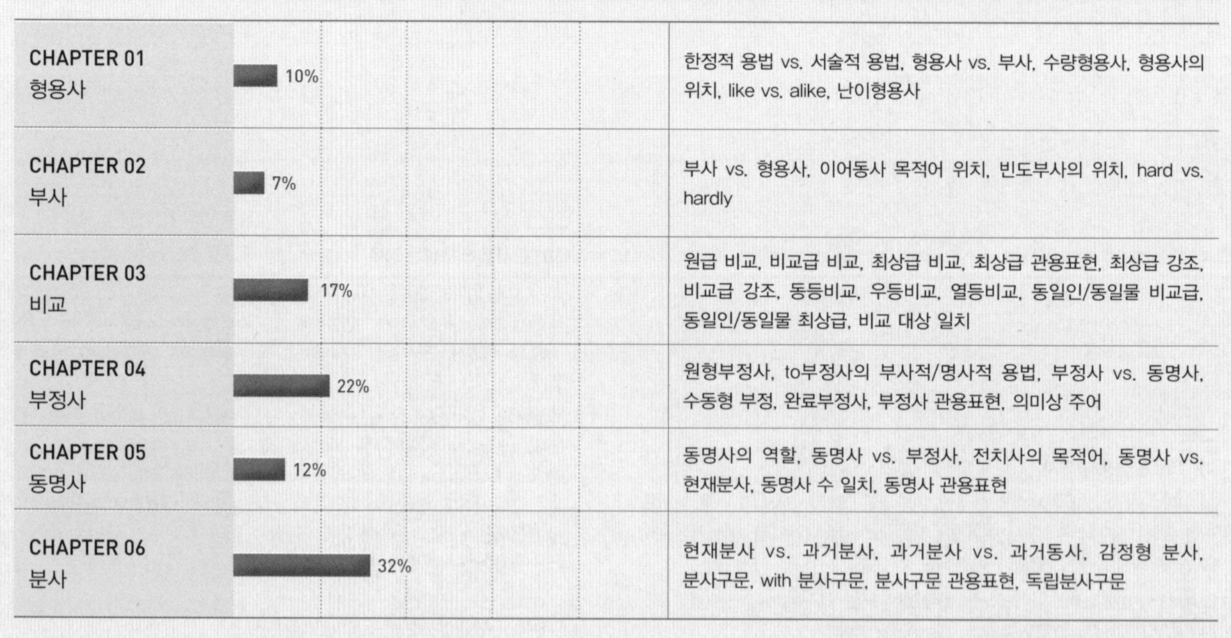

챕터	출제 비중	출제 개념
CHAPTER 01 형용사	10%	한정적 용법 vs. 서술적 용법, 형용사 vs. 부사, 수량형용사, 형용사의 위치, like vs. alike, 난이형용사
CHAPTER 02 부사	7%	부사 vs. 형용사, 이어동사 목적어 위치, 빈도부사의 위치, hard vs. hardly
CHAPTER 03 비교	17%	원급 비교, 비교급 비교, 최상급 비교, 최상급 관용표현, 최상급 강조, 비교급 강조, 동등비교, 우등비교, 열등비교, 동일인/동일물 비교급, 동일인/동일물 최상급, 비교 대상 일치
CHAPTER 04 부정사	22%	원형부정사, to부정사의 부사적/명사적 용법, 부정사 vs. 동명사, 수동형 부정, 완료부정사, 부정사 관용표현, 의미상 주어
CHAPTER 05 동명사	12%	동명사의 역할, 동명사 vs. 부정사, 전치사의 목적어, 동명사 vs. 현재분사, 동명사 수 일치, 동명사 관용표현
CHAPTER 06 분사	32%	현재분사 vs. 과거분사, 과거분사 vs. 과거동사, 감정형 분사, 분사구문, with 분사구문, 분사구문 관용표현, 독립분사구문

※ 문법은 문항 기준이 아닌 출제된 문항의 선지 기준으로 분석하였습니다.

37%

※최근 5개년(국, 지, 서)
출제 비중

학습목표

CHAPTER 01 형용사	❶ 수식을 하는 형용사와 수식 대상과의 관계를 파악한다. ❷ 한정적 용법과 서술적 용법의 구조론적 차이를 이해한다. ❸ 수량형용사와 명사와의 관계를 파악한다.
CHAPTER 02 부사	❶ 형용사와의 수식 대상을 비교한다. ❷ 동사의 종류와 관련 있는 빈도부사의 위치를 파악한다. ❸ 부사의 형태를 형용사와 비교하여 확인한다.
CHAPTER 03 비교	❶ 형용사와 부사의 비교급 형태를 숙지한다. ❷ 비교급 관용표현에서 사용되는 명사의 단수, 복수 형태에 주의한다. ❸ 비교급과 최상급을 강조하는 부사의 종류를 파악한다.
CHAPTER 04 부정사	❶ 부정사의 역할과 종류를 파악한다. ❷ 부정사를 반드시 사용해야 하는 동사들과 부정사의 관계를 파악한다.
CHAPTER 05 동명사	❶ 동명사가 주어로 쓰일 경우 단수 취급한다는 것을 이해한다. ❷ 동명사의 동사적인 성향인 시제와 태를 파악한다.
CHAPTER 06 분사	❶ 현재분사와 과거분사의 의미상의 차이를 정확하게 파악한다. ❷ 감정동사의 분사 형태를 파악한다. ❸ 분사구문의 역할을 확인한다. ❹ 동사의 과거형과 과거분사의 차이를 구분한다.

CHAPTER

01 형용사

□ 1 회 독	월	일
□ 2 회 독	월	일
□ 3 회 독	월	일
□ 4 회 독	월	일
□ 5 회 독	월	일

POINT CHECK

VISUAL G

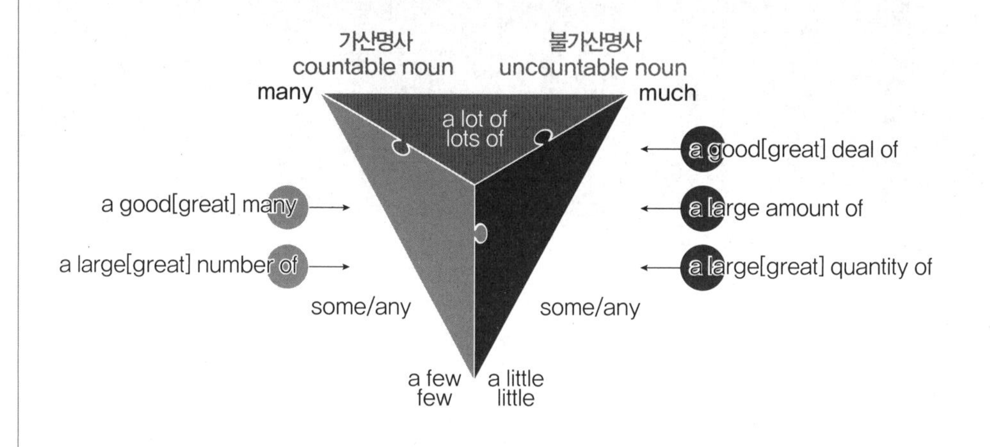

01 형용사의 쓰임

01 형용사의 용법에는 □□□ 용법과 □□□ 용법이 있다.

(1) 한정적 용법

문장에서 명사를 직접 수식하는 형용사로서, 명사를 직접 한정하므로 한정적 용법이라고 한다.

- This is a **beautiful** flower. 이것은 아름다운 꽃이다.
- There is a **rotten** apple. 썩은 사과 하나가 있다.
- There is something **different**. 뭔가 다른 것이 있다.

※ -thing류 명사는 형용사 후치 수식임에 주의하자.

(2) 서술적 용법

문장에서 주격 보어나 목적격 보어로 사용되는 경우를 말한다.

- She was **awake** all night (long). (She = awake) 그녀는 밤새 깨어 있었다.

※ awake가 주격 보어로 사용되었다.

| 정답 | 01 한정적, 서술적

• I found the cage **empty**. (the cage = empty)

나는 우리가 빈 것을 알게 되었다.

※ empty가 목적격 보어로 사용되었다.

참 I found the **empty** cage. (한정적 용법)

나는 빈 우리를 발견했다.

※ empty가 cage를 앞에서 한정해 주는 한정적 용법으로 사용된 것이다.

02 한정적 용법

• The man is the **present** king. (한정적 용법)

그 남자는 현재의 왕이다.

참 The queen was **present**. (서술적 용법)

그 여왕은 참석하였다.

● 한정적 용법으로만 사용되는 형용사

sheer	순전한	leaden	납 성분의	spare	여분의	mere	단지 ~의
utter	완전한	only	유일한	very	바로 그	major	주요한
left	왼쪽의	right	오른쪽의	woolen	양모의	lone	고독한
former	앞의, 전임의	upper	상위의	drunken	취한	main	주요한
golden	황금기의	elder	손위의	inner	안의	outer	밖의
latter	나중의	total	총 ~	wooden	나무의	silken	비단의

• an **inner** pocket 안주머니

• the **outer** world 외부 세계

• an **inner** court 안뜰

• the **outer** space 외계

• the **former** case 전자의 경우

• the **former** president 전직 대통령

• the **latter** half 후반부

• a **lone** traveler 외로운 나그네

• **total** income 총 수입

• an **elder** sister 언니, 누나

• an **utter** mistake 완전한 실수

• a **mere** child 철부지 아이

• **woolen** goods 모직물

• a **wooden** box 나무 상자

• a **golden** saying 금언

• a **silken** tie 비단 넥타이

• this **very** room 바로 이 방

• the **upper** side 상부

• the **upper** lip 윗입술

헷갈리지 말자 drunk man vs. drunken man

• He is a **drunk** man.

• He is a **drunken** man.

그는 술 취한 사람이다.

➡ drunken은 한정적 용법으로만, drunk는 서술적 용법으로만 쓰인다.

POINT CHECK

02 명사를 직접 수식하는 □□□ 용법으로만 사용되는 형용사들이 있다.

| 정답 | 02 한정적

POINT CHECK

03 주격/목적격 보어로 쓰이는 서술적 용법의 형용사에는 철자가 □(으)로 시작하는 단어가 많다.

04 present는 한정적/서술적 용법에 따라 의미가 전혀 □□□.

| 정답 | 03 a 04 다르다

03 서술적 용법

afraid	두려운	alike	같은	alive	살아 있는	alone	혼자인
ashamed	부끄러운	asleep	잠든	awake	깨어 있는	aware	알고 있는
well	건강한	worth	가치 있는	fond	좋아하는	content	만족하는

- She and her mother are **alike**. (서술적 용법)

  그녀와 그녀의 엄마는 닮았다.

  참 There are many people of **like** mind. (한정적 용법)

  같은 마음을 가진 사람들이 많다.

O She was **alive** in the accident. 그녀는 사고에서 살아남았다.

X She was **lively** in the accident.

➡ 보어 자리에는 한정적 용법의 형용사 lively가 사용될 수 없다.

※ 단 a- 형태의 형용사가 한정적 용법으로 사용되는 경우도 있으니 유의해야 한다.

an **alert** pilot 주의깊은 조종사

an **aloof** attitude 쌀쌀한 태도

또한 부사의 수식을 받으면 한정적 용법으로 사용되는 경우도 있다.

the **half-asleep** child 반쯤 잠든 아이

형용사	한정적 용법일 때 의미	서술적 용법일 때 의미
certain	일정한, 특정한, 어떤, 약간	확실한
absent	멍한	결석한
concerned	관련 있는	우려하는
ill	나쁜	아픈
late	고인이 된, 늦은	늦은
present	현재의	출석한

- The authorities **concerned** is responsible for the accident. (한정적 용법)

  관계 당국은 그 사건에 책임이 있다.

  ※ 후치 수식으로 앞의 The authorities를 수식하며, '관련 있는'의 의미이다.

- Entertainers are **concerned** about becoming infamous. (서술적 용법)

  연예인들은 악명을 떨치게 되는 것을 우려한다.

- The **late** Mr. Brown was a good teacher. (한정적 용법)

  고인이 된 Brown 씨는 좋은 선생님이었다.

- I was **late** for the class. (서술적 용법)

  나는 수업에 늦었다.

- What is your **present** address? (한정적 용법)

  당신의 현재 주소는 무엇입니까?

- All the students were **present**. (서술적 용법)

  모든 학생들이 출석했다.

04 「the + 형용사/분사」의 쓰임

(1) 「the + 형용사/분사」 = 「형용사 + people」: 복수 취급

the wounded	= wounded people	the dying	= dying people
the rich	= rich people	the poor	= poor people
the young	= young people	the old	= old people
the wise	= wise people	the foolish	= foolish people

• **The strong** are not always unbeatable.
힘이 센 사람들이 언제나 무적은 아니다.

(2) 「the + 형용사/분사」 = 「형용사 + person/people」: 단수/복수 취급

the accused	고발된 사람/고발된 사람들	the deceased	고인(故人)/고인들
the pursued	도망자/도망자들	the insured	피보험자/피보험자들

• **The deceased was** a diligent statesman. 고인은 근면한 정치인이었다.

The accused was found innocent. 고발된 사람은 무죄로 밝혀졌다.

The accused were found innocent. 고발된 사람들은 무죄로 밝혀졌다.

➡ the accused는 단수일 수도, 복수일 수도 있다. 이 경우 문맥에서 지칭하는 명사에 따라 수가 달라지므로 유의해야 한다.

(3) 「the + 추상 형용사」 = 추상명사: 단수 취급

the good	선량함(= goodness)	the beautiful	아름다움(= beauty)
the true	진리(= truth)		

• **The true** was thought to be the ideal of the Greeks.
진실은 그리스인들의 이상으로 여겨졌다.

05 수량형용사

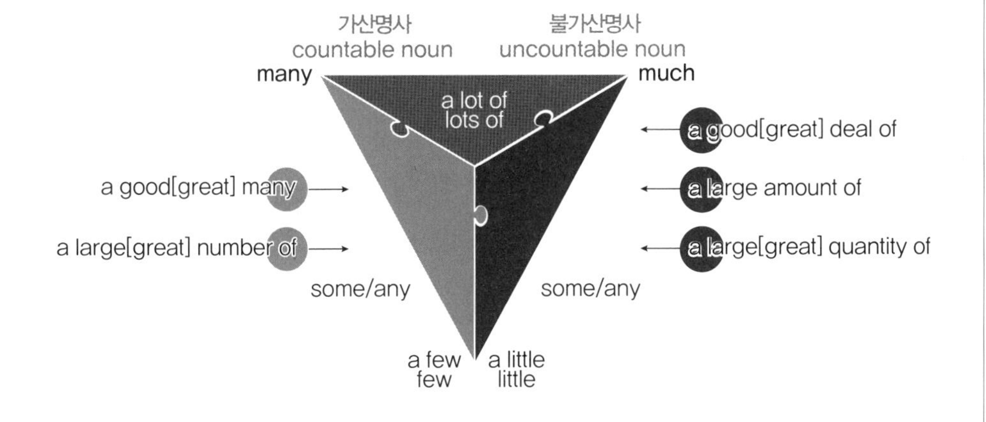

POINT CHECK

05 「the + 형용사/분사」는 (단수 / 복수) 취급한다.

06 a lot of는 가산명사, 불가산명사 모두와 함께 사용될 수 있다. (T / F)

| 정답 | 05 단수, 복수 06 T

POINT CHECK

07 형용사 a few/a little은 출제 포인트가 □□/□□□ □□의 구별이며, a few/few의 출제 포인트는 □□ 상 의미이다.

| 정답 | 07 가산/불가산 명사, 문맥

(1) 수량형용사

구분	수(countable)	양(uncountable)
많은	many	much
	a good many, a great many	a good deal of, a great deal of
	a great number of, a large number of, a multitude of	a great[large] quantity of, a great[large] amount of
	not a few, quite a few	not a little, quite a little
	a lot of, lots of, (a) plenty of	
약간의	a few	a little
거의 없는	few	little

	수(countable)	양(uncountable)
긍정적 분위기	a few	a little
부정적 분위기	few	little

① few/a few(수), little/a little(양): few/little은 '거의 없는', '별로 없는'으로 부정의 의미를 나타내고, a few/a little은 '조금 있는, 약간 있는'으로 긍정의 의미를 나타낸다.

- He has **few** apples. 그는 사과를 거의 갖고 있지 않다.
- He has **a few** apples. 그는 사과를 몇 개 가지고 있다.

② not a few는 '(수가) 상당히 많은'을 의미하고, not a little은 '(양이) 꽤 많은'을 의미한다.

not a few	not a little
= quite a few = no few = a good many	= quite a little = no little = a good deal of

- **Not a few** people have already known the fact.
  상당히 많은 사람들이 그 사실을 이미 알고 있다.
- The man has **quite a little** experience in driving.
  그 남자는 꽤 많은 운전 경험을 가지고 있다.

③ only a few = but few = very few: '약간'이라는 의미를 나타낸다.

- He has **only a few** books.
  그는 약간의 책만 갖고 있다.

④ little better than = no better than = as good as: '~보다 별로 나을 게 없는', '~와 다름없는'이라는 의미를 나타낸다.

- I was **little better than** a beggar. 나는 거지나 다름없었다.

⑤ little short of: '거의 ~이나 마찬가지인', '~이나 다름없는'이라는 의미를 나타낸다.

- It was **little short of** a big miracle.
  그것은 큰 기적이나 다름없었다.

⑥ 「little + know/dream/think/imagine/guess/suspect/realize」: '전혀 ~하지 않다'라는 의미를 나타낸다.

- I **little dreamed** that I should never see my family again.
  나는 가족들을 다시 만나지 못할 거라고는 꿈에도 생각치 못했다.
  → **Little did I dream** that I should never see my family again.
  ※ 해당 문장에서는 little은 부정부사로 사용되었다. 부정의 의미인 little이 문장 앞으로 나가 강조되면 주어와 동사의 어순이 도치된다.

(2) many, much

① 「many a[an]+단수명사」는 의미는 복수이지만 반드시 단수동사와 함께 사용한다. 반면에 「many+복수명사」는 복수동사와 함께 사용한다.

- many a[an]+단수명사+단수동사
- many+복수명사+복수동사

- **Many a student has** repeated the same question. 많은 학생들이 같은 질문을 반복했다.
  = **Many students have** repeated the same question.

② as many, as much: as many는 '(수가) 같은', '그만큼의'를 의미하고 as much는 '(양이) 같은', '~만큼의'를 의미한다.

- There were six festivals in **as many** days. 6일 동안에 6건의 축제가 있었다.
- The woman was respected, and her brother was **as much** despised.
  그 여자는 존경을 받았는데, 그녀의 남동생은 그만큼의 멸시를 받았다.

③ 「not so much A as B」: 'A라기보다는 오히려 B인'이라는 의미로 쓰인다. 암기문법

- He was **not so much** a statesman **as** a scholar. 그는 정치가라기보다는 오히려 학자였다.
  = He was **not** a statesman **so much as** a scholar.
  = He was **less** a statesman **than** a scholar.
  = He was a scholar **rather than** a statesman.

④ not[never] so much as: '~조차도 않는'이라는 의미로 쓰인다. 암기문법

- He can**not so much as** know his own name. 그는 자기 이름조차도 알지 못한다.
  = He cannot even know his own name.

⑤ not much of: '너무 ~은 아닌'이라는 의미로 쓰인다.

- He is **not much of** a writer. 그는 대단한 작가는 아니다.
- We do **not** see **much of** parents. 우리는 부모님을 그렇게 자주 만나지는 않는다.

(3) 주의해야 할 형용사

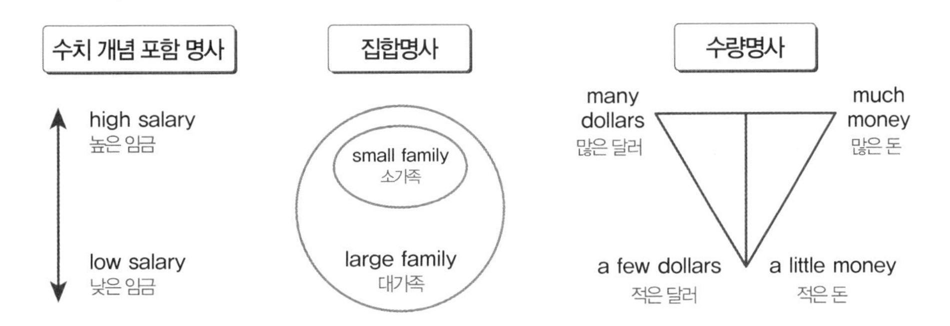

POINT CHECK

08 「many a[an]+단수명사」는 □□ 취급한다.

| 정답 | 08 단수

POINT CHECK

09 He has a (high / much) salary.

| 정답 | 09 high

① 수치 개념 포함 명사 암기문법

이미 수치 개념이 포함된 명사들은 many/much의 수식을 받는 대신 high/low를 수식어나 보어로 취한다.

price, salary, rate, speed, cost, demand, supply, level, standard, income, temperature, pressure, age

- The **price** is **low**. 그 가격은 낮다(싸다).

[O] Her **salary** is **high**. 그녀의 봉급은 높다.

[X] Her **salary** is **much**.

➡ 수치 개념이 포함된 명사는 high와 low로 수식하니 주의하자.

- How **high** is the **price**? 가격이 얼마나 높은가요? (얼마인가요?)

[O] How **much** is this **car**?

[X] How **high** is this **car**?

➡ car는 수치 개념 포함 명사가 아니므로 high/low가 아닌 much를 쓴다.

헷갈리지 말자 Price is expensive. vs. It is expensive.

Don'ts
- Price is expensive.

Do's
- It is expensive.
  그것은 비싸요.

➡ 우리말로 '가격이 비싸요.'는 자연스러운 표현이다. 하지만 영어에서는 틀리다. 이는 expensive와 cheap의 의미에 이미 '가격'의 개념이 포함되어 있기 때문에 주어로 'price'를 쓰는 것은 같은 말을 반복하는 이중부언(redundancy)이라고 보기 때문이다.

② 집합명사/수량명사 암기문법

집합적 의미의 명사와 막연한 수량을 나타내는 단위명사는 many/much 대신 large/small을 이용하여 수량을 나타낸다.

집합명사	수량명사
family, population, audience	number, amount, quantity, sum, scale, charge, expense

- How **large** is the **population** of China? 중국의 인구는 얼마나 됩니까?
  = What is the **population** of China?
- I have a **large family**. 우리는 대가족입니다.

[O] How **large** is your **family**? 너의 가족은 몇 명이니?

[X] How **many** is your **family**?

➡ 가족의 규모(인원)를 물어볼 때는 how many라는 표현을 쓰지 않는다. 한눈에 들어오는 오류가 아니므로 유의하자.

[O] A **small number** of people are addicted to Internet games.
소수의 사람들이 인터넷 게임에 중독되어 있다.

[X] A **low number** of people are addicted to Internet games.

➡ number를 수식하는 경우 high나 low가 아니라 large나 small로 수식해야 한다.

(4) 기수사, 서수사, 배수사

① 수사의 종류

㉠ 기수사(Cardinal Number): one, two, three, four, five ...

㉡ 서수사(Ordinal Number): the first, the second, the third ...

㉢ 배수사(Multiplicative): half, double, triple[three times] ...

② 서수사

'첫 번째, 두 번째, 세 번째 …' 등의 순서를 나타내는 명사이다. first, second, third 이외에는 기수에 -th를 붙여서 서수를 만들며, 원칙적으로 the를 붙여서 읽는다.

the first, the second, the third, the fourth, the fifth, the last ...

- She was **the first** president of the university.
  그녀는 그 대학의 첫 번째 총장이었다.

③ 분수

$\frac{\text{분자}}{\text{분모}}$ ← 기수 / ← 서수 (단, 분자가 1보다 크면 「서수 + -s」)

- $\frac{1}{2}$ = a half, one half
- $\frac{2}{3}$ = two thirds, two-thirds
- $\frac{1}{3}$ = one third
- $\frac{1}{4}$ = a[one] fourth, a[one] quarter
- $\frac{3}{4}$ = three quarters
- $\frac{1}{10}$ = a tenth
- $4\frac{2}{7}$ = four and two sevenths
- $2\frac{1}{2}$ = two and a half
- $\frac{38}{57}$ = thirty-eight over fifty-seven (숫자가 두 단위 이상이면 over를 사용)

※ 단, the tenth는 10번째를 의미하는 서수이므로 a tenth와 혼동하지 않도록 주의하자.

헷갈리지 말자 분수 표현 수 일치

- Two-thirds of the apples **were** bad.
  사과의 2/3는 (상태가) 나빴다.

- Two-thirds of the land **was** uncultivated.
  땅의 2/3는 경작되지 않았다.

➡ 분수 표현이 주어로 나올 경우, 분수가 주어가 아니라 뒤따라 나오는 「of + 명사(구)」의 명사의 수에 따라 단 · 복수가 달라진다.

④ 배수사: '두 배, 세 배, 네 배 …' 등을 의미하는 명사

㉠ 배수사 표현

half(반, 절반), double(두 배의), triple(세 배의), twofold(이중의, 두 배의), threefold(삼중의, 세 배의), three times(세 배의), four times(네 배의)

POINT CHECK

10 two times는 □□□이다.

| 정답 | 10 배수사

POINT CHECK

ⓒ「배수사 + as + 원급 + as」

- My classroom is about **five times as** large **as** my room.
  우리 교실은 내 방보다 약 5배만큼 크다.
  → My classroom is about **five times** the area of my room.
- This piece is **half as** large **as** that piece. 이 조각은 저 조각 크기의 반절이다.
  → This piece is **half** the size of that piece.
- This is **thirty times as** large **as** that. 이것은 저것 크기의 30배이다.
  → This is **thirty times** the size of that.

(5) 수 단위 앞에 기수 또는 부정수 형용사가 결합되어 있을 경우

수 단위를 나타내는 명사 앞에 기수가 나올 때는「기수 + 수 단위명사s」로 쓴다. 그런데 이 단위명사를 복수로 써서「수 단위명사s + of」의 형태를 취하면 막연한 범위의 수를 나타낼 수 있다.

기수 + 수 단위명사s + 명사: ~의 명사

- three **hundred** people 3백 명의 사람들
- two **million** people 2백만 명의 사람들

수 단위명사s + of + 명사: 수 ~의 명사

- **hundreds of** people 수백 명의 사람들
- **millions of** people 수백만 명의 사람들

hundreds of	수백의	tens of thousands of	수만의, 수많은
thousands of	수천의	hundreds of thousands of	수십만의, 다수의
millions of	수백만의	tens of	수십의
billions of	수십억의	dozens of	수십의
trillions of	수조의	scores of	수십의

(6)「기수 + 측정 단위명사」

「기수 + 측정 단위명사」는 한정적 용법에서는 단수로, 서술적 용법에서는 복수 형태로 쓰인다.

「(관사/기수) + 기수–측정 단위명사s + 명사(s)」

- He is **a 10-year-old boy.** (한정적 용법) 그는 10살의 소년이다.
- They are **10-year-old boys.** (한정적 용법) 그들은 10살의 소년들이다.
- They are **10-year-olds.** (관용적 표현) 그들은 10살이다.

「기수 + 측정 단위명사s + 형용사」

- The boy is **10 years old.** (서술적 용법) 그 소년은 10살이다.

O The city is 900 square **feet.** 그 도시는 900평방 피트이다.

X The city is 900 square **foot.**

➡ 서술적 용법으로 쓰이는 측정 단위명사는 반드시 복수형으로 사용해야 하므로, foot의 복수형인 feet를 사용해야 옳다.

O I have one hundred-**dollar** bill. 나는 100달러짜리 지폐를 갖고 있다.

X I have one hundred-**dollars** bill.

➡ 한정적 용법으로 사용되는 측정 단위명사는 반드시 단수형으로 사용해야 한다. 따라서 dollars의 단수형인 dollar를 사용해야 옳다.

헷갈리지 말자 측정 단위명사

한정적 용법

- They are **10-year-old** boys.
  그들은 10세의 소년들이다.
- They are **10-year-olds.** (=people who are ten years old)
  그들은 10세의 사람들이다.

서술적 용법

- The boys are **10 years old.**
  그 소년들은 10세이다.

➡ 측정 단위명사 사용 시 그 형태가 단수인지 복수인지는 한정적 용법인지 서술적 용법인지에 따라 결정된다. 한정적 용법일 때 측정 단위명사는 단수형으로 사용해야 하며, 서술적 용법일 때는 복수형으로 사용한다. 그러나 2014년 서울시 9급에서 10-year-olds라는 표현을 사용해서 혼란을 야기했는데, 이는 10-year-old boys의 관용적 축약형으로 옳은 표현이니 참고하자.

(7) 「the + 서수 + 명사」 = 「무관사 명사 + 기수」

- **the Second** World War = World War **Two** 제2차 세계대전
- **the eleventh** page = page **eleven** 11페이지

06 기타 형용사

(1) 주의해야 할 형용사

- This city is **worth visiting.** 이 도시는 방문할 가치가 있다.
  → It is **worth visiting** this city.
- This city is **worthwhile to visit.** 이 도시는 방문할 가치가 있다.
  → It is **worthwhile to visit** this city.
  → It is **worthwhile visiting** this city.
  ※ worthwhile은 목적어로 to부정사와 동명사를 둘 다 취할 수 있다.
- This city is **worthy of being visited.** 이 도시는 방문될 가치가 있다.
  = This city is **worthy to be visited.**
  ※ worthy는 「of + (동)명사」 또는 to부정사 목적어를 취한다.
- My house is **near** the park. 나의 집은 공원 근처에 있다.
- Her house is **opposite** my house. 그녀의 집은 우리 집 맞은편이다.
- There are many people of **like** mind. 같은 마음을 가진 사람들이 많다.

POINT CHECK

11 like는 명사, 부사, 접속사, □□□(으)로 쓰인다.

| 정답 | 11 형용사

POINT CHECK

(2) 주어에 제한을 받는 형용사

① 사람의 성질을 나타내는 형용사

「주어(사람)+be동사+사람의 성질을 나타내는 형용사 …」
=「It is+사람의 성질을 나타내는 형용사+of+목적격+to부정사 …」

brave	용감한	careless	부주의한
clever	영리한	cruel	잔인한
considerate	사려깊은, 이해심이 있는	foolish	멍청한
honest	정직한	kind	친절한
rude	무례한	wise	현명한

• She is **kind** to do so. 그렇게 하다니 그녀는 친절하다.
= **It** is kind **of** her **to do** so.

② 사람의 감정을 나타내는 형용사

sure	확신하는	regretful	유감스러운, 후회하는
thankful	감사하는	grateful	감사하는

• They are **sure** to overcome the problems. 그들은 분명히 그 문제들을 극복할 것이다.
참 I am **sure** that they will overcome the problems.
나는 그들이 그 문제들을 극복할 것이라고 확신한다.
• I am **regretful** that I missed the chance. 나는 그 기회를 놓친 것이 유감스럽다.
참 It is **regrettable** that I missed the chance. 내가 그 기회를 놓친 것은 유감스럽다.

(3) 고유 형용사

고유명사의 형용사 격으로 명사를 수식한다.

• **Korean people** would not do such a thing. 한국인들은 그런 짓을 하지 않는다.

국명 〈고유 명사〉	국어 〈고유 형용사〉	국민		
		전체	개인 〈단수〉	개인 〈복수〉
Korea America	Korean English	the Koreans the Americans	a Korean an American	Koreans Americans

(4) 다빈도 기출 혼동 형용사

① 혼동하기 쉬운 형용사

comparative	비교의, 비교상의	comparable	~에 필적하는, ~와 비교할 수 있는		
continual	짧은 간격을 두고 일이 반복되는	continuous	중단되는 일 없이 계속되는		
considerable	많은, 상당한	considerate	동정심 많은, 사려 깊은	considering	~을 고려하면, ~에 비해
credible	신용할 수 있는, 믿을 수 있는	credulous	잘 속는, 잘 믿는		
desirable	바람직한, 호감이 가는	desirous	원하는		

economic	경제학의, 경제적인, 경제의	economical	절약하는, 경제적인, 낭비하지 않는		
healthy	건강한, 튼튼한	healthful	건강에 좋은		
historic	역사적으로 중요한, 역사적인	historical	역사상의, 역사와 관련한		
industrious	근면한	industrial	산업의, 공업의		
imaginative	상상력이 풍부한	imaginable	상상할 수 있는	imaginary	상상의, 비현실적인
literal	문자의, 글자의, 원문에 충실한	literary	문학의, 작가의	literate	글을 읽고 쓸 줄 아는(↔ illiterate: 문맹의)
momentous	중대한	momentary	순간적인		
luxurious	사치스러운, 호화스러운	luxuriant	번성한, 풍부한, 무성한		
memorable	기억할 만한	memorial	기념의, 기념이 되는		
practicable	사용할 수 있는, 실천할 수 있는	practical	실제적인, 실천적인, 실용적인		
sensible	분별 있는, 현명한, 깨닫고 있는	sensitive	민감한, 섬세한, 상하기 쉬운	sensual	관능적인
respectable	존경할 만한, 훌륭한	respective	각각의	respectful	경의를 표하는, 공손한
successive	잇따른, 연속적인	successful	성공한		
regrettable	유감스러운	regretful	유감스러워하는, 후회하는		

② 특수 파생 형용사: 하나의 명사에서 두 가지의 형용사가 파생된 경우

명사	형용사 1	형용사 2
father	fatherly(아버지다운, fatherly love: 부성애)	paternal(아버지의, 부계의)
mother	motherly(어머니다운)	maternal(어머니의, 모계의)

③ -ly형 형용사: -ly로 끝나는 단어는 대부분 부사이지만, 아래의 경우처럼 형용사인 경우도 있으니 주의하자.

likely	~할 것 같은	monthly	매달의, 한 달의
friendly	상냥한, 우호적인, 친절한	lovely	사랑스러운, 아름다운
hourly	매시간의	daily	매일의
weekly	매주의	fortnightly	격주의
half-yearly	반년마다의	quarterly	분기별의
timely	시기적절한	yearly	매년의

※ 단, 시간을 나타내는 hourly, daily, weekly, fortnightly, monthly, quarterly, half-yearly, yearly는 형용사와 부사로 모두 쓰인다.

④ 「as + 형용사 + as」 비유 구문: 명사의 특성을 이용해서 비유하는 표현이다.

as big as a house	집처럼 큰	as free as a bird	새처럼 자유로운
as black as ink	잉크처럼 검은	as fresh as a daisy	데이지처럼 신선한

POINT CHECK

POINT CHECK

⑤ 특정 전치사와 함께 쓰이는 형용사

㉠ about

be particular about	~에 까다롭다	be curious about	~에 호기심이 있다
be anxious about	~에 대해 걱정하다	be careful about	~에 주의하다

㉡ at

be glad at	~에 대해 기뻐하다	be amazed at	~에 놀라다
be good at	~을 잘하다	be bad at	~을 잘 못하다
be present at	~에 참석하다	be clever at	~에 현명하다

㉢ for

be anxious for	~을 갈망하다	be fit for	~에 적합하다
be famous for	~으로 유명하다	be liable for	~에 책임이 있다

㉣ from

be absent from	~에 결석하다	be tired from	~해서 피곤하다
be different from	~와 다르다	be far from	~에서 멀다
be separated from	~와 분리되다	be free from	~로부터 자유롭다
be descended from	~의 후손이다	be distinct from	~와 완전히 별개다
be distant from	~로부터 멀리 떨어져 있다	be exempt from	~로부터 면제받다
be exhausted from	~로 지치다	be divorced from	~와 분리되다, 이혼하다

㉤ in

be absorbed in	~에 몰두하다	be interested in	~에 관심이 있다
be excellent in	~에서 뛰어나다	be deficient in	~이 결핍되어 있다
be lacking in	~이 부족하다	be wanting in	~이 부족하다

㉥ of

be ashamed of	~을 부끄럽게 여기다	be innocent of	~의 죄가 없다
be cautious of	~을 조심하다	be short of	~이 부족하다
be aware of	~을 알다	be fearful of	~을 두려워하다
be afraid of	~을 두려워하다	be ignorant of	~을 모르다
be appreciative of	~에 감사하다	be fond of	~을 좋아하다
be proud of	~을 자랑스러워하다	be careful of	~에 주의하다
be patient of	~을 참다	be desirous of	~을 바라다
be certain of	~을 확신하다	be conscious of	~을 의식하다
be jealous of	~을 시기하다	be envious of	~을 부러워하다
be capable of	~할 수 있다	be reflective of	~을 반영하다
be cognizant of	~을 알고 있다, ~을 인식하다	be suspicious of	~을 의심하다
be full of	~으로 가득 차다	be critical of	~에 대해 비판적이다
be independent of	~로부터 독립하다		

ⓢ with

be acquainted with	~에 익숙하다	be inconsistent with	~와 일치하지 않다
be alive with	~으로 생기 넘치다	be wrong with	~이 잘못되다

ⓞ to

be close to	~에 가깝다	be previous to	~보다 앞서다
be equal to	~와 동등하다	be similar to	~와 비슷하다
be opposite to	~에 상반되다	be due to	~ 때문이다
be blind to	~을 깨닫지 못하다	be hostile to	~에 적대적이다
be contrary to	~와 반대다	be inclined to	~하는 경향이 있다, ~하고 싶다
be superior to	~보다 뛰어나다	be averse to	~을 싫어하다, 반대하다
be subject to	~의 대상이다, ~을 받다	be inferior to	~보다 열등하다
be irrelevant to	~와 무관하다	be available to	~가 이용 가능하다
be sensitive to	~에 민감하다	be native to	~에 기원을 두다, ~가 원산지다

- The water amount **is equal to** the amount of the juice.
  물의 양은 주스의 양과 동일하다.
  ※ equal은 형용사 외에 명사와 동사로도 사용되므로 주의해야 한다.

07 형용사 어순

(1) 형용사 어순

여러 종류의 형용사가 있는 경우 다음의 순서대로 배열한다.

지시 + 수량 + 의견 + 크기 + 성질 + 나이 + 색깔 + 출신 + 재료 + 종류 + 목적

① 의견(opinion): wonderful, nice, great, awful, terrible

② 크기(size): large, small, long, short, tall

③ 성질(quality): difficult, important, quiet, famous, soft, wet, fast, warm

④ 나이(age): new, old, young

⑤ 색깔(color): yellow, blue

⑥ 출신(origin): Korean, British

⑦ 재료(material): paper, stone, plastic, steel

⑧ 종류(type): **industrial** designer, **facial** cream

⑨ 목적(purpose): a **bread** knife, a **bath** towel

- I have **some nice difficult** quiz questions.
  나는 몇몇 괜찮고 어려운 퀴즈 문제들을 가지고 있다.
- There is a **wide brown** bottle on the desk.
  넓은 갈색 병이 책상 위에 있다.

POINT CHECK

POINT CHECK

12 -thing은 수식어가 □에 온다.

| 정답 | 12 뒤

- I had a **long boring** train journey.
  나는 길고 지루한 기차 여행을 했어.
- Look at **those two large old stone** buildings.
  저 두 개의 크고 오래된 석조 건물들을 보시오.

(2) 형용사 후치 수식

형용사는 「형용사 + 명사」의 형태로 전치 수식하는 것이 원칙이지만, 아래와 같은 경우는 후치 수식을 하게 된다.

① 「주격 관계대명사 + be동사」가 생략되면 후치 수식할 수 있다.

- She is a lady (who is) **beautiful, honest,** and **rich.**
  그녀는 아름답고 정직하고 부유한 숙녀이다.
  → She is a beautiful, honest, and rich lady.

② 형용사가 다른 요소와 결합되어 길어질 때 후치 수식한다.

- I have a dictionary (which is) **useful for foreigners.**
  나는 외국인들에게 유용한 사전을 갖고 있다.
  ※ 형용사 앞에 「주격 관계대명사 + be동사」가 생략되었다.

③ -thing, -body, -one은 후치 수식한다.

- I need something **new.** 나는 뭔가 새로운 것이 필요하다.
- O There is **nothing special** in this area. 이 지역에는 특별한 것이 없다.
- X There is **special nothing** in this area.

④ 「최상급/all/every + 명사 + -able [-ible] 류의 형용사」일 때 후치 수식을 하지만, 현대 영어에서는 전치, 후치 수식을 모두 허용하는 경향이 있다.

- They have tried **every** means **possible.** 그들은 가능한 모든 방법들을 시도했다.

⑤ 서술적 용법의 형용사일 때 후치 수식한다.

- She is the greatest musician (who is) **alive.** 그녀는 살아 있는 가장 위대한 음악가이다.
  ※ 형용사 앞에 「주격 관계대명사 + be동사」가 생략되었다.

01 형용사

[01~10] 다음 중 어법상 옳은 것을 고르시오.

01 John is looking for [so / such] books.

02 The wounded [was / were] taken to hospital.

03 This vase is worth two [hundred / hundreds] dollars.

04 The river rose seven [foot / feet] high.

05 They bought [a few / a little] pens.

06 It is brave [of / for] you to save her.

07 People want to earn [many / much] money.

08 The restaurant is great and the staff are [friend / friendly].

09 There was [wrong something / something wrong] with the radio.

10 He spent a great deal of [money / dollars].

정답&해설

01 such

| 해석 | John은 그러한 책들을 찾는 중이다.

| 해설 | 'such'는 형용사인 반면 'so'는 부사이다. 여기서는 뒤의 명사 'books'를 수식해야 하므로 정답은 'such'이다.

02 were

| 해석 | 부상자들은 병원으로 옮겨졌다.

| 해설 | 'The wounded'는 'wounded people'을 나타내며 복수로 취급한다. 따라서 뒤에 오는 동사는 복수형인 'were'를 사용하는 것이 옳다.

03 hundred

| 해석 | 이 꽃병은 200달러의 가치가 있다.

| 해설 | 명사 앞에 「기수 + 수 단위명사」가 올 때, 수 단위명사는 단수 형태를 사용한다. 따라서 'hundred'를 사용하는 것이 옳다.

04 feet

| 해석 | 그 강은 7피트 높이로 상승하였다.

| 해설 | 「기수 + 측정 단위명사 + 형용사」가 서술적 용법으로 쓰이는 경우 측정 단위명사는 복수로 쓴다. 따라서 'feet'을 사용하는 것이 옳다.

05 a few

| 해석 | 그들은 펜 몇 개를 샀다.

| 해설 | 'pens'는 가산명사 'pen'의 복수형이므로 수를 나타내는 형용사 'a few'를 사용하는 것이 옳다.

06 of

| 해석 | 당신이 그녀를 구하다니 용감하다.

| 해설 | 'brave'는 사람의 성질을 나타내는 형용사로 「It is + 사람의 성질을 나타내는 형용사 + of + 목적격 + to부정사…」의 형태로 사용할 수 있다. 따라서 목적격 'you' 앞에 전치사 'of'를 사용하는 것이 옳다.

07 much

| 해석 | 사람들은 많은 돈을 벌기를 원한다.

| 해설 | 'money'는 불가산명사이므로 양을 나타내는 형용사 'much'를 사용하는 것이 옳다.

08 friendly

| 해석 | 그 식당은 훌륭하고 직원들은 친절하다.

| 해설 | 불완전자동사 'are'의 주격 보어로는 명사와 형용사를 둘 다 쓸 수 있다. 그러나 가산명사 'friend'는 단수 형태 'a friend'나 복수 형태 'friends'로 사용해야 하므로 옳지 않다. 따라서 형용사 'friendly'가 정답이다.

09 something wrong

| 해석 | 라디오에 뭔가 문제가 있었다.

| 해설 | 'something'과 같이 '-thing'으로 끝나는 대명사는 후치 수식을 한다. 따라서 'something wrong'이 옳은 표현이다.

10 money

| 해석 | 그는 많은 돈을 썼다.

| 해설 | 'a great deal of'는 양을 나타내는 형용사로 뒤에 불가산명사가 온다. 따라서 불가산명사에 해당하는 'money'가 옳은 표현이다.

[11~20] 다음 중 어법상 옳은 것을 고르시오.

11 I [few / little] knew about the rumor.

12 [Many / Many a] cat came to me.

13 The crime was very [utter / perfect].

14 She looks forward to seeing [many / many a] dogs.

15 The price of the sweater is [high / expensive].

16 How [many / large] is her family?

17 He deals with [so / such] things.

18 Jack is not so [many / much] a writer as a teacher.

19 The population of Korea is too [many / large].

20 They bought [a few / a little] oil.

정답&해설

11 little

| 해석 | 나는 그 소문에 대해 아는 것이 거의 없었다.

| 해설 | 'little'은 형용사와 부사의 기능이 있는 반면, 'few'는 형용사로만 쓰인다. 여기서는 동사 'knew'를 수식해야 하므로 'little'을 사용하는 것이 옳다.

12 Many a

| 해석 | 많은 고양이들이 나에게 왔다.

| 해설 | 'many'와 'many a' 모두 '많은'을 뜻하나 'many a'는 단수명사와 결합하는 반면, 'many'는 복수명사와 결합한다. 여기서는 뒤에 오는 명사가 단수명사 'cat'이므로 'Many a'를 사용하는 것이 옳다.

13 perfect

| 해석 | 그 범죄는 아주 완벽했다.

| 해설 | 'utter'와 'perfect' 모두 '완전한, 완벽한'을 뜻하나 'perfect'는 한정적 용법과 서술적 용법 둘 다 가능한 반면, 'utter'는 한정적 용법만 가능하므로 'perfect'가 알맞다.

14 many

| 해석 | 그녀는 많은 개들을 보기를 기대한다.

| 해설 | 'many'와 'many a' 모두 '많은'을 뜻하나 'many'는 복수명사와 결합하는 반면, 'many a'는 단수명사와 결합한다. 여기서는 뒤에 오는 명사가 복수명사 'dogs'이므로 'many'를 사용하는 것이 옳다.

15 high

| 해석 | 그 스웨터의 가격은 높다(비싸다).

| 해설 | 'price'는 수치 개념이 포함된 명사이므로 'high'를 사용하는 것이 옳다.

16 large

| 해석 | 그녀의 가족은 몇 명입니까?

| 해설 | 'family'는 집합명사이므로 'large'를 이용하여 수를 나타낸다. 따라서 'large'가 옳은 표현이다.

17 such

| 해석 | 그는 그러한 일들을 다룬다.

| 해설 | 'such'는 형용사인 반면, 'so'는 부사이다. 여기서는 명사 'things'를 수식해야 하므로 정답은 'such'이다.

18 much

| 해석 | Jack은 작가라기보다는 오히려 선생님이다.

| 해설 | 「not so much A as B」는 관용표현으로 'A라기보다는 오히려 B인'을 뜻한다.

19 large

| 해석 | 한국의 인구는 너무 많다.

| 해설 | 'population'은 집합명사이므로 'many' 대신 'large'를 사용하는 것이 옳다.

20 a little

| 해석 | 그들은 기름을 조금 샀다.

| 해설 | 'oil'은 불가산명사이므로 양을 나타내는 형용사 'a little'을 사용해 수식하는 것이 옳다.

01 형용사

교수님 코멘트▶ 형용사와 부사는 가장 대표적인 수식어이다. 형용사가 수식하는 대상은 명사이므로 명사의 종류에 따라 알맞은 형용사를 선택해야 한다. 특히 수량형용사가 빈번하게 출제되는 경향이 있다.

01

다음 중 우리말을 영어로 잘못 옮긴 것은?

① 그는 머리가 둔하다기보다는 교육을 받지 못한 것이다.
→ He is not so much unintelligent as uneducated.

② 그가 배움을 갖기에 너무 늙은 것은 아니다.
→ He is not too old to learn.

③ 지금쯤 잠자리에 들었어야 할 시간이다.
→ It is time you went to bed.

④ 그는 우리에게 했던 무례한 행동을 후회하고 있다.
→ He is regrettable for his rude behavior to us.

01 regrettable vs. regretful

④ 형용사 'regrettable'은 '후회할 만한'이라는 의미로 사람의 성격을 나타내지 않기 때문에 사람을 주어로 사용할 수 없다. 사람이 주어로 올 때는 'regretful(후회하는)'을 사용한다.

| 오답해설 | ① 'A라기보다는 오히려 B'는 「not so much A as B」 혹은 「B rather than A」로 표현할 수 있다.
② '~하기에 너무 …한 것은 아니다'는 「too + 형용사 + to부정사」로 표현한다.
③ '~할 시간이다'는 「It's time + 주어 + 과거동사 ~」로 표현한다.

02

다음 문장들 중 어법상 옳지 않은 것을 고르시오.

① I'll soon be finished with this job.

② It is foolish for the government to prevent the sick from being cured.

③ My husband insisted that the new baby be named after his mother.

④ He was firing questions at the politician.

02 「It is wise/foolish/rude/polite + of + 목적격 + to부정사」

② 「It + be동사 + 형용사 + 의미상 주어 + to부정사~」에서 형용사가 사람의 성질을 나타내는 경우 의미상 주어는 「of + 목적격」의 형태로 쓴다. 해당 문장에서 형용사 'foolish'는 사람의 성질을 나타내는 형용사이므로 'for the government'를 'of the government'로 수정해야 한다.

| 오답해설 | ① 'be finished with'는 '~을 끝내다'라는 뜻으로 사용되었다.
③ 주장동사 'insist'는 당위성이 있는 내용을 주장하는 경우 종속절의 동사를 「(should) + 동사원형」의 형식으로 쓴다. 이때 'should'는 생략 가능하다.
④ 여기서 'fire'는 '~에게 질문을 퍼붓다'라는 뜻의 동사로 사용되었다.

| 해석 | ① 나는 이 일을 곧 끝마칠 것이다.
② 정부가 아픈 사람들이 치료받는 것을 막다니 어리석다.
③ 내 남편은 새로 태어난 아기가 자신의 어머니의 이름을 따서 이름이 지어져야 한다고 주장했다.
④ 그는 그 정치인에게 질문을 퍼붓고 있었다.

| 정답 | 01 ④ 02 ②

03

2018 지방직 7급 변형

우리말을 영어로 잘못 옮긴 것은?

① 대다수의 기관에서 가장 중요한 것은 유능한 관리자들을 두는 것이다.
→ What matters most in the majority of organizations is having competent managers.

② 많은 진료소들이 치료법을 안내하기 위해 유전자 검사를 이용하고 있다.
→ Much clinics are using gene tests to guide therapy.

③ 요즘에는 신문들이 광고에서 훨씬 더 적은 돈을 번다.
→ Nowadays, newspapers make much less money from advertisements.

④ 통화의 가치는 대개 한 국가의 경제력을 반영한다.
→ A currency's value usually reflects the strength of a country's economy.

04

우리말을 영어로 잘못 옮긴 것은?

① 우리는 통금 시간을 청소년을 괴롭히는 또 다른 방식으로 보지 않는다.
→ We don't look at the curfew as another way to hassle juveniles.

② 불법 이민자 수가 이백만 명에서 천만 명에 이를 것이라고 추산되고 있다.
→ Estimates of illegally immigrants range from two million to ten million.

③ 우리는 더 많은 지식을 얻음으로써만 의심을 없앨 수 있다.
→ We can rid ourselves of our suspiciousness only by procuring more knowledge.

④ 여기에 서명하세요, 그렇지 않으면 법적 효과가 없어요.
→ Please sign here, or it is not valid.

---

03 **수량형용사 many vs. much**

② 'much'는 양을 나타내는 수량형용사로 가산명사 'clinics'와 함께 사용할 수 없다. 따라서 'Much'를 수를 나타내는 수량형용사 'Many'로 바꿔야 한다.

| 오답해설 | ① 형용사 'competent'가 명사 'managers'를 수식하는 것은 올바르다. 주어(What matters most ~ organizations)와 동사(is)의 수 일치도 알맞다.
③ 양을 나타내는 형용사 'less'가 불가산명사 'money'를 알맞게 수식하고 있다.
④ 'reflect'는 완전타동사로 전치사 없이 목적어를 취했으므로 옳다.

04 **형용사 vs. 부사**

② 'illegal'은 형용사로 명사 'immigrants'를 수식할 수 있으나, 부사 형태인 'illegally'는 명사를 수식하지 못하므로 옳지 않다.

| 오답해설 | ① 전치사 'as'는 '~로서'의 의미로 사용되었다.
③ 전치사 'by'는 '~로(방법·수단)'의 의미로 사용되었다.
④ 「명령문, or + 주어 + 동사」는 '~해라, 그렇지 않으면 …할 것이다'의 의미를 가지므로 접속사 'or'이 옳게 사용되었다.

05

2018 서울시 9급

밑줄 친 부분 중 어법상 가장 옳지 않은 것은?

When you find your tongue ① twisted as you seek to explain to your ② six-year-old daughter why she can't go to the amusement park ③ that has been advertised on television, then you will understand why we find it difficult ④ wait.

06

밑줄 친 부분 중 어법상 틀린 것은?

A traveler watched with curiosity as a lumberman occasionally jabbed his sharp hook into a log, ① separating it from the others that were floating down a mountain stream. When ② asked why he did this, the worker replied, "These may all ③ look like to you, but a few of them are quite different. The ones I let pass are from trees that grew in a valley ④ where they were always protected from the storms. Their grain is coarse. The ones I've hooked and separated from the rest came from high upon the mountains. From the time they were small, they were beaten by strong winds. This toughened the trees and gave them a fine grain."

---

05 가목적어-진목적어, 「기수 + 측정 단위명사」

④ 이 문장의 'why ~ wait'는 타동사 'understand'의 목적어로 간접의문문 형태로 사용되었다. 따라서 간접의문문의 어순인 「의문사 + 주어 + 동사」 형태에서 동사는 불완전타동사인 'find'가 사용되었고 목적어로는 가목적어 'it'이 있으므로 「find + 가목적어 it + 목적격 보어 + 진목적어」 형태로 사용되어야 옳다. 진목적어로는 to부정사를 주로 사용하나, 명사절로도 가능하다. 'wait'는 'to wait'가 되어야 한다.

| 오답해설 | ① 타동사 'find'가 「find + 목적어 + 목적격 보어」의 형태로 사용되었다. 목적어인 'your tongue'이 '꼬이는' 것이므로 수동의 의미를 지닌 과거분사 'twisted'는 옳게 사용되었다.

② 「기수 + 측정 단위명사 + 형용사」가 명사를 수식할 때 측정 단위명사는 단수형으로 쓴다.

- She is a five-year-old girl. (한정적 용법)
- She is a five year old girl. (한정적 용법: 하이픈 생략 가능)
- The girl is five years old. (서술적 용법)

③ 선행사 'the amusement park'를 수식하는 형용사절의 주격 관계대명사 'that'이 바르게 사용되었다. 주격 관계대명사는 뒤따라오는 동사와 반드시 수가 일치해야 하는데, 여기서는 선행사가 단수이므로 동사 'has'는 적절하게 사용되었다.

| 해석 | 당신이 6살짜리 딸에게 TV에서 광고된 놀이공원에 왜 갈 수 없는지 설명하려고 하면서 당신의 혀가 꼬이는 것을 깨닫게 될 때, 당신은 왜 우리가 기다리는 것이 어려운지 이해할 것이다.

---

06 like vs. alike

③ 감각동사 'look'의 보어 자리에는 서술적 용법의 형용사가 와야 한다. 한정적 용법의 형용사 'like' 대신 서술적 용법으로 쓰이는 'alike'가 옳은 표현이다.

| 오답해설 | ① 주어 'a lumberman'의 행동을 동시상황으로 나타내고 있으므로 능동 의미의 현재분사로 쓴 것은 적절하다.

② 이 문장은 'When the worker was asked why he did this, ~'에서 'the worker was'가 생략된 형태이다. 또한 분사구문으로 'When being asked ~'에서 'being'은 생략되고 접속사는 남아 있는 형태로도 볼 수 있다.

④ 선행사 'a valley'를 수식하며, 관계부사 'where' 이후의 절이 완전한 문장 구조를 이루므로 옳게 사용되었다.

| 해석 | 벌목꾼이 이따금씩 날카로운 고리를 통나무에 찔러서 그것을 산의 시내로 떠내려오는 다른 것들로부터 분리할 때, 한 나그네가 호기심을 갖고 지켜보았다. 왜 이런 일을 하느냐는 질문을 받았을 때, 그 일꾼은 대답했다. "이것들이 모두 당신에게는 똑같아 보일지 모르지만, 그것들 중 일부는 아주 다르답니다. 내가 통과하도록 내버려 두는 것들은 항상 폭풍으로부터 보호를 받았던 계곡에서 자랐던 나무들에서 얻은 것입니다. 그것들의 결은 형편없지요. 내가 갈고리로 찍어서 나머지로부터 분리시켰던 것들은 산의 높은 곳에서 온 것이지요. 그것들은 작았을 때부터 강한 바람을 맞았어요. 이것이 그 나무들을 단단하게 만들고 그것들에게 멋진 결을 갖게 했답니다."

| 정답 | 03 ② 04 ② 05 ④ 06 ③

07

어법상 옳지 않은 것을 고르시오.

① He resisted being arrested by the police.
② He pretended to be indifferent to her opinion.
③ The companies force people to buy the products they produce.
④ This pill proves harmlessly if the people who took it don't have such symptoms.

08

2018 서울시 9급

밑줄 친 부분 중 어법상 가장 옳은 것은?

More than 150 people ① have fell ill, mostly in Hong Kong and Vietnam, over the past three weeks. And experts ② are suspected that ③ another 300 people in China's Guangdong province had the same disease ④ begin in mid-November.

---

07 형용사 vs. 부사

④ 'prove'가 '~임이 드러나다, 판명되다'를 뜻하는 경우 불완전자동사로 명사, 형용사, to부정사를 주격 보어로 가진다. 해당 문장은 주격 보어로 부사 'harmlessly'를 사용하였으므로 틀린 문장이다. 따라서 'harmlessly'를 형용사 'harmless'로 수정해야 한다.

| **오답해설** | ① 'resist'는 동명사를 목적어로 가지는 완전타동사이며 동명사의 수동태 'being arrested' 뒤에 「by + 행위자」에 해당하는 'by the police'가 왔으므로 옳은 표현이다.
② 'pretend'는 to부정사와 결합하여 '~인 척하다'를 뜻한다. 따라서 해당 문장의 'pretended' 뒤에 온 'to be indifferent'는 옳은 표현이다.
③ 해당 문장에서 'force'는 to부정사를 목적격 보어로 가지는 불완전타동사로 사용되었으므로 'to buy'의 쓰임은 옳으며, 'the products'와 'they' 사이에는 목적격 관계대명사 'which' 또는 'that'이 생략되어 있다.

| **해석** | ① 그는 경찰에 체포되는 것에 저항했다.
② 그는 그녀의 의견에 무관심한 척했다.
③ 회사들은 그들이 생산하는 제품들을 사람들이 사도록 강제한다.
④ 그것을 복용한 사람들에게 그러한 증상들이 없다면 이 약은 해롭지 않다고 판명된다.

---

08 한정사-명사 수 일치

③ 'another'는 「another + 단수명사」 형태로 직접적으로는 단수명사를 수식하지만, 「another + 기수 + 복수명사」의 형태로 쓰이면 '또 다른 ~들'의 의미가 된다.

| **오답해설** | ① 'fall–fell–fallen'이므로 'have fallen ill'이 되어야 한다.
② 'suspect'가 타동사로 that절을 목적어로 가지려면 수동이 아닌 능동의 형태여야 한다. 따라서 'suspect'가 되어야 한다.
④ that절의 주어는 'another 300 people'이고 동사는 'had(가졌다)'이다. 접속사 없이 하나의 주어에 두 개의 동사가 있을 수 없으므로 'begin' 이후는 'disease'를 수식하는 역할을 하는 것이 알맞다. 앞의 'disease'와 의미상 능동의 관계이므로 현재분사 'beginning'을 사용하는 것이 옳다.

| **해석** | 150명이 넘는 사람들이 지난 3주간 주로 홍콩과 베트남에서 병에 걸렸다. 그리고 전문가들은 중국 광동 지방의 또 다른 300명이 11월 중반에 시작된 같은 질병에 걸렸다고 의심한다.

09

어법상 옳지 않은 것을 고르시오.

① 그 나무들은 화재로 심하게 손상되었다.
→ The trees were badly damaged by the fire.

② 그는 자신의 아버지가 아직 살아 계시다고 확신했다.
→ He was convinced that his father was still alive.

③ 노인들은 병원에서 보살핌을 받아야 할 필요가 있다.
→ The elderly needs to be taken care of in hospital.

④ 네가 편할 때 언제든지 내게 그 책을 돌려주면 된다.
→ You can return the book to me whenever it is convenient for you.

10

밑줄 친 부분 중 어법상 옳지 않은 것을 고르시오.

The concept of humans doing multiple things at a time ① has been studied by psychologists since the 1920s, but the term "multitasking" didn't exist until the 1960s. It was used to describe computers, not people. Back then, ten megahertz was so fast ② that a new word was needed to describe a computer's ability ③ to quickly perform many tasks. In retrospect, they probably made a poor choice, for the expression "multitasking" is inherently ④ deception.

---

09 「the + 형용사/분사」

③ 'The elderly'는 「the + 형용사」의 형태로 'elderly people'의 의미이며 복수 취급한다. 따라서 뒤에 오는 동사는 복수 형태를 사용해야 하므로 'needs'를 'need'로 수정해야 한다.

| 오답해설 | ① 'were badly damaged'는 「be동사 + 부사 + 과거분사」의 형태로 옳은 표현이다.

② 「be convinced that + 절」은 관용표현으로 '~라고 확신하다'라는 의미이다.

④ 해당 문장에서 주격 보어로 쓰인 'convenient'는 주어로 사람을 사용할 수 없으므로 비인칭 대명사 'it'의 사용은 옳다.

---

10 형용사의 쓰임

④ 부사 'inherently'의 수식을 받으면서 'is'의 보어로 쓸 수 있는 것은 명사가 아니라 형용사이므로 'deceptive'로 수정하는 것이 옳다.

| 오답해설 | ① 밑줄 친 'has been studied'는 'study'의 현재완료 수동태로 이후에 목적어가 없으며 주어 'The concept'와 동사 'study'가 수동 관계이다. 또한 'since the 1920s'는 현재완료와 함께 사용하는 시간의 부사구이므로 'has been studied'는 옳은 표현이다.

② 밑줄 친 'that'은 '너무 ~해서 …하다'라는 의미의 「so + 형용사 + that + 주어 + 동사」 구문에 쓰인 접속사로 옳은 표현이다.

③ 밑줄 친 'to quickly perform'은 명사 'ability'를 수식하는 to부정사의 형용사적 용법에 해당하며 이후에 목적어 'many tasks'가 왔으므로 to부정사의 능동태 'to quickly perform'은 옳은 표현이다.

| 해석 | 인간이 한 번에 여러 가지 일을 한다는 개념은 1920년대 이후로 심리학자들에 의해 연구되어 왔지만, '멀티태스킹'이라는 용어는 1960년대가 되어서야 비로소 존재했다. 그것은 사람이 아니라 컴퓨터를 묘사하기 위해 사용되었다. 그 당시만 해도 10메가헤르츠는 너무 빨라서 많은 일을 빠르게 수행하는 컴퓨터의 능력을 묘사하기 위해 새로운 단어를 필요로 했다. 돌이켜 생각해 보면, 그들은 아마 좋지 못한 선택을 했을 수도 있는데, 왜냐하면 '멀티태스킹'이라는 표현이 본질적으로 기만적이기 때문이다.

| 정답 | 07 ④ 08 ③ 09 ③ 10 ④

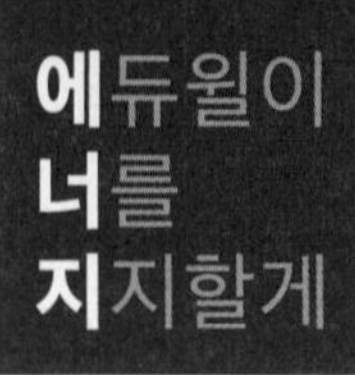

ENERGY

뜨거운 가마 속에서 구워낸 도자기는
결코 빛이 바래는 일이 없다.

이와 마찬가지로 고난의 아픔에 단련된 사람의 인격은
영원히 변하지 않는다.

고난은 사람을 만드는 법이다.

– 쿠노 피셔(Kuno Fischer)

CHAPTER

02 부사

□ 1회독	월	일
□ 2회독	월	일
□ 3회독	월	일
□ 4회독	월	일
□ 5회독	월	일

POINT CHECK

VISUAL G

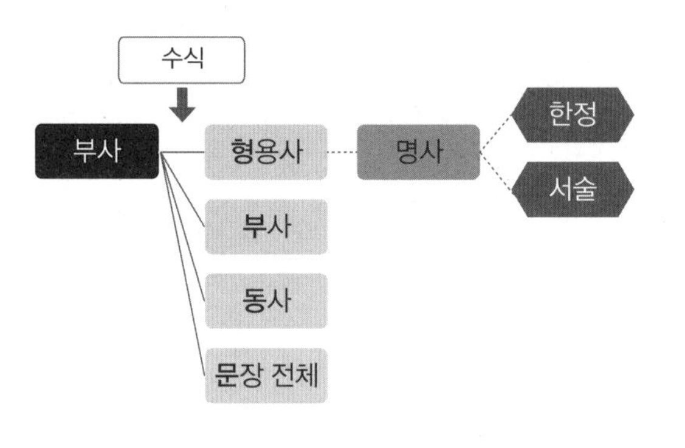

01 부사의 역할

01 문장에서 부사는 □□□, □□, □□, □□ □□을(를) 수식한다.

부사는 동사, 형용사 및 다른 부사 등을 수식하는 말로, 수식을 받는 단어가 좀 더 자세한 의미를 갖도록 도와주는 역할을 한다. 언제(때), 어디서(장소), 어떻게(방법), 왜(이유), 얼마나(정도), 얼마나 자주(빈도) 등을 나타낸다.

(1) 형용사 수식

- This box is **too** big. 이 상자는 너무 크다.
- He was **extremely** busy. 그는 엄청나게 바빴다.
- **How** many cookies do you have? 얼마나 많은 쿠키를 가지고 있습니까?

(2) 부사, 부사구, 부사절 수식

- We enjoyed the concert **very** much. 우리는 그 콘서트를 굉장히 즐겼다.
- She speaks Spanish **quite** well. 그녀는 스페인어를 꽤 잘한다.
- A customer came **just** at three. 손님이 딱 3시에 왔다.
- He came **long** before the time. 그는 그 시간보다 오래 전에 왔다.
- He came here **simply** because he liked it. 그는 그저 그것을 좋아해서 여기에 왔다.

| 정답 | 01 형용사, 부사, 동사, 문장 전체

(3) 동사 수식

• She spoke Spanish **well.** 그녀는 스페인어를 잘했다.

• A baby was sleeping **peacefully.** 아기는 평온하게 자고 있었다.

• I came home **yesterday.** 나는 어제 집에 왔다.

(4) 문장 전체 수식

• **Perhaps** he will get fat. 아마도 그는 살이 찔 것이다.

• **Unfortunately**, they lost. 불행히도, 그들은 졌다.

• **Happily**, he did not die. 다행히도, 그는 죽지 않았다.

참 He didn't die **happily.** (동사 수식) 그는 행복하게 죽지 못했다.

(5) 명사, 대명사 수식

교수님 한마디 매우 드문 경우로, 부사의 의미 그대로 명사를 수식하는 형태이다. 아래 예문만 분명하게 알아 두어도 좋겠다.

• **Even** a child can say it. (a child 수식) 심지어 아이조차도 그것을 말할 수 있다.

참 I could not **even** see him. (see 수식) 나는 그를 만나지조차 못했다.

• **Only** he betrayed his friend. (he 수식) 오로지 그만 친구를 배반했다.

참 He **only** betrayed his friend. (betrayed 수식)

그는 친구를 단지 배반하기만 했다. (배반 외의 다른 행위는 하지 않음)

헷갈리지 말자 형용사 vs. 부사

• All of these are **basic** speculative personal predictions.

• All of these are **basically** speculative personal predictions.
이 모든 것은 근본적으로 추측에 근거한 개인적 예상치들이다.

➡ 형용사 speculative를 수식하는 것은 형용사가 아니라 부사여야 한다.

02 부사의 형태

교수님 한마디 -ly 형태로 끝나는 부사가 많기는 하지만 그 외에도 다양한 형태가 존재한다. 여기서는 먼저 부사의 형태 분류를 명확히 하고 문장에서의 역할을 확인하자.

(1) 부사의 형태

부사는 주로 형용사에 -ly를 붙인 형태이지만, 예외의 경우가 있으니 주의해야 한다.

「형용사 + -ly」

• polite → politely • quick → quickly

① 「자음 + -y」 → -ily

• happy → happily • angry → angrily

② -le → -ly

• possible → possibly • gentle → gently

※ 예외: sole → solely, whole → wholly

POINT CHECK

02 부사의 일반적인 형태는 「형용사+-□□」이다.

■ 「명사 + -ly」

「명사+-ly」 형태는 부사가 아니라 형용사가 된다.

• friend → friendly
• love → lovely
• man → manly
• home → homely

| 정답 | 02 ly

POINT CHECK

③ -ue → -uly

- true → **truly**　　　　　　　• due → **duly**

④ -ic → -ically

- dramatic → dramatic**ally**

※ 예외: public → publicly

(2) 부사의 종류

① 시간 부사(구)

㉠ 일반적인 시간 부사(구)는 문장의 맨 뒤에 오는 것이 원칙이다.

㉡ 불특정 시간 부사의 경우에는 일반동사 앞, 조동사와 be동사 뒤, 문장의 앞 또는 뒤 등 비교적 위치가 자유롭다.

recently	최근에	lately	최근에
previously	이전에	once	언젠가
presently	지금, 이내	later	후에, 나중에
afterwards	나중에	last	마지막에
shy of	(시간 등이) 부족한, 모자라는	first	맨 처음에, 맨 먼저

- She came **last** and left **first**.

그녀는 마지막에 와서 맨 먼저 떠났다.

- She was one week **shy of** one year birthday when she met her mother first.

그녀가 엄마를 처음 만난 것은 1살 생일 1주일 전이었다.

② 장소 부사: '방향, 위치'를 나타내는 부사이다.

home	집으로	abroad	외국으로
overseas	해외로	downtown	도심으로
indoors	내부로, 집 안으로	outdoors	외부로, 집 밖으로
upstairs	위층으로	downstairs	아래층으로
outward(s)	밖으로 향하는		

헷갈리지 말자　outdoors vs. outdoor

- She does not like going **outdoors**.

그녀는 밖으로 나가는 것을 좋아하지 않는다.

- She does not like going **outdoor**.

➡ outdoors는 부사이지만, outdoor는 형용사이다. 따라서 go outdoor는 어법상 옳지 않은 표현이다. 's'의 여부로 형용사와 부사의 품사가 달라지기 때문에 각별히 주의해야 한다. 실제로 2014년도 국가직 시험에서 go outdoor가 출제되어 복수 정답으로 인정되었다.

- Logically if the blast took place within the vessel, the steel of the hull would be bent **outwards**.

논리적으로 배 안에서 폭발이 일어났다면, 선체의 강철은 바깥쪽으로 구부러졌을 것이다.

POINT CHECK

O I have been to New York and I am ready to go **abroad** again.

나는 뉴욕에 갔다 왔고 다시 해외로 갈 준비가 되어 있다.

X I have been to New York and I am ready to go **to abroad** again.

➡ abroad는 부사인 만큼 전치사 to와 함께 사용하지 않고 단독 사용한다.

③ 방법부사: 방법을 나타내는 부사로, 가능하면 수식하는 단어 가까이에 위치한다.

badly	나쁘게	well	잘
safely	안전하게	kindly	친절하게
hard	심하게	quietly	조용하게
superficially	표면적으로	earnestly	진지하게

• He looked at me **quietly**. 그는 조용히 나를 바라봤다.

= He looked **quietly** at me.

④ 빈도/부정 부사

빈도	occasionally, normally, regularly, always, frequently, annually, often, sometimes, rarely, seldom, hardly, scarcely, barely
부정	never

※ 부정에 준하는 빈도부사 hardly, barely, scarcely는 '거의 ~않는'의 의미로 정도를 나타내는 표현이고, rarely, seldom은 '좀처럼 ~않는'의 의미로 빈도를 나타내는 표현이다. 부정을 나타내는 부사 never와 마찬가지로 문맥상 이중 부정에 주의해야 한다.

• Englishmen **rarely** talk to strangers on the train.

영국인들은 기차에서 낯선 사람들에게 좀처럼 말을 걸지 않는다.

⑤ 정도부사: 수식을 받는 단어나 구 앞에 위치한다.

very	매우	much	많이
enough	충분히	greatly	대단히
entirely	완전히, 전적으로	extremely	몹시
deeply	깊이		

• They look **entirely** different. 그것들은 완전히 달라 보인다.

⑥ 접속부사: 품사는 부사이나 문맥 속에서 의미는 접속사이다.

	접속 부사	접속사
동격	namely, that is, in other words	
결과	consequently, therefore, hence, thus	so
조건	otherwise	unless
역접	still, however	but, yet
대조	nevertheless, nonetheless	though, although, even though, even if
유사	similarly, likewise, in the same way	
요약	digestedly(= to conclude, in conclusion)	
부가	moreover, likewise, besides, in addition	as well as

POINT CHECK

03 hard–hardly는 형용사–부사 (관계이다 / 관계가 아니다).

| 정답 | 03 관계가 아니다

O He's starved. **Besides,** he's thirsty. 그는 굶주렸다. 게다가, 그는 목이 말랐다.

O He's starved; **besides** he's thirsty.

O He's starved and **besides** he's thirsty.

X He's starved, **besides,** he's thirsty.

➡ 접속 부사는 부사이기 때문에 두 개의 절을 연결할 수 없고, 접속사 역할을 하는 and나 세미콜론(;)을 앞에 써야 하는 것이 원칙이지만, 구어체에서는 지켜지지 않는 경우도 종종 있다.
A. B. / A and besides B. / A and B. / A; besides B. / A. Besides, B.

⑦ 문장부사: 문장 전체를 수식하는 부사로, 문두에 위치한다.

아마	probably, supposedly
분명히	certainly, surely, undoubtedly
보기에	apparently, seemingly
대개	mostly, normally
들리는 바에 의하면	reportedly, allegedly
기타	regrettably, actually, (un)fortunately

03 주의해야 할 부사의 형태

	형용사 형태	부사 형태
① 「형용사 + -ly」가 부사가 되는 유형	ⓐ instant 즉각의	ⓐⓓ instantly 즉시
② 형용사와 부사의 형태가 같은 유형	ⓐ early 이른	ⓐⓓ early 일찍
③ 부사가 두 가지 형태로 존재하는 유형	ⓐ quick 빠른	ⓐ = ⓐⓓ quick(빠르게) = quickly(빠르게)
④ 「형용사 + -ly」가 전혀 의미가 다른 유형	ⓐ hard 굳은, 어려운, 열심인	ⓐ ≠ ⓐⓓ hard(열심히) ≠ hardly(거의 ~않는)

① 「형용사 + -ly」가 부사가 되는 유형

happy → happily	행복한 → 행복하게
immediate → immediately	즉각적인 → 즉시

- We need an **immediate** answer. 우리는 즉각적인 대답을 필요로 한다.
- They **immediately** started to study them on that very day.
그들은 바로 그날 그것들을 즉시 연구하기 시작했다.

② 형용사와 부사의 형태가 같은 유형

fast → fast	빠른 → 빠르게	long → long	긴 → 길게
far → far	먼 → 멀리		

- She is a **fast** runner. 그녀는 빠른 주자이다.
- She runs **fast.** 그녀는 빨리 달린다.

※ fast는 부사의 형태도 형용사와 같은 fast이다. fastly는 비격식 표현이니 주의하자.

• Today was a **long** day. 오늘은 힘든 날이었다.

• My grandma lived **long.** 나의 할머니께서는 오래 사셨다.

③ 부사가 두 가지 형태로 존재하는 유형

cheap/cheaply	값싸게	low/lowly	낮게
loud/loudly	큰 소리로	first/firstly	첫 번째로
easy/easily	쉽게	last/lastly	마지막으로
quick/quickly	빨리	sure/surely	확실히
slow/slowly	느리게	real/really	정말로
wrong/wrongly	틀리게	tight/tightly	빽빽히

• He ran as **quick** as he could. 그는 가능한 한 빨리 뛰었다.

= He ran as **quickly** as he could.

※ 단, 부사와 형용사를 구별하는 문항에서 두 가지 형태가 제시된다면 -ly 형태를 올바른 부사의 형태로 인정하는 경우가 많으니, 이 점에 주의해야 한다.

④ 「형용사 + -ly」가 전혀 의미가 다른 유형

high	ⓐ 높은	ⓐⓓ 높이	highly	ⓐⓓ 크게, 대단히
near	ⓐ 가까운	ⓐⓓ 가까이	nearly	ⓐⓓ 거의
dear	ⓐ 비싼, 친애하는, 소중한	ⓐⓓ 비싸게	dearly	ⓐⓓ 몹시, 비싸게
late	ⓐ 늦은	ⓐⓓ 늦게	lately	ⓐⓓ 최근에
hard	ⓐ 굳은, 어려운, 열심인	ⓐⓓ 열심히	hardly	ⓐⓓ 거의 ~않는
pretty	ⓐ 예쁜	ⓐⓓ 매우, 꽤	prettily	ⓐⓓ 예쁘게
short	ⓐ 짧은	ⓐⓓ 짧게	shortly	ⓐⓓ 곧, 즉시
free	ⓐ 무료의, 자유로운	ⓐⓓ 무료로	freely	ⓐⓓ 자유롭게
close	ⓐ (시간 · 공간적으로) 가까운, 접근한, 밀접한, 친밀한	ⓐⓓ (시간 · 공간적으로) 가까이에	closely	ⓐⓓ 밀접하게, 긴밀히, 유심히

• My house is **close** to his office. 우리 집은 그의 사무실과 가깝다.

• His family sat **close** together. 그의 가족은 가까이에 앉았다.

※ close는 동사 sat을 수식하는 부사로 공간적인 거리가 가까움을 나타내고 있다.

• Look at this situation about you **closely.** 너에 관련된 이 상황을 자세히 살펴봐.

※ 공간적인 접근과 달리, '관계' 또는 '정도'를 나타내는 경우는 부사로 closely를 사용한다.

• We had a **late** dinner today. 우리는 오늘 늦은 저녁을 먹었다.

• They arrived an hour **late.** 그들은 한 시간 늦게 도착했다.

• **Lately** I've been thinking of what I want to be.

최근에 나는 내가 무엇이 되고 싶은지에 대해서 생각해 보고 있다.

• This mountain is **hard** to climb. 이 산은 오르기에 힘들다.

• He worked **hard** in his school days. 그는 학창 시절에 열심히 공부했다.

• She **hardly** thinks about that. 그녀는 그것에 대해 거의 생각하지 않는다.

POINT CHECK

POINT CHECK

04 양태부사는 타동사의 □ 또는 목적어의 □에 주로 위치한다.

05 빈도부사의 위치는 □□□□의 앞, □□□□와 □□□의 뒤이다.

| 정답 | 04 앞, 뒤
05 일반동사, be동사, 조동사

04 부사의 위치

(1) 형용사(구), 부사(구)를 수식할 때

수식을 받는 단어나 구 앞에 위치하는 것이 원칙이다.

- I am **very** glad to see you. 나는 너를 만나 굉장히 기쁘다.
- He is **entirely** in the wrong. 그가 전적으로 잘못했다.

(2) 양태[방법] 부사의 위치

gladly, frankly, well, heartily, perfectly, carefully 등의 위치는 문장 구조마다 다르다.

① 자동사 뒤에 위치 → 「자동사 + 양태부사」

- They came back **immediately.** 그들은 즉시 돌아왔다.

② 타동사의 앞 또는 목적어 뒤에 주로 위치 → 「양태부사 + 타동사 + 목적어」, 「타동사 + 목적어 + 양태부사」

- I **gladly** accepted the proposal.
  나는 기쁘게 그 제안을 받아들였다.
- The foreigner pronounced each word **perfectly.**
  그 외국인은 각 단어를 완벽하게 발음했다.

③ 타동사가 목적어절을 가질 때, 양태부사는 목적어절 앞에 위치 → 「타동사 + 양태부사 + 목적어절」

- The foreigner understood **perfectly** what I said. 그 외국인은 내가 한 말을 완벽하게 이해했다.

(3) 빈도부사의 위치

빈도	빈도부사
100%	always, all the time
90%	almost always
70%~80%	usually, generally, normally
50%	often, frequently
30%~40%	sometimes, occasionally, on occasion, at times, from time to time
15%	seldom, scarcely, hardly, rarely, barely
0%	never, not ~ ever

① 일반동사 앞

- I **sometimes** visit my old friend. 나는 때때로 내 오랜 친구를 방문한다.

② be동사, 조동사 뒤

- She is **often** late from school. 그녀는 종종 학교에서 늦게 온다.
- You should **always** obey your brother. 너는 항상 형의 말을 따라야 한다.

(4) 「타동사 + 부사」: 이어동사의 목적어의 위치

pick up, put on, take off, turn on, turn off, throw away, bring back, put in, hand in, call off, give up, put off, see off, take on, try on, carry out, call up

「타동사 + 부사」가 명사나 대명사를 목적어로 취하면 다음과 같은 형태로 쓴다.

- 타동사 + 명사 + 부사 (○)
- 타동사 + 대명사 + 부사 (○)
- 타동사 + 부사 + 명사 (○)
- 타동사 + 부사 + 대명사 (×)

- Turn the radio on. (○)
- Turn on the radio. (○)
- Turn it on. (○)
- Turn on it. (×)

참 자동사가 전치사와 결합되었을 때는 다르다.

- Listen to the man. (○)
- Listen the man to. (×)
- Listen to him. (○)
- Listen him to. (×)

① 목적어가 명사일 때

- Put on **your hat**. (○) 당신의 모자를 쓰시오.

→ Put **your hat** on. (○)

② 목적어가 대명사일 때

- Put **them** on. (○) 그것들을 쓰시오[입으시오].

→ Put on them. (×)

○ Try on **this swimsuit.** / Try **it** on. 이 수영복을 입어 봐. / 그것을 입어 봐.

× Try on **it.**

➡ 이어동사가 대명사 목적어를 가질 때 대명사는 반드시 이어동사 사이에 들어가야 한다.

(5) 부사 배열 순서

① 부사가 여러 개 있을 때 어순은 「방법 + 장소 + 시간」이다.

- He was working **hard there then**.

방법 장소 시간

그는 그 당시에 거기에서 열심히 일하고 있었다.

② 왕래발착동사의 경우는 동사와 가장 밀접한 관계인 장소부사가 앞에 와서 「장소 + 방법 + 시간」의 순서가 된다.

- She came to **Korea by ship last year.**

장소 방법 시간

그녀는 작년에 배를 타고 한국에 왔다.

③ 같은 종류의 부사 간 어순: 좁은 범위 → 넓은 범위

- She was born **in a small town in London on May 2nd, 1990**.

좁은 장소 넓은 장소 짧은 시간 긴 시간

그녀는 1990년 5월 2일에 런던의 한 작은 마을에서 태어났다.

④ 수식어가 길면 짧은 부사가 동사 앞으로 이동한다.

- We **recently** took a trip **around the world.**

시간(짧은 부사) 장소(긴 부사)

우리는 최근에 세계 여행을 했다.

POINT CHECK

06 이어동사의 목적어가 대명사일 때, 「동사+□□□+□□」의 어순을 취한다.

| 정답 | 06 대명사, 부사

POINT CHECK

07 very는 원급을 수식하고, still, a lot, much, even, (by) far는 □□□을(를) 수식한다.

08 much는 동사 외에도 □□□와(과) □□□을(를) 수식한다.

■ 비교급 수식 SAMEF
still, a lot, much, even, (by) far는 '훨씬 더 ~한'의 의미로 비교급을 수식한다.

| 정답 | 07 비교급
08 비교급, 최상급

05 주요 부사

(1) very

① 형용사/부사의 원급 수식, 현재분사형의 형용사를 수식

- He is **very** busy. 그는 매우 바쁘다.
- This movie is **very** interesting. 이 영화는 매우 재미있다.

② 형용사화된 과거분사 수식

tired, pleased, excited, surprised, satisfied

- He was **very** excited. 그는 매우 신이 났다.
- She is **very** tired from hard work. 그녀는 고된 업무로 매우 피곤하다.

※ 과거분사가 동사적 성질을 잃고 형용사의 의미만 가지게 된 경우에는 much 대신 very의 수식을 받는다.

참 I was **much** surprised at the result.
나는 그 결과에 매우 놀랐다.
※ 뒤에 전치사 by, about, with, at, in이 동반되어 수동의 의미가 분명할 때는 much로 수식한다.

(2) much

① 동사 수식

- We appreciate your concern very **much.**
우리는 당신의 관심에 매우 감사드립니다.

② 비교급 수식

- He is **much** taller than his brother.
그는 그의 형보다 훨씬 더 키가 크다.

③ 「much the + 최상급」

- He is **much the** smartest boy in his class.
그는 반에서 가장 똑똑한 남자아이이다.

④ 「much too + 형용사/부사」: '너무나 ~한/하게'이라는 의미로 far too와 같은 의미로 쓰인다.

- This study is **much too** complicated for Beckham to handle.
이 연구는 Beckham이 다루기에는 너무나 복잡하다.
- The other one was **much too** old. 나머지 하나는 너무 낡았다.

참 We had eaten **too much** food to go swimming.
우리는 수영을 하러 가기에는 너무나 많은 음식을 먹었다.

※ 「too much/many + 명사」: '너무나 많은 ~'이라는 의미로 쓰인다.

POINT CHECK

(3) ago/before

① ago: 지금부터 ~ 전 (과거시제)

- He passed away ten years **ago.**

  그는 10년 전에 사망했다.

  ※ 반드시 「기간명사+ago」 형태로 쓰임

② before: 그때[현재]보다 ~ 이전 (완료시제, 과거시제)

- She said that he had died ten years **before.**

  그녀가 그는 10년 전에 죽었다고 말했다.

- I have never seen this picture **before.** 나는 전에 이 사진을 본 적이 없다.

  ※ before(막연히 이전): 과거, 현재완료, 과거완료 시제 문장에 단독으로 쓰인다.

(4) well

good의 부사 형태로, '잘, 좋게, 상당히'의 의미이다.

- Its stock price will be **well** over its market value next week.

  다음 주에 그것의 주가가 그것의 시장 가치를 충분히 넘어설 것이다.

- Beckham does his job **well.** Beckham은 그의 일을 잘한다.

  참 My family are all **well.** 우리 가족은 전부 건강하다.

  ※ well은 '건강한'이란 의미의 형용사로도 쓰인다.

(5) already

긍정문에서는 '벌써, 이미'라는 의미이며, 의문문에서는 '벌써'라는 놀라움을 나타낸다.

- She has **already** finished cleaning her room.

  그녀는 벌써 그녀의 방을 청소했다.

(6) yet

긍정문과 부정문에서는 '아직도'라는 의미이며, 의문문에서는 '이미'라는 의미이다.

- There are **yet** many things to be discovered.

  아직도 발견될 것들이 많다.

- He hasn't **yet** fed the dog.

  그는 아직 개에게 밥을 주지 않았다.

(7) enough

명사를 앞에서 수식하며 '충분한'이라는 의미를 갖는 형용사 역할을 하거나, 형용사/부사를 뒤에서 수식하는 부사 역할을 한다.

① 「형용사/부사+enough」

- He is rich **enough** to buy this car.

  그는 이 차를 살 만큼 충분히 부유하다.

- We got up early **enough** to catch the first plane.

  우리는 첫 비행기를 탈 만큼 일찍 일어났다.

09 「□□□/□□+enough」의 어순을 기억하라.

| 정답 | 09 형용사, 부사

POINT CHECK

② 「enough + 명사」, 「명사 + enough」: 두 가지 어순 모두 사용 가능하나, 현대 영어에서는 「enough + 명사」를 압도적으로 높은 빈도로 사용한다. 「명사 + enough」는 고어체에 가깝다.

- We must have **enough** information.

  → We must have information **enough.**

  우리는 충분한 정보를 가져야만 한다.

- We don't have **enough** big nails. 우리는 큰 못을 충분히 가지고 있지 않다.
- We don't have big **enough** nails. 우리는 충분히 큰 못이 없다.

  ※ 해당 예문에서 enough big nails는 '충분한 큰 못(개수)'으로 못의 개수가 부족함을 의미하는 반면, big enough nails는 '(크기가) 충분히 큰 못'을 의미하여 크기 면에서 불충분한 못의 상태를 서술하고 있다.

(8) still

긍정문이나 의문문에서는 '아직도, 여전히'라는 의미로 be동사나 조동사 뒤, 일반동사 앞에 위치한다. 부정문에서는 '아직도'라는 의미로 부정어 앞에 위치한다.

- The dog is **still** asleep. 그 개는 여전히 자고 있다.
- I am **still** taking a shower. 나는 아직도 샤워 중이다.

(9) at all

- I **don't** understand her **at all.** 나는 그녀를 전혀 이해하지 못한다.

  ※ 부정문에서 「not ~ at all」은 '전혀 ~이 아니다'라는 의미이다.

- If you do it **at all,** start it now. 기왕에 하는 거면, 지금 시작해라.

  ※ 조건문에서는 '기왕에'라는 의미이다.

- Can you believe them **at all?** 도대체 그들을 믿을 수 있어?

  ※ 의문문에서는 '도대체'라는 의미이다.

- We are surprised that he passed the exam **at all.**

  우리는 그가 어쨌든 시험에 통과했다는 것에 놀란다.

  ※ 평서문에서는 '어쨌든'이라는 의미이다.

- There is very little milk, if **at all.** 우유가 있다 하더라도, 굉장히 조금 있다.

  ※ if at all은 '~한다고 하더라도'라는 의미로 쓰인다.

(10) either, neither 암기문법

either는 '~ 또한'이라는 의미이고, neither는 '~ 또한 …가 아닌'이라는 의미이다.

- He doesn't enjoy fish, and she **doesn't, either.**

  그는 생선을 좋아하지 않고, 그녀도 안 좋아한다.

  = He doesn't enjoy fish, **and neither does she.**

  = He doesn't enjoy fish, **nor does she.**

O He doesn't swim, **and neither** does she. 그는 수영을 하지 않고, 그녀도 하지 않는다.

X He doesn't swim, **neither** does she.

➡ neither는 부정부사일 뿐, 문장을 연결하는 기능이 없기 때문에 반드시 접속사와 함께 사용해야 한다. neither는 부정부사이므로 뒤따라오는 문장의 어순은 의문문 어순이어야 한다.

02 부사

[01~15] 다음 중 어법상 옳은 것을 고르시오.

01 His voice is [instant / instantly] recognizable.

02 The child [always seems / seems always] to be hungry.

03 They disappeared [indoor / indoors].

04 He [never speaks / speaks never] to her.

05 The sky is [so / enough] clean.

06 His backpack is [enough expensive / expensive enough].

07 I will pick [up you / you up] at six.

08 He ran [fast enough / enough fast].

09 These pants are [much / many] too tight.

10 You need to study [hard / hardly].

11 Her father looked [such handsome / handsome enough].

12 We should [do always / always do] our best.

13 The photographs brought [back many things / many things back].

14 They [sometimes may / may sometimes] go to the department store.

15 It was [warm enough / enough warm] for me.

정답&해설

01 instantly

|해석| 그의 목소리는 즉각 알 수 있다.

|해설| 형용사 'recognizable'을 수식해야 하므로 부사 'instantly'가 옳은 표현이다.

02 always seems

|해석| 그 아이는 항상 배가 고파 보인다.

|해설| 'always'는 빈도부사이므로 일반동사 앞에 위치한다. 따라서 'always seems'가 옳은 표현이다.

03 indoors

|해석| 그들은 실내로 사라졌다.

|해설| 'indoors'는 부사이고 'indoor'는 형용사이다. 동사 'disappeared'를 수식해야 하므로 'indoors'가 알맞다.

04 never speaks

|해석| 그는 결코 그녀에게 말하지 않는다.

|해설| 부정부사의 위치는 일반동사 앞, be동사와 조동사 뒤이다.

05 so

|해석| 하늘이 매우 맑다.

|해설| 부사 'so'는 형용사를 앞에서 수식할 수 있으나 부사 'enough'는 형용사를 앞에서 수식할 수 없으므로 'so'가 답이 된다.

06 expensive enough

|해석| 그의 배낭은 충분히 비싸다.

|해설| 'enough'는 부사인 경우 형용사와 부사를 뒤에서 수식한다.

07 you up

|해석| 나는 6시에 너를 태우러 갈 것이다.

|해설| 'pick up'은 「타동사 + 부사」 형태의 동사구로 목적어가 대명사인 경우 「pick + 목적어(대명사) + up」만 가능하다. 따라서 'you up'이 옳은 표현이다.

08 fast enough

|해석| 그는 충분히 빠르게 달렸다.

|해설| 'enough'는 부사인 경우 형용사와 부사를 뒤에서 수식한다.

09 much

|해석| 이 바지는 너무 많이 조인다.

|해설| 「much too + 형용사」는 '너무 ~한'을 뜻한다. 따라서 'much'가 옳은 표현이다.

10 hard

|해석| 너는 열심히 공부할 필요가 있다.

|해설| 'hard'는 양태부사이므로 일반동사 뒤에 올 수 있으나 'hardly'는 빈도부사이므로 일반동사 앞에 위치해야 한다. 따라서 'hard'가 옳은 표현이다.

11 handsome enough

|해석| 그녀의 아버지는 충분히 잘생겨 보였다.

|해설| 형용사 'handsome'을 수식하는 부사로 'enough'는 사용할 수 있으나 'such'는 사용할 수 없으므로 'handsome enough'가 알맞다.

12 always do

|해석| 우리는 항상 최선을 다해야 한다.

|해설| 빈도부사는 be동사와 조동사 뒤, 일반동사 앞에 위치한다.

13 back many things / many things back

|해석| 그 사진들은 많은 것들을 떠올리게 했다.

|해설| 'bring back'은 「타동사 + 부사」 형태의 동사구로 목적어가 일반명사인 경우 「bring + 목적어 + back」과 「bring + back + 목적어」 두 가지 형태로 모두 쓸 수 있다. 따라서 'back many things'와 'many things back' 둘 다 옳은 표현이다.

14 may sometimes

|해석| 그들은 때때로 백화점에 갈 수도 있다.

|해설| 빈도부사는 be동사와 조동사 뒤, 일반동사 앞에 위치한다.

15 warm enough

|해석| 날씨가 나에게는 충분히 따뜻했다.

|해설| 'enough'는 부사인 경우 형용사와 부사를 뒤에서 수식한다.

02 부사

교수님 코멘트▶ 부사는 동사를 수식하는 것 이외에도 형용사, 다른 부사, 문장 전체 등을 수식하는 역할을 한다. 따라서 부사가 수식하는 것이 무엇인지를 찾아내는 능력이 중요하다고 할 수 있다. 이에 다양한 문제들을 선정하였으므로 수험생들은 자연스럽게 부사의 쓰임을 이해할 수 있을 것이다.

01

다음 중 어법상 옳지 않은 것을 고르시오.

① Whether we can buy plane tickets is another problem.
② Hardly had he caught sight of them before she called out.
③ He didn't know how to go to the British Museum by bus, neither did I.
④ Almost every language has some topic areas that are especially rich in vocabulary and idiomatic expressions.

02

2009 지방직 7급

다음 중 어법상 어색한 것을 고르시오.

The Vietnamese Communist regime, ① long weakened by regionalism and corruption, can ② barely control the relentless destruction of the country's forests, which are home to some of the most spectacular wild species in Asia, including the Java rhinoceros, dagger-horned goats, as well as ③ new discovered animals ④ previously unknown to Western science.

---

01 nor vs. neither

③ 'neither'는 '~ 또한 …가 아닌'이라는 의미의 부사이므로 절을 이끌 수 없다. 따라서 'neither' 앞에 접속사 'and'를 사용해야 한다. 또는 'nor did I'로 접속사 'nor'를 써서 절과 절을 연결할 수 있다.

| 오답해설 | ① 'Whether'은 'we can buy plane tickets'의 명사절을 이끄는 접속사로 '~인지'의 의미이다. 참고로 명사절 접속사 'if'는 주어절을 이끌 수 없다.
② 'Hardly'가 문장의 맨 앞으로 도치되었으므로 이후의 문장은 의문문 어순이어야 한다. 'Hardly' 뒤에 「had + 주어 + p.p.」 형태로 'had he caught'가 오는 것은 옳다.
④ 부사 'almost'는 형용사 'every'를 수식할 수 있다. 또한 선행사 'areas'와 관계대명사 'that' 뒤의 동사 'are'의 수 일치 역시 옳다.

| 해석 | ① 우리가 비행기 표를 살 수 있는지는 또 다른 문제이다.
② 그가 그들을 보자마자 그녀가 소리를 질렀다.
③ 그는 버스로 대영박물관에 가는 방법을 알지 못했고, 나도 마찬가지였다.
④ 거의 모든 언어는 어휘와 관용적인 표현에 특히 풍부한 몇 가지 주제 분야를 갖고 있다.

---

02 형용사 vs. 부사

③ 'discovered'는 과거분사로 명사 'animals'를 수식하는 형용사 역할을 하기 때문에 형용사 'new'가 아닌 부사 'newly'의 수식을 받아야 한다.

| 오답해설 | ① 'long'은 형용사와 부사의 형태가 같다. 여기서는 부사로 과거분사 'weakened'를 수식한다.
② 'barely'는 부정부사로 조동사 뒤에 위치한다.
④ 형용사 'unknown'을 수식하는 부사 'previously'의 사용은 올바르다.

| 해석 | 지역주의와 부패로 오랜 기간 약해진 베트남 공산주의 체제는 서양 과학에는 이전에 알려지지 않았던 새롭게 발견된 동물들뿐만 아니라 자바 코뿔소, 단검 뿔 염소를 포함하여 아시아에서 가장 장관인 야생종들의 서식지가 되고 있는 국유림의 무분별한 파괴를 거의 막을 수가 없다.

| 정답 | 01 ③ 02 ③

03

2018 서울시 7급 제1회

어법상 (A), (B), (C)에 들어갈 표현으로 가장 옳은 것은?

When forecasters predict hurricanes, we can prepare in advance. Modern technology has given us the ability to know when one of these fierce storms is barreling toward the coastline. As the grave storm looms (A) [close/closely], forecasters can often predict the date it (B) [has struck/will strike] land. Most people do not refrain (C) [into/from] following emergency measures, so that they can survive even through severe hurricanes.

	(A)		(B)		(C)
①	close	–	has struck	–	into
②	close	–	will strike	–	from
③	closely	–	will strike	–	from
④	closely	–	has struck	–	into

04

주어진 우리말을 영어로 가장 잘 옮긴 것은?

폭설로 인해 열차가 많이 늦어져서 자정까지 집에 도착할 수 있을지 걱정이 되었다.

① The heavy snow delayed my train a lot, and I was worrying about my arrival at home until midnight.
② The heavy snow delayed the train so much that I felt worried about whether I could get home by midnight.
③ The train was very late thanks to the heavy snow; I felt worrying whether I could arrive home in the midnight.
④ As the train had been long delayed owing to the heavy snow, I felt worrying about whether I could get home till midnight.
⑤ As the train was delayed a long time because of the heavy snowstorm, I worried about if I could reach home by midnight or not.

---

03 부사, 시제 판단, 전치사

(A) 'looms'는 완전자동사이므로 동사를 수식할 수 있는 부사가 적절하다. 'close'와 'closely' 모두 부사가 가능하지만, '가까이'라는 의미로는 'close'를 사용하고 '밀접하게, 친밀하게'라는 뜻으로는 'closely'를 사용한다. 따라서 문맥상 'close'를 사용하는 것이 가장 적절하다.

(B) 'forecasters can often predict the date(기상 예보관들은 종종 날짜를 예측할 수 있다)'를 볼 때, 기상 예보관들이 큰 폭풍이 육지를 강타할 날짜를 미리 예측하는 것이므로 미래시제를 사용하여 미래의 일을 나타내야 한다. 따라서 'will strike'가 답이다.

(C) 'refrain from'은 '~을 삼가다'라는 표현이므로 전치사 'from'이 적절하다.

| 해석 | 기상 예보관들이 허리케인을 예측할 때, 우리는 미리 대비할 수 있다. 현대 기술은 이 사나운 폭풍 중 하나가 해안가를 향해 질주하고 있을 때를 알 수 있는 능력을 우리에게 주었다. 큰 폭풍이 가까이 나타날 때, 기상 예보관들은 그것이 육지를 강타할 날짜를 종종 예측할 수 있다. 대부분의 사람들은 비상조치들을 따르는 것을 꺼리지 않아서 그들은 심각한 허리케인에서도 생존할 수 있다.

04 「so + 형용사/부사 + that절」의 쓰임

② 「so ~ that」은 원인과 결과를 표현하며 '너무 ~해서 …하다'라는 뜻으로 사용된다.

| 오답해설 | ① 등위접속사 'and'는 원인과 결과를 표현할 수도 있지만 'and' 다음에 나오는 절의 시제와 부사구의 표현이 맞지 않다. 'until midnight'는 'by midnight'이 되어야 한다.

③ 'in the midnight'은 '한밤중에'라는 의미이다.

④ 'till'은 '~까지'라는 계속의 의미를 포함하기 때문에 주어진 우리말과 다르다.

⑤ if절은 전치사의 목적어로 사용될 수 없다. 자정까지 집에 도착할지는 집에 도착하는 행위가 완료되는 시점을 표현하는 것이므로 'by midnight'의 사용은 올바르다.

05

밑줄 친 부분 중 어법상 옳지 않은 것은?

John was once in the office of a manager, Michael, when the phone rang. Immediately, Michael bellowed, "That disgusting phone never stops ① ringing." He then proceeded to pick ② up it and engage in a fifteen-minute conversation while John waited. When he finally hung up, he looked ③ exhausted. He apologized as the phone rang once again. He later confessed that he was having a great deal of ④ trouble completing his tasks because of the volume of calls he was responding to.

06

다음 중 문법적으로 옳지 않은 것은?

① Housewives came to count on certain brands of goods, which advertisers never allowed them to forget.

② It is not true that prosperity must be equated with 'gentle' inflation whatever that means.

③ The child sits quietly, schooled by the hazards to which he has been earlier exposed.

④ The premature aged wife was coming to be the exception rather than the rule.

---

05 「타동사 + 부사」의 목적어

② 'pick up'은 「타동사 + 부사」 형태의 동사구로 목적어가 명사인 경우 「pick + 목적어 + up」과 「pick + up + 목적어」 모두 가능하지만 목적어가 대명사인 경우에는 「pick + 목적어(대명사) + up」만 가능하다. 해당 문장은 'pick up'의 목적어로 대명사 'it'을 사용하였으나 「pick + up + 목적어」의 형태인 'pick up it'을 사용하였으므로 옳지 않다. 따라서 밑줄 친 'up it'을 'it up'으로 수정해야 한다.

| 오답해설 | ① 해당 문장에서 'stops'는 동명사를 목적어로 가지는 완전타동사이므로 밑줄 친 동명사 'ringing'은 옳은 표현이다.

③ 밑줄 친 'exhausted'는 불완전자동사 'looked'의 주격 보어에 해당하며 주어 'he'의 감정 상태를 나타내므로 과거분사형으로 쓰는 것이 옳다.

④ 'a great deal of' 뒤에는 불가산명사가 온다. 따라서 밑줄 친 'trouble'은 옳은 표현이다.

| 해석 | 전에 John이 관리자 Michael의 사무실 안에 있었을 때, 전화벨이 울렸다. 즉시 Michael은 "저 지긋지긋한 전화기는 절대 울리지 않는 법이 없군."이라고 고함을 질렀다. 그리고 나서 그는 그 전화기를 집어 들고, John이 기다리는 동안 15분간 통화했다. 마침내 그가 전화를 끊었을 때, 그는 기진맥진한 것처럼 보였다. 전화벨이 다시 한 번 울리자 그는 사과했다. 나중에 그는 자신이 응답하고 있는 전화의 양 때문에 자신의 업무를 완수하는 데 많은 어려움이 있다고 고백했다.

---

06 형용사 vs. 부사

④ 'aged'가 형용사의 역할을 하므로 'premature'는 부사 형태인 'prematurely'로 바꾸어야 한다.

| 오답해설 | ① 'which'가 이끄는 절은 관계대명사의 계속적 용법으로 선행사 'certain brands of goods'를 부연 설명하고 있다.

② 'it'이 가주어 역할을 하며 'that' 이하가 진주어 역할을 한다.

③ 해당 문장에서 'school'은 '교육하다'라는 동사로, 아이들이 위험 요소들에 관한 교육을 '받는' 것이기 때문에 '(being) schooled ~'의 형태는 옳다.

| 해석 | ① 주부들은 특정 브랜드의 상품들을 의지하게 되었고, 광고주들은 주부들이 그것들을 결코 잊게 하지 않았다.

② 번영이 반드시 '완만한' 인플레이션과 동일시되어야 한다는 것은 그것이 무엇을 의미한다고 하더라도 사실이 아니다.

③ 그 아이는 그가 이전에 노출되었던 위험 요소들에 관해 교육을 받으며 조용히 앉아 있다.

④ 일찍 노화된 아내는 일반적이 아니라 오히려 예외가 되어가고 있었다.

| 정답 | 03 ② 04 ② 05 ② 06 ④

07

2017 국회직 9급 변형

다음 문장 중 어법상 틀린 것은?

① Not having met him before, I don't know him.
② Compared with his sister, she is not such pretty.
③ This is a picture of a couple walking together.
④ Returning to my apartment, I found my watch missing.
⑤ The old man could not see his son until allowed to do so.

08

2019 국가직 9급

우리말을 영어로 잘못 옮긴 것을 고르시오.

① 제가 당신께 말씀드렸던 새로운 선생님은 원래 페루 출신입니다.
→ The new teacher I told you about is originally from Peru.
② 나는 긴급한 일로 자정이 5분이나 지난 후 그에게 전화했다.
→ I called him five minutes shy of midnight on an urgent matter.
③ 상어로 보이는 것이 산호 뒤에 숨어 있었다.
→ What appeared to be a shark was lurking behind the coral reef.
④ 그녀는 일요일에 16세의 친구와 함께 산 정상에 올랐다.
→ She reached the mountain summit with her 16-year-old friend on Sunday.

07 형용사 vs. 부사

② 'such'는 형용사로 형용사 'pretty'를 수식할 수 없다. 따라서 'such'를 부사 'so'로 바꾸어야 한다.

| 오답해설 | ① 분사구문의 부정은 분사 앞에 'not'을 쓰므로 'Not having met'은 옳은 표현이다.
③ 'walking together'는 'a couple'을 수식하는 분사구로 'couple'과 'walk'가 능동 관계이므로 옳은 표현이다.
④ 'found'는 불완전타동사로 현재분사를 목적격 보어로 사용할 수 있다.
⑤ 부사절의 주어가 주절의 주어와 같을 때, 부사절의 「주어 + be동사」는 생략될 수 있으므로 'until allowed to do so'는 옳은 표현이다. 'allowed' 앞에는 'he was'가 생략되어 있다. 또한 접속사가 남아 있는 분사구문으로도 볼 수 있다.

| 해석 | ① 전에 그를 만난 적이 없어 나는 그를 모른다.
② 그의 여동생과 비교하면, 그녀는 그렇게 예쁘지는 않다.
③ 이것은 함께 걸어가고 있는 커플의 사진이다.
④ 내 아파트로 돌아왔을 때, 나는 내 시계가 없어진 것을 발견했다.
⑤ 그 노인은 그렇게 하도록 허가가 날 때까지 자신의 아들을 볼 수 없었다.

08 시간의 부사구

② 'five minutes shy of midnight'은 시간의 부사구로 '자정이 되기 5분 전'을 뜻하므로 주어진 우리말인 '자정이 5분이나 지난 후'와 상이하다. 따라서 'five minutes shy of midnight'을 'five minutes past midnight' 또는 'five minutes after midnight'으로 고쳐야 한다.

| 오답해설 | ① 'tell'은 완전타동사와 수여동사로 모두 사용될 수 있다. 'A에게 B에 대해 말하다'는 「tell A about B」로 표현하고, 위 문장에서 'about'의 목적어는 관계대명사절 'I told you about'이 수식하는 명사인 'The new teacher'이다. 목적격 관계대명사 'whom' 또는 'that'이 생략된 형태로 'I told you about'은 옳은 표현이다.
③ 'appear'는 '나타나다, ~처럼 보이다'라는 뜻의 불완전자동사이다. '상어로 보이는 것'이라고 하였고 문장의 시제는 과거이므로 'What appeared to be a shark'는 알맞은 표현이다.
④ 'reach'는 '도착하다, 도달하다'라는 뜻의 완전타동사로 뒤에 전치사를 쓰지 않는다. 따라서 'reached the mountain summit'은 올바른 표현이다. 또한 '16세의 친구'를 기수와 측정 단위명사를 하이픈으로 연결하여 표현하면 'years'가 아니라 단수 형태인 'year'를 써야 한다.

09
2014 국가직 9급

우리말을 영어로 잘못 옮긴 것은?

① 그녀는 등산은 말할 것도 없고, 야외에 나가는 것을 좋아하지 않는다.
→ She does not like going outdoor, not to mention mountain climbing.

② 그녀는 학급에서 가장 예쁜 소녀이다.
→ She is more beautiful than any other girl in the class.

③ 그 나라는 국토의 3/4이 바다로 둘러싸여 있는 소국이다.
→ The country is a small one with the three quarters of the land surrounding by the sea.

④ 많은 학생들이 졸업 후 취직을 위해 열심히 공부한다.
→ A number of students are studying very hard to get a job after their graduation.

10

다음 우리말을 영어로 바르게 옮긴 문장은?

① 미국 이민청의 직원들은 또한 학생들을 방문하는 한국인의 수가 증가하는 경향이 있다고 말한다.
→ U.S. immigration officials also say the number of Koreans visiting students are likely to increase.

② 뛰어난 영어 구사력을 가지는 것은 특히 한국에서 어떤 이에게 엄청난 혜택을 제공한다.
→ Having an excellent command of English provide a great advantage to someone, particularly in Korea.

③ 우리는 우리의 삶을 그의 삶에 견주어 보면 왠지 부족함에 틀림없다고 생각한다.
→ We imagine that our life must somehow be short by comparison with his.

④ 때때로 우리는 우리의 어른들로부터 그들이 얼마나 다르게 일을 했는지에 대해서 듣는다.
→ Sometimes we hear from our elders how different they did things.

---

09 형용사 vs. 부사, 능동태 vs. 수동태

① 동사 'like'는 목적어로 to부정사와 동명사를 둘 다 취할 수 있다. 'not to mention'은 '~은 말할 것도 없고'라는 의미로 올바르게 쓰였다. 'outdoor'는 형용사로 '야외의'라는 의미를 가지며, 'outdoors'는 '야외에'라는 부사의 의미로 쓰인다. 해당 문장에서는 'going'을 수식하는 부사여야 하므로 'outdoors'가 되어야 옳다. 당시에 복수정답으로 인정되었다.

③ 수식받는 명사 'the land'와 'surround'가 수동 관계이기 때문에, 현재분사 'surrounding'이 아닌 과거분사 'surrounded'가 맞다.

| 오답해설 | ② 「비교급 + than any other + 단수명사」는 최상급의 의미를 갖고 있다.

④ 「a number of + 복수명사」는 '많은 ~들'의 뜻으로 복수 취급하므로 'are studying'은 적절한 형태이다.

---

10 형용사 vs. 부사

③ 'short'는 주어인 'our life'를 설명하는 보어의 역할을 하고 있다. 여기서 'short'는 '부족한'의 의미로 사용되었다.

| 오답해설 | ① 'say'의 목적어 역할을 하는 명사절에서 주어는 'the number'로 단수이므로 'are'가 아닌 'is'가 옳다.

② 주어가 동명사 형태인 'Having an excellent command of English'이므로 단수 취급해야 한다. 즉 'provide'가 아닌 'provides'가 옳다.

④ 'how different'에서 'different'는 동사 'did'를 수식해야 하므로 형용사 대신 부사로 쓰여야 알맞다. 따라서 'differently'가 되어야 한다.

| 정답 | 07 ② 08 ② 09 ①, ③ 10 ③

CHAPTER

03 비교

☐ 1회독	월	일
☐ 2회독	월	일
☐ 3회독	월	일
☐ 4회독	월	일
☐ 5회독	월	일

1 비교급의 형태
2 원급 비교
3 비교급 비교
4 최상급 비교

POINT CHECK

VISUAL G

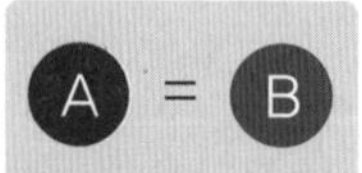

A as big as B

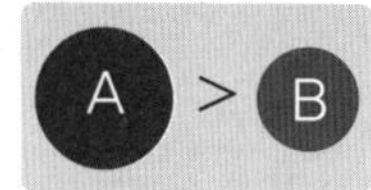

A bigger than B

A the biggest of + 복수명사 / in + 단수명사

01 비교급의 형태

(1) 규칙 변화

① 원급에 -er, -est를 붙여서 비교급과 최상급을 만든다.

• small	smaller	smallest
• long	longer	longest
• tall	taller	tallest

② 어미가 -e로 끝나는 단어는 -r, -st를 붙인다.

• wise	wiser	wisest
• brave	braver	bravest
• fine	finer	finest

③ 「단모음 + 단자음」으로 끝나는 단어는 마지막 자음을 한 번 더 쓰고 -er, -est를 붙인다.

• big	bigger	biggest
• hot	hotter	hottest
• thin	thinner	thinnest

④ 「자음 + -y」로 끝나는 단어는 y를 i로 고치고, -er, -est를 붙인다.

• happy	happier	happiest
• easy	easier	easiest
• early	earlier	earliest

참 grey – greyer – greyest

※ 「모음 + -y」로 끝나는 단어는 그냥 -er, -est를 붙인다.

⑤ more, most를 붙이는 경우

3음절 이상의 형용사나 부사 또는 2음절어이지만 -ful, -able, -less, -ous, -ive, -ing 등으로 끝나는 단어는 more와 most를 이용해서 비교급과 최상급을 만든다. 서술적 용법 형용사도 해당된다.

㉠ 3음절어

• beautiful	more beautiful	most beautiful
• interesting	more interesting	most interesting

㉡ 2음절어

• useful	more useful	most useful
• famous	more famous	most famous

㉢ 서술적 용법 형용사

• aware	more aware	most aware
• afraid	more afraid	most afraid

POINT CHECK

01 서술적 용법의 형용사의 비교급은 「□□□□ + 원급」이고 최상급은 「□□□□ + 원급」이다.

(2) 불규칙 변화

① good(좋은)	better	best
well(잘, 건강한)	better	best
② bad(나쁜)	worse	worst
ill(나쁜, 아픈)	worse	worst
③ many(많은)	more	most
much	more	most
④ far(먼–거리)	farther	farthest
far(심한–정도)	further	furthest

• As he was very tired, he could not walk any **farther**.

그는 매우 피곤했으므로, 더 이상 걸을 수가 없었다.

⑤ old(나이가 든–나이)	older	oldest
old(손위 사람의–순서)	elder	eldest

• She is five years **older** than I[me]. 그녀는 나보다 5살 위다.

| 정답 | 01 more, most

POINT CHECK

- My **elder** brother is two years **older** than I[me]. 형은 나보다 2살 위다.
- Their **eldest** son was the **oldest** student in our school.
  그들의 장남은 우리 학교에서 가장 나이가 많은 학생이었다.

⑥ late(늦은, 늦게)　later(더 늦은, 더 늦게)　latest(최근의, 가장 늦은)
　latter(후반의, 후자의)　last(마지막의, 마지막으로)

- Have you ever heard the **latest** news about Beckham?
  Beckham에 관련된 최근 소식을 들은 적 있니?
- Have you read the **latter** part of the novel?
  그 소설의 뒷부분을 읽어 봤니?

(3) 비교급 불가 표현

절대 또는 최고의 상태를 나타내는 단어는 비교급과 최상급이 없는 것이 원칙이나, 현대영어에서 종종 사용하기도 하므로 주의해야 한다.

① 절대 상태

absolute	절대적인	alive	살아 있는
perfect	완벽한	dead	죽은
empty	빈		

O This is **the perfect** game. 이것은 완벽한 게임이다.

O It is **the most perfect** copier ever invented. 이것은 지금까지 개발된 가장 완벽한 복사기이다.

➡ 현대영어에서 perfect는 최상급 표현인 most perfect로 나타내기도 한다.

② 최고 상태

final	최종적인	primary	제1의
supreme	최고의	prime	가장 중요한
favorite	가장 좋아하는	extreme	극단적인

O What is your **favorite** song? 네가 가장 좋아하는 노래는 무엇이니?

X What is the **most favorite** song?

➡ favorite은 비교급/최상급 표현이 없다.

02 라틴어 비교급은 비교 대상 앞에 than 대신 □□을(를) 사용한다.

(4) 라틴어 비교급

- exterior to(~보다 밖의) ↔ interior to(~보다 안의)
- inferior to(~보다 열등한) ↔ superior to(~보다 우수한)
- junior to(~보다 손아래의) ↔ senior to(~보다 손위의)
- prior to(~보다 이전의) ↔ posterior to(~보다 이후의)
- major to(~보다 중요한) ↔ minor to(~보다 중요하지 않은)

- In point of learning she is **superior to** me, but in experience she is **inferior to** me.
  학문적 관점에서 그녀는 나보다 뛰어나지만, 경험에서는 그녀가 나보다 못하다.
- I am three years **senior to** him. 나는 그보다 3살이 더 많다.
  → I am his senior by three years. 나는 그보다 3살 연상자이다.
  ※ 격차를 나타낼 때는 by를 이용하여 '~만큼'이라는 의미를 표현할 수 있다.

| 정답 | 02 to

● **주의해야 할 prefer 관용표현** 암기문법

• prefer A to B(B보다 A를 선호하다)	• prefer + 명사
• prefer + to + 동사원형	• prefer -ing
• prefer + 명사 + to + 명사	• prefer -ing + to -ing
• prefer + to + 동사원형 + rather than + to + 동사원형	• be preferable to

• I **prefer to drink** coffee.
나는 커피를 마시는 것을 선호한다.

• I **prefer drinking** coffee.
나는 커피를 마시는 것을 선호한다.

• I **prefer** coffee **to** tea.
나는 차보다 커피를 선호한다.

• I **prefer** drinking coffee **to** drinking tea.
나는 차를 마시는 것보다 커피를 마시는 것을 선호한다.

• I **prefer** to drink coffee **rather than** to drink tea.
나는 차를 마시는 것보다 커피를 마시는 것을 선호한다.

※ 라틴어 비교급의 파생 표현인 prefer는 병렬 구조에 주의해야 한다. 또한 prefer의 형용사 형태인 preferable의 관용표현인 be preferable to에서도 역시 비교 대상의 일치 여부를 묻는 문제가 출제될 수 있다.

• Drinking coffee **is preferable to** drinking tea.
커피를 마시는 것이 차를 마시는 것보다 더 낫다.

02 원급 비교

(1) 원급 비교

「as + 원급 + as」로 나타내며 반대 의미는 「not so[as] + 원급 + as」로 나타낸다.

• He is **as tall as** Beckham.
그는 Beckham만큼 키가 크다.

• He is **not so tall as** Beckham.
그는 Beckham만큼 키가 크지 않다.
= He is **not as tall as** Beckham.

(2) 「as + 원급 + as possible」

'될 수 있는 한 ~한[하게]'이라는 의미로, 「as + 원급 + as + 주어 + can[could]」으로 대신할 수 있다. possible을 possibly로 쓰지 않도록 주의해야 한다.

• She walked **as fast as possible.**
그녀는 될 수 있는 한 빠르게 걸었다.
→ She walked **as fast as she could.**

• We hope that it also spreads to Korea **as soon as possible.**
우리는 가능하면 빨리 그것이 한국에도 퍼지기를 희망합니다.

POINT CHECK

03 원급 비교는 「as + □□ + as」로 나타낸다.

04 「as + □□ + as possible」 = 「as + 원급 + as + □□ + □□□[□□□□□□]」

| 정답 | 03 원급
04 원급, 주어, can[could]

POINT CHECK

05 우등 비교: 「비교급 + than ~」
열등 비교: 「□□□□ + 원급 + than ~」

• She is **as happy as** (she) **can be.**

그녀는 더할 나위 없이 행복하다.

→ She is **as happy as possible.**

→ She is **as happy as anything.**

03 비교급 비교

(1) 우등 비교

• He is six years **older than** I[me].

그는 나보다 6살 더 많다.

→ He is six years senior to me.

→ He is senior to me by six years.

헷갈리지 말자 「than + 주격」 vs. 「than + 목적격」

• I love you more **than he** (loves you).

나는 그가 널 사랑하는 것보다 더 널 사랑한다.

• I love you more **than** (I love) **him.**

나는 내가 그를 사랑하는 것보다 더 널 사랑한다.

➡ than 뒤에는 주격과 목적격 둘 다 올 수 있는데, 이때 의미가 달라질 수도 있다. 주격이라면 뒤에 생략된 부분이 있다고 보는 것이고, 목적격인 경우에는 목적어의 기능을 한다.

• This is much **smaller than** that.

이것이 저것보다 훨씬 더 작다.

• His car is **larger than** mine.

그의 차는 나의 것보다 더 크다.

• **Her mental age** is higher than **that of her peers.**

그녀의 정신 연령은 그녀 또래의 그것(정신연령)보다 더 높다.

헷갈리지 말자 비교의 대상

• The weather of Korea is colder than Japan.

• The weather of Korea is colder than **that** of Japan.

한국의 날씨는 일본의 그것(날씨)보다 더 춥다.

➡ 첫 번째 문장은 '한국의 날씨는 일본보다 더 춥다.'로 해석되어서 우리말로는 얼핏 올바른 문장처럼 보일 수도 있으나 비교의 대상이 일치하지 않아서 틀린 문장이다. '한국의 날씨'와 '일본의 날씨'를 비교하는 것이므로 비교 구문에서 반복되는 명사를 대신하는 that을 이용하여 아래 문장처럼 표현해야 한다.

| 정답 | 05 less

(2) 절대 비교

비교급 형태이지만 비교 대상 없이 사용하는 관용적인 표현이다.

the younger generation	젊은 세대	higher education	고등 교육
the higher classes	상류 계급		

• **The higher classes** generally view the music with contempt.
상류 계급은 일반적으로 그 음악을 업신여긴다.

(3) 열등 비교

「원급 + -er」이 우등 비교라면, 반대 개념인 열등 비교는 「less + 원급」이다.

원급	우등 비교	열등 비교
small 작은	smaller 더 작은	less small 덜 작은
long 긴	longer 더 긴	less long 덜 긴
tall 키가 큰	taller 키가 더 큰	less tall 키가 덜 큰
useful 유용한	more useful 더 유용한	less useful 덜 유용한

• Beckham is **less useful than** he (is). Beckham은 그보다 도움이 덜 된다.
※ 열등 비교 문장이다.
참 Beckham is **more useful than** he (is). Beckham은 그보다 더 도움이 된다.
※ 우등 비교 문장이다.
• Beckham is **not so useful as** he (is). Beckham은 그만큼 도움이 되지는 않는다.
※ 원급 비교의 부정을 이용한 열등 비교 문장이다.

(4) 「the + 비교급」 관용표현 암기문법

비교급 앞에는 원칙적으로 정관사 the를 쓰지 않지만, 둘 중의 하나를 나타내는 비교급 등에서는 예외적으로 사용되기도 한다.

① 「the + 비교급 + of the two」
• Timberlake is **the bigger of the two.** 둘 중에 Timberlake가 더 크다.

② 「the + 비교급 ~, the + 비교급 …」: 더 ~할수록, 더 …하다
• **The higher** he goes up, **the colder** he feels.
더 높이 올라갈수록, 그는 추위를 더 탄다.
• **The more** people have, **the more** people want.
사람들은 많이 가지면 가질수록, 더 많이 원한다.
→ As people have more, people want more.
• **The more** immediately you behave, **the better** you get.
더 즉각적으로 행동할수록, 당신은 더 나아진다.
→ As you behave more immediately, you get better.

POINT CHECK

06 「□ □ □ + 비교급 ~, □ □ □ + 비교급 …」: 더 ~할수록, 더 …하다

| 정답 | 06 the, the

POINT CHECK

③ 「the + 비교급 ~, the + 비교급 …」의 출제 포인트

㉠ 비교급 앞에 반드시 the를 제시한다.

㉡ 비교급의 품사에 주의한다.

㉢ 비교급이 「more/less + 형용사/부사의 원급」 형태일 때, more나 less와 형용사 또는 부사의 원급이 분리되어서는 안 된다. (격식체)

㉣ 「the + 비교급」이 명사를 수식할 때, 비교급과 비교급이 수식하는 명사가 분리되어서는 안 된다.

O **The older** people grow, **the weaker** they get.
사람들은 나이가 들수록, 더 약해진다.

X **The older** people grow, **weaker** they get.
➡ 도치된 비교급 앞에 the를 반드시 써야 한다.

O **The more difficult** the game gets, **the more** I like it.
경기가 어려워질수록, 나는 그것이 더 좋다.

X **The more difficulty** the game gets, **the more** I like it.
➡ '~ 할수록 …하다'의 비교급에서 정관사 the 뒤에는 형용사나 부사가 와야 한다. 이 문장에서는 불완전 자동사 gets의 보어 역할을 할 형용사가 필요하다.

(5) 주의해야 할 비교급 관용표현

① 양자 부정 📖암기문법

A is **no more** B **than** C is D.: A가 B가 아닌 것은 C가 D가 아닌 것과 같다.
= A is **not** B **any more than** C is D.
= A is **not** B **just as** C is **not** D.

- A tomato is **no more** a fruit **than** a cucumber is (a fruit).
  토마토가 과일이 아닌 것은 오이가 (과일이) 아닌 것과 같다.
  = A tomato is **not** a fruit **any more than** a cucumber is (a fruit).
  = A tomato is **not** a fruit **just as** a cucumber is **not** (a fruit).

② 양자 긍정 📖암기문법

A is **no less** B **than** C is D.: A가 B인 것은 C가 D인 것에 못지 않다.

- He is **no less** diligent **than** you are (diligent).
  그가 부지런한 것은 네가 그런 (부지런한) 것과 같다.
  = He is **as** diligent **as** you are (diligent).

③ 「not more ~ than …」: … 이상으로 ~이 아니다, … 만큼은 ~이 아니다 📖암기문법
「not less ~ than …」: …보다 덜 ~하지 않다, …에 못지 않게 ~하다

- He is **not more** faithful **than** you are. 그는 당신만큼 믿음직스럽지 않다.
- This question is **not more** difficult **than** that one.
  이 문제는 저것만큼 어렵지 않다.
- Natural light is **not less** necessary **than** fresh air is to health.
  건강을 위해 신선한 공기만큼이나 필요한 것이 자연광이다.

④ no/not 포함 비교급 관용표현 암기문법

부정적 분위기		긍정적 분위기	
no more than = as little as	~밖에	no less than = as many[much] as	자그만치, 못지 않게
not more than = at most	많아 봤자	not less than = at least	적어도

• She has **no more than** 10 dollars. 그녀는 10달러밖에 없다.
 = She has **as little as** 10 dollars.
• She has **no less than** 10 dollars. 그녀는 10달러나 갖고 있다.
 = She has **as much as** 10 dollars.

⑤ 「no + 형용사 비교급 + than」: 「as + 반대 의미의 형용사 원급 + as」로 대신할 수 있다.
• I am **no taller than** she (is).
나는 그녀만큼이나 키가 크지 않다.
→ I am **as short as** she (is).
나는 그녀만큼 작다.

⑥ 「not + 형용사 비교급 + than」: 형용사의 반대 의미로 해석할 수 있다.
• I am **not taller than** she (is).
나는 그녀만큼 크지 않다.
→ I am **shorter than** she (is).
나는 그녀보다 더 작다.

⑦ 「know better than + to + 동사원형」: ~할 만큼 어리석지 않다
• We **know better than to do** such things.
우리는 그런 일을 할 만큼 어리석지 않다.

⑧ no longer = not ~ any longer: 더 이상 ~ 아닌
• A visit to the moon is **no longer** a dream.
달나라 여행이 이제는 꿈이 아니다.
= A visit to the moon is **not** a dream **any longer**.

⑨ much[still] more: (긍정문) 하물며 더욱 ~ 그렇다
much[still] less: (부정문) 하물며 전혀 ~ 아니다
• Every person has a right to enjoy his liberties, **still more** his life.
모든 사람은 자신의 자유를 즐길 권리가 있으며 하물며 인생을 즐길 권리는 더 있다.
※ 원칙적으로 still more는 much more와 같은 의미이지만, 원어민들은 much more보다는 still more를 압도적으로 더 많이 사용한다.
O Every person does**n't** have a right to enjoy his liberties, **much less** his life.
모든 사람이 자신의 자유를 즐길 권리는 없으며 하물며 인생을 즐길 권리는 전혀 없다.
X Every person does**n't** have a right to enjoy his liberties, **much more** his life.
➡ 부정문이 선행되면, much more가 아니라 much less를 사용해야 하는 것을 잊지 말자.

POINT CHECK

07 「know better than + to + 동사원형」은 '~하는 것보다는 더 잘 안다'는 뜻이다. (T / F)

08 긍정문: still more
부정문: still □□□□

| 정답 | 07 F 08 less

POINT CHECK

09 비교급은 e□□□, m□□□, f□□, a□□□, s□□□□이(가) 수식한다.

⑩ 「none the + 비교급 + (for)」: (~에도 불구하고) 조금도 더 ~하지 않은

- The rich man is **none the happier for** all his wealth.
  그 부자는 그의 부에도 불구하고 조금도 더 행복하지 않다.

(6) 비교급의 강조

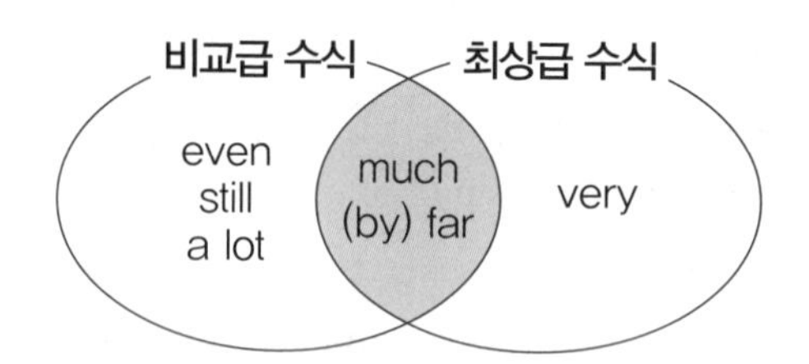

① 비교급 강조 표현: still, a lot, much, even, (by) far 등으로 비교급을 강조해서 '훨씬 더 ~한'의 의미를 나타낸다.

- I acted **even more cleverly** than usual. 나는 평소보다도 훨씬 더 영리하게 행동했다.
- It was **much worse** than he thought. 그것은 그가 생각했던 것보다 훨씬 더 나빴다.
- She speaks Japanese **far better** than him. 그녀는 그보다 훨씬 더 일본어를 잘한다.
- Volt runs **a lot faster** than Beckham. Volt는 Beckham보다 훨씬 더 빨리 달린다.

② 「배수사 + 비교급」: half, two times 등 배수사를 비교급 앞에 써서 '~배로 더 …한'의 의미를 나타낸다.

- This building is **three times taller** than the Eiffel Tower in Paris.
  이 건물은 파리의 에펠탑보다 3배 더 높다.

(7) 비교급 출제 포인트

비교하는 대상, 격, 동사가 일치하는지 확인해야 한다.

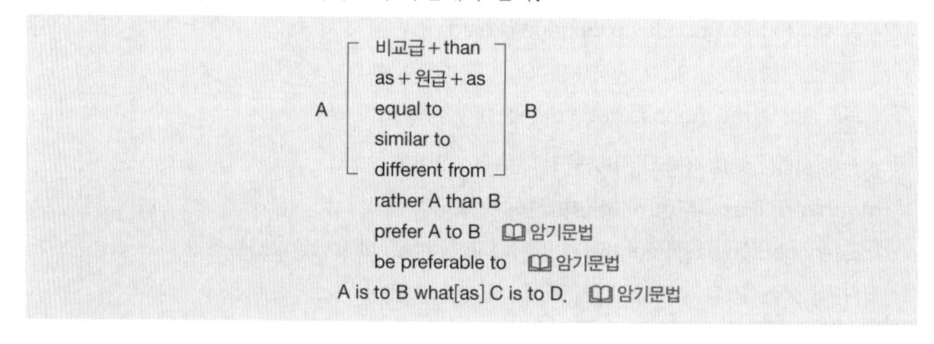

① 대상 일치

- **The rules of the country** are stricter than **those of this country**.
  그 나라의 규칙들이 이 나라의 그것들(규칙들)보다 더 엄격하다.

② 격 일치

- **Nobody** does it better than **he (does)**.
  누구도 그보다 그것을 더 잘하지는 않는다.
- **Nobody** is kinder than **he (is)**.
  누구도 그보다 더 친절하지는 않다.

| 정답 | 09 (e)ven, (m)uch, (f)ar, (a) lot, (s)till

③ 동사 일치

- He **can make** greater record than anyone **can**.
  그는 그 누가 할 수 있는 것보다 더 엄청난 기록을 세울 수 있다.
- He **made** greater record than anyone **did**.
  그는 그 누가 했던 것보다 더 엄청난 기록을 세웠다.
- He **was** a greater player than anyone **was**.
  그는 그 누구보다도 더 훌륭한 선수였다.

04 최상급 비교

(1) 최상급의 비교 범위

① 「최상급 ~ of + 비교의 대상이 되는 복수명사」

- She was **the most diligent girl of my classmates**.
  그녀는 우리 반 학생들 중에서 가장 성실한 소녀였다.

② 「최상급 ~ in + 장소나 범위를 나타내는 단수명사」

- He is **the tallest player in the basketball team**.
  그는 농구팀에서 가장 키가 큰 선수이다.
  ※ 장소나 범위를 나타내는 명사는 반드시 단수 형태이어야 한다.

(2) 「최상급 ~ that have … [has] ever p.p.」: 지금까지 …한 것 중에 가장 ~한 암기문법

- He is **the greatest** soccer player **that has ever lived**.
  그는 역대 최고의 축구 선수이다.
- She is **the greatest** golfer **that Korea has ever produced**.
  그녀는 한국이 낳은 가장 훌륭한 골퍼이다.

(3) the last person[man] to do: 결코 ~을 하지 않을 사람

- He is **the last person to read** a book.
  그는 결코 책을 읽지 않는 사람이다.

참 He is **the last man I want to see**.
그는 내가 보고 싶은 가장 최후의 사람이다. (그는 내가 결코 만나고 싶지 않은 사람이다.)
※ to부정사 대신 관계대명사절을 이용하여 같은 의미를 나타낼 수 있다.

(4) 최상급에 the를 생략할 수 있는 경우

① 최상급 앞에 소유격이 올 때

- My dog is **my best** friend.
  내 개는 나의 가장 친한 친구이다.

POINT CHECK

10 「□□□ ~ that … have[has] ever + p.p.」: 지금까지 …한 것 중에 가장 ~한

11 「□□□ □□□□ □□□ □□□[□□□] to do」: ~을 할 마지막 사람, 결코 ~을 하지 않을 사람

| 정답 | 10 최상급
11 the, last, person[man]

POINT CHECK

12 동일인이나 동일물을 최상급 비교할 때는 최상급 앞에 □□□을(를) 보통 사용하지 않는다.

13 원급과 비교급을 이용해서 □□□의 의미를 나타낼 수 있다.

| 정답 | 12 the
13 최상급

② 동일인 또는 동일물을 비교할 때 암기문법

- The rose is **most beautiful** in May. 장미는 5월에 가장 아름답다.

O The Han River is **deepest** at this point. 한강은 이 지점에서 가장 깊다.

X The Han River is **the deepest** at this point.

➡ 동일물 비교에는 the를 사용하지 않는다.

- She is **more clever than** wise. 그녀는 현명하다기보다는 영리하다.

※ 동일인의 특성을 비교할 때는 「more + 원급 + than + 원급」으로 표현한다.

- He is **more** polite **than** shy. 그는 숫기 없는 쪽이기보다는 예의 바른 쪽에 더 가깝다.

= He is **rather** polite **than** shy.

= He is polite **rather than** shy.

= He is **less** shy **than** polite.

= He is **not so much** shy **as** polite.

= He is **not** shy **so much as** polite.

③ 부사의 최상급

- He studied **hardest** at that time.

그는 그 당시 가장 열심히 공부했다.

참 I like this one the most. 나는 이것을 가장 좋아한다.

※ 단, 문장의 끝에 오는 부사의 최상급에는 the를 사용할 수 있다.

④ 서술적 용법 형용사

- Winter is (the) **coldest**. 겨울이 가장 춥다.

참 Winter is **the coldest** season in the year.

※ in이나 of로 시작하는 비교 범위가 생략될 때는 최상급 앞의 정관사 the를 생략할 수도 있다.

(5) 원급과 비교급을 이용한 최상급 암기문법

● 최상급 대표 표현

- He is the tallest in the world.

그는 세상에서 가장 키가 크다.

= No one is as tall as he.
= No one is so tall as he.
= No one is taller than he.
= He is taller than any other person.
= He is taller than (all) the other people.
= He is taller than anyone else.

① 원급 이용

- **No** (other) **player** is **so tall as** he.

어떤 선수도 그만큼 키가 크지 않다.

- He is **as tall a player as I've ever seen.**

그는 내가 본 가장 키가 큰 선수이다.

※ 원급 비교처럼 보이지만 최상급을 나타내는 관용표현이다.

② 비교급 이용

• **No** (other) **player** is **taller than** he.

어떤 선수도 그보다 더 키가 크지 않다.

= He is **taller than any other player.**

그는 다른 어떤 선수보다도 더 키가 크다.

= He is **taller than** (all) **the other players.**

그는 다른 모든 선수들보다도 더 키가 크다.

= He is **taller than anyone else.**

그는 다른 누구보다 더 키가 크다.

③ 최상급 이용

• He is **the tallest** player.

그는 가장 키가 큰 선수이다.

• He is **the tallest of all** (the) **players.**

그는 모든 선수들 중에서 가장 키가 크다.

• He is **one of the tallest players.**

그는 가장 키가 큰 선수들 중 한 명이다.

POINT CHECK

(6) 최상급의 강조

최상급을 강조할 때는 much, by far, very 등을 쓴다. very가 최상급을 수식하는 경우는 「the very + 최상급」의 어순이 된다.

• He is **much the smartest** boy of them.

그는 그들 중 단연코 가장 똑똑한 소년이다.

• Skiing is **by far the most popular** winter sports.

스키가 단연코 가장 인기 있는 겨울 스포츠이다.

• He is **much the strongest** player in the team.

그는 팀에서 가장 최고로 힘이 센 선수이다.

• This is **the very best** machine. 이건 최고의 기계이다.

※ very는 최상급을 수식할 때 the 뒤에 위치함에 유의해야 한다.

03 비교

[01~10] 다음 중 어법상 옳은 것을 고르시오.

01 The older she is, [the more she looks beautiful / the more beautiful she looks].

02 She is no less kind [as / than] I am.

03 This book is as [expensive / more expensive] as that book.

04 Jack is [as / such] shy as Jane.

05 The Pacific is as broad [as / than] the Atlantic.

06 Jack is no more an angel [as / than] John is an angel.

07 I was [alive / more alive] in the disaster.

08 Julia is superior [to / than] me in this respect.

09 She is no less smart [as / than] he is.

10 He prefers baseball [to / than] soccer.

정답&해설

01 the more beautiful she looks

| 해석 | 그녀는 나이가 들수록, 더 예뻐 보인다.

| 해설 | 「the + 비교급 ~, the + 비교급 …」에서 비교급이 「more + 형용사/부사의 원급」 형태일 때 more와 원급 형용사나 부사는 분리해서 사용할 수 없다.

02 than

| 해석 | 그녀는 나 못지않게 친절하다.

| 해설 | 「no less ~ than …」은 '…보다 못지 않게 ~하다'는 의미이다.

03 expensive

| 해석 | 이 책은 저 책만큼 비싸다.

| 해설 | 「as + 원급 + as」의 원급 비교 구문이므로 'expensive'가 알맞다.

04 as

| 해석 | Jack은 Jane만큼 수줍어한다.

| 해설 | 「as + 원급 + as」의 원급 비교 구문이므로 'as'가 알맞다.

05 as

| 해석 | 태평양은 대서양만큼 넓다.

| 해설 | 「as + 원급 + as」의 원급 비교 구문이므로 'as'가 알맞다.

06 than

| 해석 | Jack이 천사가 아닌 것은 John이 천사가 아닌 것과 같다.

| 해설 | 「A is no more B than C is D.」는 관용표현으로 'A가 B가 아닌 것은 C가 D가 아닌 것과 같다.'를 뜻한다.

07 alive

| 해석 | 나는 그 재난 속에서 살아 있었다.

| 해설 | 'alive'는 절대 상태를 나타내는 형용사로 원급으로만 사용하며 비교급과 최상급은 없다.

08 to

| 해석 | Julia는 이런 점에서 나보다 우수하다.

| 해설 | 'superior to'는 라틴어 비교급으로 'to' 대신에 'than'을 사용할 수 없다.

09 than

| 해석 | 그녀가 똑똑한 것은 그가 그런(똑똑한) 것과 같다.

| 해설 | 「A is no less B than C is D.」는 관용표현으로 'A가 B인 것은 C가 D인 것과 같다.'를 뜻한다.

10 to

| 해석 | 그는 축구보다 야구를 선호한다.

| 해설 | 「prefer A to B」는 'B보다 A를 선호하다'라는 뜻의 라틴어 비교 표현으로 'to' 대신에 'than'을 사용할 수 없다.

[11~20] 다음 중 어법상 옳은 것을 고르시오.

11 This product is [expensiver / more expensive] than other products.

12 New York is [larger / more large] than Seoul.

13 The more excellent the content of the book is, the [high / higher] the price of it is.

14 This is my [favorite / more favorite] present.

15 The [much / more] money you spend, the greater your satisfaction becomes.

16 She is no [many / more] a teacher than he is a teacher.

17 The problem was [very / much] more difficult than she expected.

18 The material has more properties than other materials [do / have].

19 John is no [long / longer] a top striker.

20 [The more plastic bottles you throw away / More plastic bottles you throw away], the more endangered our Earth is.

정답&해설

11 more expensive

| 해석 | 이 제품은 다른 제품들보다 더 비싸다.

| 해설 | 'expensive'의 비교급은 'more expensive'이다.

12 larger

| 해석 | 뉴욕은 서울보다 더 크다.

| 해설 | 'large'의 비교급은 'larger'이다.

13 higher

| 해석 | 책 내용이 더 훌륭할수록, 그것의 가격은 더 높다.

| 해설 | 「the + 비교급 ~, the + 비교급 …」은 '더 ~할수록, 더 … 하다'를 뜻하며 비교급이 들어가야 할 자리에 원급을 사용할 수 없다.

14 favorite

| 해석 | 이것은 내가 가장 좋아하는 선물이다.

| 해설 | 'favorite'은 최고 상태를 나타내는 형용사로 원급으로만 사용하며 비교급과 최상급은 없다.

15 more

| 해석 | 돈을 더 많이 쓸수록, 너의 만족감은 더 커진다.

| 해설 | 「the + 비교급 ~, the + 비교급 …」은 '더 ~할수록, 더 … 하다'를 뜻하며 'the' 뒤에는 비교급이 들어가야 한다.

16 more

| 해석 | 그녀가 선생님이 아닌 것은 그가 선생님이 아닌 것과 같다.

| 해설 | 「A is no more B than C is D.」는 관용표현으로 'A가 B가 아닌 것은 C가 D가 아닌 것과 같다.'를 뜻한다.

17 much

| 해석 | 그 문제는 그녀가 예상했던 것보다 훨씬 더 어려웠다.

| 해설 | 'much'는 비교급을 강조하는 부사이고 'very'는 원급과 최상급을 강조하는 부사이므로 정답은 'much'이다.

18 do

| 해석 | 그 물질은 다른 물질들이 가진 것보다 더 많은 특성들을 가지고 있다.

| 해설 | 비교급에서는 비교하는 대상, 격, 동사가 일치해야 하므로 앞에 나온 일반동사 'has'의 대동사가 와야 한다. 'than' 뒤의 주어가 'other materials'로 복수이므로 대동사도 복수 형태인 'do'여야 한다.

19 longer

| 해석 | John은 더 이상 최고의 스트라이커가 아니다.

| 해설 | 'no longer'는 관용표현으로 '더 이상 ~ 아닌'을 뜻한다.

20 The more plastic bottles you throw away

| 해석 | 당신이 더 많은 플라스틱 병을 버릴수록, 우리의 지구는 더 위험하다.

| 해설 | 「the + 비교급 ~, the + 비교급 …」은 '더 ~할수록, 더 … 하다'라는 의미의 관용표현이다.

03 비교

교수님 코멘트▶ 비교급은 단독으로 출제될 뿐만 아니라 형용사와 부사의 쓰임을 구분하는 문제도 매우 빈번하게 출제된다. 따라서 이를 대비할 수 있도록 형용사와 부사의 쓰임을 비교하는 응용문제도 수록하였다.

01

우리말을 영어로 옮긴 것 중 가장 어색한 것은?

① 시를 쓰는 것은 소설을 끝마치는 것만큼 어렵다.
→ Writing a poem is as difficult as finishing a novel.

② 외식하는 것이 집에서 저녁을 요리하는 것보다 더 저렴하다.
→ Eating out is cheaper than cooking dinner at home.

③ 빨리 끝내는 것보다 정확하게 대답하는 것이 더 중요하다.
→ To answer accurately is more important than finishing quickly.

④ 우리는 지구가 태양으로부터 먼 것보다 화성이 태양으로부터 더 멀다는 것을 배웠다.
→ We learned that Mars is farther from the sun than the Earth is.

02

우리말을 영어로 옮긴 것 중 가장 어색한 것은?

① Jane은 내가 생각하기에 매우 부지런한 커리어 우먼이다.
→ Jane is a career woman who I think is very diligent.

② 그녀는 그들이 제시간에 그 정류장에 도착하는 것이 가능하다고 생각한다.
→ She thinks that it is possible for them to arrive at the station on time.

③ 그는 자신의 아이들을 깨우지 않으려고 라디오를 껐다.
→ He turned off the radio lest he should wake his children.

④ 그가 불어를 하지 못하는 것은 내가 영어를 하지 못하는 것과 같다.
→ He can no more speak French than I can't speak English.

---

01 비교급의 병렬 구조

③ 비교 대상 'To answer accurately'와 'finishing quickly'를 같은 형태로 일치시켜야 한다. 'To answer accurately' 대신에 'Answering accurately'로 쓰거나 'finishing'을 'to finish'로 바꿔 'To answer'와 일치시킬 수도 있다.

| 오답해설 | ① 'as'와 'as' 사이에 형용사 원급인 'difficult'가 있으므로 옳은 표현이다. 또한 비교 대상도 'Writing'과 'finishing'으로 병렬 구조를 이루고 있으므로 옳다.
② 비교급 'cheaper'와 'than'이 짝을 이뤄 올바르게 사용되었다. 또한 비교 대상도 'Eating out'과 'cooking dinner at home'으로 병렬 구조를 이루고 있으므로 옳다.
④ 'Mars is'와 'the Earth is'가 비교 대상이며, 병렬 구조로 짝을 이루고 있으므로 어법상 옳다.

02 양자 부정

④ 「A + 동사 + no more B than C + 동사 + D」는 비교급 관용표현으로 'A가 B하지 못하는 것은 C가 D하지 못하는 것과 같다.'를 뜻하며 이때 'than' 이하의 동사는 긍정형으로 쓴다. 따라서 'can't'를 긍정형인 'can'으로 수정해야 한다.

| 오답해설 | ① 'I think' 뒤에 온 'is'는 주격 관계대명사 'who'가 이끄는 절의 동사로 선행사가 단수 형태의 명사구 'a career woman'이므로 옳은 표현이다. 'I think'는 삽입절임에 유의하도록 한다.
② 해당 문장에서 'it'은 가주어이고, 진주어는 'to arrive at the station on time'이다.
③ 'lest'가 '~하지 않으려고[않도록]'으로 부정의 의미를 지니므로 이후에 오는 절의 형태는 「주어 + (should) + 동사원형 ~」과 같이 긍정형으로 쓰는 것이 옳다.

03

2013 국가직 9급

우리말을 영어로 잘못 옮긴 것은?

① 나이가 들어가면 들어갈수록 그만큼 더 외국어 공부하기가 어려워진다.
→ The older you grow, the more difficult it becomes to learn a foreign language.

② 우리가 가지고 있는 학식이란 기껏해야 우리가 모르고 있는 것과 비교할 때 지극히 작은 것이다.
→ The learning and knowledge that we have is at the least but little compared with that of which we are ignorant.

③ 인생의 비밀은 좋아하는 것을 하는 것이 아니라 해야 할 것을 좋아하도록 시도하는 것이다.
→ The secret of life is not to do what one likes, but to try to like what one has to do.

④ 이 세상에서 당신이 소유하고 있는 것은 당신이 죽을 때 다른 누군가에게 가지만, 당신의 인격은 영원히 당신의 것일 것이다.
→ What you possess in this world will go to someone else when you die, but your personality will be yours forever.

03 최상급 관용표현

② '기껏해야'는 'at (the) most'로 쓰며 'at (the) least'는 '적어도'라는 의미이다.

| 오답해설 | ① '더 ~할수록, 더 …하다'라는 의미로 「the + 비교급 ~, the + 비교급 …」 구문이 알맞게 쓰였다.
③ 'A가 아니라 B이다'라는 의미의 「not A but B」 구문이 알맞게 쓰였으며, 관계대명사 'what' 뒤에는 불완전한 절이 와야 하는데 여기서는 'do'의 목적어가 빠져 있다.
④ 관계대명사 'what' 뒤에는 불완전한 절이 오며, 여기서는 'possess'의 목적어가 빠져 있다.

04

2018 국가직 9급

우리말을 영어로 잘못 옮긴 것은?

① 그 연사는 자기 생각을 청중에게 전달하는 데 능숙하지 않았다.
→ The speaker was not good at getting his ideas across to the audience.

② 서울의 교통 체증은 세계 어느 도시보다 심각하다.
→ The traffic jams in Seoul are more serious than those in any other city in the world.

③ 네가 말하고 있는 사람과 시선을 마주치는 것은 서양 국가에서 중요하다.
→ Making eye contact with the person you are speaking to is important in western countries.

④ 그는 사람들이 생각했던 만큼 인색하지 않았다는 것이 드러났다.
→ It turns out that he was not so stingier as he was thought to be.

04 원급 비교

④ 'It turns out that ~'은 관용표현으로 '~임이 드러나다'라는 의미이다. 원급 비교의 부정형은 「not so[as] + 원급 + as」로 나타내므로 비교급 'stingier'를 원급인 'stingy'로 바꾸어야 한다.

| 오답해설 | ① 'be good at'은 '~을 잘하다'라는 의미이며, 전치사 'at'의 목적어로 쓰인 동명사 'getting'은 적절하다. 또한 'get across'는 '남을 이해시키다'라는 표현으로 적절하게 사용되었다.
② 주어는 'The traffic jams'로 복수형이다. 따라서 복수동사 'are'가 사용되었고, 비교 대상 일치에 따라 '서울의 교통체증(들)'과 '다른 도시의 교통체증(들)'을 비교하고 있으므로 지시대명사 또한 복수형인 'those'가 적절하게 사용되었다. 비교 대상을 나타내는 표현인 「any other + 단수명사」도 올바르다.
③ 주어는 동명사 형태인 'Making ~ speaking to'이므로 3인칭 단수 동사인 'is'가 적절하게 사용되었다. 'the person' 뒤에는 목적격 관계대명사가 생략되었다.

| 정답 | 01 ③ 02 ④ 03 ② 04 ④

05

2022 국가직 9급

우리말을 영어로 잘못 옮긴 것을 고르시오.

① 우리가 영어를 단시간에 배우는 것은 결코 쉬운 일이 아니다.
→ It is by no means easy for us to learn English in a short time.

② 우리 인생에서 시간보다 더 소중한 것은 없다.
→ Nothing is more precious as time in our life.

③ 아이들은 길을 건널 때 아무리 조심해도 지나치지 않다.
→ Children cannot be too careful when crossing the street.

④ 그녀는 남들이 말하는 것을 쉽게 믿는다.
→ She easily believes what others say.

06

어법상 옳지 않은 것을 고르시오.

① 나는 남동생이 여자 친구에게 편지를 쓰는 것을 보았다.
→ I saw my brother write a letter to his girlfriend.

② 그들은 그에게 자기들이 공원에 가야 한다고 제안했다.
→ They suggested to him that they go to the park.

③ 이 스포츠카는 그것의 경쟁자들보다 기술적으로 더 우수하다.
→ This sports car is technically superior than its competitors.

④ 세 시간은 내가 숙제를 마치기에 너무 짧다.
→ Three hours is too short for me to finish my homework.

---

05 최상급 대용 표현

② 원급과 비교급을 이용하여 최상급을 표현할 수 있다. 원급을 사용할 경우 「부정 주어 + is as[so] ~ as …」로, 비교급을 사용할 경우 「부정 주어 + is more ~ than …」으로 써야 한다. 따라서 위 문장은 원급과 비교급 중 한 가지를 이용한 표현으로 고쳐야 한다. 즉, Nothing is as[so] precious as time in our life. 또는 Nothing is more previous than time in our life.로 바꿀 수 있다.

| 오답해설 | ① 난이 형용사(easy 등)는 to부정사를 진주어로 취하므로 옳게 사용된 문장이며, to부정사의 의미상 주어도 「for + 목적격」으로 알맞게 영작되었다. 여기서 by no means는 '결코 ~하지 않는'이라는 의미의 부사구이다.

③ 「cannot be too + 형용사」는 '아무리 ~해도 지나치지 않다'라는 의미의 조동사 관용표현으로 알맞게 사용되었으며, 주절의 주어와 종속절의 주어가 children으로 동일하므로 종속절에서는 「주어 + be동사」를 생략하고 「when + 현재분사」의 구조를 사용한 것도 옳다.

④ what은 선행사를 포함한 관계대명사로 명사절을 이끌어 타동사의 목적어로 사용될 수 있다. 또한 종속절로 사용된 what절이 「의문사 + 주어 + 동사」의 간접의문문 어순을 취한 것도 어법에 맞다.

06 라틴어 비교급

③ 'superior'는 라틴어에서 파생된 형용사이므로 비교 대상 앞에는 전치사 'to'를 사용한다. 해당 문장은 'superior'을 사용하였으나 비교 대상 앞에 'than'을 사용하였으므로 틀린 문장이다. 따라서 'than'을 'to'로 수정해야 한다.

| 오답해설 | ① 해당 문장에서 'saw'는 지각동사에 해당하므로 목적격 보어에 원형부정사 'write'를 옳게 사용하였다.

② 'suggest'가 '제안하다'를 뜻하는 경우 목적어로 오는 that절의 동사는 「(should) + 동사원형」의 형태를 취한다.

④ 시간 명사는 하나의 단위로 볼 때 단수 취급하므로 'Three hours' 뒤에 단수 동사 'is'가 온 것은 옳다. 또한 「too + 형용사 + to부정사」는 '~하기에 너무 …한'이라는 표현으로 옳게 쓰였으며, 'for me'는 'to finish'의 의미상 주어이므로 '내가 그 숙제를 마치기에'라는 뜻과 일치한다.

07

2017 지방직 9급

우리말을 영어로 잘못 옮긴 것을 고르시오.

① 나는 매달 두세 번 그에게 전화하기로 규칙을 세웠다.
→ I made it a rule to call him two or three times a month.

② 그는 나의 팔을 붙잡고 도움을 요청했다.
→ He grabbed me by the arm and asked for help.

③ 폭우로 인해 그 강은 120 cm 상승했다.
→ Owing to the heavy rain, the river has risen by 120 cm.

④ 나는 눈 오는 날 밖에 나가는 것보다 집에 있는 것을 더 좋아한다.
→ I prefer to staying home than to going out on a snowy day.

08

2016 지방직 9급

우리말을 영어로 잘못 옮긴 것을 고르시오.

① 그녀가 어리석은 계획을 포기하도록 설득해 줄래요?
→ Can you talk her out of her foolish plan?

② 그녀의 어머니에 대해서는 나도 너만큼 아는 것이 없다.
→ I know no more than you don't about her mother.

③ 그의 군대는 거의 2대 1로 수적 열세였다.
→ His army was outnumbered almost two to one.

④ 같은 나이의 두 소녀라고 해서 반드시 생각이 같은 것은 아니다.
→ Two girls of an age are not always of a mind.

07 라틴어 비교급

④ 'prefer'는 라틴어에서 파생된 동사로, 비교급으로 표현할 때는 'than'이 아닌 'to'와 함께 사용한다. 「prefer A to B」는 'B보다 A를 선호하다'라는 뜻으로 A와 B의 형태는 반드시 병렬 구조를 이루어야 한다. 그러므로 'I prefer staying home to going out on a snowy day.'로 고쳐야 한다. 동명사 대신 to부정사를 사용하고 싶다면 'rather than'을 사용하여 'I prefer to stay home rather than (to) go out on a snowy day.'로 써야 한다.

| 오답해설 | ① 주어진 우리말처럼 '~하기로 규칙을 세우다'라는 의미를 표현하기 위해 「make it a rule + to + 동사원형」의 관용표현이 사용되었다. 또한 'a month'에서 부정관사인 'a'는 '~마다(= per)'라는 의미를 나타내어 '매달'이라는 뜻으로 알맞게 쓰였다.

② 'grab'은 「grab/catch/pull/take/seize/hold + 목적격 + by the + 신체 부위」의 형태로 쓰인다. 이때 'by my arm'처럼 소유격을 사용하면 안 된다는 점에 유의한다.

③ 'Owing to'는 '~ 때문에'라는 뜻의 전치사구이므로 뒤에 목적어로 명사구 'the heavy rain'이 온 것은 적절하다. 또한 전치사 'by'는 정도나 차이를 나타내는 표현으로 '~만큼'의 의미이다.

08 양자 부정

② 양자 부정 「A + 동사 + no more B than C + 동사 + D.」는 'A가 B가 아닌 것은 C가 D가 아닌 것과 같다'라는 의미를 갖는다. 'than' 이후에 부정어를 쓰지 않아도 부정의 의미를 포함하고 있다는 점과, 비교급이 아니라 원급 형태로 해석해야 한다는 것을 기억하자. 따라서 'you don't about her mother'을 'you do about her mother'로 고쳐야 한다. 중복으로 생략된 부분을 넣어 보면 해당 문장은 'I know no more (about her mother) than you do(= know) about her mother.'의 형태가 된다.

| 오답해설 | ① 「talk A out of B」는 'A에게 B하지 않도록 설득하다'라는 의미로 옳게 사용되었다. 반대로 「talk A into B」는 'A를 설득하여 B하게 하다'의 의미이다.

③ 'outnumber'는 '~을 수로 압도하다'의 뜻이다. 주어진 우리말처럼 '열세이다'라는 의미로 수동형인 'be outnumbered'가 올바르게 쓰였다.

④ 'of an age'는 '같은 나이의'를 의미하며, 'of a mind'는 '같은 생각의'를 나타낸다. 여기서 부정관사 'a(n)'는 'the same'의 의미로 쓰였다.

| 정답 | 05 ② 06 ③ 07 ④ 08 ②

09

어법상 옳지 않은 것을 고르시오.

① He says that he is the best player in the soccer world.
② The older you grow, the more it becomes difficult to accept something new.
③ You will have lost many things by September next year, if you fail to follow my advice.
④ The victim goes to a room where a number of people and the experimenters are seated.

10

다음 우리말을 영어로 옮긴 것 중 옳지 않은 문장은?

① 직업이 더욱더 전문화되면 될수록 사원들이 그만두거나 결원이 생길 때 새로운 사원을 교육시키는 것은 더욱 쉬워진다.
→ The more the job is specialized, the easier it is to train new employees when an employee quits or is absent from work.
② 그녀의 찬란한 의학적 연구로 그녀는 남자들만큼이나 여자들도 잘 생각하고 일할 수 있음을 증명해냈다.
→ With her brilliant medical studies, she proved that women could indeed think and work as well as men.
③ 아마도 가장 일반적으로 사용되는 시스템은 바이러스의 숙주 세포에 따라서 바이러스를 구분한다.
→ Probably the most commonly used system classifies viruses according to their host cells.
④ 비평가가 말하기를 그는 일주일에 자그마치 16편의 영화를 본다고 한다.
→ The critic says he watches no less than sixteen movies a week.

---

09 「the + 비교급 ~, the + 비교급 …」

② 「The + 비교급 ~, the + 비교급 …」에서 'the' 뒤에 「more + 원급 형용사/부사」 형태의 비교급이 오는 경우 'more'와 원급 형용사나 부사를 분리해서 사용할 수 없다. 해당 문장은 'the' 뒤에 「more + 원급 형용사/부사」 형태의 비교급을 사용하였으나 'more'와 원급 형용사에 해당하는 'difficult'를 분리해서 사용하였으므로 틀린 문장이다. 따라서 'the more it becomes difficult'를 'the more difficult it becomes'로 수정해야 한다.

| 오답해설 | ① 최상급은 「the + 형용사/부사 + -est」의 형태를 사용하며, 뒤에 오는 비교 대상이 장소를 나타내는 단수명사인 경우 앞에 전치사 'in'을 사용한다. 따라서 'the best player in the soccer world'는 옳은 표현이다.
③ 조건절이 미래의 일을 나타낼 경우 미래시제 대신 현재시제를 사용한다. 따라서 조건의 접속사 'if'가 이끄는 절의 동사에 현재시제 동사인 'fail'을 사용하는 것은 옳다.
④ 해당 문장에서 'where'은 관계부사로 'a room'을 선행사로 하며 뒤에 오는 절은 수동태로 이루어진 완전한 형태의 절이다.

| 해석 | ① 그는 자신이 축구계에서 최고의 선수라고 말한다.
② 점점 더 나이가 들수록, 새로운 어떤 것을 받아들이는 것은 점점 더 어려워진다.
③ 네가 내 충고를 따르지 않는다면, 내년 9월쯤에는 많은 것들을 잃어버릴 것이다.
④ 그 피해자는 다수의 사람들과 실험자들이 앉아 있는 방으로 간다.

---

10 「the + 비교급 ~, the + 비교급 …」

① 「the + 비교급 ~, the + 비교급 …」 구문으로 비교급은 분리해서 사용하지 않는다. 따라서 'The more the job is specialized'를 'The more specialized the job is'로 바꾸어야 한다.

| 오답해설 | ② 「as + 원급(형용사/부사) + as」의 원급 비교 구문으로 'as'와 'as' 사이에 동사구 'think and work'를 수식하는 부사의 원급 'well'이 알맞게 쓰였다.
③ 'commonly'의 최상급은 'the most commonly'이므로 옳은 표현이다. 'commonly'는 뒤의 'used'를 수식하는 부사로 알맞게 쓰였다.
④ 'no less than'은 '~ 못지 않게, 자그마치'의 의미로 옳은 표현이다.

| 정답 | 09 ② 10 ①

CHAPTER

04 부정사

☐ 1 회 독 월 일
☐ 2 회 독 월 일
☐ 3 회 독 월 일
☐ 4 회 독 월 일
☐ 5 회 독 월 일

VISUAL G

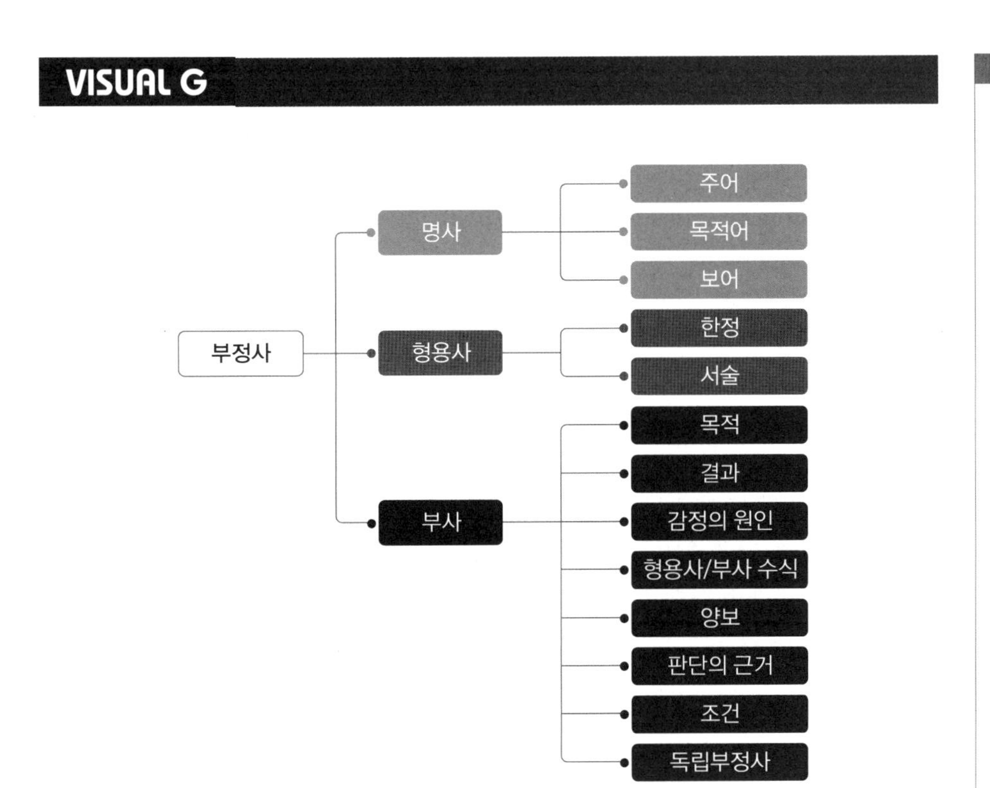

01 부정사의 형태

(1) 원형부정사: 동사원형(조동사, 지각동사, 사역동사, 관용구에 사용)

- I will make you **go** outside.

  당신이 밖에 나갈 수 있도록 하겠다.

(2) to부정사: 「to + 동사원형」(명사적 용법, 형용사적 용법, 부사적 용법)

- **To see** is **to believe**.

  보는 것이 믿는 것이다. (백문이 불여일견)

POINT CHECK

01 부정사의 형태는 □□□□, 그리고 「to + 동사원형」이다.

| 정답 | 01 동사원형

POINT CHECK

02 부정사는 문장에서 주어의 역할을 할 수 있으며 이때는 □□ 취급한다.

03 WHAT CAN DO 동사들은 목적어로 □□□□□을(를) 취한다.

| 정답 | 02 단수 03 to부정사

02 부정사의 용법 – 명사

부정사는 문장에서 명사의 역할, 즉 주어, 목적어, 보어의 역할을 대신할 수 있다.

(1) 주어

• **To learn** English is fun. 영어를 배우는 것은 재미있다.

→ It is fun **to learn** English. (가주어 It)

※ 부정사 주어는 반드시 단수 취급한다.

(2) 목적어

① to부정사를 목적어로 취하는 동사

WHAT CAN DO 동사: want, hope, attempt, threaten, choose, agree, need, desire, offer

● to부정사를 목적어로 취하는 동사 vs. 동명사를 목적어로 취하는 동사

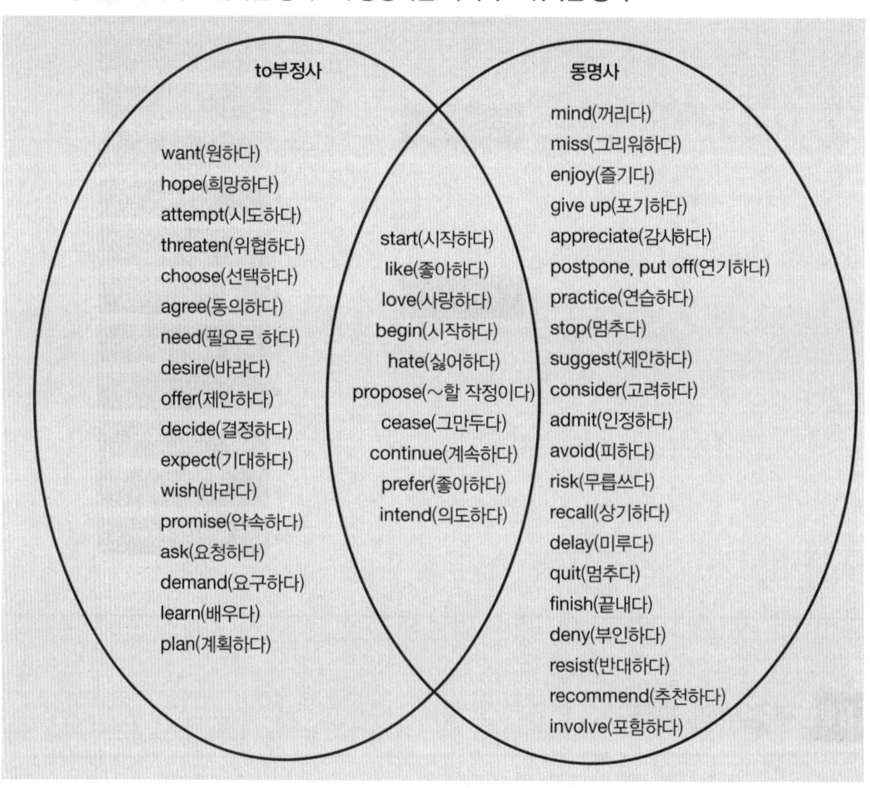

※ 준동사 목적어에 따른 동사 분류

1. 목적어[동명사/to부정사] (의미상 차이가 없는 경우)

   start, like, love, begin, hate, propose(~할 작정이다), cease, continue, prefer, intend

2. 목적어[동명사/to부정사] (의미상 차이가 있는 경우)

   mean(~을 의미하다/~을 의도하다), remember(~했던 것을 기억하다/~해야 할 것을 기억하다), forget(~했던 것을 잊어버리다/~해야 할 것을 잊어버리다), regret(~했던 것을 후회하다/~하게 되어 유감이다), try(시험 삼아 ~해 보다/~하려고 애쓰다)

3. 목적어[동명사/to부정사] (동명사 = to be p.p./부정사의 수동태)

need, want, deserve

- She wants **to study** Spanish. 그녀는 스페인어를 공부하기를 원한다.

참 This job wants doing.(= This job wants to be done.)

이 일은 되어져야만 한다(노력을 필요로 한다).

※ 단, want가 동명사 목적어를 가질 경우 격식체로 '~을 (당할) 필요가 있다'는 의미로 사용된다.

- She **helped (to) clean** the machine. 그녀는 기계를 청소하는 것을 도왔다.

※ help는 목적어로 to부정사 또는 원형부정사를 취할 수 있다.

② 「의문사 + to동사원형」 = 「의문사 + S + should + 동사원형」

how + to 동사원형	어떻게 ~할지	whether + to 동사원형	~할지 안 할지
where + to 동사원형	어디로 ~할지	when + to 동사원형	언제 ~할지
what + to 동사원형	무엇을 ~할지	which + to 동사원형	어떤 것을 ~할지

※ 「why to + 동사원형」은 사용할 수 없다.

- They don't know **when to leave**.

그들은 언제 떠날지 모른다.

- We don't know **what to do**. 우리는 무엇을 해야 할지 모른다.

→ We don't know **what we should do**.

O I learned **how to speak** Spanish. 나는 스페인어를 어떻게 말하는지 배웠다.

O I learned **to speak** Spanish.

➡ learn은 '~하는 방법을 배우다'라는 의미로 사용할 때, 「how + to 동사원형」을 목적어로 사용하는 것이 일반적이나, 「learn + to 동사원형」도 구어체에서 자주 사용된다. 「learn + to 동사원형」은 '~ 할 수 있게 되다'의 의미로 쓰인다.

③ 소망동사류와 완료부정사

want, expect, hope, wish, intend, desire

「소망동사류(과거형) + to have p.p.」 = 「소망동사류(had p.p.) + to + 동사원형」

- He **expected to have seen** her last month.

그는 지난달에 그녀를 만나기를 기대했다. (그러나 만나지 못했다.)

→ He **had expected to see** her last month.

→ He **expected to see** her last month, but he didn't see her.

④ 가목적어, 진목적어

주어	동사	가목적어	목적격 보어	의미상 주어	진목적어
명사	make believe consider find think imagine	it	형용사 명사	(for + 목적격)	to부정사

POINT CHECK

04 「had wanted + to + 동사원형」는 원했지만 □□□ □□사실을 나타낸다.

05 가목적어-진목적어 구문 → 「make/believe/consider/find/think/imagine + 가목적어(it) ~+□□□□(to부정사)」

| 정답 | 04 이루지 못한
05 진목적어

POINT CHECK

06 지각동사 및 사역동사는 목적격 보어로 □□□□□을(를) 취한다.

07 「주어+want+목적어+□□□□□(목적격 보어)」

| 정답 | 06 원형부정사
07 to부정사

• I found **it** difficult **to say** something about her.
나는 그녀에 대해 무언가를 말하는 것이 어렵다는 것을 알았다.

• I made **it** a rule **to get up** at six every morning.
나는 매일 아침 6시에 일어나는 것을 규칙으로 정했다.

(3) 목적격 보어

	동사		목적격 보어
주어	지각동사 (see/watch/smell/hear/feel/notice)	목적어	원형부정사 현재분사/과거분사
	사역동사 (let/make/have)		원형부정사 현재분사(have만 가능)/ 과거분사(make, have만 가능)
	준사역동사 (help)		원형부정사 to부정사
	준사역동사 (get)		to부정사 현재분사/과거분사

① 원형부정사

㉠ 「지각동사+목적어+원형부정사/현재분사」 (원형부정사/현재분사: 능동)

「지각동사+목적어+과거분사」 (과거분사: 수동)

• I heard her **play** the piano. (능동) 나는 그녀가 피아노를 연주하는 것을 들었다.
• I heard her **playing** the piano. (능동) 나는 그녀가 피아노를 연주하고 있는 것을 들었다.
• I heard my name **called.** (수동) 나는 나의 이름이 불리는 것을 들었다.
• Did you **smell** something **burning**? (능동) 당신은 무언가 타는 냄새를 맡았나요?

※ 단, smell은 불완전타동사로 사용될 때, 목적격 보어로 과거분사는 올 수 없고 현재분사만 사용 가능하다.

㉡ 「사역동사+목적어+원형부정사」 (원형부정사: 능동)

「사역동사+목적어+과거분사」 (사역동사: make/have, 과거분사: 수동)

• I had him **carry** the bag. (능동) 나는 그에게 그 가방을 옮기도록 시켰다.
• I had the bag **carried** by him. (수동) 나는 그 가방이 그에 의해 옮겨지도록 만들었다.

② to부정사: 목적격 보어로 to부정사를 취하는 동사

> want, ask, expect, cause, force, compel, enable, require, forbid, allow, permit, encourage, warn, urge, order

• I force him **to go** there. 나는 강제로 그를 그곳에 가게 한다.
• She allowed me **to eat** the cake. 그녀는 내가 그 케이크를 먹도록 허락했다.

03 부정사의 용법 – 형용사

(1) 한정적 용법

명사 뒤에서 수식하며 형용사와 같은 역할을 하는 부정사를 의미한다.

somebody to depend[rely/lean/count] on	의지할 누군가
a friend to talk to	대화할 친구
a house to live in	살 집
something to write with	필기구
money to live on	생활할 돈
nothing to complain of	불평할 것이 전혀 없는
children to take care of	돌봐야 할 아이들

- I have nothing **to write with.** (필기구) 나는 필기구가 없다.
- I have nothing **to write on.** (종이) 나는 쓸 종이가 없다.
- I have nothing **to write about.** (글의 소재) 나는 쓸 글감이 없다.

O I have no money **to live on.** 나는 생활할 돈이 없다.

X I have no money **to live on it.**

➡ to부정사가 형용사적 용법으로 명사를 수식할 때, 수식받는 명사를 대신하는 대명사가 to부정사 뒤에 중복 사용되어서는 안 된다.

(2) 서술적 용법

교수님 한마디 서술적 용법은 일명 「be + to부정사」 용법이다. 용법을 직접적으로 묻는 문항이 출제되는 것은 아니지만, 정확한 독해를 할 수 있도록 각 용법을 잘 파악해 두자.

「be + to부정사」 용법이라고 하며, 문장에서 '예정, 의무, 가능, 운명, 의도'를 나타낸다.

- 예정: ~하려고 하다(will, be going to), 보통 미래 부사 「next + 시간명사」 외)와 함께 쓰임
- 의무: ~해야 한다(should), 규칙 또는 법규와 함께 쓰임
- 가능: ~할 수 있다(can)
- 운명: ~할 운명이다
- 의도: ~할 작정이다, 주로 조건절(if)에 쓰임

① 예정: They **are to arrive** here at five. (= be scheduled to = be due to)

그들은 여기에 5시에 도착할 예정이다.

※ 주로 시간의 부사구와 함께 쓰인다.

② 의무: You **are to obey** rules we made. (= must = should)

너희는 우리가 만든 규칙에 따라야 한다.

※ 조동사 must로 대신할 수 있다.

③ 가능: It was too dark that night. Nothing **was to be** seen. (= can)

그날 밤은 너무 어두웠다. 아무것도 보이지 않았다.

※ 조동사 can으로 대신할 수 있고, be동사 뒤에 나오는 to부정사가 수동태로 쓰이는 경우가 빈번하다.

④ 운명: They **were to be** together forever. (= be destined to = be doomed to)

그들은 영원히 함께 할 운명이었다.

⑤ 의도: If you **are to succeed**, you must be diligent. (= intend to)

당신이 성공하고자 한다면, 당신은 근면해야만 한다.

※ 주로 조건절에 사용된다.

POINT CHECK

08 부정사가 명사를 수식할 때, 이는 □□□□ 용법으로 쓰인 것이다.

09 형용사적 용법의 to부정사가 「be + to부정사」의 형태로 서술적 역할을 할 때는 예□, 의□, 가□, 운□, 의□을[를] 나타낸다.

| 정답 | 08 형용사적
09 (예)정, (의)무, (가)능, (운)명, (의)도

POINT CHECK

10 부사는 문장에서 □□□, □□, □□, □□ □□을(를) 수식한다. 부정사의 부사적 용법도 그러하다.

04 부정사의 용법 – 부사

문장에서 부사의 역할을 하며, 수식하는 대상에 따라 해석이 달라지니 유의해야 한다.

(1) 부사적 용법의 역할

① 목적: '~하기 위해서'라는 의미로 목적을 나타낸다. 부정은 「not + to부정사」로 나타낸다.

- He works hard **not to fail.**

  그는 실패하지 않기 위해 열심히 일한다.

  → He works hard **so as not to fail.**

  → He works hard **in order not to fail.**

  → He works hard **so that** he **may not fail.**

  → He works hard **in order that** he **may not fail.**

  → He works hard **lest** he **(should) fail.**

O He works hard **lest** he **(should)** fail. 그는 실패하지 않도록 열심히 일한다.

X He works hard **lest** he **(should) not** fail.

➡ 접속사 lest는 '~하지 않도록'으로 부정의 의미가 포함되어 있으므로, not과 같이 쓰지 않도록 주의해야 한다.

② 결과: 일반적으로 무의지 동사가 only to, never to와 결합하는 경우, 부정사는 주로 '결국 ~하다'라는 의미로 부사적 용법의 '결과'를 나타낸다.

live, grow, return, awake, wake up

- He grew **to be** a nurse.

  그는 자라서 간호사가 되었다.

- Some students worked hard **only to fail** in the exam.

  몇몇 학생은 열심히 했으나 시험에서 떨어졌다.

- He went to France **never to return.**

  그는 프랑스로 가서 다시는 돌아오지 않았다.

- She was so well known **as to need** no introduction.

  그녀는 소개할 필요가 없을 정도로 잘 알려져 있었다.

  ※「so ~ as + to부정사」는 '…할 정도로 ~한'의 의미로 '정도, 결과'를 나타낸다.

③ 감정의 원인: 어떤 감정이 생기게 된 원인을 to부정사를 통해서 표현하는 용법이다.

• 감정 동사: cry, smile, weep • 감정 형용사: glad, happy, sorry, pleased, surprised

- She **cried to see** the monkey.

  그녀는 원숭이를 보더니 울었다.

  ※ cried라는 감정이 생긴 원인이 'to see ~' 이하이다.

④ 형용사/부사 수식

- This scene is not **good to see.**

  이 장면은 보기에 좋지 않다.

| 정답 | 10 형용사, 부사, 동사, 문장 전체

- They are **old enough to play** cards.

  그들은 카드놀이를 하기에 충분히 나이가 들었다.

- It is **hot enough to go** swimming.

  수영하러 갈 정도로 충분히 덥다.

⑤ 양보: '비록 ~일지라도'라는 의미를 가진다.

- **To do** my best, I could not succeed in it. 최선을 다했음에도, 나는 그것에서 성공하지 못했다.

  → Though I did my best, I could not succeed in it.

⑥ 판단의 근거: to부정사가 판단의 근거를 제공하며 must be, cannot be 또는 감탄문에서 주로 사용된다.

- He must be selfish **to say** so.

  그렇게 말하는 것을 보니 그는 이기적인 것이 틀림없다.

- How kind of you **to lend** him your car!

  그에게 당신의 차를 빌려주다니 정말 친절하군요!

⑦ 조건: 가정법을 대신해서 사용하는 용법이다.

- **To be** late again, you will be punished. 또 늦으면, 너는 벌을 받을 것이다.

  → If you are late again, you will be punished.

- I should be glad **to win** the final match. 결승전에서 이기면 기쁠 텐데.

  → I should be glad if I could win the final match.

⑧ 독립부정사

to tell the truth	사실을 말하자면	so to speak	즉, 말하자면
to begin with	우선	strange to say	이상한 이야기지만
to be sure	확실히	to be frank with you	솔직히 말해서
to make matters worse = what is worse	설상가상으로	to be honest	솔직히
to make matters better = what is better	금상첨화로	to be brief	간단히 말하면
needless to say(= not to mention, not to speak of)	~은 말할 것도 없이		

- My car broke down on the way, and **to make matters worse**, it began to rain.

  내 차가 운전하는 도중에 고장 났고, 설상가상으로, 비까지 내리기 시작했다.

⑨ 「too ~ to부정사」: 너무 ~해서 …할 수 없다

「too ~ to부정사」의 경우 부정의 단어가 쓰이지는 않았지만 의미상 부정문이다. 또한 '너무 ~해서 …할 수 없다'라는 해석 대신에 '…하기에는 너무 ~하다'로 해석하기도 한다.

- The box is **too** heavy for her **to** move.

  그 상자는 너무 무거워서 그녀가 옮길 수 없다.

  ※ 동사가 is 하나로 구성된 단문의 경우, 문장의 주어가 부정사의 목적어로도 중복 사용되면 옳지 않다. 그러나 주절과 종속절 두 개로 이루어진 복문의 경우에는 목적어 자리를 채워주어야 한다.

- The box is too heavy for her to move ~~it~~.

  → The box is **so** heavy **that** she **can't** move it.

POINT CHECK

11 「too ~ to부정사」는 □□의 의미를 내포하고 있다.

| 정답 | 11 부정

POINT CHECK

12 「It ~ to부정사」의 가주어-진주어 구문에서 의미상 주어는 「□□□/□□+목적격」으로 나타낸다.

| 정답 | 12 for, of

참 She is strong **enough to** move it. 그녀는 그것을 옮길 만큼 힘이 세다

→ She is **so** strong **that** she **can** move it.

• This stone is **too** heavy for him **to** lift. 이 돌은 너무 무거워서 그는 들 수가 없다.

→ This stone is **so** heavy **that** he **cannot** lift it.

05 부정사의 동사적 성향 – 의미상 주어

(1) 의미상 주어를 나타내지 않는 경우

① 일반인일 때는 명시하지 않는다.

• **To be left** alone is to suffer. 외톨이가 되는 것은 고통이다.

② 문장의 주어나 목적어가 의미상 주어가 되는 경우는 생략한다.

• I want ~~me~~ **to meet** her. 나는 그녀를 만나고 싶다.

참 I want you **to meet** her. 나는 네가 그녀를 만나면 좋겠다.

③ 현수부정사: 문장 맨 앞에 쓰인 부정사의 의미상 주어는 주절의 주어가 되어야 한다.

O **To get well**, she needs an operation.

낫기 위해서, 그녀는 수술이 필요하다.

X To get well, an operation is needed.

➡ 의미상 주어가 주절의 주어와 다르기 때문에 생략하면 의미가 어색해진다.

(2) 의미상 주어를 나타내는 경우

① 목적격: 5형식 불완전타동사가 이끄는 문장에서는 목적어가 to부정사의 의미상 주어가 된다.

• I forced **him** to open the door. 나는 그에게 문을 열도록 강요했다.

② 「for + 목적격」: to부정사 바로 앞에 「for + 목적격」으로 의미상 주어를 나타낸다.

• He opened the door **for me** to get in.

그는 내가 들어가도록 문을 열어 주었다.

※ to부정사의 의미상 주어를 「for + 목적격」으로 나타낸 것이다.

• It's easy **for him** to open the door.

그가 문을 여는 것은 쉽다.

※ 「가주어 It-진주어 to부정사」 구문에서 진주어인 to부정사의 의미상 주어는 「for + 목적격」으로 나타낸다.

③ 「of + 목적격」: 사람의 성격, 성질을 나타내는 형용사 뒤에 나온 to부정사의 의미상 주어는 「of + 목적격」으로 나타낸다.

kind, careless, rude, wise, honest, considerate, bold, generous

• It is **kind of him** to help me.

나를 도와주다니 그는 친절하다.

→ He is kind to help me.

※ 사람의 성격, 성질을 나타내는 형용사를 수식하는 to부정사의 의미상 주어는 문장의 주어가 될 수 있다.

헷갈리지 말자 You are convenient vs. It is convenient

• Call me whenever you are convenient.

• Call me whenever it is convenient for you.
당신이 편리할 때 언제든 내게 전화해라.

➡ convenient는 사람을 주어로 취하지 않음에 주의한다.

POINT CHECK

(3) 형용사별 주의해야 할 의미상 주어

① 이성적/감정적 판단 형용사: 「for + 목적격」

essential, necessary, urgent, important, vital, natural, advisable, right, rational, surprising, strange

• It is **necessary for us** to persuade him.
우리가 그를 설득하는 것은 필수적이다.
→ It is **necessary** that we (should) **persuade** him.
☒ We are **necessary to persuade** him.
◎ He is **necessary for us to persuade**.
➡ 이성적/감정적 판단 형용사는 부정사의 의미상의 주어가 문장의 주어가 될 수 없다. 단, 진주어로 쓰이는 부정사의 목적어는 주어가 될 수 있으나 잘 쓰이지 않고 주로 We have to persuade him.으로 대체된다.

② 인성 형용사: 「of + 목적격」

kind, careless, rude, wise, honest, considerate, bold, generous

• It is **kind of you** to please her. 그녀를 기쁘게 해 주다니 당신은 친절하군요.
→ You are kind to please her.
☒ She is **kind for you** to please.
☒ It is **kind that** you should please her.
➡ 인성 형용사를 포함한 문장에서 부정사의 목적어는 문장의 주어가 될 수 없다. 또한 「It ~ that」 구문 형태로도 나타낼 수 없다.

③ 난이 형용사: 「for + 목적격」

easy, hard, difficult, safe, dangerous, comfortable, impossible

• It is **difficult for me** to understand the book. 내가 그 책을 이해하는 것은 어렵다.
☒ It is difficult **that** I should understand the book.
➡ 난이 형용사는 that절을 진주어로 가질 수 없다.
◎ The book is **difficult for me** to understand. 그 책은 내가 이해하기 어렵다.
☒ I am difficult to understand the book.
➡ 난이 형용사를 수식하는 to부정사의 의미상 주어는 문장의 주어가 될 수 없다.

POINT CHECK

- It is easy **for us** to meet him. 우리가 그를 만나는 것은 쉽다.

[O] **He** is easy **for us** to meet. 그는 우리가 만나기 쉽다.

[X] **We** are easy to meet him.

➡ 난이 형용사를 수식하는 to부정사의 의미상 주어는 문장의 주어가 될 수 없지만 to부정사의 목적어는 사람일지라도 주어로 쓰일 수 있다. 이를 '목적어 상승(object raising)'이라고 한다.

● **한눈에 보는 형용사 영역 주요 요소**

이성적/감성적 판단 형용사	It ~ for + 목적격 + to부정사
	It ~ + that + 주어 + should + 동사원형
인성 형용사	It ~ of + 목적격 + to부정사
	의미상 주어 + 동사 + to부정사
난이 형용사	It ~ for + 목적격 + to부정사 + 목적어
	목적어 ~ for + 목적격 + to부정사

④ 사람만을 주어로 하는 형용사

㉠ 감정을 나타내는 과거분사 형태의 형용사는 「사람 + be surprised + to부정사」의 형태로 쓴다.

사람 + be동사 + surprised/astonished/shocked/annoyed/bored/grieved + to부정사

- We **were surprised to hear** of her death.
  우리는 그녀의 사망 소식을 듣고 놀랐다.
  → We were surprised when we heard of her death.

㉡ 감정을 나타내는 형용사는 「사람 + be glad + to부정사」의 형태로 쓴다.

사람 + be동사 + glad/happy/content/proud/sure/sorry/lucky/thankful + to부정사

- She **was glad to invite** them. 그녀는 그들을 초대해서 기뻤다.
  → She was glad that she invited them.

㉢ certain류의 형용사는 「It is ~ that」 구문으로만 사용한다.

It is + certain/clear/evident/probable/uncertain + that + 주어 + 동사

- **It is true that** he is wise. 그가 현명하다는 것은 사실이다.
- **It is certain that** he will pass the test. 그가 시험에 통과할 것임은 분명하다.

[O] **It is uncertain that** he will pass the test. 그가 시험에 통과할지는 불확실하다.

[X] **It** is **uncertain for him to pass** the test.

➡ certain류의 형용사는 「It is ~ for + 목적격 + to부정사」 구문으로 쓸 수 없다.

- **I am sure that** the team will win the game. 나는 그 팀이 경기에서 이길 거라고 확신한다.
  → [O] The team is sure to win the game.
  → [X] **It is sure that** the team will win the game.

➡ sure는 「It is sure that + 주어 + 동사」 형태로 사용이 불가능하다.

06 부정사의 동사적 성향 – 시제

	의미	형태	예시
단순부정사	서술어 동사와 시제 일치 또는 미래	to + 동사원형	to make
단순부정사의 수동태		to be p.p.	to be made
완료부정사	서술어 동사보다 한 시제 앞선 것	to have p.p.	to have made
완료부정사의 수동태		to have been p.p.	to have been made

(1) 단순부정사: 주절의 시제와 같은 시점의 행위를 의미한다.

• She seems **to be** ill. 그녀는 아픈 것 같다.

→ It **seems** that she **is** ill.

(2) 완료부정사: 주절의 시제보다 이전에 일어났던 일이나 상태에 대한 부정사 표현은 「to have p.p.」로 표현한다.

① 주절의 시제보다 이전에 일어났던 일이나 상태(한 시제 선행)를 나타낸다.

• She seems **to have been** fat. 그녀는 뚱뚱했던 것으로 보인다.

→ It **seems** that she **was** fat.

참 I regret **having spent** the money on the car. 나는 차에 돈을 쓴 것을 후회한다.

→ I **regret** that I **spent** the money on the car.

② 「소망동사류 과거형 + 완료부정사」: 과거에 이루지 못한 소망으로 '~했어야 했는데 (하지 못했다)'라는 의미로 사용된다.

want, expect, hope, wish, intend, desire

• I **hoped to have seen** her at that time.

나는 그때 그녀를 보길 희망했다.

※ '그러나 보지 못했다'는 의미이다.

→ I **had hoped to see** her at that time.

나는 그때 그녀를 보길 희망했다.

→ I **hoped to see** her at that time but I couldn't do so.

나는 그때 그녀를 보길 희망했으나 그러지 못했다(보지 못했다).

참 I **hoped to see** her at that time.

나는 그때 그녀를 보길 희망했다.

※ '보았는지 여부는 알 수 없다'는 의미이다.

POINT CHECK

13 부정사도 동사처럼 □□ 시제와 □□ 시제를 갖는다.

| 정답 | 13 단순, 완료

POINT CHECK

14 「had better +□□□□」: ~하는 편이 낫다

07 부정사의 동사적 성향 – 태

	부정사의 의미상 주어와의 관계	형태	예시
단순부정사	능동	to + 동사원형	to do
완료부정사		to have p.p.	to have done
단순부정사의 수동태	수동	to be p.p.	to be done
완료부정사의 수동태		to have been p.p.	to have been done

(1) 부정사의 능동태

- We like **to praise** children.

우리는 아이들을 칭찬하는 것을 좋아한다.

(2) 부정사의 수동태

- Children like **to be praised.**

아이들은 칭찬받는 것을 좋아한다.

08 부정사의 관용표현

(1) 「had better + 동사원형」: ~하는 편이 낫다(강제성을 포함)

- You **had better** stay in bed.

당신은 침대에 머무는 것이 낫다.

→ It would be better for you to stay in bed.

(2) 「cannot but + 동사원형」: ~하지 않을 수 없다 암기문법

- I **cannot but** accept his offer.

나는 그의 제안을 받아들이지 않을 수 없다.

= I **cannot choose but** accept his offer.

= I **can do no other than** accept his offer.

= I **have no other choice but to** accept his offer.

= I **cannot help** accept**ing** his offer.

= I **cannot help but** accept his offer.

= I **cannot refrain from** accept**ing** his offer.

(3) 「do nothing but + 동사원형」: 오로지 ~하기만 하다

- The little girl **did nothing but** cry.

그 어린 소녀는 울기만 했다.

| 정답 | 14 동사원형

(4) 「**would rather + 동사원형 + than + 동사원형**」: **…하느니 차라리 ~하는 게 낫다** 📖암기문법

=「would sooner + 동사원형 + than + 동사원형」

=「had rather + 동사원형 + than + 동사원형」

=「may as well + 동사원형 + as + 동사원형」

- The general **would rather** die **than** live in dishonor.

  그 장군은 불명예스럽게 사느니 죽는 것이 낫다.

  ※ 간혹 「prefer A over B」 표현을 사용하기도 한다.

(5) 「**All + 주어 + have to do is + (to)동사원형**」: **…가 해야 하는 것은 ~뿐이다**

「All + 주어 + do is + (to)동사원형」: …가 하는 것은 ~뿐이다

「All + 주어 + need is + to + 동사원형」: …가 필요한 것은 ~뿐이다

- **All I did** was **(to) encourage** him.

  내가 한 것이라고는 그를 격려한 것뿐이었다.

- What I have to do is **(to) wait** for you.

  내가 해야 하는 것은 당신을 기다리는 것이다.

- The only thing I can do is **(to) run away**.

  내가 할 수 있는 유일한 일은 도망가는 것이다.

  ※ 주어가 all, what, the only thing 등으로 유도되고 동사는 일반동사 do인 명사절이 문장의 주어이면 보어로 쓰인 to부정사의 to는 생략 가능하다.

- **All he needs** is **to turn up** the TV.

  그가 필요로 하는 것은 TV 소리를 키우는 것뿐이다.

(6) 「**come[get/learn/grow] + to + 동사원형**」: **~하게 되다**

- Long before I learned about your music, I **came to know** about you.

  내가 당신의 음악을 알기 오래 전에, 나는 당신에 대해 알게 되었다.

  참 The bill **came to** $100.

  청구 액수가 100달러에 이르렀다.

  ※ 「come to + 명사」: ~에 이르다, 도달하다

POINT CHECK

04 부정사

[01~10] 다음 중 어법상 옳은 것을 고르시오.

01 She grew [have / to have] much knowledge.

02 The teacher agreed [to do / doing] so.

03 She hoped [to meet / meeting] him again.

04 Jack didn't know where [to go / going].

05 Julia explained what [to do / doing].

06 All she did was [to take / take] care of him.

07 It is necessary [of / for] us to learn modern history.

08 He seems to [do / have done] it before.

09 She wanted to [be told / tell] him the truth.

10 You had better [study / to study] hard.

정답&해설

01 to have

| 해석 | 그녀는 많은 지식을 가지게 되었다.

| 해설 | 「grow + to + 동사원형」는 관용표현으로 '~하게 되다'를 뜻한다.

02 to do

| 해석 | 선생님은 그렇게 하는 것에 동의했다.

| 해설 | 'agree'는 to부정사를 목적어로 가지는 완전타동사이다.

03 to meet

| 해석 | 그녀는 그를 다시 만나기를 희망했다.

| 해설 | 'hope'는 to부정사를 목적어로 가지는 완전타동사이다.

04 to go

| 해석 | Jack은 어디로 가야 할지 알지 못했다.

| 해설 | 「의문사 + to부정사」는 사용할 수 있으나 「의문사 -ing」는 사용할 수 없다.

05 to do

| 해석 | Julia는 무엇을 해야 할지 설명했다.

| 해설 | 「의문사 + to부정사」는 사용할 수 있으나 「의문사 -ing」는 사용할 수 없다.

06 to take / take

| 해석 | 그녀가 한 것은 그를 돌본 것뿐이었다.

| 해설 | 주어로 쓰인 명사절의 주어가 'All'로 유도되고 동사가 'do(does/did)'인 경우, 주격 보어로 쓰인 to부정사는 'to'를 생략하고 쓸 수 있다. 따라서 이 문장의 주격 보어로는 'to take'와 'take' 둘 다 사용할 수 있다.

07 for

| 해석 | 우리가 현대사를 배우는 것은 필요하다.

| 해설 | 'necessary'는 이성적 판단 형용사로 「It is ~ for + 목적격 + to부정사 …」의 형태로 사용할 수 있다. 따라서 목적격 'us' 앞에 전치사 'for'를 사용하는 것이 옳다.

08 have done

| 해석 | 그는 전에 그것을 해 본 것 같다.

| 해설 | to부정사가 본동사의 시제와 같을 때는 「to + 동사원형」을 사용하고 그보다 이전의 일인 경우에는 「to have + 과거분사」를 사용한다. 해당 문장은 부사 'before'를 통해서 본동사(seems)의 시제인 현재보다 '이전에 했었던' 일임을 알 수 있으므로, 완료부정사가 완성되도록 'have done'을 써야 한다.

09 tell

| 해석 | 그녀는 그에게 진실을 말해 주기를 원했다.

| 해설 | 'him'은 'tell'의 간접목적어에 해당하며 'the truth'는 'tell'의 직접목적어에 해당하므로 to부정사는 능동형으로 써야 한다. 따라서 'tell'이 옳은 표현이다.

10 study

| 해석 | 당신은 열심히 공부하는 편이 낫다.

| 해설 | 「had better + 동사원형」은 관용표현으로 '~하는 편이 낫다'를 뜻한다. 따라서 'study'가 옳은 표현이다.

[11~20] 다음 중 어법상 옳은 것을 고르시오.

11 The firm helps the elderly [to get / getting] a job.

12 The king wanted his country [flourishing / to flourish].

13 He got me [go / to go] to hospital.

14 Jack forced John [to stop / stopping] working.

15 The little lion came [know / to know] the horse runs very fast.

16 Jack desired his son [to learn / learning] politics.

17 She observed them [come / to come] to her house.

18 They decided when [start / to start].

19 The client required him [repair / to repair] it.

20 Jane made John [finish / to finish] his homework.

정답&해설

11 to get

| 해석 | 그 회사는 어르신들이 직업을 가질 수 있도록 돕는다.

| 해설 | 'help'는 준사역동사로, 목적격 보어로 to부정사를 사용할 수 있으나 현재분사는 사용할 수 없다.

12 to flourish

| 해석 | 왕은 자신의 나라가 번영하기를 원했다.

| 해설 | 'want'는 불완전타동사로, 목적격 보어로 to부정사를 사용할 수 있으나 현재분사는 사용할 수 없다.

13 to go

| 해석 | 그는 내가 병원에 가게 했다.

| 해설 | 'get'은 준사역동사로, 목적격 보어로 to부정사를 사용할 수 있으나 원형부정사는 사용할 수 없다.

14 to stop

| 해석 | Jack은 강제로 John이 일하는 것을 멈추게 했다.

| 해설 | 'force'는 불완전타동사로, 목적격 보어로 to부정사를 사용할 수 있으나 현재분사는 사용할 수 없다.

15 to know

| 해석 | 그 어린 사자는 말이 매우 빠르게 달린다는 것을 알게 되었다.

| 해설 | 「come + to + 동사원형」는 관용표현으로 '~하게 되다'를 뜻한다.

16 to learn

| 해석 | Jack은 그의 아들이 정치학을 배우기를 바랐다.

| 해설 | 'desire'는 불완전타동사로, 목적격 보어로 to부정사를 사용할 수 있으나 현재분사는 사용할 수 없다.

17 come

| 해석 | 그녀는 그들이 자신의 집으로 오는 것을 지켜보았다.

| 해설 | 지각동사 'observe'는 목적격 보어로 원형부정사를 사용할 수 있으나 to부정사는 사용할 수 없다.

18 to start

| 해석 | 그들은 언제 출발할지 결정했다.

| 해설 | 「의문사 + to부정사」는 사용할 수 있으나 「의문사 + 동사원형」은 사용할 수 없다.

19 to repair

| 해석 | 그 고객은 그에게 그것을 수리하라고 요구했다.

| 해설 | 'require'는 불완전타동사로, 목적격 보어로 to부정사를 사용할 수 있으나 원형부정사는 사용할 수 없다.

20 finish

| 해석 | Jane은 John이 숙제를 끝마치도록 시켰다.

| 해설 | 사역동사 'make'는 목적격 보어로 원형부정사를 사용할 수 있으나 to부정사는 사용할 수 없다.

04 부정사

교수님 코멘트▶ 부정사는 그 각각의 역할과 기능을 파악하는 것이 매우 중요하다. 그 역할과 기능을 알아두면 문법뿐만 아니라 독해력 향상에도 도움이 되므로 이를 확실히 숙지할 수 있도록 관련 문제들을 수록하였다.

01

다음 문장 중 올바른 문장을 찾으시오.

① She allowed herself to kiss by him.
② I got him take my child to the public amusement park.
③ You had better not to go such a place.
④ He worked hard only to fail.

02

2015 서울시 7급

밑줄 친 부분 중 어법상 옳지 않은 것은?

Innovation, business is now learning, is likely ① to find ② wherever bright and eager ③ people think ④ they can find it.

---

01 to부정사의 부사적 용법(결과)

④ 「only + to부정사」는 to부정사의 부사적 용법 중 결과의 의미를 나타내므로 올바른 사용이다. 「only + to부정사」의 뜻은 '~했으나 결국 …하고 말았다'이다.

| 오답해설 | ① 'allow'는 완전타동사로 뒤에 목적어(herself)를 수반하고 목적격 보어로 to부정사가 온다. 그녀가 '키스 받는 것'을 허락한 것이므로 'to kiss'가 아니라 수동형인 'to be kissed'가 적절하다.

② 준사역동사 'get'은 목적격 보어로 to부정사를 취한다. 따라서 'take'가 아닌 'to take'가 옳다.

③ 'had better'은 동사원형을 취하므로 'to go'가 아니라 'go'가 옳다.

| 해석 | ① 그녀는 그가 키스하는 것을 허락했다.

② 나는 그에게 나의 아이를 공공 놀이공원에 데려가게 했다.

③ 너는 그런 장소에 가지 않는 편이 낫다.

④ 그는 열심히 일했지만 실패했다.

---

02 to부정사의 능동태 vs. 수동태

① 준동사 'to find'의 의미상 주어는 'innovation'이다. 혁신이 '발견하는' 것이 아니라 '발견되는' 것이므로 수동형인 'to be found'가 되어야 한다.

| 오답해설 | ② 복합 관계부사 'wherever'는 부사절을 이끌며, 'wherever' 뒤에 「주어 + 동사 + 목적어절」의 완전한 문장이 이어지므로 옳은 표현이다.

③ 'wherever'가 이끄는 절에서 'people'은 앞의 형용사 'bright and eager'의 수식을 받는 주어이며 'think'는 동사이다.

④ 'they'는 'bright and eager people'을 대신하는 것으로 알맞게 쓰였다. 참고로 'they can find it'은 앞의 'think' 동사의 목적어절로 'they' 앞에 접속사 'that'이 생략되어 있다.

| 해석 | 혁신은 똑똑하고 열성적인 사람들이 그들이 그것을 찾을 수 있다고 생각하는 어디에서든 발견될 가능성이 있다는 것을 업계는 지금 배우는 중이다.

03

다음 문장 중 어법상 가장 옳지 않은 것은?

① The challenge is to find a way to have proper expectations.

② He wanted to encourage Jolly to play the piano and to do more math.

③ It will be more difficult for anybody to take care of him if he grows up.

④ The emotion begins to be disappeared as soon as you move away from the situation.

04

다음 영작 중 옳은 것을 고르시오.

① 이 강은 수영하기에 너무도 위험하다.
→ This river is too dangerous to swim in it.

② 스테이크가 너무 식어버렸기 때문에 그는 그것을 치울 것을 요구했다.
→ The steak was so cold that he required it to take away.

③ 나는 이 사진을 볼 때마다 내 누이 생각이 난다.
→ I cannot see this picture without reminding of my sister.

④ 몹시 급하게 집필되어서 그 책에는 많은 오류가 있다.
→ Written in great haste, the book has many errors.

---

03 **to부정사의 능동태 vs. 수동태**

④ 'disappear'는 완전자동사로 수동태로 사용할 수 없다. 따라서 'to be disappeared'를 'to disappear'로 바꾸어야 한다.

| **오답해설** | ① 'to have proper expectations'는 명사 'a way'를 수식하는 부정사의 형용사적 용법으로 바르게 사용되었다.

② 'encourage'는 불완전타동사로, 「encourage + 목적어 + 목적격 보어(to부정사)」의 형태로 쓰이며, 'to play'와 'to do'가 목적격 보어로 바르게 사용되었다.

③ 'it'은 가주어이고 진주어는 to부정사 'to take care of him'이며, 'for anybody'는 to부정사 'to take'의 의미상 주어로 바르게 사용되었다.

| **해석** | ① 문제는 적절한 기대감을 가지는 방법을 찾는 것이다.

② 그는 Jolly가 피아노를 치고 수학을 더 많이 하도록 권하고 싶었다.

③ 그가 다 자라면 누구라도 그를 보살피는 것이 더 어려워질 것이다.

④ 당신이 그 상황에서 벗어나자마자 그 감정은 사라지기 시작한다.

---

04 **분사구문, to부정사의 목적어, 능동태 vs. 수동태**

④ 주절의 주어 'the book'이 '쓰여진' 것이므로 완료분사구문으로 'having been written'이 와야 하는데 여기서 'Having been'은 생략이 가능하다. 따라서 'Written'은 옳은 표현이다.

| **오답해설** | ① 'it'은 문장의 주어 'This river'를 의미하기 때문에 이중부언(redundancy)에 해당되므로 옳지 않다. 'it'을 삭제해야 한다.

② 'it'은 'steak'를 의미하며 스테이크가 '치워지는' 것이므로 'to take'를 수동태 'to be taken'으로 고쳐야 한다.

③ 「cannot ~ without …」은 '~할 때마다 …하다'의 의미로 전치사인 'without' 뒤에는 명사나 동명사가 온다. 여기서 'remind'는 '상기시키다'라는 뜻이므로 '누이 생각이 난다'라는 의미가 되려면 동명사의 수동태인 'being reminded of'로 고쳐져야 한다.

| **정답** | 01 ④ 02 ① 03 ④ 04 ④

05

우리말을 영어로 잘못 옮긴 것을 고르시오.

① 그는 그 범죄자 주변에 있는 사람들이 어떻게 느꼈을지에 대해 걱정했다.
→ He was concerned about how the people around the criminal felt.

② 그녀는 그녀의 어머니가 정말로 원하는 것을 알기 위해 노력할 필요가 있다.
→ She needs making an effort to know what her mother really wants.

③ 그녀가 좋아하는 것들 중 하나는 그가 라디오에서 인터뷰하는 것을 듣는 것이었다.
→ One of her favorites is to listen to his being interviewed on the radio.

④ 미국에서의 학기제는 9월에 시작하고 두 학기로 나뉜다.
→ The semester system in the United States starts in September and is divided into two terms.

06

2017 지방직 9급 추가 채용

어법상 옳은 것은?

① A week's holiday has been promised to all the office workers.

② She destined to live a life of serving others.

③ A small town seems to be preferable than a big city for raising children.

④ Top software companies are finding increasingly challenging to stay ahead.

---

05 to부정사의 능동태 vs. 수동태

② 'need'는 완전타동사로 쓰일 경우 to부정사를 목적어로 가지며, 목적어가 to부정사의 수동태인 경우 「to be + 과거분사」는 동명사로 바꾸어 사용할 수 있다. 따라서 'needs'의 목적어로 사용한 동명사 'making'은 'to be made'를 의미하므로 주어진 해석인 '노력하다'와 일치하지 않으며, 또한 목적어에 해당하는 'an effort'가 존재하므로 틀린 표현이다. 따라서 'making'을 to부정사의 능동태인 'to make'로 수정해야 한다. 이때 'make an effort'는 관용표현으로 '노력하다'를 뜻한다. 'know' 뒤에 온 'what'은 'wants'의 목적어에 해당하는 목적격 관계대명사이다.

| 오답해설 | ① 'be concerned about'은 관용표현으로 '~에 대해 걱정하다'를 뜻하며 목적어를 가진다. 해당 문장에서는 'how the people around the criminal felt'가 「의문사 + 주어 + 동사」의 간접의문문 어순으로 적절하게 목적어로 쓰였다.

③ 'to listen to his being interviewed'는 불완전자동사 'is'의 주격 보어로 쓰인 to부정사의 명사적 용법에 해당하며 이때 'listen'은 완전자동사이므로 목적어 앞에 전치사 'to'를 사용한다. 또한 전치사 'to'의 목적어로 동명사의 수동태 'being interviewed'가 적절하게 사용되었으며 'his'는 'being interviewed'의 의미상 주어에 해당한다.

④ 주어가 단수 형태인 'The semester system'이므로 단수 형태의 동사인 'starts'와 'is'의 쓰임은 적절하다. 또한 주어진 해석이 '나뉜다'이며 과거분사 'divided' 뒤에 전명구 'into two terms'가 왔으므로 'divide'의 수동태 'is divided'는 옳은 표현이다.

---

06 소유격, 능동태 vs. 수동태, 가목적어–진목적어

① 'A week's holiday'는 '일주일간의 휴가'라는 의미로 시간(기간)명사의 소유격에 's를 사용하였으므로 어법상 적절하다. 또한 단수형 주어인 'A week's holiday'가 직원들에게 '약속된' 것이므로 완료 수동태인 'has been promised'도 어법상 적절히 쓰였다.

| 오답해설 | ② 'destine'은 '~을 예정해 두다'라는 의미의 타동사로 '~할 운명이다'는 「be destined + to + 동사원형」으로 표현한다. 따라서 'destined to live'를 'was destined to live'로 고쳐야 한다.

③ 라틴어 비교급인 'preferable, superior, inferior, senior, major, minor' 등은 'than' 대신에 전치사 'to'를 동반하므로 'preferable than'은 'preferable to'가 되어야 한다.

④ 'find'는 3형식 완전타동사와 5형식 불완전타동사로 각각 쓰인다. 그러나 주어진 문장처럼 「find + 형용사」 형태의 불완전자동사로는 쓰일 수 없으므로 'to stay ahead'를 진목적어로, 형용사 'challenging'을 동사 'find'의 목적격 보어로 보아야 한다. 따라서 「find + 가목적어(it) + 목적격 보어 + 진목적어(to부정사)」의 5형식 문장이 되도록 누락된 가목적어 'it'을 목적격 보어 앞에 써 주어 'finding it increasingly challenging to stay ahead'로 고쳐야 한다.

| 해석 | ① 일주일간의 휴가가 모든 사무직 근로자들에게 약속되었다.
② 그녀는 남들에게 봉사하는 삶을 살아갈 운명이었다.
③ 자녀 양육을 위해서는 큰 도시보다 작은 도시가 더 바람직한 것으로 보인다.
④ 최고의 소프트웨어 회사들은 앞서 나가는 것이 점점 더 힘들다는 것을 알아가고 있다.

07

다음 중 우리말을 영어로 잘못 옮긴 것은?

① 그는 결코 당신을 속일 사람이 아니다.
→ He is the last person to deceive you.

② 그는 주먹다짐을 할 바에야 타협하는 것이 낫다고 생각한다.
→ He would much rather make a compromise than fight with his fists.

③ 프레스코는 이탈리아 교회의 익숙한 요소이기 때문에 이것을 당연하게 생각하기 쉽다.
→ Frescoes are so familiar a feature of Italian churches that they are easy to take it for granted.

④ 그는 대학에 다니지 않았지만 아는 것이 아주 많은 사람이다.
→ Even though he didn't go to college, he is a very knowledgeable man.

07 「It + be동사 + 난이 형용사 + (for + 목적격 +)to부정사」

③ 여기에서 'they'는 부정사의 목적어가 주어 자리로 상승한 것이기 때문에 'that' 이후의 부분을 'they are easy to take for granted'라고 써야 올바른 문장이 된다. 또는 'it is easy to take them for granted'라고 표현할 수 있다.

|오답해설| ① '결코 ~할 사람이 아니다'는 「be동사 + the last person + to + 동사원형」으로 표현하므로 올바르게 영작되었다.

② 「would rather A than B」는 'B하느니 차라리 A하는 게 낫다'라는 뜻으로 사용되며, A와 B 자리에는 동사원형이 온다.

④ 'even though'는 양보의 접속사로 「주어 + 동사」로 이루어진 절을 취한다.

08

다음 중 어법상 잘못된 것은?

① He is impossible for us to persuade.

② English is difficult for us to master in a year or two.

③ It was good for Mary to leave the place immediately.

④ It is easy that we convince him.

08 「It + be동사 + 난이 형용사 + for + 목적격 + to부정사」

④ 난이 형용사(easy, difficult, hard, tough, impossible)는 진주어를 that절이 아닌 to부정사로 표현해야 하므로 틀린 표현이다. 따라서 'It is easy (for us) to convince him.' 또는 'He is easy (for us) to convince.'로 고쳐야 한다.

|오답해설| ① 난이 형용사는 「It + be동사 + 난이 형용사 + for + 목적격 + to부정사 + 목적어」의 형태로 사용할 수 있으며 to부정사의 목적어가 가주어 'It'의 자리로 이동하는 경우 해당 문장과 같이 「목적어 + be동사 + 난이 형용사 + for + 목적격 + to부정사」의 형태가 된다.

② 난이 형용사 'difficult'가 있으므로 「목적어 + be동사 + 난이 형용사 + for + 목적격 + to부정사」를 사용한 옳은 문장이다.

③ 이성적 판단 형용사는 「It + be동사 + 이성적 판단 형용사 + for + 목적격 + to부정사 + 목적어」와 「It + be동사 + 이성적 판단 형용사 + that + 주어 + (should) + 동사원형 + 목적어」의 형태로 사용할 수 있다. 이성적 판단 형용사 'good'이 쓰였으므로 「It + be동사 + 이성적 판단 형용사 + for + 목적격 + to부정사 + 목적어」를 사용한 옳은 문장이다.

| 해석 | ① 우리가 그를 설득하는 것은 불가능하다.
② 영어는 우리가 1~2년 안에 숙달하기 어렵다.
③ Mary가 그 자리를 즉시 떠난 것은 잘한 것이었다.
④ 우리가 그를 확신시키는 것은 쉽다.

| 정답 | 05 ② 06 ① 07 ③ 08 ④

09

다음 영작 중 옳은 것을 고르시오.

① 어린 시절부터 스페인어를 배워온 그는 스페인어를 유창하게 구사한다.
→ Learning Spanish since childhood, he has a good command of Spanish.

② 지갑을 분실했기 때문에 그녀는 원하는 책을 살 수가 없다.
→ Having been lost the purse, she cannot buy the book she wants.

③ 그는 그의 아들에게 더 이상 떠들지 말라고 충고했다.
→ He advised his son not to make any more noise.

④ 만약 필요한 게 있다면, 나에게 알려줘.
→ If you need anything, please just let me known.

10

다음 중 어법상 옳은 것을 고르시오.

① Mercury's velocity is so much higher than the Earth.

② Climate affects our behavior very more than we realize.

③ It is not as addictive as other drugs, but it can be difficult to stop taking caffeine once you start to take it regularly.

④ That made the Model TA1 so cheap to produce for a mass audience was the interchangeability of its parts.

---

09 to부정사의 부정, 사역동사의 목적격 보어

③ 「advise + 목적어 + not + to부정사」로 옳게 사용되었다.

| 오답해설 | ① '스페인어를 배워온' 것은 '유창하게 구사하는' 것보다 먼저 발생한 일이므로 완료 분사구문을 사용한다. 특히 어학 능력의 경우 일시적으로 생기거나 사라지는 것이 아니기 때문에 시제의 차이를 둔 완료 분사구문을 이용하여 표현한다. 따라서 'Learning'은 'Having learned'가 되어야 한다.

② '지갑을 분실했던' 것이 '책을 살 수 없었던' 것보다 먼저 발생한 일이므로 완료 분사구문을 사용한다. 이때 분사구문의 생략된 주어가 'she'이므로 수동태가 아니라 능동태의 완료 분사구문인 「having p.p.」로 표현해야 옳다. 즉 'Having been lost'가 아닌 'Having lost'가 옳다.

④ 사역동사인 'let'은 원형부정사를 목적격 보어로 취하므로 'let me know'라고 해야 옳다.

---

10 to부정사의 명사적 용법

③ 난이 형용사 difficult가 사용된 문장으로 「가주어–진주어」 구문을 이용하여 「it + be동사 + 난이 형용사 + to부정사」 형태로 쓴 'it can be difficult to stop ~'은 올바른 표현이다. 또한 문맥상 '카페인을 섭취하는 것'을 멈추는 것이기 때문에 진주어 'to stop'의 목적어로 동명사가 오는 것은 옳다. 'start'의 목적어로는 동명사와 to부정사 둘 다 올 수 있으므로 'start to take'도 옳은 표현이다.

| 오답해설 | ① 수성의 속도와 지구의 속도를 비교해야 하므로 'the Earth'가 아닌 'the Earth's' 또는 'the Earth's velocity'가 옳은 표현이다.

② 비교급의 수식은 'very' 대신에 'even, much, (by) far, a lot, still'이 한다.

④ 선행사가 존재하지 않고 주어가 빠져 있으므로 'That' 대신에 관계대명사 'What'이 적절하다.

| 해석 | ① 수성의 속도는 지구의 속도보다 훨씬 더 높다(빠르다).

② 기후는 우리가 인식하는 것보다 훨씬 더 많이 우리의 행동에 영향을 미친다.

③ 그것은 다른 마약처럼 중독성이 있지는 않지만, 일단 규칙적으로 카페인을 섭취하기 시작하면 끊는 것이 어려울 수 있다.

④ 일반 대중을 위해 생산할 만큼 모델 TA1를 매우 싸게 만들었던 것은 그 부품들의 호환성이었다.

| 정답 | 09 ③ 10 ③

시작하는 데 있어서
나쁜 시기란 없다.

– 프란츠 카프카(Franz Kafka)

CHAPTER

05 동명사

□ 1회독	월	일
□ 2회독	월	일
□ 3회독	월	일
□ 4회독	월	일
□ 5회독	월	일

POINT CHECK

VISUAL G

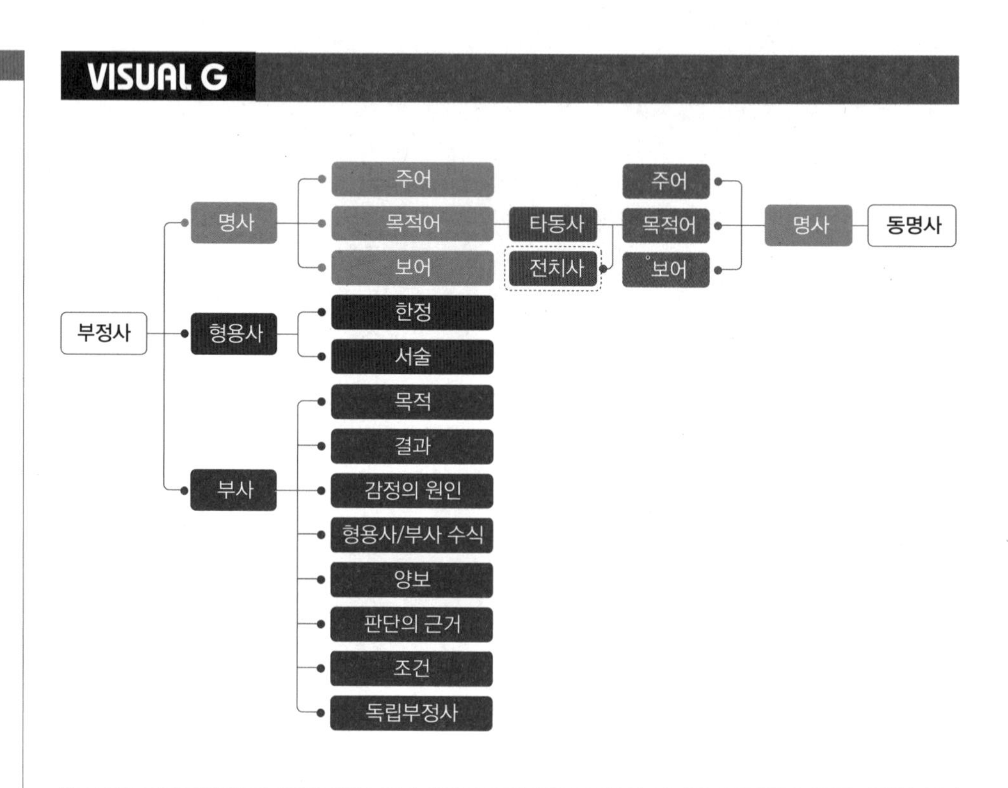

01 동명사의 역할과 성질

01 「동사+명사」=□□□

동사가 명사의 역할을 대신해서 주어, 목적어, 보어의 역할을 하는 것이 '동명사'이다. 동명사는 형용사, 부사, 전치사구의 수식을 받는다. 동명사의 명사적 성향으로는 문장의 명사 자리인 주어, 목적어, 보어에 쓰일 수 있다는 점이고, 동사적 성향으로는 의미상 주어를 가질 수 있으며, 수동태와 완료형 모두 가능하다는 점이 특징이다.

① 관사의 동명사 한정

- It marks **the beginning** of a new season. (명사적 성향)

  그것은 새로운 계절의 시작을 알린다.

| 정답 | 01 동명사

② 부사의 동명사 수식

- She improved her skill by **constantly practicing.** (동사적 성향)
  그녀는 끊임없이 연습해서 그녀의 실력을 향상시켰다.

③ 형용사의 동명사 수식

- She improved her skill by the **constant practicing.** (명사적 성향)
  그녀는 끊임없는 연습을 통해 그녀의 기술을 향상시켰다.

02 동명사의 명사적 성향

헷갈리지 말자 동명사 -ing vs. 현재분사 -ing

- His hobby is **collecting** stamps.
  그의 취미는 우표를 모으는 것이다.
  (His hobby = collecting stamps, 동명사)

- He is **collecting** stamps.
  그는 우표를 모으는 중이다.
  (He ≒ collecting stamps, 현재분사)

➡ 동명사와 현재분사는 형태가 같아서 헷갈린다. 특히나 be동사 뒤에서 동명사가 보어의 역할을 하면 더욱 혼동된다. -ing 형태가 의미상 주어와 같으면 동명사, 그렇지 않으면 현재분사로 구분할 수 있다. 현재분사의 경우, 주어가 행위의 주체가 된다.

(1) 동명사의 역할

① 주어의 역할

- **Studying** hard is important. 열심히 공부하는 것은 중요하다.
  = To study hard is important.
  ※ 주어에 동명사나 to부정사가 단독으로 사용되는 경우 항상 단수로 취급한다.

② 목적어의 역할

- She likes **doing** the project alone. 그녀는 그 프로젝트를 혼자 하는 것을 좋아한다.

③ 보어의 역할

- My hobby is **listening** to music. (My hobby = listening to music)
  나의 취미는 음악을 듣는 것이다.
  = My hobby is to listen to music.

(2) 동명사를 목적어로 취하는 동사

mind, enjoy, give up, put off, practice, finish, stop, consider, admit, resist, deny, quit, involve

※ appreciate은 '감사하다'라는 의미로 사용될 경우 동명사를 목적어로 가질 수 있다.

- He finished **doing** his homework. 그는 숙제하는 것을 끝냈다.
- He stopped **breathing.** 그는 숨쉬는 것을 멈췄다.

참 He stopped **to breathe.** 그는 숨을 쉬기 위해서 멈췄다.

POINT CHECK

02 동명사는 문장에서 주어, 목적어, 보어로 쓰여 □□의 기능을 한다.

03 | MEGA PFS CARDQ는 반드시 목적어로 (to부정사 / 동명사)가 온다.

| 정답 | 02 명사 03 동명사

POINT CHECK

04「need+-ing」=「need to+□□+□□」

05 remember, forget, regret 등은 목적어로 to부정사와 동명사를 둘 다 취할 수 있다. 그러나 목적어의 형태에 따라 □□는 전혀 달라진다.

| 정답 | 04 be, p.p. 05 의미

(3) 목적어에 따라 의미가 달라지는 동사

① 「need+to+동사원형」→ ~할 필요가 있다 (능동)
「need -ing」=「need to+be p.p.」→ ~되어질 필요가 있다 (수동)

need, want, deserve

목적어로 to부정사를 취할 경우 능동, 동명사를 취할 경우 수동의 의미로 사용된다.

• The old car **needs repairing.** 그 낡은 차는 수리가 필요하다.

⭕ The old car needs **to be repaired.** 그 낡은 차는 수리되어야 한다.

❌ The old car needs **to repair.**

➡ 자동차는 '수리가 되어져야' 하므로, 부정사의 수동태를 써야 하는 것을 잊지 말자.

② 「remember/forget/recall/regret -ing」: (과거) ~했던 것을 …하다
「remember/forget/recall/regret+to+동사원형」: (미래) ~해야 할 것을 …하다

• I **remember seeing** him. 나는 그를 보았던 것을 기억한다.
→ I remember that I have seen him before.

※ 참고로 recall은 부정사를 목적어로 가질 때 「recall+의문사+to부정사」의 형태를 취한다.

③ 「mean+to+동사원형」: ~하는 것을 의도하다
「mean -ing」: ~하는 것을 의미하다

• He didn't **mean to bother** you. 그가 당신을 괴롭히려고 의도한 것이 아니었다.

• My new job will **mean hiring** employees.
내 새로운 일은 직원을 고용하는 것을 의미할 것이다.

④ 「stop+to+동사원형」: ~하기 위해 멈추다 (to부정사의 부사적 용법)
「stop -ing」: ~하는 것을 그만두다 (타동사의 목적어)

• The whale **stops to breathe.** ('숨을 쉬기 위해서'라는 의미로 '목적어'가 아닌 to부정사의 부사적 용법 중 '목적'의 역할만 함)
그 고래는 숨을 쉬기 위해서 멈춘다.

• The whale **stops breathing.** (목적어 역할을 하는 동명사)
그 고래는 숨을 쉬는 것을 멈춘다.

• I **stopped to smoke.** ('목적어'가 아니라, to부정사의 부사적 용법 중 '목적'의 역할만 함)
나는 담배를 피우려고 멈췄다.

• I **stopped smoking.** (목적어 역할을 하는 동명사)
나는 담배를 끊었다.

⑤ 「try+to+동사원형」: ~하려고 노력하다, 시도하다
「try -ing」: 시험 삼아 ~해 보다, 시도하다

• He **tried to move** the piano.
그는 피아노를 옮기기 위해서 애썼다.

• He **tried moving** the piano.
그는 피아노를 옮기려고 시도했다.

⑥ 「like/love/hate + to + 동사원형」: ~하고 싶다/ ~을 싫어하다
「like/love/hate -ing」: (그 자체를 하는 것을) 좋아하다/싫어하다

• I **hate to lie.** 나는 거짓말하는 것이 싫다. (지금 거짓말을 하고 싶지 않다는 의미)
• I **hate lying.** 나는 거짓말하는 것을 싫어한다.

※ like, love, hate, dislike는 동명사와 to부정사 둘 다 목적어로 쓸 수 있으며, 의미가 비슷하고 문법적으로도 옳지만 약간의 뉘앙스 차이가 있다.

⑦ 「forbid + 목적어 + to + 동사원형」: ~가 …하는 것을 못하게 하다

• The teacher **forbids** them **to smoke.**
선생님은 그들이 담배 피우는 것을 못하게 한다.

⑧ 「persuade + 목적어 + to + 동사원형」: ~에게 …하도록 설득하다

• Try to **persuade** her **to come.**
그녀를 오라고 설득해 보아라.

⑨ 「prohibit + 목적어 + from -ing」: ~가 …하는 것을 금지하다

• Heavy snow **prohibited** the travelers **from moving.**
폭설은 여행자들이 움직이지 못하게 했다.

⑩ 「dissuade + 목적어 + from -ing」: ~가 …하는 것을 단념시키다

• I tried to **dissuade** her **from giving** up her job.
나는 그녀가 직장을 그만두는 것을 단념시키려고 애를 썼다.

(4) 전치사의 목적어

• The scientist goes **beyond** simply **discovering** the fact.
그 과학자는 단순히 사실을 발견하는 것을 넘어선다.

※ 전치사는 명사와 동명사 둘 다 목적어로 가질 수 있는데, 이를 결정짓는 것은 동사적 기능의 필요 여부이다. the fact라는 목적어가 있으므로, 동사적 기능이 있는 동명사가 왔다.

참 The scientist goes **beyond** the **discovery** of the fact.
그 과학자는 사실의 발견을 넘어선다.

● **헷갈리는 전치사 to**

① 「look forward to + 명사/-ing」: ~을 학수고대하다

② 「object to + 명사/-ing」 = 「be opposed to + 명사/-ing」 = 「have an objection to + 명사/-ing」: ~을 반대하다

※ 매우 드문 경우이지만 「have an objection + to + 동사원형」도 사용 가능하며, 부정사의 형용사적 용법으로 objection을 수식하는 것으로 분석할 수 있으나 문맥에 유의해야 한다.

③ 「lead to + 명사/-ing」: 결국 ~가 되다, ~로 이끌다
= 「lead + 목적어 + to + 동사원형」: ~가 …하도록 이끌다

※ 「lead + 목적어 + 전치사 to + 명사/-ing」도 가능하다.

④ 「pay attention to + 명사/-ing」: ~에 주의를 기울이다

⑤ 「when it comes to + 명사/-ing」: ~에 관해서라면

POINT CHECK

06 「prevent + 목적어 + from -ing」: ~가 …하는 것을 □□

07 전치사는 목적어로 □□, □□□, □□□ 그리고 일부 □□□을 취한다.

| 정답 | 06 막다
07 명사, 대명사, 동명사, 명사절

POINT CHECK

⑥ 「in addition to + 명사/-ing」: ~ 이외에도, ~뿐만 아니라

⑦ 「react to + 명사/-ing」: ~에 반응하다

⑧ 「respond to + 명사/-ing」: ~에 응답하다

⑨ 「belong to + 명사/-ing」: ~에 속하다

⑩ 「reply to + 명사/-ing」: ~에 대답하다

⑪ 「due to + 명사/-ing」 = 「owing to + 명사/-ing」 = 「thanks + to 명사/-ing」: ~ 때문에

⑫ 「contribute to + 명사/-ing」: ~하는 것에 기여하다

⑬ 「subject A to B(명사/-ing)」: A를 B에 복종시키다

⑭ 「owe A(결과) to B(명사/-ing, 원인)」= 「attribute A(결과) to B(명사/-ing, 원인)」: A는 B 덕택[때문]이다

⑮ 「add A to + 명사/-ing」: ~에 A를 추가하다[더하다]

⑯ 「prefer A(명사/-ing) to B(명사/-ing)」: B보다 A를 더 좋아하다

⑰ 「devote A to B(명사/-ing)」: A를 B에 바치다

※ 「A be devoted[dedicated] to B(명사/-ing)」: A가 B에 헌신하다

⑱ 「be exposed to + 명사/-ing」: ~에 노출되다, 접하다
= 「expose A to + 명사/-ing」: A를 ~에 노출시키다

⑲ 「be[get/become/grow] used to + 명사/-ing」 = 「be[get/become/grow] accustomed to + 명사/-ing」: ~에 익숙하다

⑳ 「What do you say to + 명사/-ing?」: ~(하는 게) 어때?

㉑ 「be tied to + 명사/-ing」: ~와 관련되다

㉒ 「A be preferable to B」: A는 B보다 더 낫다

㉓ 「come near to + 명사/-ing」: 하마터면 ~할 뻔하다

03 동명사의 동사적 성향

(1) 동명사의 의미상 주어

① 일반인인 경우: 동명사의 의미상 주어가 일반인이거나 불특정 다수인 경우에는 명시하지 않고 보통 생략한다.

• (**People's/People**) Drinking too much is harmful for health.

술을 너무 많이 마시는 것은 건강에 해롭다.

② 주절의 주어와 의미상 주어가 같은 경우: 주절의 주어와 의미상 주어가 같은 경우에도 따로 명시하지 않고 보통 생략한다.

• I don't like (**my**) eating fast food.

나는 패스트푸드 먹는 것을 좋아하지 않는다.

③ 주절의 주어와 의미상 주어가 다른 경우: 대명사가 주어이면 원칙적으로 소유격으로 쓰나 현대 영어에서는 구어체에서 목적격을 쓰는 경우도 있으니 참고하자.

- I don't like **his[him]** drinking too much.
  나는 그가 과음하는 것을 좋아하지 않는다.
- I don't like **my husband** drinking too much.
  나는 남편이 과음하는 것을 좋아하지 않는다.
- I don't like **my car** being repaired by an unauthorized mechanic.
  나는 허가받지 않은 정비공에 의해 내 차가 수리되는 것을 좋아하지 않는다.

※ 의미상 주어가 무생물 명사일 경우 소유격이 아니라 그대로 쓰며, 이를 목적격으로 이해해도 좋다.

(2) 동명사의 시제와 태

① 단순동명사

- The boy is ashamed of **being** short. 그 소년은 키가 작은 것이 부끄럽다.
  → The boy **is** ashamed that he **is** short.
- I was sure of his **passing** by me. 나는 그가 나를 스쳐 지나갈 것이라고 확신했다.
  → I **was** sure that he **would pass** by me.

② 완료동명사

- She is ashamed of **having lied.** 그녀는 거짓말을 했던 것이 창피하다.
  → She **is** ashamed that she **lied.**
  → She **is** ashamed that she **has lied.**

※ 주절의 시제가 현재일 때, 완료동명사는 '과거'와 '현재완료' 두 가지 시제일 가능성이 있다.

- She was ashamed of **having lied.** 그녀는 거짓말을 했던 것이 창피했다.
  → She **was** ashamed that she **had lied.**

※ 주절의 시제가 과거일 때, 완료동명사는 과거완료(대과거)시제를 나타낸다.

③ 동명사의 능동태

- He objected to **attending** the meeting.
  그는 그 모임에 참석하는 것에 반대했다.
- He admitted **having committed** a crime.
  그는 범죄를 저질렀음을 인정했다.

④ 동명사의 수동태

- They objected to **being treated** like children.
  그들은 아이처럼 취급받는 것에 반대했다.
- They denied **having been invited** to the party.
  그들은 파티에 초대받은 것을 부인했다.

POINT CHECK

08 동사가 시제를 가지듯, 동명사도 □□을(를) 갖는다. 단, □□ 시제, □□ 시제만 존재한다.

| 정답 | 08 시제, 단순, 완료

POINT CHECK

09 「feel like+□□□」: ~하고 싶은 심정이다

(3) 동명사 관용표현

① 「on[upon] -ing」=「when+S+V」=「as soon as+S+V」: ~하자마자 암기문법

• **On arriving** there, he sent me a telegram.

그곳에 도착하자마자, 그는 나에게 전보를 보냈다.

= As soon as he arrived there, he sent me a telegram.

② 「be worth -ing」=「It is worth -ing」=「be worthwhile+-ing/to+동사원형」: ~할 가치가 있다

• This book **is worth reading** carefully.

이 책은 주의 깊게 읽을 가치가 있다.

= It **is worth reading** this book carefully.

☒ This book **is worth to be read** carefully.

➡ worth는 서술적 용법으로만 쓰는데, 명사나 동명사를 목적어로 취하는 형용사이다.

☒ It **is worth being read** this book carefully.

➡ 형용사 worth는 능동태 동명사만을 목적어로 취한다.

③ 「cannot help -ing」=「cannot but+동사원형」: ~하지 않을 수 없다 암기문법

• I **cannot help accepting** his offer.

나는 그의 제안을 받아들이지 않을 수 없다.

= I **cannot escape accepting** his offer.

= I **cannot avoid accepting** his offer.

= I **cannot but accept** his offer.

= I **cannot choose but accept** his offer.

= I **can do no other than accept** his offer.

= I **have no other choice but to accept** his offer.

④ 「feel like -ing」=「feel inclined to + 동사원형」=「have a mind+to+동사원형」, 「would[should] like to + 동사원형」: ~하고 싶은 심정이다

• I **feel like going** home now.

나는 지금 집에 가고 싶은 심정이다.

⑤ 「There is no -ing」=「It is impossible+to+동사원형」=「We cannot+동사원형」 : ~하는 것은 불가능하다

• **There is no knowing** what will happen next.

다음에 무슨 일이 일어날지는 알 수 없다.

= **It is impossible to know** what will happen next.

⑥ 「It is no use -ing」=「It is of no use+to+동사원형」=「There is no use (in) -ing」 : ~해 봐야 소용없다

• **It is no use crying** over spilt milk.

이제 와서 후회해 봐야 소용없다. (속담)

| 정답 | 09 -ing

⑦ 「be above -ing」=「the last + 명사 + to + 동사원형」: 결코 ~할 사람[것]이 아니다

• He is **above telling** a lie. 그는 결코 거짓말할 사람이 아니다.

= He is **the last man to tell** a lie.

O He is the last person **to sacrifice** himself. 그는 결코 자신을 희생할 사람이 아니다.

X He is the last person **to sacrificing.**

➡ to부정사가 앞에 나온 명사 person을 수식하는 구조이기 때문에, 주어진 해석과 일치하지 않는 전명구로 쓸 수 없음에 주의하자.

⑧ 「It goes without saying that ~」=「It is quite obvious that ~」=「It is needless to say that ~」: ~하는 것은 말할 필요도 없다

• **It goes without saying that** our plans depend on the weather.

우리의 계획이 날씨에 달려 있다는 것은 말할 필요도 없다.

⑨ 「be busy (in) -ing」: ~하느라 바쁘다

• He **is busy preparing** for his lessons.

그는 수업을 준비하느라 바쁘다.

⑩ 「What do you say to -ing ~?」=「How[What] about -ing ~?」=「Let's + 동사원형」 : ~하는 것이 어떻습니까?

• **What do you say to starting** English grammar with Tom?

Tom과 함께 영어 문법을 시작하는 것이 어떻습니까?

⑪ 「be on the point of -ing」=「be about to + 동사원형」=「be on the verge[brink] of -ing」 : 막 ~하려는 참이다

• The old man **is on the point of dying.**

그 노인은 막 숨이 끊어지려는 참이다.

O He **is about to leave** Seoul. 그는 막 서울을 떠나려는 참이다.

X He **is about to leaving** Seoul.

➡ 여기서 to는 전치사가 아니라 부정사의 to이므로, 뒤에는 반드시 동사원형이 나와야 한다.

⑫ 「make a point of -ing」=「make it a rule + to + 동사원형」: ~하는 것을 규칙으로 하다

• I **make a point of attending** such meetings.

나는 그런 모임들에 참석하는 것을 규칙으로 삼는다.

⑬ 「cannot[never] ~ without -ing」=「whenever + S′ + V′, S + V」: ~하면 반드시 …하다

암기문법

• I **never** see you **without thinking** of Tom.

나는 너를 보면 꼭 Tom이 생각난다.

= **Whenever** I see you, I think of Tom.

⑭ 「far from -ing」= never ~ = anything but = by no means : 결코 ~가 아닌

• He is **far from telling** a lie. 그는 절대로 거짓말을 하지 않는다.

⑮ 「come near to -ing」=「narrowly escape from -ing」: 하마터면 ~할 뻔하다

• He **came near to being** run over by a car.

그는 하마터면 자동차에 치일 뻔했다.

POINT CHECK

POINT CHECK

⑯ 「go -ing」: ~하러 가다

- He **went fishing.**

  그는 낚시하러 갔다.

⑰ 「in -ing」=「when[while]+S+V」: ~할 때

- Be careful **in crossing** the road. 길을 건널 때 조심해라.

  = Be careful **when** you cross the road.

⑱ 「spend+시간/돈+-ing」: ~하는 데 시간/돈을 소비하다

- He **spent much time (in) shopping.**

  그는 쇼핑을 하는 데 많은 시간을 소비했다.

- They **spend little money (on) eating** out.

  그들은 외식하는 데 돈을 거의 쓰지 않는다.

⑲ 「have difficulty (in) -ing」: ~하는 데 어려움을 겪다

- Some people **have difficulty (in)** learning English.

  어떤 사람들은 영어를 배우는 데 어려움을 겪는다.

05 동명사

[01~10] 다음 중 어법상 옳은 것을 고르시오.

01 Would you mind [to open / opening] the window?

02 When you are in the cafe, [stare / staring] at other people is very rude.

03 I didn't recall [to meet / meeting] Julia.

04 Her mother is looking forward to [meet / meeting] her daughter again.

05 [Make / Making] a success without any effort is nonsense.

06 You need to pay attention to [listen / listening].

07 [Solve / Solving] the problem yourself when you are in trouble is really nice.

08 If you are in the situation, [think / thinking] carefully is required.

09 Jack enjoys [to swim / swimming] in summer.

10 Julia is considering [to complete / completing] the mission.

정답&해설

01 opening

| 해석 | 창문 좀 열어 주시겠어요?

| 해설 | 'mind'는 목적어로 동명사는 사용할 수 있으나 to부정사는 사용할 수 없다.

02 staring

| 해석 | 카페에 있을 때, 다른 사람들을 빤히 쳐다보는 것은 매우 무례한 것이다.

| 해설 | 주절의 동사 'is'의 주어 역할을 할 수 있는 것은 동명사 'staring'이다.

03 meeting

| 해석 | 나는 Julia를 만났던 것이 생각나지 않았다.

| 해설 | 'recall'은 목적어로 동명사를 사용할 수 있으며, 부정사의 경우 「의문사 + to부정사」 형태를 취해야 한다.

04 meeting

| 해석 | 그녀의 엄마는 딸을 다시 만나는 것을 기대하고 있다.

| 해설 | 「look forward to -ing」는 관용표현으로 '~하는 것을 기대하다'를 뜻한다.

05 Making

| 해석 | 아무런 노력 없이 성공을 한다는 것은 터무니없는 생각이다.

| 해설 | 동사 'is'의 주어 역할을 할 수 있는 것은 동명사 'Making'이다.

06 listening

| 해석 | 너는 듣는 것에 주의를 기울일 필요가 있다.

| 해설 | 「pay attention to -ing」는 관용표현으로 '~하는 것에 주의를 기울이다'를 뜻한다.

07 Solving

| 해석 | 곤경에 처해 있을 때 네 스스로 그 문제를 해결하는 것은 정말 멋지다.

| 해설 | 동사 'is'의 주어 역할을 할 수 있는 것은 동명사 'Solving'이다.

08 thinking

| 해석 | 만약 네가 그 상황에 처한다면, 신중하게 생각하는 것이 요구된다.

| 해설 | 주절의 동사 'is'의 주어 역할을 할 수 있는 것은 동명사 'thinking'이다.

09 swimming

| 해석 | Jack은 여름에 수영하는 것을 즐긴다.

| 해설 | 'enjoy'는 목적어로 동명사는 사용할 수 있으나 to부정사는 사용할 수 없다.

10 completing

| 해석 | Julia는 그 임무를 완료하는 것을 고려하는 중이다.

| 해설 | 'consider'는 목적어로 동명사는 사용할 수 있으나 to부정사는 사용할 수 없다.

[11~20] 다음 중 어법상 옳은 것을 고르시오.

11 What do you say to [leave / leaving] for New York?

12 The thief admitted [to steal / stealing] 4 dollars from Jane.

13 I was embarrassed at the restaurant because I forgot [to leave / leaving] my wallet at home.

14 When it comes to [analyze / analyzing] the program, I am a specialist.

15 Jack remembered [to meet / meeting] her before when he saw her again.

16 The doctor told her to cut down on [her / hers] drinking.

17 Nurses complain of [being underpaid / underpaying].

18 He is used to [eat / eating] the food.

19 He denied [to embezzle / embezzling] $300,000 from the company.

20 [Break / Breaking] up with your true friend is the most ridiculous thing.

정답&해설

11 **leaving**

| 해석 | 뉴욕으로 떠나는 게 어때?

| 해설 | 「What do you say to -ing?」는 관용표현으로 '~하는 게 어때?'를 뜻한다.

12 **stealing**

| 해석 | 그 도둑은 Jane으로부터 4달러를 훔친 것을 인정했다.

| 해설 | 'admit'은 목적어로 동명사는 사용할 수 있으나 to부정사는 사용할 수 없다.

13 **leaving**

| 해석 | 나는 지갑을 집에 놓고 온 것을 잊어버렸기 때문에 식당에서 당황했다.

| 해설 | 여기서는 '~했던 것을 잊어버리다'의 의미가 되어야 하므로 'forgot'의 목적어로 동명사인 'leaving'이 와야 한다.

14 **analyzing**

| 해석 | 그 프로그램을 분석하는 것에 관한 한, 내가 전문가이다.

| 해설 | 「when it comes to -ing」는 관용표현으로 '~에 관한 한'을 뜻한다.

15 **meeting**

| 해석 | Jack이 그녀를 다시 보았을 때 전에 그녀를 만났던 것을 기억했다.

| 해설 | 여기서는 '~했던 것을 기억하다'의 의미가 되어야 하므로 'remembered'의 목적어로 동명사인 'meeting'이 와야 한다.

16 **her**

| 해석 | 의사가 그녀에게 술을 줄이라고 말했다.

| 해설 | 동명사의 의미상 주어가 대명사일 때는 소유격으로 나타내므로 'her'가 옳은 표현이다.

17 **being underpaid**

| 해석 | 간호사들은 저임금을 받는다고 불평한다.

| 해설 | 'underpay'는 완전타동사이므로 뒤에 목적어가 있어야 하며 동명사의 경우에도 마찬가지이다. 해당 문장은 전치사 'of'의 목적어로 'underpay'의 동명사를 사용하였으나 뒤에 목적어가 없으므로 동명사의 수동태 'being underpaid'가 옳은 표현이다.

18 **eating**

| 해석 | 그는 그 음식을 먹는 것에 익숙하다.

| 해설 | 「be used to -ing」는 관용표현으로 '~하는 것에 익숙하다'를 뜻한다.

19 **embezzling**

| 해석 | 그는 그 회사로부터 30만 달러를 횡령한 것을 부인했다.

| 해설 | 'deny'는 목적어로 동명사는 사용할 수 있으나 to부정사는 사용할 수 없다.

20 **Breaking**

| 해석 | 너의 진실한 친구와 결별한다는 것은 가장 어처구니가 없는 일이다.

| 해설 | 동사 'is'의 주어 역할을 할 수 있는 것은 동명사 'Breaking'이다.

05 동명사

교수님 코멘트▶ 동명사는 동사적인 성향과 명사적인 성향을 동시에 포함하고 있으므로 명사, 현재분사와 그 쓰임을 구별할 수 있어야 한다.

01

밑줄 친 것 중 어법상 옳지 않은 것은?

It is worth ① pointing out that despite ② guiding by an ideal of physicalism, most philosophers ③ have come to recognize the distinctive aspects of the mind as, in some way, ④ irreducible.

02

2011 서울시 9급

다음 중 어법상 올바른 문장은?

① It is stupid for her to make that mistake.
② I have some money to be used.
③ We arranged for a car to collect us from the airport.
④ We noticed them to come in.
⑤ They should practice to play the guitar whenever they can.

---

01 동명사의 수동태

② 전치사 'despite'의 목적어로 동명사가 오는 것은 적절하나, '물리주의라는 이상(an ideal of physicalism)'에 의해 주절의 주체인 '철학자들(philosophers)'이 '이끌려져' 왔다는 의미이므로, 동명사의 수동태가 와야 적절하다. 따라서 'guiding'은 'being guided'가 되어야 옳다.

| 오답해설 | ① 'worth'는 동명사를 목적어로 가지는 형용사이다. 따라서 동명사 'pointing'을 사용한 것은 적절하다.
③ 동사 'come'의 과거분사 형태는 'come'이므로 현재완료를 'have come'으로 쓴 것은 적절하다. 또한 「come + to + 동사원형」는 관용표현으로 '~하게 되다'를 뜻한다.
④ 'recognize'가 불완전타동사인 경우 「recognize + 목적어 + 목적격 보어(as + 형용사)」의 형태로 사용할 수 있다. 따라서 'as' 뒤에 형용사 'irreducible'을 사용한 것은 적절하다. 'in some way'는 삽입구이다.

| 해석 | 물리주의라는 이상에 의해 이끌려져 왔음에도 불구하고, 대부분의 철학자들이 인간 정신의 독특한 측면들을 어떤 면에 있어서는 축소될 수 없는 것으로 인식하게 되었다는 사실은 지적할 만한 가치가 있다.

---

02 to부정사의 의미상 주어, 「practice -ing」

③ 'arrange for'는 '~을 준비하다'라는 의미의 동사이고, 'to collect'는 to부정사의 부사적 용법(~하기 위해)으로 올바르게 사용되었다.

| 오답해설 | ① 'stupid'와 같이 사람의 성질을 나타내는 형용사 뒤에 to부정사가 오면 의미상 주어는 「of + 목적격」의 형식으로 표현한다. 즉 'for her'는 'of her'가 되어야 한다.
② 주어(I)는 돈을 쓰는 주체이기 때문에 수동형으로 쓰인 to부정사 'to be used' 대신 'to use'가 옳은 표현이다.
④ 지각동사 'notice'는 목적격 보어로 원형부정사, 과거분사, 현재분사 등을 사용할 수 있다. 즉 'to come'은 'come' 또는 'coming'이 되어야 한다.
⑤ 'practice'는 동명사를 목적어로 취하는 동사이므로 'to play'는 'playing'이 되어야 옳다.

| 해석 | ① 그녀가 그 실수를 한 것은 어리석다.
② 나는 쓸 돈이 약간 있다.
③ 우리는 공항에서 우리를 데려가도록 차를 준비하였다.
④ 우리는 그들이 들어오는 것을 알아차렸다.
⑤ 그들은 할 수 있을 때마다 기타 연주를 연습해야 한다.

| 정답 | 01 ② 02 ③

03
2017 서울시 7급

밑줄 친 부분 중 어법상 가장 옳지 않은 것은?

A survey ① conducted for the journal *American Demographics* by the research from Market Facts found some surprising results. In modern America, ② where superstitions are seen as nothing more than the beliefs of a weak mind, 44 percent of the people surveyed still admitted they were superstitious. The other 56 percent claimed to be only "optimistically superstitious", ③ meaning they were more willing to believe superstitions relating to good luck over ones related to bad luck. For example, 12 percent of those who said they were not really superstitious confessed to ④ knock on wood for good luck. And 9 percent confessed they would pick up a penny on the street for good luck. A further 9 percent of non-believers also said they would pick a four-leaf clover for luck if they found one. And some still believed in kissing under the mistletoe for luck.

04
2020 지방직 9급

우리말을 영어로 잘못 옮긴 것은?

① 나는 네 열쇠를 잃어버렸다고 네게 말한 것을 후회한다.
→ I regret to tell you that I lost your key.

② 그 병원에서의 그의 경험은 그녀의 경험보다 더 나빴다.
→ His experience at the hospital was worse than hers.

③ 그것은 내게 지난 24년의 기억을 상기시켜준다.
→ It reminds me of the memories of the past 24 years.

④ 나는 대화할 때 내 눈을 보는 사람들을 좋아한다.
→ I like people who look me in the eye when I have a conversation.

---

03 「confess to -ing」

④ '고백하다, 인정하다'라는 의미의 자동사로 쓰인 'confess'는 전치사 'to'와 함께 목적어를 가질 수 있다. 전치사의 목적어는 명사 또는 동명사이므로 'knock'을 'knocking'으로 고쳐야 한다. 전치사 'to'를 부정사의 'to'로 보지 않도록 유의해야 한다. 단, confess는 타동사로도 쓰일 수 있음을 알아두자.

| 오답해설 | ① 과거분사 'conducted'는 명사 'A survey'와 의미상 수동의 관계로 후치 수식하고 있다.

② 선행사는 'modern America'이고, 관계부사 'where'가 완전한 문장 구조의 절을 이끌며 이를 수식하고 있으므로 적절하다.

③ 분사구문인 'meaning ~'의 의미상 주어는 앞 문장 전체에 해당되므로, 능동의 의미인 현재분사 구문이 옳게 사용되었다.

| 해석 | Market Facts가 연구 차원에서 American Demographics 잡지를 위해 실시했던 한 설문조사는 몇 가지 놀라운 결과를 알아냈다. 미신을 단지 마음 약한 사람들의 믿음에 불과한 것으로 보는 현대 미국에서, 조사에 응했던 사람들의 44퍼센트가 여전히 그들이 미신을 믿는다고 인정했다. 나머지 56퍼센트는 '낙천적으로 미신을 믿을' 뿐이라고 주장했는데, 이는 그들이 불운에 관련된 미신보다는 행운에 관련된 미신을 기꺼이 믿으려 하고 있다는 것을 의미한다. 예를 들어, 자신이 정말로 미신을 믿지 않는다고 말한 이들 중 12퍼센트는 행운을 바라며 나무를 두드린다고 인정했다. 그리고 9퍼센트의 사람들은 행운을 바라며 길에서 1페니를 줍겠다고 인정했다. 또한 미신을 믿지 않는 사람들의 또 다른 9퍼센트는 네 잎 클로버를 발견하면 행운을 바라며 그것을 따겠다고 말했다. 그리고 몇몇은 여전히 행운을 바라며 겨우살이 아래에서 키스하는 것을 믿었다.

---

04 「regret -ing」 vs. 「regret + to + 동사원형」

① 'regret'은 to부정사와 동명사를 둘 다 목적어로 취할 수 있는 동사이나, 목적어의 형태에 따라 그 의미가 달라진다. 동명사를 취하는 경우 '(과거 지향적) ~한 것을 후회하다'라는 의미가 되고, to부정사를 취하는 경우 '(미래 지향적) ~하게 되어 유감이다'라는 의미가 된다. 해당 문장에서는 '후회하다'라는 의미로 사용되었으므로, 'to tell'을 'telling'으로 수정해야 한다.

| 오답해설 | ② 「소유격 + 명사」를 대신하기 위해 '~의 것'이라는 소유대명사(mine, yours, his, hers, ours, theirs)를 사용할 수 있다. 해당 문장에서는 비교급을 사용해 '그의 경험(His experience)'과 '그녀의 경험(her experience)'을 비교하고 있는데, 명사의 중복을 피하기 위해 '그녀의 것(hers)'이라는 소유대명사를 사용해 표현하였다.

③ 「remind A of B」는 'A에게 B를 상기시키다'라는 표현이다.

④ 선행사가 사람이고, 관계대명사절에서 관계대명사가 주어 역할을 하는 경우 'who'를 사용한다. 해당 문장에서 주격 관계대명사로 쓰인 'who'의 선행사는 복수 형태 'people'이므로 관계대명사절 내의 동사 또한 수 일치시켜 복수 형태의 동사 'look'이 알맞게 쓰였다. 또한 '~을 때리다'류의 가격동사는 「가격동사 + 사람(목적어) + 전치사 + the + 신체 부위」의 형태로 사용한다. 따라서 'look me in the eye'는 어법에 맞는 표현이다.

05

2018 지방직 7급

어법상 옳은 것은?

① This book is intended for educators, new or veteran, interested in enhancing student understanding and design more effective curricula.

② Darwin knew far less about the various species he collected on the Beagle voyage than do experts in England at the time who classified these organisms for him.

③ A challenge in reading a text is to gain a deep understanding of what the text might mean, despite of the obstacles of one's assumptions and biases.

④ The software developer works to maximize user-friendliness and to reduce bugs that impede results.

06

2014 경찰직 1차

다음 빈칸에 순서대로 들어갈 말로 가장 적절한 것은?

- Global warming has led to an increase ＿＿＿＿＿ temperatures and sea levels, and much less polar ice.
- The big problem is ＿＿＿＿＿ I don't get many chances to speak the language.
- I am very careful with my money and I enjoy ＿＿＿＿＿ a bargain when I go shopping.

① on – when – find
② in – that – finding
③ to – what – to find
④ with – whether – found

---

05 to부정사의 부사적 용법, 전치사의 목적어

④ to부정사 'to maximize'가 '~하기 위해'라는 목적의 의미로 쓰인 옳은 문장이다.

| 오답해설 | ① 전치사 'in'의 목적어로는 명사 또는 동명사가 와야 하므로, 'enhancing'과 마찬가지로 'design'을 동명사 'designing'으로 바꾸어야 한다.

② 과거 Darwin 시대에 대한 내용을 서술하고 있으므로 'knew'와 마찬가지로 뒤에도 과거시제가 와야 적절하다. 따라서 'than' 다음에는 'do'가 아닌 'did'가 와야 한다.

③ 'despite(그럼에도 불구하고)'는 'of'가 필요 없는 전치사이다. 'of'와 같이 쓰려면 'in spite of'를 사용해야 한다.

| 해석 | ① 이 책은 학생들의 이해를 강화하는 것 그리고 더 효과적인 교육 과정을 고안하는 것에 관심이 있는, 신입 또는 베테랑 교육자들을 위해 의도된 것이다.

② Darwin은 그를 위해 이러한 유기체들을 분류했던 그 시대 영국의 전문가들이 한 것보다 Beagle호 항해 중 그가 수집했던 다양한 종들에 대해 훨씬 덜 알고 있었다.

③ 누군가의 가정들과 편견들의 장벽에도 불구하고, 텍스트를 읽는 도전은 그 텍스트가 의미할 만한 것에 대해 깊이 이해하는 것이다.

④ 그 소프트웨어 개발자는 사용자의 편의를 최대화하고 결과를 방해하는 버그를 줄이기 위해 작업한다.

---

06 전치사, 명사절을 이끄는 접속사, 「enjoy -ing」

② 증가(increase)나 감소 뒤에는 영역을 밝히는 전치사 'in'이 오는 것이 적절하다. 두 번째 문장의 주어는 'problem'이고, be동사 뒤는 보어 자리이므로 빈칸에는 명사절을 이끄는 접속사 'that'이 와야 한다. 세 번째 문장에서 동사 'enjoy'는 동명사를 목적어로 취하기 때문에 'finding'이 적절하다.

| 해석 | • 지구 온난화는 기온과 해수면의 상승, 극지방의 빙하의 감소를 이끌었다.
• 큰 문제는 내가 그 언어로 말할 기회가 많지 않다는 것이다.
• 나는 내 돈에 대해 매우 신중하고, 장을 보러 갈 때는 특가품 찾는 것을 즐긴다.

| 정답 | 03 ④ 04 ① 05 ④ 06 ②

07

우리말을 영어로 가장 잘 옮긴 것을 고르시오.

① 아이들이 가족 식사를 준비하는 것을 돕도록 하는 것은 즐거운 학습 경험을 제공한다.
→ Allowing children to help prepare family meals provides enjoyable learning experiences.

② 여우가 사냥개에게 쫓기고 있을 때, 얼마나 영리할 수 있는지에 대한 많은 이야기들이 있다.
→ There are many stories about how smart a fox can be when they are being chased by hounds.

③ 산업디자이너들은 제품들을 매력적이고 우아하고 효율적이고 그리고 안전하게 만들려고 애쓴다.
→ Industrial designers try to make products attraction, elegant, efficient and safe.

④ 루즈벨트가 대통령이 된 후에야 보존이 주요한 환경 문제로 발전되었다.
→ Only after Roosevelt became president did conservation developed into a major environmental issue.

08

다음 밑줄 친 부분 중 문법적으로 어색한 부분을 찾으시오.

Many students assume ① that textbook writers restrict themselves to facts and avoid ② to present opinions. Although ③ that may be true for some science texts, ④ it's not true for textbooks in general, particularly in the areas of psychology, history, and government.

---

07 동명사 주어-동사의 수 일치

① 주어로 쓰인 동명사는 단수 취급하므로 단수동사 'provides'가 옳게 사용되었다. 「allow + 목적어 + 목적격 보어(to부정사)」도 알맞다. 또한 'help'는 목적어로 to부정사와 원형부정사 둘 다를 취할 수 있으므로, 'help prepare'는 옳다.

| 오답해설 | ② 문맥상 'they'는 앞에 나온 명사 'a fox'를 의미하므로 대명사도 단수인 'it'으로 대신해야 한다. 또한 동사도 'is'로 수 일치시켜야 옳다.
③ 등위접속사로 연결된 「A, B, and C」는 같은 품사, 같은 구조를 가져야만 한다. 즉, 'attraction'은 'attractive'가 되어야 한다.
④ 「Only + 부사절」을 문두에 쓰면, 주절의 「주어 + 동사」의 어순이 의문문 어순으로 바뀌어야 한다. 여기서 도치는 'Only after Roosevelt became president' 이후의 문장에서 이뤄져야 하며, 대동사 'did'를 사용한 경우 일반동사는 동사원형으로 써야 한다. 즉, 'Only after ~ did conservation develop ...'이 옳다.

08 「avoid -ing」

② 동사 'avoid'는 동명사를 목적어로 취한다. 즉, 'presenting'이 옳다.

| 오답해설 | ① 동사 'assume'의 목적어절을 이끄는 접속사 'that'은 옳은 표현이다.
③ 'that'은 첫 번째 문장 전체를 가리키는 지시대명사이다.
④ 양보(대조)를 나타내는 접속사 'although'가 이끄는 종속절과 주절은 대조의 의미를 나타내야 하므로 'not true'는 문맥상 적절하며, 'it'은 앞서 언급한 내용을 대신한다.

| 해석 | 많은 학생들은 교과서 저자들이 스스로를 사실에 한정하고 의견을 제시하기를 피한다고 추측한다. 비록 그것이 일부 과학 교재에는 맞는 말일 수도 있지만 일반적인 교과서들, 특히 심리학, 역사, 그리고 정부 분야에는 사실이 아니다.

09

2018 서울시 7급 제1회

밑줄 친 부분 중 어법상 가장 옳지 않은 것은?

UN scientists call the ① emptying of the Aral Sea the greatest environmental disaster of the 20th century. But I only understood the scale of what ② had happened when I looked at a couple of satellite images that ③ appears in this book. They show a whole sea reduced to a toxic-sump by human action. It is an ④ unprecedented man-made change to the shape of the world.

10

다음 중 올바르지 않은 문장을 찾으시오.

① He looks thinner than when I saw him last summer.
② She made me feel so annoyed that I felt like to shout at her.
③ He was leaning against the wall with his hands in his pocket.
④ Only when it started to rain did he notice that he had left his umbrella somewhere.

---

09 관계대명사절의 수·시제 일치, 동명사의 쓰임

③ 동사 'appears'는 주격 관계대명사인 'that'의 선행사 'images'와 수 일치시켜 복수동사로 써야 하는데, 주절의 시제가 과거이므로 이와 시제를 일치시켜 'appeared'가 되어야 한다.

| 오답해설 | ① 자동사 'empty'는 '비우게 되다'의 의미로, 동명사 형태로 쓰여 '비움'의 의미로 문장에 적절하게 사용되었다.
② 이 문장의 과거동사인 'understood'보다 이전에 일어난 일이므로 과거완료시제로 표현한 것은 알맞다.
④ 과거분사인 'unprecedented'가 복합명사 형태인 'man-made change'를 전치 수식하여, '전례 없던 인위적 변화'라는 의미를 나타내고 있다.

| 해석 | UN의 과학자들은 아랄 해의 물 빠짐을 20세기의 가장 큰 환경 재앙이라고 부른다. 그러나 내가 이 책에 있는 두 장의 위성 사진을 보았을 때 비로소 나는 일어난 일의 규모를 이해할 수 있었다. 그것들은 인간의 행동으로 인해 유독성 웅덩이로 축소된 전체 바다를 보여 주고 있다. 그것은 세계의 모양에 전례 없던 인위적 변화이다.

---

10 「feel like -ing」

② '~하고 싶은 기분이 들다'라는 뜻의 「feel like -ing」에서 'like'는 전치사이므로 뒤에 동명사가 온다. 따라서 'to shout'는 'shouting'이 되어야 한다.

| 오답해설 | ① 비교급 표현 'thinner'와 'than'의 사용이 적절하다.
③ 'with his hands in his pocket'은 「with + 명사 + 분사/전명구」의 형식이며 '호주머니에 손을 넣은 채'의 의미로 올바른 표현이다.
④ 'He noticed that he had left his umbrella somewhere only when it started to rain.'인 문장에서 「only + 부사절」이 문두로 나가면서 뒤따라오는 문장은 의문문 어순이 된 형태이다.

| 해석 | ① 그는 내가 지난 여름에 그를 보았을 때보다 더 말라 보인다.
② 그녀가 나를 너무 화나게 해서 나는 그녀에게 소리치고 싶었다.
③ 그는 호주머니에 손을 넣은 채 벽에 기대고 있었다.
④ 비가 내리기 시작했을 때에야 비로소 그는 어딘가에 우산을 두고 왔다는 사실을 알아차렸다.

| 정답 | 07 ① 08 ② 09 ③ 10 ②

CHAPTER

06 분사

□ 1회독	월	일
□ 2회독	월	일
□ 3회독	월	일
□ 4회독	월	일
□ 5회독	월	일

POINT CHECK

01 분사에는 □□□□와(과) □□□□의 두 가지 형태가 있다. 각각은 능동/진행과 □□/□□의 의미를 나타낸다.

| 정답 | 01 현재분사, 과거분사, 수동/완료

VISUAL G

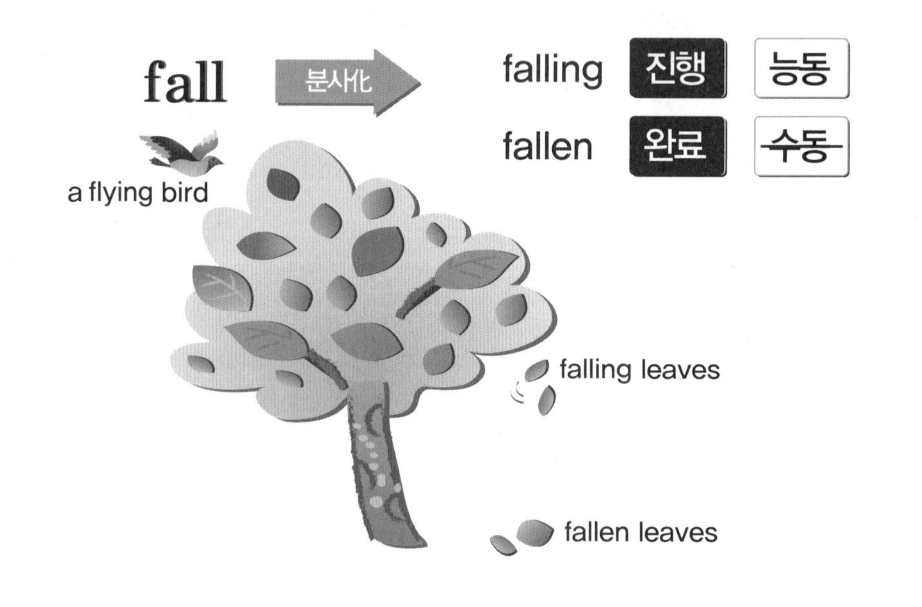

01 분사의 종류

교수님 한마디 분사의 종류는 크게 두 가지로 나눠지만, 그 의미는 진행, 완료, 능동, 수동의 네 가지로 구분된다. 이를 구분하려면 동사에서 파생된 분사가 자동사와 타동사 중 어떤 것에서 발화되었는지를 파악하는 것이 중요하다.

(1) 현재분사(-ing): 능동, 진행의 의미

① 자동사의 현재분사는 진행형 능동의 의미를 갖는다.

- a **sleeping** baby

  잠자는 아기

② 타동사의 현재분사는 사역적 능동의 의미를 갖는다.

- an **exciting** game

  열광시키는 경기

POINT CHECK

(2) 과거분사(p.p.): 수동, 완료의 의미

① 타동사의 과거분사는 수동의 의미가 있다.

- This is a **returned** product.

수동

이것은 반품된 상품이다.

- The **wounded** soldiers were carried to the hospital.

수동

그 부상 입은 군인들은 병원으로 후송되었다.

② 타동사의 과거분사와 자동사의 과거분사는 완료의 의미를 갖는다.

- He was the **drowned** man in the lake.

완료

그는 호수에서 익사한 남자였다.

참 He was the **drowning** man in the lake.

진행

그는 호수에서 익사 중인 남자였다.

- There are lots of **fallen** leaves on the ground.

완료

땅에 낙엽이 많다.

현재분사(능동적 의미)		과거분사(수동적 의미)	
a walking man	걸어가는 사람	a wounded soldier	부상당한 군인
a sleeping child	잠자는 아이	a spoken language	구어(口語)
a crying baby	우는 아기	a broken promise	깨진 약속
a flying bird	날고 있는 새	broken English	엉터리 영어, 서투른 영어
a running cat	달리는 고양이	a surprised look	놀란 표정

(3) 형용사화된 분사의 형태

분사의 기존 의미와는 상관없이 표현이 고착된 형태이다. 일정한 규칙이 없으므로 암기해야 한다.

① 현재분사 형태의 형용사

lacking	부족한	leading	일류의
missing	없어진, 사라진	promising	유망한
stimulating	자극이 되는, 고무적인		

POINT CHECK

② 과거분사 형태의 형용사

advanced	상급의, 고급의	married	결혼한
experienced	노련한, 경험이 풍부한	learned	박식한, 학식이 있는
developed	고도로 발달한	complicated	복잡한
finished	끝난	done	끝난
qualified	적격의, 자격 있는	educated	교양 있는, 교육받은
committed	성실한		

• She is a fully **qualified** accountant.

그녀는 충분한 자격이 있는 회계사이다.

③ 「명사-분사」의 복합 형용사

time-consuming	시간이 걸리는	man-made	인공의
mouth-watering	군침이 도는	self-made	자수성가한
battery-powered	배터리(전지)로 움직이는		

④ 「형용사-분사」의 복합 형용사

red-haired	붉은 머리의	hot-tempered	다혈질의
good-natured	사람이 좋은	strong-willed	의지가 강한
half-baked	미숙한	hard-working	열심히 일하는
ready-made	기성품의, 미리 만들어 놓은		

O He didn't make a **ready-made** excuse. 그는 미리 만들어 놓은 변명을 하지 않았다.

X He didn't make a **ready-making** excuse.

➡ ready-made는 관용표현으로, 해석만으로 분사의 올바른 형태를 알아내기가 어려우므로 꼭 미리 암기하자!

02 분사의 용법

02 분사는 명사를 직접 수식하는 □□□ 용법과 보어 역할을 하는 □□□ 용법으로 쓰인다.

(1) 분사의 용법

① 한정적 용법: 수식받는 명사와 분사의 관계에 따라 현재분사와 과거분사의 형태로 명사를 수식한다.

• Look at the **crying** baby. 저 우는 아기를 보라.

• A **wounded** man was sent to the hospital. 다친 사람은 병원으로 보내졌다.

② 서술적 용법: 주격 보어 또는 목적격 보어로 사용되는 분사는 서술적 용법에 해당된다.

㉠ 주격 보어로 쓰일 때

• He stood **talking** on the phone. 그는 서서 전화 통화를 하고 있었다.

※ 주어와 현재분사가 능동의 관계를 이루고 있다.

• He got **injured** in the accident. 그는 그 사고로 부상을 당했다.

※ 과거분사는 자동사 다음에 쓰여 주격 보어의 역할을 한다.

| 정답 | 02 한정적, 서술적

Ⓛ 목적격 보어로 쓰일 때

- He found her **skipping** classes. 그는 그녀가 수업을 빼먹는다는 것을 알았다.
- She has her laptop computer **repaired.** 그녀는 노트북 컴퓨터를 수리 맡긴다.

POINT CHECK

③ 지각동사

see, watch, notice, hear, feel, listen to, look at, smell, perceive

- I saw you **study** alone. (목적격 보어: 원형부정사)
  나는 네가 혼자 공부하는 것을 봤다.
- I saw you **studying** alone. (목적격 보어: 현재분사)
  나는 네가 혼자 공부하고 있는 것을 봤다.
  ※ 지각동사는 일시적인 지각일 때 목적격 보어로 현재분사를 사용하기도 한다.
- I heard my name **repeated** several times. (목적격 보어: 과거분사)
  나는 내 이름이 여러 번 반복해서 언급되는 것을 들었다.

④ 사역동사

make, have, let

- He made me **write** a letter. (목적격 보어: 원형부정사)
  그는 내가 편지를 쓰게 했다.
- He made a letter **written** by me. (목적격 보어: 과거분사)
  그는 나에 의해 편지가 쓰이게 했다.
  ※ 사역동사는 목적어와 목적격 보어의 관계가 수동이면 목적격 보어로 과거분사를 사용할 수 있다.

참 Let him **go.** 그를 보내 줘.
※ 사역동사 let은 목적격 보어로 원형부정사만 사용할 수 있다.

⑤ 준사역동사

help, get

- I can help you **see** a doctor. 나는 당신이 의사를 만나게 도울 수 있다.
  = I can help you **to see** a doctor.
- I got the car **to** start. 나는 차를 출발시켰다.
- I can't get him **going** to bed. 나는 그를 재울 수 없다.
  ※ 준사역동사 get은 목적격 보어로 현재분사를 쓰기도 하니 주의하자.
  O He helped me **(to) do** it. 그는 내가 그것을 하게 도와주었다.
  X He helped me **doing** it.
  ➡ help는 준사역동사이므로 목적격 보어로 원형부정사와 to부정사 둘 다 쓸 수 있지만, 현재분사는 쓸 수 없다.

⑥ 유사분사: 「형용사-명사 + -ed」의 형태로 형용사처럼 쓰인다.

a long-armed monkey	팔이 긴 원숭이	a warm-hearted man	마음이 따뜻한 사람
a red-haired lady	빨간 머리의 아가씨	an open-minded man	마음이 열린 사람
a blue-eyed girl	푸른 눈을 가진 소녀	a narrow-minded man	속이 좁은 사람

POINT CHECK

03 • a sleeping baby: 자고 있는 아기
• a sleeping car: □□□

04 분사는 □ □ □와(과) 동사적 성향을 동시에 갖는다.

| 정답 | 03 침대차 04 형용사

(2) 현재분사 vs. 동명사

현재분사와 동명사의 차이는, 현재분사가 형용사적 성질을 가지는 반면 동명사는 명사적 성질을 가진다는 점이다.

• My father is **making** a model plane for me. (현재분사)

아버지는 나를 위해 모형 비행기를 만들고 계신다.

※ 현재분사는 형용사적 역할을 하므로 진행시제나 보어로 쓰이거나 명사를 수식한다. 이 문장에서 making은 현재진행시제에 쓰인 현재분사로 주어의 행위를 설명하고 있다. (동사 역할)

• My hobby is **making** model planes. (동명사)

내 취미는 모형 비행기를 만드는 것이다.

※ 동명사는 명사의 역할을 하므로 주어, 목적어, 보어로 쓰인다. 이 문장에서 making은 My hobby를 설명해 주는 주격 보어로 사용되었다.

현재분사	동명사
a **sleeping** child = a child who is sleeping 자고 있는 아이	a **sleeping** car = a car for sleeping 침대차
a **dancing** girl = a girl who is dancing 춤추고 있는 소녀	a **dancing** room = a room for dancing 무용실

• The **increasing** price of oil delays economic growth. (현재분사)

유가 상승은 경제 성장을 둔화시킨다.

※ increasing은 현재분사로 '상승 중인 ~'이라는 의미로 price를 수식하고 있다.

• **Increasing** the speed is dangerous. (동명사)

속도를 높이는 것은 위험하다.

※ increasing은 동명사로 주어의 역할을 하며, 목적어로 the speed를 갖는다.

03 분사의 동사적 성향

(1) 분사의 시제와 태

분사는 동사적 성향으로 인해서, 다른 형용사와는 달리 시제와 태의 특징을 가진다.

	단순형 분사		완료형 분사	
	능동형	수동형	능동형	수동형
make	making	being made	having made	having been made

• My mother is **making** the dress for my wedding.

엄마는 내 결혼식을 위해서 그 드레스를 만들고 계신다.

• The dress **being made** by my mother will be worn at my wedding.

엄마가 만들고 계신 그 드레스는 내 결혼식에서 입(혀지)게 될 것이다.

• My mother **having made** the dress for my wedding is sitting over there.

내 결혼식을 위해 드레스를 만들어 주셨던 엄마가 저기에 앉아 계신다.

• The dress **having been made** by my mother will be worn at my wedding.

엄마가 만드신 그 드레스는 내 결혼식에서 입(혀지)게 될 것이다.

(2) 분사의 부정

분사의 부정은 분사 앞에 not이나 never를 쓴다.

• **Not saying** anything, he went out.

아무 말도 없이, 그는 나가 버렸다.

• **Never having** flown on a plane, she became nervous.

비행기를 타 본 적이 없어서, 그녀는 긴장되었다.

04 감정형 분사

「감정 유발 동사 + -ing」: 감정 제공 sb/sth

「감정 유발 동사 + -ed」: 감정 상태 sb/~~sth~~

감정 유발 동사는 원래의 뜻이 '~한 감정을 일으키다'라는 의미이다. 따라서 현재분사 형태가 되면 '어떤 감정을 일으키는'의 의미를 가지며, 과거분사 형태가 되면 '어떤 감정을 가진' 상태를 뜻하게 된다. 예를 들면, delight는 '기쁘게 하다', delighting은 '기쁘게 하는', delighted는 '기쁜'이 된다. 감정 유발 동사는 수식어나 보어로 쓰이며, 사람에 대해서는 과거분사와 현재분사 형태를 둘 다 사용할 수 있고, 사물에 대해서는 오직 현재분사 형태만 쓸 수 있다.

감정 유발 동사		감정 제공 형용사 (현재분사)		감정 상태 형용사 (과거분사)	
please rejoice amuse delight	~을 기쁘게 하다	pleasing rejoicing amusing delighting	기쁘게 하는	pleased rejoiced amused delighted	기쁜
satisfy content gratify	~을 만족시키다	satisfying contenting gratifying	만족시키는	satisfied contented gratified	만족한
interest excite thrill	~에게 흥미를 일으키다	interesting exciting thrilling	흥미를 일으키는	interested excited thrilled	흥미를 느낀

(1) interest: ~에게 흥미를 일으키다

• Baseball is **interesting** me. (감정형 분사: 감정 제공)

야구는 나에게 흥미를 일으키고 있다.

• I am **interested** in baseball. (감정형 분사: 감정 상태)

나는 야구에 흥미가 있다.

POINT CHECK

05 감정형 분사는 감정을 제공할 때는 □□□□, 감정을 느낄 때는 □□□□(으)로 각각 표현할 수 있다.

| 정답 | 05 현재분사, 과거분사

POINT CHECK

(2) surprise: ~을 놀라게 하다

- The news was **surprising** people. (감정형 분사: 감정 제공)
  그 뉴스는 사람들을 놀라게 하는 중이었다.
- The criminal was **surprising** people. (감정형 분사: 감정 제공)
  그 범죄자는 사람들을 놀라게 하는 중이었다.
- People were **surprised** by the news. (감정형 분사: 감정 상태)
  사람들은 그 뉴스 때문에 놀랐다.

※ 일반적으로 감정 상태 형용사는 사물 주어를 갖지 못한다.

O The machine was **surprising.** 그 기계는 놀라웠다.

X The machine was **surprised.**

➡ 사물 주어는 감정을 느끼는 상태가 될 수 없기 때문에 보어로 과거분사를 쓸 수 없다.

헷갈리지 말자 감정을 제공하는 사물 vs. 감정을 제공하는 사람

- There is the news **surprising** citizens.
  시민들을 놀라게 하는 뉴스가 있다.

- There is the girl **surprising** citizens.
  시민들을 놀라게 하는 소녀가 있다.

➡ 감정 유발 동사의 분사 형태 중 능동의 현재분사는 사물만 수식한다고 생각하기 쉽지만, 사실 사람도 감정을 제공할 수 있다는 것을 기억해야 한다.

05 분사구문

06 분사구문은 □을(를) 구로 바꾸는 과정이다. 단, 분사구문으로 변환되어도 의미는 유지되어야 한다.

● 분사구문 만드는 공식

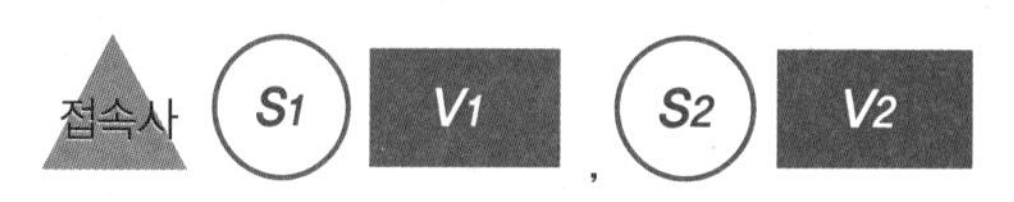

Step 1:	접속사		➔	생략(단, 문맥의 의미를 명확하게 하기 위해 생략하지 않을 수 있음)
Step 2:	S1 = S2,	S1	➔	생략
	S1 ≠ S2,	S1	➔	유지(독립분사구문)
Step 3:	V1 = V2,	V1	➔	-ing(단순 분사구문)
	V1 ≠ V2,	V1	➔	having p.p.(완료 분사구문)

분사를 이용하여 부사절을 부사구로 고친 것으로, 그 구가 주절을 부사적으로 수식할 때 이를 '분사구문'이라고 한다. 분사구문에는 때 · 시간, 이유 · 원인, 조건, 양보, 부대상황(동시 동작, 연속 동작)을 표시하는 접속사가 생략되어 있으므로, 문맥에 맞게 접속사를 유추해서 해석하도록 한다.

| 정답 | 06 절

(1) 분사구문 만드는 방법

POINT CHECK

분사구문은 문장의 맨 앞, 문장의 맨 뒤, 또는 주어와 동사 사이에 위치하기도 한다.

When I was cleaning the room, I found a gold ring.
방 청소를 하고 있을 때, 나는 금반지를 발견했다.

⇩

Step 1

접속사를 생략한다.
→ **I was cleaning** the room, I found a gold ring.
※ 의미를 확실하게 하기 위해 접속사를 남겨두기도 한다.
참 **(When) Cleaning** the room, I found a gold ring.
방 청소를 하다가, 나는 금반지를 발견했다.

⇩

Step 2

종속절의 주어와 주절의 주어가 같으면 종속절의 주어를 생략한다.
→ **was cleaning** the room, I found a gold ring.
※ 주절의 주어와 종속절의 주어가 같지 않으면 그대로 남겨둔다. 이를 독립분사구문이라고 한다. 후반부 독립분사구문에서 자세히 정리할 것이다.
참 **It being** very hot, **I** went swimming. (독립분사구문)
매우 덥기 때문에, 나는 수영하러 갔다.

⇩

Step 3

종속절의 동사와 주절의 동사의 시제가 같으면, 「동사 + -ing」의 형태로, 종속절의 동사와 주절의 동사의 시제가 다르면 「having p.p.」로 분사구문화한다.
→ **(Being) Cleaning** the room, I found a gold ring.
방 청소를 하다가, 나는 금반지를 발견했다.
※ 분사구문의 being은 생략이 가능하다.

- If we **compare** her with her sister, she is much taller.
  그녀를 그녀의 여동생과 비교해 보면, 그녀가 훨씬 더 키가 크다.
  → If she **is compared** with her sister, she is much taller.
  (수동태, 종속절의 주어와 주절의 주어 같아짐)
  그녀가 그녀의 여동생과 비교된다면, 그녀가 훨씬 더 키가 크다.
  → **(Being) Compared** with her sister, she is much taller.
  그녀의 여동생과 비교된다면, 그녀가 훨씬 더 키가 크다.
- When I **convinced** myself that I made a mistake, I apologized to her.
  내가 실수했다고 스스로에게 납득시켰을 때, 나는 그녀에게 사과했다.
  → **Convincing** myself that I made a mistake, I apologized to her.
  내가 실수했다고 스스로를 납득하여, 나는 그녀에게 사과했다.
  → When I **was convinced** that I made a mistake, I apologized to her. (수동태)
  내가 실수했다고 (스스로) 납득되었을 때, 나는 그녀에게 사과했다.
  → **(Being) Convinced** that I made a mistake, I apologized to her.
  내가 실수했다고 (스스로) 납득되었을 때, 나는 그녀에게 사과했다.

POINT CHECK

(2) **분사구문의 종류**

① '때 · 시간'을 나타내는 분사구문

'~할 때에, ~하는 동안에'라는 의미로 접속사 when, while, after, as 등이 있는 부사절을 분사구문으로 바꾼 것이다.

- **While he walked** along the street, he met an old friend of his.

  길을 따라 걸어가다가, 그는 그의 옛 친구 한 명을 만났다.

  ⇩

  Walking along the street, he met an old friend of his.

② '이유 · 원인'을 나타내는 분사구문

'~이므로, ~ 때문에'라는 의미로 접속사 as, because 등이 있는 부사절을 분사구문으로 바꾼 것이다.

- **As he was tired**, he went to bed early.

  피곤했기 때문에, 그는 일찍 잠자러 갔다.

  ⇩

  (Being) Tired, he went to bed early.

③ '조건'을 나타내는 분사구문

'~한다면'이라는 의미로 접속사 if가 있는 부사절을 분사구문으로 바꾼 것이다.

- **If you turn** to the left, you will see the building.

  왼쪽으로 돌면, 그 건물이 보일 것이다.

  ⇩

  Turning to the left, you will see the building.

④ '양보'를 나타내는 분사구문

'비록 ~한다 할지라도'라는 의미로 접속사 though, although 등이 있는 부사절을 분사구문으로 바꾼 것이다.

- **Though I admitted** what he said, I still don't believe it.

  그가 한 말을 인정하기는 했지만, 나는 여전히 그것을 믿지 않는다.

  ⇩

  Having admitted what he said, I still don't believe it.

⑤ '부대상황'을 나타내는 분사구문

㉠ '동시 동작'을 나타내는 분사구문: 때를 나타내는 while이나 as로 연결하고 '~하면서'로 해석한다.

- **As she walked** on tiptoe, she approached the door. (동시 동작)

  발끝으로 걸으며, 그녀는 문으로 다가갔다.

  ⇩

  Walking on tiptoe, she approached the door.

ⓛ '연속 동작'을 나타내는 분사구문

• We started in the morning, **and arrived** in Chicago at noon. (연속 동작)

우리는 아침에 출발해서, 정오에 시카고에 도착했다.

⇩

We started in the morning, **arriving** in Chicago at noon.

※ 연속 동작 「주어 + 동사, and + (주어 +)동사」의 경우에도 분사구문을 활용한다.

헷갈리지 말자 분사구문 접속사 살리기 vs. 접속사 생략

• **While swimming** in the river, he was drowned.
강에서 수영을 하다가, 그는 익사했다.

• **Swimming** in the river, he was drowned.
강에서 수영을 하다가, 그는 익사했다.

➡ 분사구문의 의미를 명확하게 하기 위해서, 접속사를 생략하지 않고 분사구문의 앞에 그대로 두는 경우도 있으니 주의해야 한다. 첫 번째 예문에서는 Swimming in the river를 Because he swam in the river 등 다른 의미로 이해하는 것을 막기 위해 접속사 While을 그대로 남겨둔 것이다.

(3) 분사구문의 시제

교수님 한마디 분사구문의 시제는 이중적인 분석이 가능하기 때문에 출제되기 쉽지 않다. 단, 아래에 주어진 예시와 같이 명확한 상황이 제공되면, 분사구문의 시제를 정확하게 파악할 수 있어야 한다.

① 단순 분사구문

• **While she was walking** along the street, she met him.

길을 따라 걷는 동안, 그녀는 그를 만났다.

→ **(Being) Walking** along the street, she met him.

• **As we exercise** regularly, we are very healthy.

규칙적으로 운동하기 때문에, 우리는 매우 건강하다.

→ **Exercising** regularly, we are very healthy.

※ 주절과 종속절의 시제가 같을 경우 단순형 분사를 사용한다.

② 완료 분사구문

• **If he had been born** in better times, he would have been a great scholar.

더 좋은 시대에 태어났다면, 그는 위대한 학자가 되었을 텐데.

→ **(Having been) Born** in better times, he would have been a great scholar.

• **As we had lived** by the sea, we often ate fish.

바닷가에 살았었기 때문에, 우리는 생선을 자주 먹었다.

→ **Having lived** by the sea, we often ate fish.

※ 종속절이 주절보다 이전에 일어난 사건에 대해 서술할 때 완료형 분사를 사용한다.

• **Having learned** Spanish since childhood, she speaks Spanish well.

어릴 때부터 스페인어를 배워왔기 때문에, 그녀는 스페인어를 잘한다.

POINT CHECK

07 동사가 시제를 가지듯 분사도 시제를 가진다. 단, □□ 시제, □□ 시제만 존재한다.

| 정답 | 07 단순, 완료

POINT CHECK

08 주절의 주어와 분사구문의 주어가 다른 경우, 분사구문 앞에 □ □을(를) 생략하지 않고 남겨둔다.

| 정답 | 08 주어

(4) 분사구문의 부정

분사구문의 부정은 분사 앞에 not이나 never를 쓴다.

• As I **didn't know** what to do, I did nothing.
  무엇을 해야 할지 몰라서, 나는 아무것도 하지 않았다.
  → **Not knowing** what to do, I did nothing.
• As I **had never heard** about that before, I couldn't say anything.
  나는 전에 그것에 대해서 들어 본 적이 없었기 때문에, 아무 말도 할 수가 없었다.
  → **Never having heard** about that before, I couldn't say anything.
  ※ 종속절의 사건이 주절의 사건보다 먼저 일어났으므로 완료 분사구문을 사용하고, 부정의 의미를 가진 never를 분사 앞에 쓴 것이다.
• As I **don't know** his address, I can't write to him.
  그의 주소를 몰라서, 나는 그에게 편지를 쓸 수 없다.
  → **Not knowing** his address, I can't write to him.
  → I, **not knowing** his address, can't write to him.
  ※ 분사구문은 문두, 문미 또는 문장 중간에도 삽입될 수 있다.

(5) 독립분사구문: 주어가 달라 생략하지 못하는 경우

• **As it was** fine, they went hiking.
  날씨가 좋았기 때문에, 그들은 하이킹을 갔다.
  → **It being** fine, they went hiking.
• **After the sun had set**, we started for home.
  해가 져서, 우리는 집을 향해 출발했다.
  → **The sun having set**, we started for home.

(6) 비인칭 독립분사구문: 일반인 주어가 생략된 경우

독립분사구문의 의미상 주어가 we, you, they, people, one 등과 같이 막연한 일반인을 나타낼 때는 생략하는데, 이를 '비인칭 독립분사구문'이라고 한다.

Generally speaking	일반적으로 말해서	Granting that	~을 인정하더라도
Strictly speaking	엄격히 말해서	Compared with	~과 비교하면
Frankly speaking	솔직히 말해서	Supposing that	만약 ~이라면
Judging from	~으로 판단해 보면	Considering (that)	~을 고려하면
Concerning	~에 관해서라면	Assuming that	~을 가정하자면
Seeing that	~이기 때문에	Regarding	~에 관해서라면

• **If we speak generally**, dogs are very friendly.
  일반적으로 말하면, 개는 매우 친근하다.
  → **Generally speaking**, dogs are very friendly.
• **Considering** all things, I think they made the right decision.
  모든 것을 고려하면, 나는 그들이 올바른 결정을 내렸다고 생각한다.
  → All things considered, I think they made the right decision.

06 with 분사구문

생생한 묘사에 효과적이며 동시에 일어나고 있는 상황을 묘사할 때 주로 쓰인다.

with + 목적어 + 현재분사/과거분사/형용사/부사구/전명구

(1) 「with + 목적어 + 현재분사」: 목적어와 분사의 관계가 능동일 때, 현재분사를 사용한다.

- It was a cloudy morning **and little wind was blowing.**

  구름 낀 아침이었고, 바람이 거의 불지 않았다.

  → It was a cloudy morning, **little wind** (being) **blowing.** (독립분사구문)

  → It was a cloudy morning, **with little wind blowing.** (with 분사구문)

(2) 「with + 목적어 + 과거분사」: 목적어와 분사의 관계가 수동일 때, 과거분사를 사용한다.

● **신체와 관련 있는 with 분사구문 관용표현:** 「with + one's **신체 부위 + 분사**」

with one's eyes closed	눈을 감고서	with one's arms folded	팔짱을 끼고서
with one's legs crossed	다리를 꼬고서	with one's mouth watering	침을 흘리면서
with one's body shaking	몸을 흔들면서		

- The boy stood there **and he closed his eyes.**

  그 소년은 거기에 서 있었고 그는 눈을 감고 있었다.

  → The boy stood there, **closing his eyes.**

  → The boy stood there, **and his eyes were closed (by him).**

  → The boy stood there, **his eyes (being) closed (by him).** (독립분사구문)

  → The boy stood there, **with his eyes closed.** (with 분사구문)

  그 소년은 눈을 감은 채로 거기에 서 있었다.

(3) 「with + 목적어 + 형용사」

목적어와 형용사 사이에 being이 생략되었다고 보면 의미 파악이 쉽다.

- Don't talk **with your mouth (being) full**, please.

  입에 음식이 가득한 채로 말을 하지 마십시오.

(4) 「with + 목적어 + 부사(구)/전명구」

목적어와 부사(구)/전명구 사이에 being이 생략되었다고 보면 의미 파악이 쉽다.

- I shall be lonely **with him (being) away.**

  그가 멀리 떠나버린다면 나는 외로울 것이다.

- She worked **with her new clothes (being) on.**

  그녀는 새 옷을 입고서 일했다.

  ※ 여기서 on은 부사이다.

- She ran away **with her baby (being) in her arms.**

  그녀는 자신의 아기를 팔에 안고 달아났다.

POINT CHECK

09 「□□□□ + 목적어 + 현재분사/과거분사」: ~한 채로(동시 상황)

| 정답 | 09 with

POINT CHECK

10 준동사는 □□□, □□□, □□(으)로 구성된다.

11 준동사는 절대 □□이(가) 아니다.

| 정답 | 10 부정사, 동명사, 분사
11 동사

07 준동사 특징 비교

준동사는 부정사, 동명사, 분사를 가리키며 동사에서 품사가 변형된 형태를 말한다.

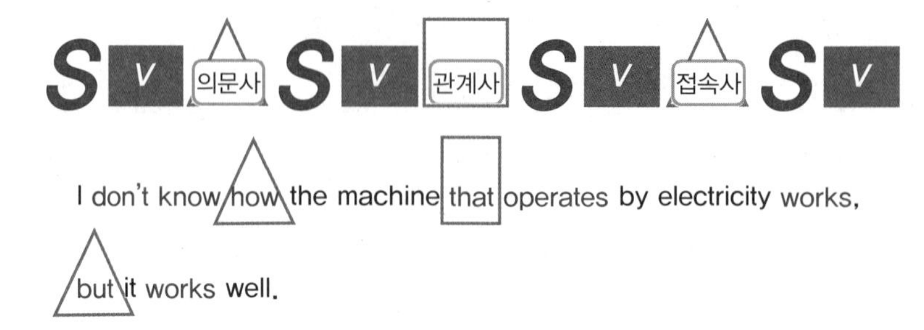

I don't know how the machine that operates by electricity works, but it works well.

• You are sitting (동사) on an airplane in economy class and another passenger seated very close to you coughs (동사) and sneezes (동사) continually throughout the flight.

당신은 비행기의 이코노미석에 앉아 있고 당신이랑 매우 가까운 곳에 앉아 있는 또 다른 승객이 비행 내내 계속 기침과 재채기를 한다.

● 한눈에 보는 준동사

준동사	능동	수동	단순	완료	부정	의미상 주어
to부정사	to + 동사원형	to be p.p.	to + 동사원형	to have p.p.	not to + 동사원형	목적격 for + 목적격 of + 목적격
동명사	-ing	being p.p.	-ing	having p.p.	not -ing	소유격/목적격
분사	-ing	-ed(p.p.)	-ing -ed(p.p.)	having p.p. having been p.p.	not -ing not p.p.	

06 분사

[01~10] 다음 중 어법상 옳은 것을 고르시오.

01 Her father had her [to clean / cleaning] her room.

02 Here is an [interesting / interested] area.

03 The sun [has / having] set, the moon rose.

04 She encouraged me to study hard, [told / telling] me I am a smart student.

05 The [speaking / spoken] word is immediate.

06 You have to handle the unexpected events [relate / related] to your work.

07 He feels [thrilling / thrilled] when he has a new adventure.

08 [Not studying / Studying not] hard, she couldn't pass the test.

09 Jack was [amusing / amused] because he saw Julia.

10 Jack saw William [running / run] over by a truck.

정답&해설

01 cleaning

| 해석 | 그녀의 아버지는 그녀에게 방을 청소하라고 시켰다.

| 해설 | 사역동사 'have'는 목적격 보어로 현재분사는 사용할 수 있으나 to부정사는 사용할 수 없다.

02 interesting

| 해석 | 이곳은 흥미로운 지역이다.

| 해설 | 감정 유발 형용사(현재분사)는 사물을 수식하고 감정 상태 형용사(과거분사)는 사람을 수식한다.

03 having

| 해석 | 해가 지고 나서, 달이 떴다.

| 해설 | 'The sun ~ set'과 'the moon rose'를 연결하기 위한 연결사가 없으므로 'The sun ~set'을 분사구문으로 만들어야 한다. 따라서 동사 'has'가 아니라 현재분사 'having'이 필요하다. 주절에 '달이 뜨는 것'은 과거시제로 표현했지만, '해가 진 것'은 그 이전의 일이므로, 완료분사구문으로 나타낸 것이다.

04 telling

| 해석 | 그녀는 나에게 똑똑한 학생이라고 말하면서 내가 열심히 공부하도록 격려했다.

| 해설 | 생략된 주어 'she'와 'tell'의 관계가 능동이므로 현재분사 'telling'을 사용하는 것이 옳다.

05 spoken

| 해석 | 발화되는 말은 즉각적이다.

| 해설 | 해석상 '발화하는 말'이 아닌 '발화되는 말'이 자연스러우므로 과거분사 'spoken'이 옳은 표현이다.

06 related

| 해석 | 당신은 당신의 업무와 관련된 예상치 못한 일을 처리해야 한다.

| 해설 | 뒤에 전명구에 해당하는 'to your work'가 왔으며 문맥상 '당신의 업무와 관련된'이 적절하므로 과거분사 'related'를 사용하는 것이 옳다.

07 thrilled

| 해석 | 그는 새로운 모험을 할 때 흥분됨을 느낀다.

| 해설 | 감정 유발 형용사(현재분사)는 사물/사람의 상태를 서술하고 감정 상태 형용사(과거분사)는 사람의 상태를 서술한다.

08 Not studying

| 해석 | 그녀는 공부를 열심히 하지 않아서, 시험을 통과할 수 없었다.

| 해설 | 분사구문을 부정할 때는 'not'을 분사 앞에 위치시키므로, 'Not studying'이 적절하다.

09 amused

| 해석 | Jack은 Julia를 봤기 때문에 즐거웠다.

| 해설 | 감정 유발 형용사(현재분사)는 사물/사람의 상태를 서술하고 감정 상태 형용사(과거분사)는 사람의 상태를 서술한다.

10 run

| 해석 | Jack은 William이 트럭에 치이는 것을 보았다.

| 해설 | 수식하는 대상 'William'과 'run over'가 '치이다'라는 수동관계이므로 과거분사 'run'을 사용하는 것이 옳다. 동사 'run'은 'run-ran-run'으로 변화한다.

[11~20] 다음 중 어법상 옳은 것을 고르시오.

11 When [meeting / met] her, John is always nervous.

12 This is a very [thrilling / thrilled] ride.

13 The remains shocked many archeologists when [finding / found].

14 [Solving / Solved] the question, Jack considered what is the right answer.

15 He came to me, with his emotion [hiding / hidden].

16 It [is / being] too cold, we have to go out.

17 Although [hears / hearing] the music, she couldn't feel a shiver.

18 Jack goes to school, [waving / waved] at other students.

19 I want to go to bed, feeling [tiring / tired].

20 The client got the computer [fixing / fixed].

정답&해설

11 meeting

| 해석 | John은 그녀를 만날 때 항상 긴장한다.

| 해설 | 생략된 주어 'John'과 'meet'의 관계가 능동이므로 현재분사 'meeting'을 사용하는 것이 옳다.

12 thrilling

| 해석 | 이것은 매우 스릴 있는 놀이기구이다.

| 해설 | 감정 유발 형용사(현재분사)는 사물을 수식하고 감정 상태 형용사(과거분사)는 사람을 수식한다.

13 found

| 해석 | 그 유적은 발견되었을 때 많은 고고학자에게 충격을 주었다.

| 해설 | 생략된 주어 'the remains'와 'find'는 의미상 '(유적이) 발견되는' 수동의 관계이므로 과거분사 'found'를 사용하는 것이 옳다. 또한 부사절의 주어가 주절의 주어와 같은 경우 부사절의 「주어 + be동사」는 생략할 수 있다. 따라서 'when found'는 'when they were found'에서 'they were'가 생략된 것이므로 옳다.

14 Solving

| 해석 | Jack은 문제를 풀면서 무엇이 정답인지를 고민했다.

| 해설 | 생략된 주어 'Jack'과 'solve'의 관계가 능동이므로 현재분사 'Solving'을 사용하는 것이 옳다.

15 hidden

| 해석 | 그는 자신의 감정을 숨기고 나에게 다가왔다.

| 해설 | 목적어 'his emotion'과 'hide'는 '(감정이) 숨겨지는' 수동의 관계이므로 과거분사 'hidden'을 사용하는 것이 옳다.

16 being

| 해석 | 날씨가 너무 춥지만, 우리는 나가야 한다.

| 해설 | 절이 두 개이나 접속사가 없으므로 분사구문이 사용되었음을 알 수 있으며, 이때 주어 'it'과 'we'가 일치하지 않으므로 독립분사구문이어야 한다. 따라서 현재분사 'being'이 옳은 표현이다.

17 hearing

| 해석 | 그 음악을 들었지만, 그녀는 전율을 느낄 수 없었다.

| 해설 | 접속사 'Although' 뒤에 주어가 없으므로 정동사 'hears'를 사용할 수 없으며, 뒤에 목적어 'the music'이 있으므로 능동 관계를 나타내는 현재분사 'hearing'을 사용하여 분사구문을 만들어야 한다.

18 waving

| 해석 | 다른 학생들에게 손을 흔들면서 Jack이 등교한다.

| 해설 | 주어 'Jack'과 'wave'의 관계가 능동이므로 현재분사 'waving'을 사용하는 것이 옳다.

19 tired

| 해석 | 나는 피곤함을 느꼈기 때문에 자러 가길 원한다.

| 해설 | 감정 유발 형용사(현재분사)는 사물/사람의 상태를 서술하고 감정 상태 형용사(과거분사)는 사람의 상태를 서술한다. 이 문장에서는 'I'의 상태를 서술해야 하므로 과거분사형 형용사 'tired'가 답이다.

20 fixed

| 해석 | 그 고객은 컴퓨터가 고쳐지도록 시켰다.

| 해설 | 'the computer'와 'fix'가 '(컴퓨터가) 고쳐지는'이라는 수동의 관계이므로 과거분사 'fixed'를 사용하는 것이 옳다.

06 분사

교수님 코멘트▶ 분사는 명사를 수식하는 역할을 하므로 수식 대상인 명사를 파악하는 것이 최우선이다. 이에 명사의 위치가 다양하게 제시되는 문제들을 수록하였으니, 수험생들은 오답 선지까지도 정확하게 분석하는 것이 좋겠다.

01

2015 국가직 9급

어법상 옳지 않은 것은?

① The main reason I stopped smoking was that all my friends had already stopped smoking.

② That a husband understands a wife does not mean they are necessarily compatible.

③ The package, having wrong addressed, reached him late and damaged.

④ She wants her husband to buy two dozen of eggs on his way home.

02

2018 국가직 9급

밑줄 친 부분 중 어법상 옳지 않은 것은?

Focus means ① getting stuff done. A lot of people have great ideas but don't act on them. For me, the definition of an entrepreneur, for instance, is someone who can combine innovation and ingenuity with the ability to execute that new idea. Some people think that the central dichotomy in life is whether you're positive or negative about the issues ② that interest or concern you. There's a lot of attention ③ paying to this question of whether it's better to have an optimistic or pessimistic lens. I think the better question to ask is whether you are going to do something about it or just ④ let life pass you by.

---

01 분사구문의 태

③ 분사구문의 의미상 주어인 'The package'와 'address'의 관계가 수동이고 부사 'wrong'은 과거분사 앞에 사용할 수 없으므로 'having wrong addressed'는 'having been wrongly addressed'가 되어야 한다. 'wrong'이 부사로 쓰일 때는 동사를 뒤에서 수식하고 'wrongly'는 주로 과거분사를 앞에서 수식한다.

| 오답해설 | ① 'The main reason' 다음에는 이유의 관계부사 'why'가 생략되어 있다. 내가 금연을 하게 된 것보다 내 친구들이 금연을 한 것이 먼저 일어난 일이므로 과거완료의 쓰임도 적절하다.

② 'that'이 이끄는 명사절이 주어 역할을 하고 있다. that 명사절은 단수 취급하는데 동사로 'does'가 왔으므로 적절하다.

④ 「want + 목적어 + 목적격 보어」 형태의 5형식 문장으로 목적격 보어로 to부정사가 올바르게 사용되었다. 또한 'dozen'은 기수와 함께 사용될 때는 「기수 + dozen + 복수명사」의 형태로 사용한다. 2015년 기출에서 전치사 of와 함께 쓰여 논란의 여지가 있었으나 해당 문장은 올바른 문장으로 분류되었다.

| 해석 | ① 내가 금연을 하게 된 주된 이유는 내 친구들이 이미 모두 금연을 했기 때문이었다.

② 남편이 아내를 이해한다는 사실이 꼭 그들의 궁합이 잘 맞는다는 것을 의미하지는 않는다.

③ 그 소포는 주소가 잘못 적혀서 그에게 늦게, 그리고 손상된 채로 배달되었다.

④ 그녀는 그녀의 남편이 집에 오는 길에 달걀 24개를 사 오길 원한다.

---

02 현재분사 vs. 과거분사

③ 'attention'과 'pay'는 의미상 서로 수동 관계이다. 따라서 'attention'을 수식하기 위해서는 현재분사인 'paying'을 과거분사인 'paid'로 고쳐야 한다.

| 오답해설 | ① 타동사 'means'는 '~을 의미하다'라는 뜻일 때 동명사 목적어를 취하므로 'getting'은 옳은 표현이다. 'getting'의 목적어와 목적격 보어로는 각각 'stuff', 'done'이 수동의 관계로 쓰였다.

② 'the issues'를 선행사로 하는 주격 관계대명사 'that'이 사용되었으며, 동사는 'interest'와 'concern'으로 수 일치와 태가 올바르게 쓰였다.

④ 'do'와 병렬 구조를 이루는 동사원형 'let'이 사용되었으며, 사역동사 'let'의 목적격 보어로 원형부정사 'pass'가 옳게 사용되었다. 'pass by'는 「타동사 + 부사」 형태로 대명사 목적어는 그 사이에 와야 하므로 'pass you by'도 옳다.

| 해석 | 집중은 어떤 일들을 해내는 것을 의미한다. 많은 사람들이 좋은 아이디어를 가지고 있지만 그것들을 실행에 옮기지는 않는다. 내게 있어서, 예를 들어, 기업가의 정의는 혁신과 독창성을 그 새로운 아이디어를 실행하는 능력과 결합시킬 수 있는 사람이다. 어떤 사람들은 당신의 흥미를 끌거나 심려를 끼치는 문제들에 대해 당신이 긍정적인지 아니면 부정적인지가 삶에서 중심이 되는 이분법이라고 생각한다. 낙관적인 시선을 가지는 것이 나을지 아니면 비관적인 시선을 가지는 것이 나은지에 대한 이 질문에 많은 관심이 주어진다. 나는 그것에 대해 뭔가를 할 것인지 아니면 인생이 그냥 지나치게 놔둘지 여부가 더 나은 질문이라고 생각한다.

| 정답 | 01 ③ 02 ③

03

2020 법원직 9급

다음 글의 밑줄 친 부분 중 어법상 틀린 것은?

As soon as the start-up is incorporated it will need a bank account, and the need for a payroll account will follow quickly. The banks are very competitive in services to do payroll and related tax bookkeeping, ① starting with even the smallest of businesses. These are areas ② where a business wants the best quality service and the most "free" accounting help it can get. The changing payroll tax legislation is a headache to keep up with, especially when a sales force will be operating in many of the fifty states. And the ③ requiring reports are a burden on a company's add administrative staff. Such services are often provided best by the banker. The banks' references in this area should be compared with the payroll service alternatives such as ADP, but the future and the long-term relationship should be kept in mind when a decision is ④ being made.

04

우리말을 영어로 잘못 옮긴 것을 고르시오.

① 그녀는 그가 두려워하며 자신을 바라보고 있다는 것을 알고 놀랐다.
→ She was surprising to see him looking at her with fear.

② 그 맥주는 반세기 동안 한국인들이 가장 좋아하는 것들 중 하나였다.
→ The beer has been one of the favorites of Koreans for half a century.

③ 내년쯤이면 그 회사는 시스템을 갱신하는 데 약 2,000달러를 쓴 것이 된다.
→ By next year the company will have spent about $2,000 updating the system.

④ 그 공장이 심각한 재정난 때문에 가동을 멈추었다고 한다.
→ The factory is said to have given up running because of serious financial difficulties.

03 현재분사 vs. 과거분사

③ 문장의 주어인 'reports'는 문맥상 '요구하는' 것이 아니라 '요구되어지는' 것이므로 'requiring'이 아니라 수동의 의미를 갖는 과거분사 'required'로 바뀌어야 한다.

| 오답해설 | ① 은행들이 가장 작은 사업체들과 함께 '(거래를) 시작하는' 것이므로 능동의 의미를 갖는 현재분사 'starting'은 올바르게 사용되었다.

② 관계부사 'where'이 이끄는 절이 장소를 나타내는 명사 'areas'를 수식하고, 'where' 이후에 나오는 절이 완벽한 구조를 이루고 있으므로 관계부사 'where'는 적절한 표현이다.

④ 문장의 주어인 'a decision'은 '결정이 되는' 것이므로 수동태가 오는 것이 적절하다. 현재진행 수동태는 「be동사 + being p.p.」의 형태로 쓴다. 따라서 'being'은 올바른 문법이다.

| 해석 | 스타트업 기업이 설립되자마자, 그것은 은행 계좌가 필요할 것이고, 급여 계좌에 대한 필요는 빠르게 따라올 것이다. 은행들은 급여 지급과 관련 세금 장부를 기재하는 것에 대한 서비스에 매우 경쟁적이 되는데, 심지어 가장 작은 사업체들과 함께 거래를 시작한다. 이러한 것들은 기업이 최상의 서비스와 그것이 획득할 수 있는 가장 "무료인(저렴한)" 회계상의 도움을 원하는 분야이다. 변화하는 급여세법은 특히 50개 주의 여러 곳에서 판매 인력이 운영될 계획일 때, 따라잡기에는 골칫거리이다. 그리고 요구되는 보고서들은 회사의 더해진 관리 직원들에게 부담이 된다. 그런 서비스들은 종종 은행가에 의해 가장 잘 공급받을 수 있다. 이런 영역에서 은행의 증빙 서류는 ADP같은 급여 서비스 대체품과 비교되어야 하지만 결정이 이루어질 때 미래와 장기적인 관계를 유념해야 한다.

04 현재분사 vs. 과거분사

① 해당 문장에서 'surprising'은 감정을 불러일으키는, 즉 '제공'하는 형용사로 현재분사의 형태를 띠고 있다. 수식하는 대상은 감정을 제공하는 주체이어야 하나 'She'의 상태는 문맥상 감정을 제공받는 대상, 즉 감정 상태에 해당되는 형용사로 서술해야 하므로 'surprising'을 감정 상태 형용사(과거분사)인 'surprised'로 수정해야 한다. 또한 'looking'은 지각동사 'see'의 목적격 보어에 해당하는 현재분사로 목적어 'him'과 능동 관계로 옳게 사용되었다.

| 오답해설 | ② 'for half a century'는 시간의 부사구로 현재완료와 함께 사용할 수 있다. 따라서 해당 문장은 옳다.

③ 'By next year'는 시간의 부사구로 미래완료와 함께 사용할 수 있으며 해당 문장에서 'spent about $2,000 updating the system'은 동명사 관용표현 「spend + 돈/시간 + -ing(동명사)」로 '~하는 데 돈/시간을 쓰다'를 뜻한다.

④ 해당 문장은 「It + be동사 + 과거분사 + that + 주어 + 동사」에서 종속절의 주어가 주절의 주어 자리로 이동한 경우에 해당하며, 이때는 종속절의 동사가 to부정사의 형태로 바뀌어 「주어 + be동사 + 과거분사 + to부정사」의 어순이 되므로 'The factory is said to have given up running'은 옳은 표현이다. 또한 'to have given up running'은 완료부정사로 주절의 시제보다 앞서며, 'give up'은 동명사를 목적어로 가지므로 동명사 'running'의 쓰임도 적절하다.

05

2021 지방직 9급

우리말을 영어로 잘못 옮긴 것을 고르시오.

① 그의 소설들은 읽기가 어렵다.
→ His novels are hard to read.

② 학생들을 설득하려고 해 봐야 소용없다.
→ It is no use trying to persuade the students.

③ 나의 집은 5년마다 페인트칠된다.
→ My house is painted every five years.

④ 내가 출근할 때 한 가족이 위층에 이사 오는 것을 보았다.
→ As I went out for work, I saw a family moved in upstairs.

---

05 **현재분사 vs. 과거분사**

④ see는 지각동사로, 목적어와 목적격 보어가 능동의 관계일 때는 현재분사나 원형부정사를, 수동의 관계일 때는 과거분사를 목적격 보어로 취한다. 여기에서는 가족이 이사를 오는 능동의 관계이므로, 'moved'는 'moving' 또는 'move'가 되어야 한다.

| 오답해설 | ① '~하기에 …하다'는 to부정사의 부사적 용법을 이용하여 영작한다. 'to read'가 난이 형용사인 'hard'를 후치 수식하는 형태로 올바르게 쓰였다.

② 'It is no use -ing'는 '~해 봐야 소용없다'라는 의미의 동명사 관용표현이다.

③ '~마다'라는 표현은 「every + 기수 + 복수명사」로 쓸 수 있다.

06

2022 국가직 9급

우리말을 영어로 잘못 옮긴 것을 고르시오.

① 커피 세 잔을 마셨기 때문에, 그녀는 잠을 이룰 수 없다.
→ Having drunk three cups of coffee, she can't fall asleep.

② 친절한 사람이어서, 그녀는 모든 이에게 사랑받는다.
→ Being a kind person, she is loved by everyone.

③ 모든 점이 고려된다면, 그녀가 그 직위에 가장 적임인 사람이다.
→ All things considered, she is the best-qualified person for the position.

④ 다리를 꼰 채로 오랫동안 앉아 있는 것은 혈압을 상승시킬 수 있다.
→ Sitting with the legs crossing for a long period can raise blood pressure.

---

06 **with 분사구문**

④ 'with 분사구문'은 '~한 채로'라는 의미로 동시 상황을 나타낼 때 사용할 수 있다. 이때 「with + 목적어 + 분사」에서, 목적어와 분사의 관계가 능동이면 현재분사를, 수동이면 과거분사를 써야 하는데, 다리는 '꼬여지는' 대상이므로 수동의 의미가 알맞다. 따라서 crossing을 crossed로 고쳐야 알맞은 문장이 된다.

| 오답해설 | ① 커피를 마신 것이 지금 잠을 이룰 수 없는 것보다 더 과거의 일이므로, 완료형 분사구문(Having drunk ~)이 올바르게 사용되었다.

② 그녀가 친절한 사람인 사실은 변치 않는 특성이므로, 단순 분사구문(Being ~)이 알맞게 사용되었다.

③ 주절과 분사구문의 주어가 다르면 분사구문의 주어를 표시해 주는데, 이를 독립 분사구문이라 한다. 여기서 분사구문의 주어는 'All things'이고 주절의 주어는 'she'이므로 각각 표시해 주었고, 'All things'는 고려되는 대상이므로 수동의 의미를 갖는 과거분사 'considered'가 알맞게 쓰였다. 본래 'All things (being) considered'에서 'being'은 생략 가능하므로 'considered'만 남아 있는 형태이다. 단, 'considering all things'는 '모든 것을 고려하자면'이라는 의미이므로 해석상의 차이에 주의해야 한다.

| 정답 | 03 ③ 04 ① 05 ④ 06 ④

07

2017 서울시 사회복지직 9급

우리말을 영어로 가장 잘 옮긴 것은?

① 나는 이 집으로 이사 온 지 3년이 되었다.
→ It was three years since I moved to this house.

② 우리는 해가 지기 전에 그 도시에 도착해야 한다.
→ We must arrive in the city before the sun will set.

③ 나는 그녀가 오늘 밤까지 그 일을 끝마칠지 궁금하다.
→ I wonder if she finishes the work by tonight.

④ 그는 실수하기는 했지만, 좋은 선생님으로 존경받을 수 있었다.
→ Although making a mistake, he could be respected as a good teacher.

08

우리말을 영어로 잘못 옮긴 것을 고르시오.

① 내가 졸업해서 정말로 하고 싶은 일이 그거야.
→ That is what I really want to do when I graduate.

② 그들이 그 불쌍한 소녀를 도우려 하다니 대단히 사려깊다.
→ It is very considerate of them to help the poor girl.

③ 무슨 일이 일어났는지 본 후에 나는 그녀와 협력하기로 결심했다.
→ After seeing what had happened, I decided to cooperate with her.

④ 그 실종된 아이의 안전에 대한 우려가 커지고 있다.
→ There is a growing concern over the safety of the missed child.

---

07 분사구문

④ 본래의 문장 'Although he made a mistake, he could be respected as a good teacher.'에서 부사절을 분사구문으로 바꾼 형태이다. 보통은 접속사를 생략하지만, 해당 문장은 부사절의 주어만 생략하고 접속사는 그대로 남겨둔 형태이다. 'made'는 주절의 주어인 'he'와 능동의 관계에 있으므로 현재분사 'making'을 옳게 사용했다.

| 오답해설 | ① '~ 이후로'라는 뜻의 'since'가 이끄는 절의 동사가 과거시제이면 주절 동사는 현재완료시제여야 한다. 따라서 'was'를 'has been'으로 고쳐야 옳은 문장이 된다. 또한 주절의 주어를 비인칭주어 'it'으로 나타낼 경우 구간을 나타낸다면 현재완료를 사용하여 'has been'으로 나타낼 수 있으며, 단순시제 'is'로도 나타낼 수 있다.

② 'before' 이하는 시간의 부사절이므로 현재시제가 미래시제를 대신해야 한다. 따라서 'will set'은 'sets'가 되어야 한다.

③ 'if'가 조건의 부사절을 이끌면 현재시제가 미래시제를 대신하지만, 미래의 의미가 있는 명사절을 이끌 때는 미래시제를 쓴다. 따라서 해당 문장을 바르게 고치면 'I wonder if she will finish ~'가 된다.

---

08 현재분사 vs. 과거분사

④ '실종된 아이'는 'missing child'로 표현한다. 따라서 'missed'를 'missing'으로 수정해야 한다.

| 오답해설 | ① 'what' 뒤에 오는 절은 'do'의 목적어가 없는 불완전한 형태이며 앞에 불완전자동사 'is'의 주격 보어에 해당하는 선행사가 없으므로 관계대명사 'what'의 쓰임은 올바르다. 또한 'want'는 to부정사를 목적어로 가지는 완전타동사이므로 뒤에 온 'to do'의 쓰임도 올바르며, 'graduate'은 '졸업하다'를 뜻하는 완전자동사로 사용되었다.

② to부정사가 주어인 경우 가주어 'it'을 사용하여 「It + be동사 + 형용사 + to부정사」의 형태로 나타낸다. 이때 to부정사의 의미상 주어는 일반적으로 「for + 목적격」의 형태로 쓰지만, 사람의 성격을 나타내는 형용사가 오는 경우 to부정사의 의미상 주어는 「of + 목적격」의 형태로 나타낸다. 해당 문장은 to부정사 'to help the poor girl'이 주어인 문장으로, 가주어 'It'을 사용하였으며 인성 형용사 'considerate'이 있으므로 to부정사의 의미상 주어에 「of + 목적격」인 'of them'을 사용하였다.

③ 접속사 'After' 뒤에 현재분사 'seeing'을 사용한 분사구문으로 'seeing' 뒤에 목적어에 해당하는 의문사절 'what had happened'가 왔으므로 현재분사 'seeing'의 쓰임은 올바르다. 주절에 사용된 동사 'decided'는 to부정사를 목적어로 가지는 완전타동사이므로 'to cooperate'은 옳은 표현이다. 또한 'cooperate'은 완전자동사이므로 목적어 'her' 앞에 전치사 'with'를 사용하는 것은 옳다.

09

2018 지방직 9급(사회복지직 9급)

우리말을 영어로 잘못 옮긴 것은?

① 모든 정보는 거짓이었다.
→ All of the information was false.

② 토마스는 더 일찍 사과했어야 했다.
→ Thomas should have apologized earlier.

③ 우리가 도착했을 때 영화는 이미 시작했었다.
→ The movie had already started when we arrived.

④ 바깥 날씨가 추웠기 때문에 나는 차를 마시려 물을 끓였다.
→ Being cold outside, I boiled some water to have tea.

09 독립분사구문

④ 'Because it was cold outside, I boiled some water to have tea.'의 부사절을 분사구문으로 바꾼 형태이다. 이때 부사절의 비인칭주어 'it'은 주절의 주어 'I'와 다르므로 생략할 수 없다. 따라서 'It being cold outside, ~'로 써 주어야 한다.

| 오답해설 | ① 'information'은 불가산명사이므로 이를 단수 취급하여 3인칭 단수동사 'was'가 쓰였다.

② 「should have p.p.」는 '~했어야 했는데 (하지 못했다)'라는 뜻으로 과거 사실에 대한 후회나 유감을 나타낸다.

③ 영화가 시작한 것이 우리가 도착하기 이전에 일어난 일이므로 과거완료 동사 'had already started'가 쓰였다.

10

2016 국가직 7급

어법상 옳지 않은 것은?

Much of the debate over police drones in the United States ① has been over privacy. However, a new concern has come to light: the threat of hackers. Last year, security researcher Nils Rodday claimed he could take over a drone that ② cost between $30,000 and $35,000 ③ used just a laptop and forty dollars' ④ worth of special equipment.

10 현재분사 vs. 과거분사

③ 이 문장의 주어인 'he(security researcher Nils Rodday)'가 'a laptop and forty dollars' worth of special equipment'를 '사용해서' 드론을 탈취할 수 있다는 내용이고 'claimed'의 목적어절에 동사 'could take over'가 있으므로 'use'는 능동의 현재분사인 'using'으로 써야 한다.

| 오답해설 | ① 주어 'Much'는 단수 취급하므로 'has'의 형태는 올바르며, 과거부터 현재까지 논쟁이 계속되어 온 것이므로 현재완료 시제의 사용도 옳다.

② 'cost' 앞의 'that'은 주격 관계대명사이며, 선행사는 'a drone'이다. 'cost'는 현재형과 과거형이 동일한데, 이 문장에서는 주절의 동사 'claimed'와 마찬가지로 과거시제로 쓰였다.

④ 소유격(dollars')의 수식을 받을 수 있는 명사 'worth'가 적절히 쓰였다.

| 해석 | 미국에서 경찰 드론에 대한 많은 논쟁은 사생활에 대한 것이었다. 그러나 새로운 걱정거리가 알려졌다. 바로 해커의 위협이다. 지난해, 보안 연구원인 Nils Rodday는 겨우 노트북 한 대와 40달러 상당의 특수 장비를 사용해서 30,000달러에서 35,000달러 사이의 드론을 탈취할 수 있다고 주장했다.

| 정답 | 07 ④ 08 ④ 09 ④ 10 ③

PART

V Expansion

5개년 챕터별 출제 비중 & 출제 개념

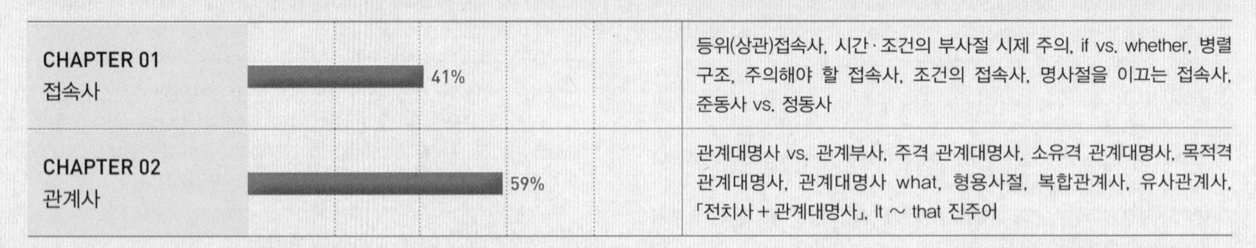

챕터	출제 비중	출제 개념
CHAPTER 01 접속사	41%	등위(상관)접속사, 시간·조건의 부사절 시제 주의, if vs. whether, 병렬 구조, 주의해야 할 접속사, 조건의 접속사, 명사절을 이끄는 접속사, 준동사 vs. 정동사
CHAPTER 02 관계사	59%	관계대명사 vs. 관계부사, 주격 관계대명사, 소유격 관계대명사, 목적격 관계대명사, 관계대명사 what, 형용사절, 복합관계사, 유사관계사, 「전치사 + 관계대명사」, It ~ that 진주어

※ 문법은 문항 기준이 아닌 출제된 문항의 선지 기준으로 분석하였습니다.

14%

※최근 5개년(국, 지, 서)
출제 비중

학습목표

CHAPTER 01 접속사	❶ 접속사의 종류와 문장 내에서의 의미를 파악한다. ❷ 접속사의 병렬 구조를 문장 내에서 분석한다. ❸ 접속사를 이용한 수 일치를 이해한다.
CHAPTER 02 관계사	❶ 관계사의 종류와 역할을 파악한다. ❷ 관계대명사와 관계부사의 역할을 비교하여 이해한다. ❸ 복합관계사의 격은 이후 문장의 성분에 따라서 결정되니 주의하자.

CHAPTER

01 접속사

□ 1회독 월 일
□ 2회독 월 일
□ 3회독 월 일
□ 4회독 월 일
□ 5회독 월 일

POINT CHECK

01 등위접속사와 등위상관접속사가 연결하는 개체는 서로 □□ 구조를 이루어야 한다.

| 정답 | 01 병렬

VISUAL G

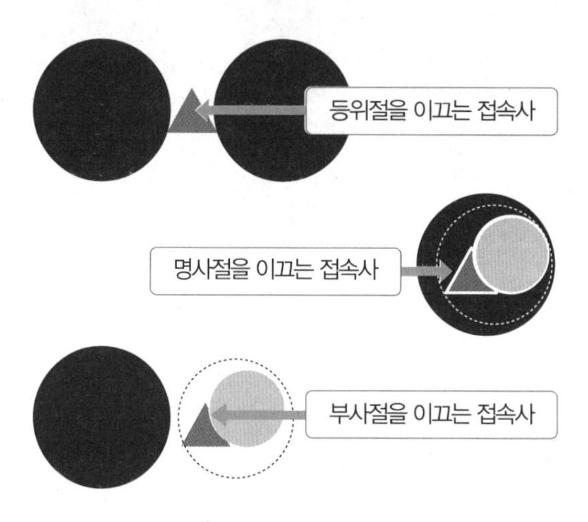

01 등위접속사

단어와 단어, 구와 구, 절과 절을 대등한 관계로 연결시켜 주는 품사를 접속사라고 한다. 등위접속사 중 and, or, but 좌우에는 반드시 '문법적 기능이 동일한 어구'가 존재하며, 어구의 형태도 동일해야 한다. 등위상관접속사 「both A and B」, 「not A but B」, 「not only A but also B」, 「either A or B」, 「neither A nor B」, 「B as well as A」, 「whether A or B」 등도 등위접속사에 포함되므로 역시 병렬 구조를 이룬다.

- 등위접속사: and, but, or, for, so 등
- 종속접속사: if, whether, that, because 등

(1) 등위접속사 and

POINT CHECK

① 조건

「명령문, + and + 주어 + 동사」: ~해라, 그러면 …할 것이다

- Study hard, **and** you will pass the exam.

  열심히 공부해라, 그러면 당신은 시험에 통과할 것이다.

  → **If** you study hard, you will pass the exam.

② 목적

come, go, run, try, be sure, send 등의 동사 뒤에 「and + 동사원형」이 이어지면 to부정사의 부사적 용법 중 '목적'의 의미로 바꾸어 쓸 수 있다.

「come/go/run/try/be sure/send + and + 동사」: ~하기 위해서 …하다, …해서 ~하다

- I will **go and help** them.

  나는 가서 그들을 돕겠다.

  → I will **go to help** them.

  나는 그들을 도우러 가겠다.

- **Come and see** me next week.

  다음 주에 와서 나를 봐라.

  → **Come to see** me next week.

  다음 주에 나를 보러 와라.

③ 「부정어 + A and B」: A하면서 B인 것은 아니다

- You can**not** have a cake **and** eat it.

  케이크를 가지고 있으면서 동시에 먹을 수는 없다.

④ 「형용사 + and + 형용사」에서 앞의 형용사가 부사의 의미처럼 사용되는 경우가 있다.

「nice, fine, big, good, rare + and + 형용사」
아주, 매우, 몹시

- I am **big and** busy.

  나는 몹시 바쁘다.

- I am **good and** tired.

  나는 몹시 피곤하다.

- The dog is **rare and** hungry.

  그 개는 몹시 배고프다.

⑤ 불가분 관계, 동일인, 단일 개념은 단수 취급한다.

- bread and butter: 버터 바른 빵
- a watch and chain: 줄 달린 시계
- a needle and thread: 실을 꿴 바늘
- a cart and horse: 마차

O Slow **and** steady **wins** the race. 느리더라도 꾸준하면 결국 승리한다.

X Slow **and** steady **win** the race.

➡ 'slow and steady(느리지만 꾸준함)'은 단일 개념으로 단수 취급한다.

POINT CHECK

헷갈리지 말자 바둑이 vs. 검둥이와 흰둥이

• There **is a** white **and** black dog.
바둑이(점 무늬 개)가 있다.

• There **are a** white **and a** black dog.
흰 개와 검은 개가 있다.

➡ 접속사 and 뒤의 관사 유무에 따라서 개체 수가 달라진다. 단, 개별 개체의 속성을 강조할 경우 개별 관사를 제시하는 경우도 있으니 주의해야 한다.

• **The** writer **and** statesman **is** dead. (한 사람)
작가이자 정치인이었던 그 사람은 죽었다.

• **The** writer **and the** statesman **are** dead. (두 사람)
그 작가와 그 정치인은 죽었다.

● **접속사 and 관용표현**

• and that: 그것도, 더욱이
• and then: 그러고 나서
• and so: 그래서
• and yet: 그럼에도 불구하고(= but yet)

(2) 등위접속사 or

'또는'이라는 선택의 의미이며 주어가 or로 연결되면 마지막 주어에 동사의 수를 일치시킨다.

① 조건

「명령문, + or + 주어 + 동사」: ~해라, 그렇지 않으면 …할 것이다

• Work hard, **or** you will fail.
열심히 해라, 그렇지 않으면 당신은 실패할 것이다.
→ **Unless** you work hard, you will fail.
※ 이때 or는 or else/otherwise로 대신할 수 있다.

② 가정법

or(= or else, otherwise): 그렇지 않다면

• She doesn't have experience, **or** I might employ her. (직설법, or 가정법)
그녀는 경험이 없다. 그렇지 않다면 난 그녀를 고용할지도 모른다.

③ 선택

「A or B」: A 또는 B

• He **or** I am to blame.
그나 내가 비난받아야 한다.
※ to blame은 to be blamed와 마찬가지로 수동의 의미로 해석되며, 동사에 가까운 쪽 주어인 I에 맞추어 동사는 am으로 쓴다.

④ 동격

• We will debate about euthanasia, **or** mercy killing.
우리는 안락사, 즉 자비로운 죽음에 대해 토론할 것이다.
※ or은 that is(즉)로 대신할 수 있다.

POINT CHECK

(3) 등위접속사 nor 📖 암기문법

부정의 의미가 있는 등위접속사로 '또한 ~ 아니다'라는 의미이다.

• The gentleman **doesn't** smoke, **nor** does he drink.

그 신사는 담배를 피우지도 술을 마시지도 않는다.

→ The gentleman **neither** smokes **nor** drinks.

→ The gentleman **does not either** smoke **or** drink.

→ The gentleman **doesn't** smoke, and he does **not** drink **either.**

→ The gentleman **doesn't** smoke, and **neither** does he drink.

Ⓞ He doesn't enjoy fish, **nor** does she. 그는 생선을 좋아하지 않고, 그녀도 좋아하지 않는다.

☒ He doesn't enjoy fish, **and nor** does she.

➡ and와 nor는 둘 다 접속사이기 때문에 이중으로 함께 쓰지 않는다.

Ⓞ He doesn't enjoy fish, and she doesn**'t, either**.

☒ He doesn't enjoy fish, and she doesn**'t, too**.

➡ 부정문에서는 too 대신에 either를 사용해야 한다.

Ⓞ He doesn't enjoy fish, **and neither** does she.

☒ He doesn't enjoy fish, **neither** does she.

➡ neither는 부정부사일 뿐 접속사의 기능은 없으므로, 접속사와 함께 써야 한다. 단, neither 뒤에 이어지는 절의 어순은 의문문 어순이다.

(4) 등위접속사 for

'~을 위한'이라는 의미로 쓰이면 전치사이다. 접속사일 때는 이유를 나타내며 '왜냐하면'이라는 의미로 쓰인다. 이유를 부가적으로 설명하는 등위접속사로서 절과 절 사이에 쓰인다.

「주어 + 동사 ~, for + 주어 + 동사 …」: ~, 왜냐하면 … 때문이다

• He absented himself from school, **for** he thought it was Sunday.

그는 학교에 결석했는데, 일요일이라고 생각했기 때문이다.

• It's morning, **for** the birds are singing.

아침이다, 새들이 지저귀고 있으니까.

Ⓞ **Because** he was ill, he absented himself from school.

그는 아팠기 때문에, 학교에 결석하였다.

☒ **For** he was ill, he absented himself from school.

➡ 등위접속사인 for는 문두에 올 수 없고, for 앞에 반드시 콤마(,)를 써야 한다. 반면에 because는 문두, 문미, 문중에 모두 사용될 수 있다.

(5) 등위접속사 so

① 그래서, 그러므로

• He looked honest, **so** I let him come in.

그가 정직해 보여서, 나는 그를 들어오게 했다.

POINT CHECK

② so (that): 결국, 그래서

• No one told me the time, **so** I was late for the meeting.

아무도 나에게 시간을 말해 주지 않았고, 그래서 나는 회의에 늦었다.

→ No one told me the time, **so that** I was late for the meeting.

③ so that: ~하기 위해서

• Come close **so** I can hear you.

내가 너의 말을 들을 수 있게 가까이 와라.

→ Come close **so that** I can hear you.

참 「so ~ that …」: 너무 ~해서 결국 …하다

• I was **so** shocked **that** I could not say a word.

나는 너무 충격을 받아서 한 마디도 할 수 없었다.

※ 여기서 so는 접속사가 아니라 부사로 사용된 것이다.

O I was **so** tired **that** I went to bed early. 나는 너무 피곤해서 일찍 자러 갔다.

X I was **such** tired **that** I went to bed early.

➡ 원인을 나타내는 절에서 형용사나 부사를 수식할 때는 so를, 명사를 수식할 때는 such를 쓴다.

02 등위상관접속사

02 등위상관접속사가 연결하는 A와 B의 구조는 □□ 구조여야 한다.

등위상관접속사는 같은 품사나 상당어구를 상관적으로 연결하며, 연결하는 어구가 같은 형태여야 한다.

(1) 「both A and B」

'A, B 둘 다'의 의미로 쓰인다.

• He is **both** a pianist **and** a poet.

그는 피아니스트이면서 시인이다.

• The little boy is remarkable **both** for his intelligence **and** for his skill.

그 어린 소년은 지성과 기술 둘 다에 대해 주목할 만하다.

• **Both** milk **and** cheese are nutritious foods.

우유와 치즈는 둘 다 영양가 많은 음식이다.

※ 「both A and B」가 주어이면 복수 취급한다.

(2) 「either A or B」

'A 또는 B 둘 중 하나'의 의미로 쓰인다.

• **Either** uncle **or** aunt may come later.

이따가 삼촌이나 이모 중 한 분이 오실지도 모른다.

• That man must be **either** mad **or** drunk.

저 남자는 미쳤거나 술에 취한 것이 분명하다.

• **Either** he could not come **or** he did not want to (come).

그는 올 수 없었거나 아니면 (오기를) 원하지 않았다.

| 정답 | 02 병렬

(3) 「neither A nor B」

'A도 아니고 B도 아닌'의 의미로 쓰인다.

- **Neither** you **nor** she is right.
  너나 그녀 둘 다 옳지 않다.
- He was **neither** witty **nor** humorous.
  그는 재치있지도 재미있지도 않았다.
  → He was **not either** witty **or** humorous.

O This book is **not either** interesting **or** informative.
이 책은 흥미롭지도 않고 유익하지도 않다.

X This book is **not either** interesting **nor** informative.
➡ neither가 not either로 분리되면, 뒤따라오는 접속사도 nor가 아니라 or를 써야 한다.

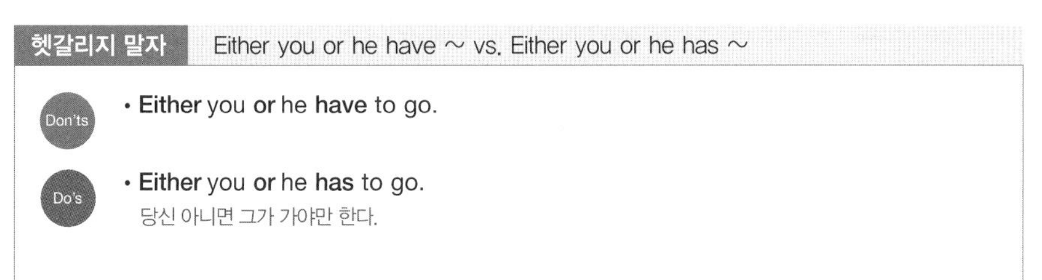

헷갈리지 말자 Either you or he have ~ vs. Either you or he has ~

Don'ts • **Either** you **or** he **have** to go.

Do's • **Either** you **or** he **has** to go.
당신 아니면 그가 가야만 한다.

➡ 「either A or B」 또는 「neither A nor B」가 주어로 쓰이면 동사는 반드시 B에 수를 일치시킨다. 즉, 동사에 가까운 주어와 수를 일치시켜야 함을 기억해야 한다.

(4) 「not only A but also B」 암기문법

'A뿐만 아니라 B도'라는 의미로, 「B as well as A」로 바꿔 쓸 수 있다.

not only not merely not just not alone	A	but (also)	B

- The gentleman gave us **not only** food **but also** money.
  그 신사는 우리에게 음식뿐만 아니라 돈도 주었다.
  → The gentleman gave us **not merely** food **but also** money.
  → The gentleman gave us money **as well as** food.
  → The gentleman gave us food **and** money.
  → The gentleman gave us **both** food **and** money.
- Learning is **not merely** a necessity **but also** a pleasure.
  배움은 꼭 필요한 일일뿐 아니라 기쁨이다.
- My brother **not only** teaches English **but also** writes many novels.
  우리 형은 영어를 가르칠 뿐 아니라 많은 소설도 쓴다.

POINT CHECK

03 등위상관접속사가 연결하는 어구가 주어로 쓰이면 A와 B의 병렬 구조 수 일치는 대부분 □에 맞춘다.

| 정답 | 03 B

POINT CHECK

(5) 「not A but B」 암기문법

'A가 아니라 B'의 의미로 쓰인다.

not by not that not because	A	but by but that but because	B

- The true worth can be measured **not by** his abilities, **but by** his character.
  진정한 가치는 그의 능력이 아니라, 그의 성격으로 측정될 수 있다.
  ※ 「not by A but by B」는 'A에 의해서가 아니고 B에 의해서'라는 의미이다.
- **Not that** I dislike the work, **but that** I have no time.
  나는 그 일이 싫은 것이 아니라, 시간이 없는 것이다.
  ※ 「not that A but that B」는 'A가 아니고 B이다'라는 의미이다.
- **Not because** I am fond of her, **but because** I respect her.
  내가 그녀를 좋아해서가 아니라, 그녀를 존경해서이다.
  ※ 「not because A but because B」는 'A 때문이 아니고 B 때문이다'라는 의미이다.

(6) 「never[not/no] A but (that) B」 암기문법

'A하면 반드시 B한다, B하지 않고는 A하지 않는다'라는 의미로, 등위접속사 but과는 다른 의미로 쓰인다.

never not no	A	but (that)	B

- I **never** see this picture **but** it reminds me of my school days.
  나는 이 사진을 볼 때면 내 학창 시절이 생각난다.
  → I **never** see this picture **without** being reminded of my school days.
  → **Whenever** I see this picture, it reminds me of my school days.
  → **When** I see this picture, it **always** reminds me of my school days.

03 명사절을 이끄는 종속접속사

04 명사절을 이끄는 종속접속사 이후에는 반드시 「□□+□□」, 즉 완전한 문장 구조를 이루고 있는 절이 온다.

명사절은 문장 내에서 주어, 목적어, 보어, 동격 역할을 한다.

- **That** she will arrive here is certain. (주어: 주어의 역할을 하는 명사절을 이끄는 접속사 that은 생략 불가능)
  그녀가 여기에 도착하리라는 것은 확실하다.
  참 It is certain (that) she will arrive here.
  ※ 단, 가주어를 갖는 명사절 진주어의 경우 that은 생략 가능하다.

O That Jack and Jill are short of money is not true.
Jack과 Jill이 돈이 부족하다는 것은 사실이 아니다.

X That Jack and Jill are short of money are not true.
➡ 명사절이 주어인 경우 단수 취급해야 함에 유의하자.

| 정답 | 04 주어, 동사

• I can prove **(that)** she did it. (목적어: 목적어의 역할을 하는 명사절을 이끄는 접속사 that은 생략 가능)

나는 그녀가 그것을 했다는 것을 증명할 수 있다.

• My hope is **(that)** I become a doctor. (보어: 보어의 역할을 하는 명사절을 이끄는 접속사 that은 생략 가능)

내 희망은 의사가 되는 것이다.

• I know **the fact that** the news was manipulated. (동격)

나는 그 뉴스가 조작되었다는 사실을 알고 있다.

POINT CHECK

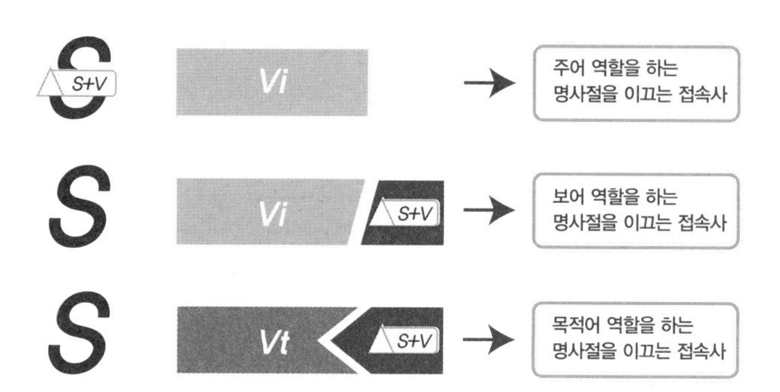

명사절은 문장 내에서 명사의 쓰임처럼 주어, 동사의 목적어, 전치사의 목적어, 보어, 동격으로 쓰인다. 전체 문장에서 명사절을 제외하면 나머지 부분만으로는 불완전한 문장이 되므로 부사절과 차이가 있다.

(1) 접속사 that

that이 이끄는 명사절은 '~라는 것'의 의미로 주어, 목적어, 보어로 쓰인다. 또한 that은 동격의 명사절을 이끌기도 한다. 단, 목적어 역할을 하는 that절은 전치사의 목적어로는 보통 사용할 수 없다.

① 주어로 쓰인 명사절

• **That she is alive** is certain. 그녀가 살아 있는 것이 확실하다.

※ 명사절 That she is alive는 문장의 주어로 쓰였다.

• It is true **that he has returned home alive.** 그가 집에 살아 돌아온 것은 사실이다.

※ 명사절 that he has returned home alive가 진주어로 쓰였다.

② 목적어로 쓰인 명사절

• He will find **that there's no place like home.**

그는 집 같이 좋은 곳이 없다는 것을 알게 될 것이다.

※ 명사절 that there's no place like home은 동사 find의 목적어로 쓰였다.

• I didn't know **that he was listening to us.**

나는 그가 우리 대화를 듣고 있는 것을 몰랐다.

• Everything is fine except **that weather is bad.**

날씨가 나쁜 것을 제외하고는 모든 것이 좋다.

※ that이 이끄는 명사절은 예외적으로 '~을 제외하고'라는 의미의 전치사 except, save, but 등의 목적어로 쓰이는 경우가 있으므로 유의하자.

POINT CHECK

05 동격의 명사절의 어순: 「추상명사+□□□□+완전한 문장」

06 '~인지 (아닌지)'를 나타내는 if는 문장에서 □ □ □을[를] 이끄는 □□□의 역할을 한다.

| 정답 | 05 that
06 명사절, 접속사

③ 보어로 쓰인 명사절

- The best part of this game is **that it can be enjoyed by the beginners.**

  이 경기의 가장 좋은 점은 초보자들도 즐길 수 있다는 것이다.

  ※ 명사절 that it can be enjoyed by the beginners는 보어로 쓰였다.

- The trouble is **that my father likes smoking.**

  문제는 나의 아버지가 흡연을 좋아한다는 것이다.

④ 동격으로 쓰인 명사절

● **동격절 앞에 자주 나오는 추상명사**

fact	사실	truth	진실
statement	언급	opinion	의견
news	뉴스	rumor	소문
report	보고서	right	권리
suggestion	제안	claim	주장
chance	기회	evidence	증거

- The news **that his son was found** was not true.

  그의 아들이 발견되었다는 소식은 사실이 아니었다.

  ※ 명사절 that his son was found는 The news와 동격이다.

- There is a chance **that they may lose the game.**

  그들이 경기에서 질 가능성이 있다.

  ※ 명사절 that they may lose the game은 a chance와 동격이다.

헷갈리지 말자 동격의 that vs. 관계대명사 that

- There is no evidence **that** he murdered her. (동격의 that)
  그가 그녀를 살해했다는 증거는 없다.

- There is no evidence **that** you can trust. (관계대명사 that)
  당신이 신뢰할 수 있는 증거가 없다.

➡ 우리말 해석만 보면 동격의 that과 관계대명사 that을 구별하기 어려울 수도 있다. 이런 경우 뒤따라오는 절의 문장 구조가 완전하면 동격의 that이고, 불완전하면 관계대명사 that으로 구분하면 된다.

(2) 접속사 if와 whether

교수님 한마디 if와 whether는 명사절을 이끄는 접속사로 쓰인다. 특히 if의 경우 부사절을 이끄는 경우에도 사용되므로 구별해서 파악해야 한다. 또한 if가 명사절을 이끄는 경우 whether보다는 제약이 있으므로 이를 반드시 학습해야 한다.

if와 whether는 '~인지 (아닌지)'의 의미로 명사절을 이끈다.

- Ask your brother **if** it is true. 그것이 사실인지 너의 형에게 물어보아라.

  → Ask your brother **whether** it is true **(or not)**.

① whether의 용법: 주어, 목적어, 보어의 역할을 한다.

- **Whether** she is rich **(or not)** isn't important. (주어)

  그녀가 부유한지 (아닌지)는 중요하지 않다.

- I wonder **whether** his decision is wise **(or not)**. (목적어)

  나는 그의 결정이 현명한지 (그렇지 않은지) 궁금하다.

- The question is **whether** I go to America or England. (보어)

  문제는 내가 미국을 가느냐 영국을 가느냐이다.

  참 You are entitled to a free gift **whether** you accept it (or not).

  당신이 그것을 받아들이든 아니든, 당신은 무료 선물을 받을 자격이 있다.

  ※ whether은 부사절을 이끌 수도 있다.

② 명사절 접속사 if 사용 시 유의점

㉠ if 바로 뒤에 or not을 사용할 수 없다. 단, 「if ~ or not」은 사용 가능하다.

O I don't know **whether or not** she will come. 나는 그녀가 올지 안 올지 모른다.

X I don't know **if or not** she will come.

➡ if절의 if 바로 뒤에는 or not을 이어 사용하지 않는다. 또한 whether 뒤의 or not은 생략할 수 있다.

㉡ 주어로 사용하지 않는다.

O **Whether** it is a good plan **or not** is a matter for argument.

그것이 좋은 계획인지 아닌지는 논의될 문제이다.

X **If** it is a good plan **or not** is a matter for argument.

➡ 문장 첫머리에 '~인지 (아닌지)'의 의미로 if를 사용할 수 없다.

㉢ if 뒤에는 절 대신 to부정사가 올 수 없다.

O I don't know **whether to go** there alone is dangerous.

나는 거기에 혼자 가는 것이 위험한지는 알지 못한다.

X I don't know **if to go** there alone is dangerous.

㉣ 전치사의 목적어로는 사용하지 않는다.

O You must think **about whether** you want to continue a close friendship with your friends. 네가 친구들이랑 친밀한 우정을 이어나가고 싶은지에 관해 생각해 봐야 한다.

X You must think **about if** you want to continue a close friendship with your friends.

➡ 전치사의 목적어절을 이끌 때는 if 대신에 whether가 쓰인다. 명사절을 이끄는 접속사 if는 주로 know, wonder, ask, doubt의 목적어로, 또는 형용사 aware, sure, doubtful과 함께 쓰인다.

04 부사절을 이끄는 종속접속사

교수님 한마디 ▶ 부사절을 이끄는 접속사의 종류는 다양하다. 아래 개념에 대한 문제가 직접적으로 출제되는 경우도 있지만, 대부분의 접속사 학습은 독해 속도를 높이고 세부 사항을 파악하는 데 그 목적이 있다.

(1) 시간

when, while, before, after, since, until, whenever(= every time), by the time, as soon as, as long as

① when(일시적 동작 or 시점): '~할 때'라는 의미로 특정한 시점에 발생하는 사건을 나타낼 때 사용한다.

- Would you spare five minutes **when** it's convenient?

  편하실 때 5분만 시간을 내 주시겠어요?

- She was shocked **when** she heard the news.

  그녀는 그 뉴스를 들었을 때 충격을 받았다.

POINT CHECK

07 부사절을 이끄는 종속접속사 뒤에 나오는 절의 문장 구조 또한□□하다.

| 정답 | 07 완전

POINT CHECK

O We were talking about his hair **when** he came.

그가 왔을 때 우리는 그의 머리에 대해 이야기하고 있었다.

X We were talking about his hair **then** he came.

➡ then은 부사이므로 문장을 연결할 수 있는 기능이 없다는 점에 유의하자.

② before

㉠ 긍정문: ~해서야 비로소 …하다

「It was + 시간 ~ before[when] + S + 과거동사」
└→ (A) └→ (B)
: A하고서야 비로소 B하다

• **It was** forty years **before I met** my father again.

40년이 지나고서야 비로소 나는 아버지를 다시 만났다.

㉡ 부정문: ~하지 않아 …하다 암기문법

「S + had + 부정어 + p.p. ~ before[when] + S + 과거동사」
└→ (A) └→ (B)
: A하지 않아 B했다

• He **had not gone** far **before** he **came** to his destination.

그는 얼마 가지 않아 목적지에 도착했다.

③ till[until]: '~까지 (쭉)', '~하여 비로소'라는 의미로 사용된다. 시간의 '계속'을 나타내며, 전치사로도 쓰일 수 있다.

㉠ 「not A until[till] B」: B하고 나서야 비로소[이윽고, 그제서야] A하다 암기문법

• not A until[till] B(주어 + 동사)
• Not until[till] B(주어 + 동사) + A(동사 + 주어)
• It be not until[till] B(주어 + 동사) + that + A(주어 + 동사)

• She did **not** learn the truth **until** he told her of it.

그가 그녀에게 그것을 알리고 나서야 그녀는 비로소 그 진실을 알게 되었다.

→ **Not until** he told her of it **did she learn** the truth.

→ **It was not until** he told her of it **that she learned** the truth.

※ not until이 문장의 맨 앞에 오면 어순 도치에 주의해야 한다.

㉡ 긍정문: ~ 그리고 마침내 …하다

• He drove wildly, **till** he ran into a wall.

그는 거칠게 운전했고, 마침내 벽에 충돌했다.

※ 여기에서 till은 and at last(마침내)의 의미이다.

④ since

㉠ ~ 이래로: 접속사, 전치사, 부사로 쓰일 수 있다.

• It has been five years **since** they lived in L.A.

그들이 L.A.에 산 이래로 5년이 흘렀다.

→ It is five years **since** they lived in L.A.

• It has been raining **since** last night.

어젯밤부터 비가 내리고 있는 중이다.

ⓛ ~ 때문에: 접속사로만 쓰이므로 since 뒤에는 「주어＋동사」가 온다.

• He cannot be tired **since** he had a good sleep.

그는 잘 잤기 때문에 피곤할 리 없다.

⑤ as long as＝so long as: ~하는 동안은, ~하는 한, ~이기만 하다면

• **As long as** I live, I will not forget Paris. (~하는 동안은 = while)

내가 사는 동안은, 나는 파리를 잊지 않을 것이다.

• A little learning is not dangerous **so long as** you admit that it is little. (~하는 한, ~이기만 하다면 = if only)

적은 지식은 네가 그것이 적다는 것을 인정하는 한(인정하기만 한다면) 위험하지 않다.

⑥ 「as[so] far as＋주어＋be동사＋concerned」: ~에 관한 한

• **As far as** English **is concerned,** he is my teacher. 영어에 관한 한, 그가 내 선생님이다.

참 She is rich, **as far as** I know. (as far as: ~하는 한)

내가 아는 한, 그녀는 부자다.

⑦ while: 동작의 계속이나 기간을 나타낸다.

㉠ ~하는 동안에

• while(접속사)＋주어＋동사 → while you are having dinner
• during(전치사)＋특정한 기간 → during the vacation
• for(전치사)＋불특정한 기간 → for three days

• **While** I stay in London, I will meet her. 내가 런던에 머무는 동안, 나는 그녀를 만날 것이다.

• I fell asleep **while** I was talking. 나는 얘기하던 도중에 잠이 들었다.

참 I have stayed in this hotel **for** three days.

나는 이 호텔에서 3일 동안 머물렀다.

※ 기수, 즉 수사가 포함된 불특정한 기간에는 '~ 동안'의 의미로 전치사 for를 사용한다.

참 I have stayed in this hotel **during** my vacation.

나는 이 호텔에서 휴가 기간 동안 머물렀다.

※ 특정한 기간을 나타내는 my vacation은 '~ 동안'이라는 의미의 전치사 during과 함께 사용한다.

참 I have stayed in this hotel **during[for]** the past three days.

나는 이 호텔에서 지난 3일 동안 머물렀다.

※ 단, 기수가 포함되어 있는 「the[소유격/지시형용사] + 기수 + 명사」 등의 '특정한 기간'에는 for도 사용 가능한 경우가 있으니 주의하자.

ⓛ ~하지만, 한편, 반면에(= whereas)

• She is diligent, **while** her brother is lazy.

그녀의 오빠는 게으른 반면, 그녀는 성실하다.

⑧ as soon as: ~하자마자 암기문법

• The thief ran out of the house **as soon as** my mother appeared.

우리 엄마가 나타나자마자 그 도둑은 집 밖으로 도망쳤다.

POINT CHECK

POINT CHECK

⑨ by the time: ~할 때쯤이면

완료의 'by the time' 뒤에 나오는 기준 시점이 미래이면 주절은 미래완료로 나타낸다.

- **By the time** you grow up, I will not have been with you.
  네가 다 자랐을 때쯤이면, 나는 네 곁에 없을 것이다.
  ※ by the time은 '완료'의 뜻을 포함하므로 주절에 미래완료 동사가 온다.

⑩ whenever: ~할 때는 언제나, ~할 때마다 암기문법

- **Whenever** we meet, we have a quarrel. 우리는 만날 때마다 싸운다.
  → We **never** meet **without** having a quarrel.
  → We **never** meet **but** we have a quarrel.
  → **When** we meet, we **always** have a quarrel.

(2) 이유, 원인

because, as, since, for, (inasmuch) as, seeing that, on the ground that, so ~ that

① because: ~ 때문에

㉠ 접속사로 주절 앞뒤에 위치할 수 있으며 because 뒤에는 직접적인 원인이 이어진다.

- The final match was called off **because** it rained heavily.
  비가 많이 왔기 때문에 결승전이 취소되었다.
  → It rained heavily, **so** the final match was called off.
  → The heavy rain **resulted in** calling off the final match.
  → Calling off the final match **resulted from** the heavy rain.
  ※ result는 수동태 불가 동사로서 result in과 result from의 인과 관계 해석에 유의해야 한다.

참 because of: 전치사구로 뒤에 명사(구)가 이어진다.

- The final match was called off **because of** the heavy rain.
  폭우 때문에 결승전이 취소되었다.
  → The final match was called off **on account of** the heavy rain.
  → The final match was called off **owing to** the heavy rain.
  → The final match was called off **due to** the heavy rain.

㉡ 「not A because B」: B라고 해서 A하지는 않다, B 때문에 A한 것은 아니다

- She didn't leave him **because** he was poor.
  그녀는 그가 가난하다고 해서(가난하기 때문에) 그를 떠난 것이 아니었다.

헷갈리지 말자 「be due to + 명사/동명사」 vs. 「be due to + 동사원형」

- Her failure **is due to idleness.**
  그녀의 실패는 게으름 때문이다.

Do's

- She **is due to take** the class.
  그녀는 그 수업을 들을 예정이다.

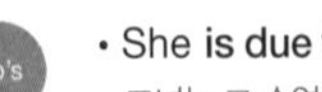

➡ 「be due to + 명사/동명사」는 '~ 때문이다'라는 의미이며, 「be due to + 동사원형」은 '~할 예정이다'라는 의미이다. 뒤에 어떤 품사가 오느냐에 따라 의미가 전혀 달라진다.

② inasmuch[in as much] as

㉠ ~이므로(= seeing that)

- She has no right to vote, **inasmuch as** she is a minor.

그녀는 미성년자이므로, 투표권이 없다.

→ She has no right to vote, **seeing that** she is a minor.

㉡ ~하는 한(= insofar as)

- **Inasmuch as** we don't give up liberty, we may do whatever we want.

자유를 포기하지 않는 한, 우리는 우리가 원하는 어떤 것을 해도 좋다.

→ **Insofar as** we don't give up liberty, we may do whatever we want.

③ on the ground that : ~라는 근거로, ~라는 이유로

- He objected **on the ground that** the sites were sensitive.

그는 그 장소들이 불안정하다는 이유로 반대했다.

④ 「so ~ that ...」

㉠ 결과 : 너무 ~해서 …하다

- She was **so** feverish **that** she nearly died.

그녀는 열이 너무 많이 나서 거의 죽을 뻔했다.

㉡ 정도 : …할 정도로 그렇게 ~하다

- He was not **so** feverish **that** he could not walk.

그는 걸을 수 없을 정도로 열이 나는 것은 아니었다.

㉢ so much so that : 매우 그러해서 ~하다

- Caffeine beverage is popular in Korea, **so much so that** even younger students drink it.

카페인 음료는 한국에서 인기 있어서, 심지어 어린 학생들도 그것을 마신다.

(3) 조건 암기문법

suppose, provided, granting, on condition, once, in case, if, considering that

① suppose[supposing] (that) : 만약 ~라면, ~라고 가정하면

- **Suppose that** you die tomorrow, who(m) would you like to be with now?

만약 당신이 내일 죽는다면, 지금 누구와 함께 있고 싶은가요?

② provided[providing] (that) : 만약 ~라면

- I will go, **provided that** she goes there.

그녀가 그곳에 간다면, 나는 갈 것이다.

③ granting[granted] (that) : 만약 ~라면

- **Granted that** he did so, what are you going to do?

그가 그렇게 했다고 하면, 당신은 어떻게 할 것입니까?

POINT CHECK

POINT CHECK

④ on condition (that): ~한다면, ~라는 조건으로

- The president has agreed to speak **on condition that** no questions are asked.
  질의가 없다는 조건으로 대통령은 연설을 수락했다.

⑤ once(= when once): 일단 ~하면

- **Once** he makes a promise, he always keeps his words.
  일단 약속을 하면, 그는 항상 자신이 뱉은 말을 지킨다.

⑥ in case: ~에 대비해서

「in case (that) + 주어 + 동사」: 만약 ~할 경우에 대비해서

- **In case that** I should fail, I would back up files.
  실패할 경우에 대비해서, 나는 파일들을 백업할 것이다.

참 「in case of + 명사(구)」: 만약 ~의 경우에 대비해서 (구 전치사)

- **In case of** my failure, I would back up files.
  나의 실패에 대비해서, 나는 파일들을 백업할 것이다.

⑦ if: 만약 ~라면, ~일지라도[~이지만]

- if: ~라면
- unless(= if ~ not): 만약 ~이 아니라면
- as[so] long as(= if only): ~이기만 하다면

- **Unless** the Earth rotates on its axis, day and night will cease.
  만약 지구가 자전하지 않는다면, 낮과 밤은 멈출 것이다.
- **As long as** the Earth rotates on its axis, day and night will never cease.
  지구가 자전하는 한, 낮과 밤은 절대 멈추지 않을 것이다.

⑧ considering (that)(= seeing that): ~을 고려하면

- **Considering (that)** he was new at the project, he did very well.
  그가 그 프로젝트에 처음이었던 것을 고려하면, 그는 매우 잘했다.
  → **Seeing (that)** he was new at the project, he did very well.

(4) 비교, 범위, 정도

than, as, as far as, as long as

비교급 표현에서 보이는 than 또는 as는 사실 접속사의 역할을 하고 있다.

- He spends more **than** he earns. 그는 그가 버는 것보다 쓰는 것이 더 많다.
- He is as tall **as** I am. 그는 나만큼 키가 크다.
- I will help you **as far as** I can. 내가 할 수 있는 한 당신을 돕겠다.

(5) 양보: 비록 ~일지라도

- though, although, even if, even though
- 「형용사/부사/무관사 명사 + as[though] + 주어 + 동사 ~, 주어 + 동사」

- She took care of her sisters **though** she was only ten.
  그녀는 겨우 10살이었지만 자신의 여동생들을 돌보았다.
- You must go tomorrow **even if** you aren't ready.
  준비가 안 되더라도 너는 내일 가야만 한다.

• Young **as** he is, he is very careful. 그는 비록 젊지만, 매우 신중하다.

(6) 주의해야 할 접속사

① now that: ~이므로, ~이기 때문에

• **Now (that)** she is gone, he misses her very much.
그녀가 가 버려서, 그는 그녀를 매우 그리워한다.

② in that: ~라는 점에서, ~이므로

• Men differ from animals **in that** they can think and speak.
인간은 생각하고 말할 수 있다는 점에서 동물과 다르다.

③ 「not A until[till] B」: B할 때까지는 A가 아니다, B해서야 비로소 A하다 암기문법

• Crops are **not** ripe **until** their season.
그들의 계절이 오기 전까지 곡물은 익지 않는다. (때가 되어야 한다.)

④ 「so ~ that」/「such ~ that」: 너무 ~해서 … 하다 (결과)

• He is **so** kind a boy **that** everyone likes him.
그는 너무 친절한 소년이어서 모두가 그를 좋아한다.
→ He is **such** a kind boy **that** everyone likes him.

참 It was very hot, **so that** we went swimming. (so that ~: 그래서 ~하다)
날씨가 매우 더워서, 우리는 수영하러 갔다.

• His anxiety was **such that** he lost his health.
그의 근심이 너무 지나쳐서 그는 건강을 잃었다.
→ **Such** was his anxiety **that** he lost his health.
※ 「such + 원인 + that + 결과」에서 such가 문두로 이동하여 강조되면 주어와 동사의 도치가 이루어지므로 유의해야 한다.

⑤ 「so that ~ may」=「in order that ~ may」: ~하기 위해서

• I came here **so that** I **might** study English. 나는 영어를 공부하기 위하여 여기에 왔다.

⑥ 「lest ~ (should)」: ~하지 않도록

• I study hard **lest** I **should** fail in the examination.
나는 그 시험에 실패하지 않도록 열심히 공부한다.

O We don't make a noise **lest** we **should** wake the baby.
우리는 아기를 깨우지 않기 위해 소리를 내지 않는다.

X We don't make a noise **lest** we **should not** wake the baby.
➡ 「lest ~ should」에는 부정의 의미가 포함되어 있으므로 이중부정으로 쓰지 않도록 유의해야 한다.

	「접속사 + 주어 + 동사」	「전치사(구) + 명사(구)/동명사/대명사」
이유	because	because of, due to, owing to, on account of
시간	while	during, for
양보	although, though, even if, even though	despite, in spite of
양태	as	like
비례	according as	according to
제외	but that, except that, save that	but for, except for, except
조건	in case	in case of
완료	by the time	by

POINT CHECK

08 「not A until[till] B」: □해서야 비로소 □하다

09 「so + □□□ / □□ ~ that + 주어 + 동사」/「such + □ □ ~ that + 주어 + 동사」: 너무 ~해서 …하다

10 「lest ~ should」 구문에서는 □□부정에 주의하라.

11 전치사구 뒤에는 명사(구)가 오며, 접속사 뒤에는 □이(가) 온다.

| 정답 | 08 B, A
09 형용사, 부사, 명사
10 이중 11 절

01 접속사

[01~10] 다음 중 어법상 옳은 것을 고르시오.

01 It is true [what / that] Julia is my aunt.

02 They insisted [that / lest] he should not fire the employee.

03 Either Jack [or / and] John has to do this work.

04 They didn't finish their homework, [nor / neither] did I.

05 She prepared a glass [and / then] poured water into it.

06 [Despite / Although] he is a specialist, nobody believes him.

07 I like both chicken [or / and] pizza.

08 His father is not a teacher [but / and] a doctor.

09 John announced [what / that] he would leave for New York.

10 I can't believe the fact [that / which] they escaped from there.

정답&해설

01 that

| 해석 | Julia가 내 이모라는 것은 사실이다.

| 해설 | 선행사가 없고 뒤따라오는 절이 완전하므로 접속사 'that'이 알맞다. 'it'이 가주어이고 'that Julia is my aunt'가 진주어인 문장으로, 'that'은 명사절을 이끄는 접속사로 쓰였다.

02 that

| 해석 | 그들은 그가 그 직원을 해고하지 말아야 한다고 주장했다.

| 해설 | 'lest'가 이끄는 절은 '~하지 않도록'의 의미로 이미 부정의 의미가 포함되어 있어 부정부사를 이중으로 사용할 수 없으나 'that'이 이끄는 절은 부정부사를 사용할 수 있으므로 'that'이 알맞다.

03 or

| 해석 | Jack이나 John 둘 중의 한 명이 이 일을 해야 한다.

| 해설 | 'A나 B 둘 중의 하나'를 의미하는 등위상관접속사인 「either A or B」의 표현이 되어야 하므로 'or'가 알맞다.

04 nor

| 해석 | 그들은 숙제를 끝내지 못했고 나도 그렇다.

| 해설 | 'nor'는 접속사로 절을 연결할 수 있으나 'neither'는 부사로 절을 연결할 수 없으므로 'nor'가 알맞다.

05 and

| 해석 | 그녀는 유리잔을 준비했고 그 안으로 물을 따랐다.

| 해설 | 접속사 'and'는 병렬 구조로 동사를 연결할 수 있으나 'then'은 부사로 단어나 어구를 병렬구조로 연결할 수 없으므로 'and'가 알맞다.

06 Although

| 해석 | 그는 전문가이지만, 아무도 그를 믿지 않는다.

| 해설 | 'although'는 접속사로 절을 연결할 수 있으나 'despite'은 전치사로 절을 연결할 수 없으므로 'Although'가 알맞다.

07 and

| 해석 | 나는 치킨과 피자 둘 다 좋아한다.

| 해설 | 'A와 B 둘 다'를 뜻하는 등위상관접속사 「both A and B」의 표현이 되어야 하므로 'and'가 알맞다.

08 but

| 해석 | 그의 아버지는 선생님이 아니라 의사이다.

| 해설 | 'A가 아니라 B'를 뜻하는 등위상관접속사 「not A but B」의 표현이 되어야 하므로 'but'이 알맞다.

09 that

| 해석 | John은 그가 뉴욕으로 떠날 것이라고 발표했다.

| 해설 | 뒤따라오는 절이 완전하므로 접속사 'that'이 알맞다.

10 that

| 해석 | 나는 그들이 그곳에서 탈출했다는 사실을 믿을 수 없다.

| 해설 | 접속사 앞에 'the fact'가 있고 뒤따라오는 절이 완전하므로 동격의 접속사 'that'이 알맞다.

[11~20] 다음 중 어법상 옳은 것을 고르시오.

11 Jack was not there [when / during] they arrived at his house.

12 Jack doesn't know [if / whether] or not Jane will give a present to him.

13 The committee argued [that / lest] Julia should not make a trouble.

14 John is neither angry [or / nor] sad.

15 They think [what / that] aliens exist.

16 William heard the rumor [that / which] Jack became a millionaire.

17 He suggested [that / lest] the region should not be destroyed.

18 [If / Whether] she will come to me or not is not important.

19 She went home [while / during] I was asleep.

20 William bought a present [and / then] gave it to her.

11 when

| 해석 | 그들이 Jack의 집에 도착했을 때 그는 거기에 없었다.

| 해설 | 'when'은 접속사로 절을 연결할 수 있으나 'during'은 전치사로 절을 연결할 수 없으므로 'when'이 알맞다.

12 whether

| 해석 | Jack은 Jane이 그에게 선물을 줄지 안 줄지 알지 못한다.

| 해설 | 'whether'는 바로 뒤에 'or not'을 사용할 수 있으나 'if'는 바로 뒤에 'or not'을 사용할 수 없으므로 'whether'가 알맞다.

13 that

| 해석 | 위원회는 Julia가 문제를 일으키지 말아야 한다고 주장했다.

| 해설 | 'lest'가 이끄는 절은 '~하지 않도록'의 의미로 이미 부정의 의미가 포함되어 있어 부정부사를 이중으로 사용할 수 없으나 'that'이 이끄는 절은 부정부사를 사용할 수 있으므로 'that'이 알맞다.

14 nor

| 해석 | John은 화가 나거나 슬프지 않다.

| 해설 | 「neither A nor B」는 등위상관접속사로 'A도 아니고 B도 아닌'을 뜻한다.

15 that

| 해석 | 그들은 외계인이 존재한다고 생각한다.

| 해설 | 뒤따라오는 절이 완전하므로 접속사 'that'이 알맞다.

16 that

| 해석 | William은 Jack이 백만장자가 되었다는 소문을 들었다.

| 해설 | 접속사 앞에 'the rumor'가 있고 뒤따라오는 절이 완전하므로 동격의 접속사 'that'이 알맞다.

17 that

| 해석 | 그는 그 지역이 파괴되어서는 안 된다고 제안했다.

| 해설 | 'lest'가 이끄는 절은 '~하지 않도록'의 의미로 이미 부정의 의미가 포함되어 있어 부정부사를 이중으로 사용할 수 없으나 'that'이 이끄는 절은 부정부사를 사용할 수 있으므로 'that'이 알맞다.

18 Whether

| 해석 | 그녀가 내게 올지 안 올지는 중요하지 않다.

| 해설 | 'whether'가 이끄는 절은 주어로 사용할 수 있으나 'if'가 이끄는 절은 주어로 사용할 수 없으므로 'Whether'가 알맞다.

19 while

| 해석 | 내가 잠든 사이에 그녀는 집에 갔다.

| 해설 | 'while'은 접속사로 절을 연결할 수 있으나 'during'은 전치사로 절을 연결할 수 없으므로 'while'이 알맞다.

20 and

| 해석 | William은 선물을 사서 그녀에게 그것을 주었다.

| 해설 | 접속사 'and'는 병렬 구조로 동사를 연결할 수 있으나 'then'은 부사로 단어나 어구를 병렬구조로 연결할 수 없으므로 'and'가 알맞다.

01 접속사

교수님 코멘트▶ 접속사는 절과 절을 연결하는 역할을 하므로 보통 복합문의 형태로 많이 제시된다. 이에 단순한 접속사뿐만 아니라 동사의 쓰임을 확인할 수 있는 문제들을 수록하였다. 접속사의 의미를 파악하여 절과 절의 관계를 분석하는 연습을 충분히 해야 한다.

01

2020 법원직 9급

다음 글의 밑줄 친 부분 중 어법상 틀린 것은?

As we consider media consumption in the context of anonymous social relations, we mean all of those occasions that involve the presence of strangers, such as viewing television in public places like bars, ① going to concerts or dance clubs, or reading a newspaper on a bus or subway. Typically, there are social rules that ② govern how we interact with those around us and with the media product. For instance, it is considered rude in our culture, or at least aggressive, ③ read over another person's shoulder or to get up and change TV channels in a public setting. Any music fan knows what is appropriate at a particular kind of concert. The presence of other people is often crucial to defining the setting and hence the activity of media consumption, ④ despite the fact that the relationships are totally impersonal.

01 **가주어-진주어, 병렬 구조, although vs. despite**

③ 'it'은 가주어이고 뒤의 'read over ~ in a public setting'이 진주어이므로 'read'가 아니라 'to read'가 와야 'to get up and change'와 병렬 구조를 이루는 올바른 표현이 된다.

| 오답해설 | ① 'such as' 이후에 'viewing', 'going', 'reading'이 병렬 구조로 옳게 쓰였다.

② 관계사 'that'의 선행사인 'rules'와 'govern'은 올바르게 수 일치가 되었다.

④ 전치사 'despite' 이후에 'the fact'라는 명사가 왔으므로 어법상 적절하다.

| 해석 | 우리가 미디어 소비를 익명의 사회적 관계의 맥락에서 고려할 때, 우리는 술집과 같은 공공장소에서 텔레비전을 보거나, 콘서트나 댄스 클럽에 가거나, 버스나 지하철에서 신문을 읽는 등 낯선 사람들이 있는 것과 관련된 모든 경우들을 의미한다. 전형적으로, 우리가 우리 주변의 사람들과 그리고 미디어 제품과 어떻게 상호 작용하는지를 좌우하는 사회적 규칙들이 있다. 예를 들어, 다른 사람의 어깨 너머로 읽거나, 공공장소에서 일어나 TV 채널을 바꾸는 것은 우리 문화에서 무례하거나 적어도 공격적으로 여겨진다. 음악 팬이라면 누구나 특정한 종류의 콘서트에서 무엇이 적절한지 안다. 다른 사람들의 존재는 그 설정과 그에 따른 미디어 소비의 활동을 정의하는 데 종종 결정적인데, 비록 그 관계가 특정 개인과 완전히 상관없다는 사실에도 불구하고 그러하다.

02

다음 우리말을 영어로 옮긴 것 중 알맞은 것을 고르시오.

① 나는 그 폭포의 아름다움을 설명할 수가 없었다.
→ I couldn't describe about the beauty of the waterfall.

② 나는 윤리 토론 수업을 마치고 영어 회화 수업에 참석했었다.
→ I participated in the English conversation class after I took the ethic debate class.

③ 그들은 둘 모두 역사가이지만, 서로 다른 학파에 속한다.
→ Though they both are historians, they are belonged to different schools.

④ 그녀는 그 결과를 붐비는 길에 서 있는 사람들에게 설명했다.
→ She explained people standing in the crowded street the result.

02 **접속사 after의 쓰임**

② 시간의 접속사 'after'는 선후 관계의 일을 열거할 때 시제를 구분하지 않아도 문맥상 시제를 추론할 수 있다. 물론 '~ after I had taken the ethic debate class'로도 쓸 수 있다.

| 오답해설 | ① 타동사 'describe'는 전치사 없이 목적어를 취하므로 'about'은 삭제해야 한다.

③ 자동사 'belong'은 수동태로 쓰이지 못하므로 'are belonged'는 'belong'이 되어야 한다.

④ 'explain'은 완전타동사로 목적어를 두 개 가질 수 없으므로, 대상은 「to + 대상」 형식으로 나타내며 목적어는 'explain' 뒤에 붙여 쓴다. 옳은 문장은 'She explained the result to people standing in the crowded street.'이다.

03

밑줄 친 부분 중 어법상 옳지 않은 것을 고르시오.

Researchers conducted a study ① in which people were asked to remember a terrible sin from their past, something ② that was unethical. The researchers asked them to describe how the memory made them ③ feel. They then offered half of the participants the opportunity to wash their hands. At the end of the study, they asked subjects ④ that they would be willing to take part in later research for no pay as a favor to a desperate graduate student.

04

밑줄 친 부분 중 어법상 옳지 않은 것을 고르시오.

Before the Second World War, agricultural operations in the Western world ① consisted of traditional family-run farms. These were small scale and were typically dependent on manual labor ② to work the land and tend the animals. There was a general view within society ③ what the farmers cared for their livestock because they were ④ closely tied to the farmers' livelihood.

---

03 that vs. whether/if

④ 수여동사 'ask'가 '~을 묻다, 물어보다'를 뜻하는 경우 직접목적어로 「의문사/whether/if + 절」은 사용할 수 있으나 「that + 절」은 사용하지 않는다. 해당 문장은 문맥상 'asked'가 '~을 물어보았다'는 의미의 수여동사로 사용되었으나 직접목적어에 「that + 절」을 사용하였으므로 틀린 문장이다. 따라서 'that'을 문맥에 맞게 접속사 'if' 또는 'whether'로 수정해야 한다.

| 오답해설 | ① 밑줄 친 'in which'는 「전치사 + 관계대명사」로 이때 관계대명사 'which'의 선행사는 'a study'이며 뒤에 오는 절은 완전한 형태이다.

② 밑줄 친 'that'은 'something'을 선행사로 하며 뒤에 오는 절이 주어가 없는 불완전한 형태이므로 주격 관계대명사임을 알 수 있다.

③ 밑줄 친 'feel'은 불완전타동사 'made'의 목적격 보어로 쓰인 원형부정사이다.

| 해석 | 연구자들은 사람들이 그들의 과거로부터 끔찍한 죄, 비윤리적인 어떤 것을 기억해 달라고 요청받았던 한 연구를 했다. 연구자들은 그들에게 그 기억이 그들을 어떻게 느끼게 만들었는지를 묘사해 달라고 요청했다. 그러고 나서 그들은 참가자들의 절반에게 그들의 손을 씻을 기회를 제공했다. 연구가 끝날 때, 그들은 절박한 상황에 놓인 대학원생에게 주는 호의로 돈을 받지 않고 이후의 실험에 기꺼이 참가할 것인지 피실험자들에게 물었다.

---

04 what vs. that

③ 뒤에 오는 절이 완전한 형태의 절이므로 밑줄 친 관계대명사 'what'은 틀린 표현이다. 이때 이후에 오는 명사절 'the farmers cared for their livestock ~.'은 명사(구) 'a general view'와 동격 관계를 이루고 있으므로 'what'을 접속사 'that'으로 수정해야 한다.

| 오답해설 | ① 해당 문장에서 'Before the Second World War'는 시간의 부사구로 '제2차 세계대전 이전'을 뜻하므로, 동사는 과거시제 또는 과거완료시제로 써야 한다. 따라서 밑줄 친 과거시제 동사 'consisted of'는 옳게 사용되었다. 또한 해당 문장에서 'consist'는 자동사로 사용되어 전치사 'of'와 결합해 '~으로 이루어지다'를 뜻한다.

② 밑줄 친 'to work'는 목적을 나타내는 to부정사의 부사적 용법에 해당하며, 뒤에 목적어 'the land'가 있으므로 to부정사의 능동태 'to work'는 옳은 표현이다.

④ 과거분사 'tied'를 수식해야 하므로 부사 'closely'는 옳은 표현이다.

| 해석 | 제2차 세계대전 이전에, 서양의 농업 활동은 전통적인 가족 운영 농장들로 이루어져 있었다. 이 농장들은 소규모였으며 토지를 경작하고 동물을 돌보기 위해서 일반적으로 육체노동에 의존했다. 가축들이 농부들의 생계에 밀접하게 연결되어 있었기 때문에 농부들이 자신들의 가축을 보살핀다는 일반적인 견해가 사회 내에 있었다.

| 정답 | 01 ③ 02 ② 03 ④ 04 ③

05
2014 사회복지직 9급

어법상 옳지 않은 것은?

Sometimes a sentence fails to say ① what you mean because its elements don't make proper connections. Then you have to revise by shuffling the components around, ② juxtapose those that should link, and separating those that should not. To get your meaning across, you not only have to choose the right words, but you have to put ③ them in the right order. Words in disarray ④ produce only nonsense.

06
2017 서울시 7급

다음 중 어법상 가장 옳지 않은 것은?

① What personality studies have shown is that openness to change declines with age.
② A collaborative space program could build greater understanding, promote world peace, and improving scientific knowledge.
③ More people may start buying reusable tote bags if they become cheaper.
④ Today, more people are using smart phones and tablet computers for business.

05 병렬 구조

② 전치사 'by' 이후에 'shuffling', 'separating'과 병렬 구조를 이루어야 하므로 동명사 형태인 'juxtaposing'이 되어야 한다.

| 오답해설 | ① 선행사를 포함한 관계대명사 'what'으로, '당신이 의미하는 것', '당신이 뜻하는 바'로 해석되며 이는 문법상 어색하지 않다.
③ 'the right words'를 대명사 'them'으로 받아 동어 반복을 피하였으며 수 일치도 올바르다.
④ 주어인 'Words'가 복수형이기 때문에 복수동사 'produce'는 적절하다.

| 해석 | 문장의 요소들이 적절한 연결성을 만들지 못하기 때문에 종종 어떤 문장은 당신이 뜻하는 바를 말하는 데 실패할 때가 있다. 그러면 당신은 그 요소들을 여기저기에 흩어 놓고, 연결해야 하는 것들을 나란히 두고, 그리고 연결성이 없는 것들은 떼어 놓으면서 수정해야 한다. 당신은 의미를 이해시키기 위해, 올바른 단어를 선택해야 할 뿐만 아니라 그것들을 올바른 순서로 배열해야 한다. 무질서한 단어는 잘못된 의미만 만들 뿐이다.

06 병렬 구조

② 해당 문장에서 'could'의 영향을 받는 동사원형인 'build'와 'promote', 'improve'는 병렬 구조를 이루어야 하므로 'improving'을 동사원형인 'improve'로 고쳐야 한다.

| 오답해설 | ① 선행사를 포함한 관계대명사 'What'이 이끄는 명사절이 주어에 해당되기 때문에 단수 취급하여 동사 'is'가 온 것은 적절하다. 또한 'that'은 보어로 쓰인 명사절을 이끄는 접속사로 옳게 사용되었다.
③ 'if'가 조건의 부사절이기 때문에 동사를 현재시제로 쓰는 것이 적절하다.
④ 시간의 부사 'Today'와 함께 쓰인 현재진행시제는 적절하다.

| 해석 | ① 성격에 관한 연구가 보여 준 것은 변화에 대한 개방성은 나이에 따라 감소한다는 것이다.
② 협업 우주 프로그램은 더 큰 이해를 구축하고, 세계 평화를 증진하며, 과학 지식을 향상시켜 줄 수 있었다.
③ 재사용 가능한 토트백(손잡이 달린 가방)이 더 저렴해지면, 더 많은 사람들이 그것을 사기 시작할 수도 있다.
④ 오늘날, 더 많은 사람들이 스마트폰과 태블릿 컴퓨터를 사업에 이용하고 있다.

07

2014 지방직 7급

어법상 옳은 것은?

① Humans share food, while monkeys fend for themselves.
② A sweat lodge is a tent which Sioux Indians take a ritual sweat bath.
③ If international trade doesn't exist, many products wouldn't be available on the market.
④ Corporations manufacturing computers with toxic materials should arrange for its disposal.

08

2017 지방직 7급

어법상 옳지 않은 것은?

① She approached me timidly from the farther end of the room, and trembling slightly, sat down beside me.
② When she felt sorrowful, she used to turn toward the window, where nothing faced her but the lonely landscape.
③ In evaluating your progress, I have taken into account your performance, your attitude, and for your improving.
④ The Main Street Bank is said to give loans of any size to reliable customers.

07 접속사 while의 쓰임

① 'while'은 접속사로 '~하는 반면에'라는 의미로 사용되었다. 또한 'fend for oneself'는 '혼자 힘으로 꾸려 나가다'를 의미한다.

| 오답해설 | ② 해당 문장에서는 선행사인 'a tent'를 완전한 절인 'Sioux Indians take a ritual sweat bath'가 수식하고 있으므로 「전치사+관계대명사」 또는 관계부사절이 필요하다. 따라서 'which'를 'in which'나 'where'로 수정해야 한다.
③ 의미상 현재 사실과 반대되는 것을 가정하고 주절에 「would+동사원형」이 있으므로 If절은 과거시제가 되어야 한다. 즉 'didn't exist'가 옳다.
④ 'its'가 가리키는 것은 'toxic materials(복수형)'이므로 'their'로 써야 한다.

| 해석 | ① 원숭이는 혼자서 꾸려 나가는 반면, 인간은 음식을 공유한다.
② 'sweat lodge'는 수우족 인디언들이 땀을 빼는 의식을 하는 텐트이다.
③ 만일 국제 무역이 존재하지 않는다면, 많은 제품들을 시장에서 구매하지 못할 것이다.
④ 독성 물질들을 가지고 컴퓨터를 만드는 회사들은 그것들의 처리에 대한 계획을 세워야 한다.

08 병렬 구조

③ 'your performance ~ your improving'은 동사 'have taken into account'의 목적어에 해당된다. 따라서 'your performance', 'your attitude'와 병렬 구조가 되도록 'for your improving'은 'your improvement'로 고쳐야 한다.

| 오답해설 | ① 타동사 'approach'는 '~로 다가가다'라는 의미로 전치사 'to' 없이 쓰는 것이 적절하다. 'trembling slightly'는 분사구문이며, 동사 'approached'와 'sat'이 병렬 구조를 이루고 있다.
② 「used to+동사원형」은 '~하곤 했다'라는 의미로 과거의 반복적인 동작 또는 상태를 나타낸다. 또한 관계부사 'where'은 계속적 용법으로 쓰이는 관계부사절을 이끌며 선행사인 'the window'를 부연 설명하고 있으며 'where' 이후가 완전한 문장 구조를 이루고 있으므로 옳다.
④ 'The Main Street Bank'가 주어이며 동사는 「be said+to+동사원형」의 형태로 '~라고 회자되다'의 의미로 옳게 쓰였다.

| 해석 | ① 그녀는 방의 먼 끝에서 소심하게 내게 다가와 살짝 떨며 내 옆에 앉았다.
② 그녀가 비통함을 느낄 때, 그녀는 창가 쪽으로 돌아서곤 했는데, 그곳은 외로운 풍경 외에는 아무것도 그녀와 마주하지 않았다.
③ 당신의 발전 정도를 평가할 때, 나는 당신의 성과, 태도, 그리고 개선점을 고려했다.
④ The Main Street 은행은 신뢰할 만한 고객들에게는 어떤 규모의 대출도 해 준다고 회자된다.

| 정답 | 05 ② 06 ② 07 ① 08 ③

09

2016 지방직 7급

우리말을 영어로 잘못 옮긴 것을 고르시오.

① 당신이 그것을 더 잘 이해할 수 있게 제가 도표를 만들었습니다.
→ I made a chart so that you can understand it better.

② 제가 사무실에 없을지도 모르니까 제 휴대전화 번호를 알려드릴게요.
→ In case I'm not in my office, I'll let you know my mobile phone number.

③ 선거에 대해서 말하자면 아직까지 누구에게 투표할지 못 정했어.
→ Speaking of the election, I haven't decided who I'll vote for yet.

④ 네가 여기에 오나 내가 거기에 가나 마찬가지다.
→ It's the same that you come here or I go there.

10

2021 국가직 9급

우리말을 영어로 가장 잘 옮긴 것을 고르시오.

① 당신이 부자일지라도 당신은 진실한 친구들을 살 수는 없다.
→ Rich as if you may be, you can't buy sincere friends.

② 그것은 너무나 아름다운 유성 폭풍이어서 우리는 밤새 그것을 보았다.
→ It was such a beautiful meteor storm that we watched it all night.

③ 학위가 없는 것이 그녀의 성공을 방해했다.
→ Her lack of a degree kept her advancing.

④ 그는 사형이 폐지되어야 하는지 아닌지에 대한 에세이를 써야 한다.
→ He has to write an essay on if or not the death penalty should be abolished.

---

09 that vs. whether/if

④ 주어진 우리말의 의미가 되려면 명사절을 이끄는 접속사 'that' 대신에 '~이든 (아니든)'의 뜻을 가진 'whether'로 수정해야 한다.

| 오답해설 | ① 「so that + 절」 구문은 '~할 수 있도록'의 의미로 목적을 나타낸다.
② 'in case ~'는 조건의 부사절을 이끌며, 이때 동사는 현재시제가 미래시제를 대신한다.
③ 'As I speak of the election'의 부사절을 분사구문으로 표현하여 능동형 분사가 이끄는 'Speaking of the election'이 된 것이므로 옳게 사용되었다. 또한 해당 문장에서 'who'는 목적격 의문대명사 'whom' 대신에 사용된 것으로 회화체에서 흔히 사용된다.

10 「so[such] ~ that」

② '너무 ~해서 ...하다'라는 표현은 'so[such] ~ that' 구문으로 표현할 수 있으며, 이 문장에서는 'such' 뒤에 명사 'storm'이 있으므로 어법에 맞다. 어순도 「such a + 형용사 + 명사」로 바르게 쓰였다.

| 오답해설 | ① as if는 '마치 ~인 것처럼'이라는 뜻의 접속사이므로 우리말 해석에 일치하지 않는다. '~일지라도'라는 양보의 의미가 되려면 「형용사/명사 + as + 주어 + 동사」의 어순이 되어야 하므로 if를 삭제하는 것이 옳다. 즉, 'Rich as you may be, ~'가 올바르다.
③ 「keep A -ing」는 'A가 계속 ~하게 하다'라는 의미이므로 우리말과 일치하지 않는다. 'A가 B하는 것을 방해하다'라는 표현은 「keep A from B(-ing)」로 써야 한다. 따라서 'her' 뒤에 'from'이 삽입되어야 알맞다.
④ 접속사 'if'는 '~인지 아닌지'의 의미로 쓰일 때, 바로 이어서 'if or not'의 형태로 쓸 수 없으며, 전치사의 목적어로도 사용할 수 없다. 따라서 'if' 대신 'whether'를 써야 한다.

| 정답 | 09 ④ 10 ②

ENERGY

무엇이든 넓게 경험하고 파고들어
스스로를 귀한 존재로 만들어라.

– 세종대왕

CHAPTER

02 관계사

□ 1회독	월	일
□ 2회독	월	일
□ 3회독	월	일
□ 4회독	월	일
□ 5회독	월	일

POINT CHECK

01 관계대명사는 「□□□+□□□」의 기능을 한다.

02 관계대명사가 이끄는 절은 항상 문장 구조가 □□□하다.

| 정답 | 01 접속사, 대명사
02 불완전

VISUAL G

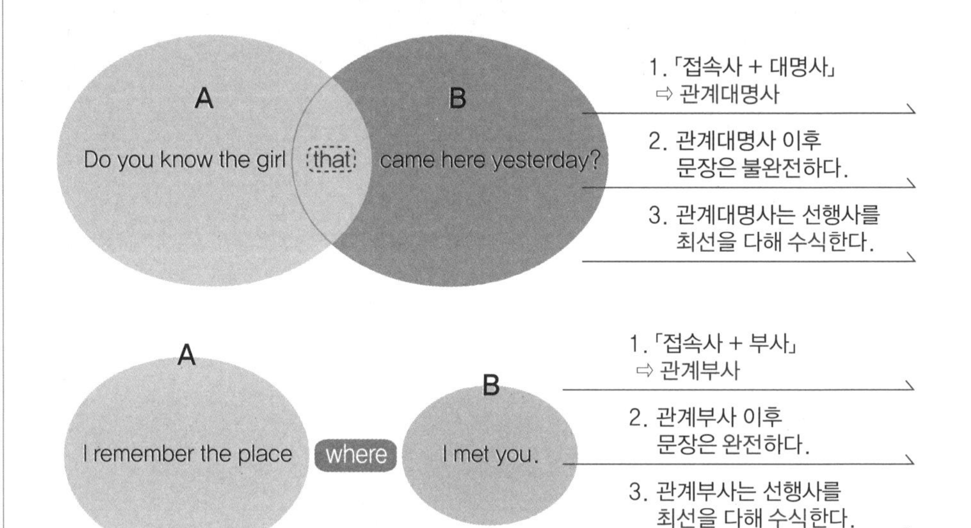

01 관계대명사

- Do you know **the girl**? + **The girl** came here yesterday.
  당신은 그 여자아이를 아시나요? + 그 여자아이가 어제 여기에 왔어요.
  → Do you know the girl **who** came here yesterday?
  당신은 어제 여기 왔던 그 여자아이를 아시나요?
  ※ who는 the girl을 선행사로 취하는 주격 관계대명사이자 came의 주어이다.
  수식을 받는 명사나 대명사를 선행사(先行詞: antecedent)라고 한다.

● 관계대명사의 분류

선행사 \ 격	주격	소유격	목적격		문장에서의 역할
사람	who	whose	who(m)	생략 가능	형용사절
동물, 사물	which	whose, of which	which		형용사절
사람, 동물, 사물	that	–	that		형용사절
사물(선행사 포함)	what	–	what		명사절

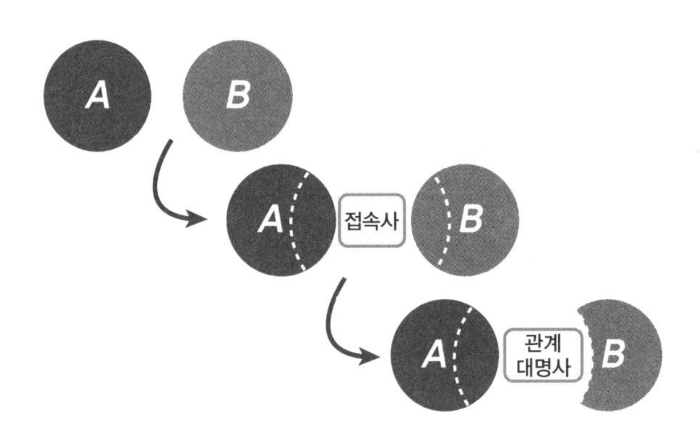

• **Children** must be taken care of. + **Their** parents are dead.
아이들은 돌보아져야 한다. + 그들의 부모는 사망했다.
→ Children **whose** parents are dead must be taken care of.
부모가 사망한 아이들은 돌보아져야 한다.

• **The woman** is Mrs. Brown. + You met **her**.
그 여성은 Brown 부인이다. + 당신은 그녀를 만났다.
→ The woman **whom** you met is Mrs. Brown.
당신이 만났던 그 여성은 Brown 부인이다.

• This is **the man**. + I am looking for **him**.
이 분이 그 남자이다. + 나는 그를 찾고 있다.
→ This is the man (**whom**) I am looking for.
→ This is the man for **whom** I am looking.
이 분이 내가 찾고 있는 그 남자이다.

02 관계대명사의 격

(1) 주격: 「선행사 + which[who, that] + ~~주어~~ + 동사」

• I know that girl **who** is coming here.
나는 여기로 오고 있는 저 소녀를 안다.

(2) 목적격: 「선행사 + which[whom, that] + 주어 + 동사 + ~~목적어~~」

• This is the book **which** I read yesterday.
이것은 어제 내가 읽었던 책이다.

POINT CHECK

03 관계대명사의 격은 관계대명사 뒤에 이어지는 절의 □□에 따라 결정된다.

| 정답 | 03 형태

POINT CHECK

04 「선행사 + 주격 관계대명사 + 동사」는 선행사와 동사를 □□□ 시킨다.

(3) **소유격: 「선행사 + whose + ~~관사 or 소유격~~ + 명사 + 동사」**

- She lives in that building **whose** roof is red.

  그녀는 지붕이 빨간 저 건물에 산다.

03 주격 관계대명사

선행사가 종속절 동사의 주어일 때 사용하며, 절과 절을 연결하는 접속사의 역할과 주어의 역할을 동시에 한다.

(1) **선행사가 사람일 때:** who, that

- I have **a friend.** + **She** plays tennis very well.

  나는 친구가 한 명 있다. + 그녀는 테니스를 매우 잘 친다.

  → I have a friend **who[that]** plays tennis very well.

  나는 테니스를 매우 잘 치는 친구가 한 명 있다.

- He is the boy **who[that]** broke the window.

  그가 창문을 깬 그 소년이다.

O **The girl** who[that] is dancing **is** my sister. 춤추고 있는 소녀는 내 언니이다.

X **The girl** who[that] is dancing **are** my sister.

➡ who is dancing은 관계대명사절로서 선행사인 The girl을 수식하고 있는데, The girl이 이 문장의 주어이므로 단수동사가 필요하다. The girl (who is dancing) is my sister.라고 분석해 보면 이해가 쉽다.

헷갈리지 말자 의문사 who vs. 관계대명사 who

- I know **who** can speak English well. (의문사가 이끄는 명사절)

  나는 누가 영어를 잘할 수 있는지 안다.

- I know a boy **who** can speak Korean well. (관계사가 이끄는 형용사절)

  나는 한국어를 잘할 수 있는 소년을 안다.

➡ 첫 번째 문장에서 who can speak English well은 명사절로서 know의 목적어이고, 이때 who는 의문사이다. 두 번째 문장에서 who can speak Korean well은 관계대명사절로서 선행사 a boy를 수식하고 있고, 이때 who는 관계대명사이다. 의문사와 관계대명사를 구별하는 방법은 선행사의 유무임을 잊지 말아야 한다. 또한 의문사 who는 '누구'라고 해석이 된다는 점도 차이점이다.

(2) **선행사가 사물일 때:** which, that

- I have **a book.** + **It** is very interesting.

  나는 책이 한 권 있다. + 그것은 아주 재미있다.

  → I have a book **which[that]** is very interesting. 나는 아주 재미있는 책이 한 권 있다.

  ※ 여기서 which는 선행사 a book이라는 사물을 수식하는 형용사절을 이끌며, 주격 관계대명사로 쓰였다.

- We have a cat **which[that]** catches rats very well.

  우리에게는 쥐를 아주 잘 잡는 고양이가 있다.

- Look at that castle **which[that]** stands on the hill.

  언덕 위에 서 있는 저 성을 보세요.

| 정답 | 04 수 일치

04 목적격 관계대명사

선행사가 종속절의 목적어 역할을 할 때 사용한다. 즉, 절과 절을 연결하는 접속사의 역할과 타동사의 목적어 또는 전치사의 목적어 역할을 동시에 한다.

(1) 선행사가 사람일 때: who(m), that

• He is **the boy**. + I met **him** yesterday.

그는 소년이다. + 나는 그를 어제 만났다.

→ He is the boy **whom[that]** I met yesterday.

그는 내가 어제 만났던 소년이다.

O He is the boy **who(m)** I met yesterday.

X He is the boy **whom** met yesterday.

➡ 현대 영어에서는 목적격 관계대명사로 who를 사용하는 경우도 있지만, 주격 관계대명사 who를 whom으로 대신할 수는 없다.

(2) 선행사가 사물일 때 타동사의 목적격 관계대명사: which, that

「선행사 + (목적격 관계대명사) + 주어 + 타동사」

• This is **the book**. + I read **it** yesterday.

이것이 그 책이다. + 나는 그것을 어제 읽었다.

→ This is the book **which[that]** I read yesterday.

→ This is the book I read yesterday. (목적격 관계대명사 생략)

이것이 내가 어제 읽었던 책이다.

(3) 선행사가 사물일 때 전치사의 목적격 관계대명사: which

「선행사 + (목적격 관계대명사) + 주어 + 자동사 + 전치사」
「선행사 + 전치사 + 목적격 관계대명사 + 주어 + 자동사」

• This is **the house**. + She lives in **it**.

이것은 그 집이다. + 그녀는 그 집에서 산다.

→ This is the house **which** she lives **in**. (목적격 관계대명사)

→ This is the house she lives **in**. (목적격 관계대명사 생략)

→ This is the house **in which** she lives. (전치사 + 관계대명사)

여기가 그녀가 사는 집이다.

※ 여기서 the house와 it은 동일한 것이고, it은 전치사 in의 목적어이다. it을 관계대명사 which로 바꾸어 한 문장으로 만들면 which는 전치사 in의 목적격 관계대명사가 된다.

O This is the house I was born **in**. 이것은 내가 태어난 집이다.

X This is the house **in** I was born.

➡ 목적격 관계대명사는 타동사의 목적어가 될 수 있을 뿐 아니라 전치사의 목적어도 될 수 있다. 목적격 관계대명사는 생략이 가능하지만, 앞에 전치사가 있는 경우 전치사는 놔두고 목적격 관계사만 생략하는 것은 불가능하다. 단, 선행사의 종류가 시간, 장소, 방법, 이유인 경우 「전치사 + 관계대명사」의 동반 생략은 가능하다.

POINT CHECK

05 목적격 관계대명사는 타동사 또는 □□□의 목적어이다.

06 목적격 관계대명사는 □□이 가능하다.

| 정답 | 05 전치사 06 생략

POINT CHECK

07 소유격 관계대명사로는 □□□□□을(를) 사용하며, 같은 의미로는 「□□+which」가 있다.

05 소유격 관계대명사

절과 절을 연결하는 접속사의 역할과 선행사의 소유격의 역할을 동시에 한다.

(1) 선행사가 사람일 때: whose

- **The doctor** likes to play chess. + **His** office is near my house.

  그 의사는 체스 두기를 좋아한다. + 그의 사무실은 우리 집 근처이다.

  → The doctor **whose** office is near my house likes to play chess.

  우리 집 근처에 사무실이 있는 그 의사는 체스 두기를 좋아한다.

  ※ 여기서 whose는 who의 소유격 관계대명사이므로 whose office처럼 whose 뒤에는 반드시 무관사 ~~(a[an]/the)~~ 명사가 뒤따른다는 점에 유의해야 한다. whose가 이끄는 관계대명사절 whose office is near my house가 수식하는 선행사는 The doctor이다.

(2) 선행사가 사물일 때: whose, of which

- I have found **a book.** + **Its** cover is red.

  나는 책 한 권을 찾아냈다. + 그것의 표지는 빨간색이다.

  → I have found a book **whose** cover is red.

  나는 표지가 빨간 책을 한 권 찾아냈다.

  → I have found a book the cover **of which** is red.

  → I have found a book **of which** the cover is red.

  ※ whose가 이끄는 관계대명사절 whose cover is red가 수식하는 선행사는 a book이다. 여기서 whose는 which의 소유격 관계대명사이므로 whose cover처럼 whose 뒤에는 반드시 명사가 뒤따른다는 점에 유의해야 한다. 관계대명사 whose는 사람뿐 아니라 사물과 동물을 선행사로 하며, 선행사가 사물인 경우에는 whose 대신에 of which를 사용할 수도 있다. 이는 of를 이용해 무생물의 소유격을 나타내는 형태와 같은 것이다.

- the girl **whose** eyes 그 소녀의 눈
- the writer **whose** book 그 작가의 책
- the house **whose** roof 그 집의 지붕

※ 「선행사 + whose + 명사」의 구조에서 명사는 반드시 선행사의 피소유물에 해당된다.

헷갈리지 말자 소유격 관계대명사 whose vs. 소유격 관계대명사 of which

- I saw a car **whose** windows were all broken.

  나는 창문이 모두 깨진 자동차를 봤다.

- I saw a car the windows **of which** were all broken.
- I saw a car **of which** the windows were all broken.

  나는 창문이 모두 깨진 자동차를 봤다.

➡ 선행사가 사물일 때 소유격 관계대명사로는 whose와 of which 둘 다 쓸 수 있다. 단, whose 뒤에는 무관사 명사가 나오고, of which는 앞 또는 뒤에 「the + 명사」 형태로 반드시 정관사를 포함하는 명사가 와야 한다는 점에 유의한다.

| 정답 | 07 whose, of

06 관계대명사의 용법

(1) 한정적[제한적] 용법

관계대명사 앞에 콤마(,)가 없으며, 뒤에서부터 앞으로 해석한다. 관계대명사가 이끄는 형용사절이 앞에 있는 선행사를 수식하며 한정 또는 제한하는 경우를 한정적[제한적] 용법이라고 한다.

• Everybody likes Beckham **who** is handsome.

모두가 잘생긴 Beckham을 좋아한다.

(2) 계속적[서술적] 용법

관계대명사 앞에 콤마(,)가 있으며 선행사에 대해 부연 설명하는 경우를 계속적[서술적] 용법이라고 한다. 앞에서부터 뒤로 해석하며 「접속사(and/but/for/though) + 대명사」로 바꾸어 쓸 수 있다.

① 「접속사(and, but, for, though) + 대명사」의 역할을 한다.

② 구와 절을 선행사로 하기도 한다.

• He said that he saw me there, **which** was just a lie.

그가 거기서 나를 봤다는데, 그건 그냥 거짓말이에요.

※ 계속적 용법의 관계대명사 which는 선행 절 전체 또는 구를 가리킬 수 있다.

③ 관계대명사 that은 계속적 용법에 쓸 수 없다.

• She will meet her old friend, **who** hasn't seen her for 10 years.

그녀는 그녀의 오래된 친구를 만날 예정인데, 그 친구는 그녀를 10년 동안 보지 않았다.

O I don't know the actress, **whom** everyone likes.

나는 그 여배우를 모르지만 모두가 그녀를 좋아한다.

X I don't know the actress, **that** everyone likes.

➡ 관계대명사 that은 계속적 용법으로 쓸 수 없다.

(3) 한정적 용법과 계속적 용법의 비교

• We have four sons **who** became teachers.

우리는 선생님이 된 아들 넷이 있다.

※ 선생님이 되지 않은 다른 아들이 또 있을 수도 있다.

• We have four sons, **who** became teachers.

우리는 네 명의 아들이 있는데, 그들은 선생님이 되었다.

※ 아들 넷이 있는데, 모두 선생님이 되었다.

POINT CHECK

08 관계대명사의 한정적 용법과 계속적 용법을 나누는 기준은 □□이다.

| 정답 | 08 콤마

POINT CHECK

09 선행사에 the only, the very, the same 등이 포함되어 있을 경우에는 관계대명사로 반드시 □□□□을(를) 사용한다.

| 정답 | 09 that

07 관계대명사 that의 쓰임

관계대명사 that은 전치사 뒤와 계속적 용법에 사용되지 않으며, 소유격이 존재하지 않는다. 하지만 선행사가 다음과 같은 경우에는 관계대명사 that을 쓰는 것이 원칙이다.

(1) 사람과 동물 두 가지가 선행사인 경우

- I know **the boy and his dog that** are coming this way.

  나는 이쪽으로 오고 있는 소년과 그의 개를 알고 있다.

  ※ 선행사가 the boy and his dog이기 때문에 관계대명사 that을 사용한다.

- Look at the picture of **a man and a horse that** are crossing the river.

  강을 건너고 있는 남자와 말의 그림을 보라.

(2) all, every, some, any, no 등이 선행사이거나 선행사에 포함된 경우

- **All that** glitters is not gold.

  반짝이는 것이라고 모두 금은 아니다.

- He didn't say **anything that** I wanted to hear.

  그는 내가 듣고 싶어 했던 것을 아무것도 말해 주지 않았다.

(3) the only, the very, the same 등이 선행사에 포함되어 있는 경우

- Man is **the only** animal **that** can think.

  인간은 사고를 할 수 있는 유일한 동물이다.

- She is **the very** woman **that** I have wanted to marry.

  그녀는 내가 결혼하고 싶어 했던 바로 그 여자이다.

헷갈리지 말자 관계대명사 vs. 유사 관계대명사

- This is **the same** wallet **that** I lost.

  이것은 내가 잃어버렸던 것과 똑같은 지갑이다.

- This is **the same** wallet **as** I lost.

  이것은 내가 잃어버렸던 것과 같은 (종류의) 지갑이다.

➡ 일반적으로 「the same ~ that ...」은 동일한 것을 나타내고, 「the same ~ as ...」는 같은 종류의 것을 나타낸다. 이때 as와 같은 것을 '유사 관계대명사'라고 한다. 관계대명사 that은 '잃어버린 바로 그 지갑'을 나타내는 것이고, 유사 관계대명사 as는 '내가 잃어버린 것과 같은 종류의 지갑'을 나타낸다.

(4) 선행사가 형용사의 최상급이나 서수의 수식을 받는 경우

- This is **the oldest** building **that** I have ever seen.

  이것은 여태껏 내가 본 것 중 가장 오래된 건물이다.

- Johansson was **the first** person **that** left here.

  Johansson은 이곳을 떠난 최초의 사람이었다.

(5) 의문사 who가 선행사일 경우

• **Who** can do such a thing? + **Someone** has common sense.

누가 그런 짓을 할 수 있을까? + 누군가는 상식을 가지고 있다.

→ **Who that** has common sense can do such a thing?

상식이 있는 사람이라면 누가 그런 짓을 할 수 있을까?

※ 선행사가 의문사 who인 경우 관계대명사로 who를 쓰면 Who who로 시작하는 문장이 되기 때문에, 관계대명사는 반드시 that만 사용한다.

(6) 관계대명사로 that을 쓰지 못하는 경우

① 계속적 용법에 사용하지 못하므로 콤마(,) 뒤에 쓸 수 없다.

• The player won the first prize**, which** made not only her but also her family happy.

그 선수는 1등을 했고, 이것이 그녀뿐만 아니라 그녀의 가족도 행복하게 해 주었다.

☒ The player won the first prize**, that** made not only her but also her family happy.

② 관계대명사 앞에 that을 목적어로 하는 전치사가 있으면 that을 사용할 수 없다. 앞에서 언급한 「전치사 + 관계대명사」 예문을 통해 다시 확인해 보자. 단 전치사와 떨어져 있을 때는 관계대명사 that의 사용이 가능하니 주의해야 한다.

◎ This is the bike **that** I spoke **of.** 이것이 내가 말한 자전거이다.

☒ This is the bike **of that** I spoke.

◎ This is the house **that** she lives **in.** 이것이 그녀가 사는 집이다.

☒ This is the house **in that** she lives.

10 관계대명사 □□□□은(는) 계속적 용법으로 쓰이지 않는다. 즉, 관계대명사 □□□□은(는) 콤마(,) 뒤에는 오지 않는다.

08 관계대명사 what의 쓰임

(1) 선행사를 포함한 관계대명사로, what절은 문장에서 명사 역할을 하여 주어, 목적어, 보어로 쓰일 수 있다.

• Show me **the thing.** + **It** is in your right pocket.

그것을 나에게 보여 주시오. + 그것은 당신의 오른쪽 주머니에 있어요.

→ Show me **what[the thing which]** is in your right pocket.

당신의 오른쪽 주머니에 있는 것을 나에게 보여 주시오.

※ 관계대명사 what은 명사절을 이끌며, 관계사절에서 동사 is의 주어 역할을 하고 있다.

• I do **the thing.** + I can do **it.**

나는 그것을 한다. + 나는 그것을 할 수 있다.

→ I do **what[the thing that]** I can do. 나는 내가 할 수 있는 것을 한다.

※ 관계대명사 what은 명사절을 이끌며, 관계사절에서 동사 do의 목적어 역할을 하고 있다.

11 관계대명사 what이 이끄는 절은 문장에서 □□, □□□, □□(으)로 쓰일 수 있다.

(2) 관계대명사 what과 바꾸어 쓸 수 있는 표현

• **What** I want is your advice. (what은 want의 목적어이자 is의 주어)

내가 원하는 것은 당신의 조언이다.

→ **The thing which** I want is your advice.

POINT CHECK

| 정답 | 10 that, that
11 주어, 목적어, 보어

POINT CHECK

• I don't believe **what** he said. (what은 believe의 목적어이자 said의 목적어)

나는 그가 말했던 것을 믿지 않는다.

→ I don't believe **all that** he said.

• That is **what** he said. (what은 is의 보어이자 said의 목적어)

그것이 그가 말한 것이다.

→ That is **the thing which** he said.

(3) what의 관용표현

① what we[you, they] call = what is called = what one calls: 소위, 이른바

• His parents are able to give their children **what is called** a sound education.

그의 부모님은 이른바 좋은 교육을 그들의 자녀들에게 줄 수 있다.

② what one is[was, used to be]: 현재의[과거의] 인격

what one has[had]: ~의 재산, ~가 가진 것

• I owe **what I am** to my mother. 나의 인격은 나의 어머니 덕분이다.

• I'm not **what I was**. 나는 예전의 내가 아니다.

= I'm not what I **used to be**.

• He was judged by **what he had**. 그는 그의 재산으로 판단되었다.

③ 「A is to B what[as] C is to D.」: A의 B에 대한 관계는 C의 D에 대한 관계와 같다.

암기문법

• Reading **is to** the mind **what** food **is to** the body.

독서의 정신에 대한 관계는 음식의 신체에 대한 관계와 같다.

④ 「what is + 비교급」: 더욱 ~한 것은

「what is + 최상급」: 가장 ~한 것은

• what is worse 설상가상으로

• what is better 금상첨화로

• She is beautiful, and **what is better**, very smart.

그녀는 아름답고, 금상첨화로, 아주 똑똑하다.

⑤ 「what by[with] ~, what by[with] …」: ~하기도 하고, …하기도 해서

• **What with** hunger, and **what with** tiredness, they eventually fell down.

허기에 더해, 피곤함까지 쌓여, (배고프기도 하고 피곤하기도 해서) 그들은 결국 쓰러졌다.

⑥ 「what + little(양)/few(수)」: 적지만 ~ 전부

• They gave her **what little** money they had.

그들은 그들이 갖고 있는 돈을 적지만 전부 그녀에게 주었다.

09 관계대명사의 생략

(1) 「주격 관계대명사 + be동사」의 경우 생략 가능

• The person (**who is**) sleeping in the room is Beckham.

그 방에서 자고 있는 사람은 Beckham이다.

※ 「주격 관계대명사 + be동사」는 한 세트처럼 함께 생략될 수 있는데, 이 경우 결국 분사가 직접 명사를 수식하는 형태가 된다. 따라서 분사의 개념으로 이해하는 것도 가능하다. 위 문장에서는 현재분사 sleeping이 The person을 수식하게 된다.

(2) 목적격 관계대명사 단독 생략 가능

• The person (**whom**) you know is sleeping.

당신이 아는 그 사람은 자고 있는 중이다.

O The person **of whom** you are afraid is sleeping.

당신이 두려워하는 그 사람은 자고 있는 중이다.

X The person **of** you are afraid is sleeping.

➡ 선행사 뒤의 관계대명사가 「전치사 + 목적격 관계대명사」의 형태를 취하면 목적격 관계대명사는 생략이 불가하다.

(3) 주격 보어일 때 단독 생략 가능

주격 보어 또는 주어로 쓰일 경우 관계대명사는 생략이 가능하지만, 이 점이 어법의 옳고 그름을 판단하는 문제로 비중 있게 출제되지는 않는다.

• The boy (**who**) I thought was honest tells a lie.

내가 정직하다고 생각했던 그 소년은 거짓말을 한다.

※ 관계대명사 바로 뒤에 삽입절이 들어간 경우 관계대명사는 단독 생략이 가능하다.

• He is not the person (**that**) he was ten years ago.

그는 10년 전 그 사람이 아니다.

• The woman is not the cheerful woman (**that**) she was before she married.

그 여자는 결혼 전 활기 넘치던 여자가 아니다.

(4) 주절이 there/here is로 시작하는 경우 생략 가능

유도부사로 시작하는 경우, 관계대명사는 생략이 가능하다. 그러나 어법성을 판단하는 문제로는 출제되지 않으며, 독해 지문에서만 종종 등장한다.

• **There is** a man downstairs (**who**) wants to see him.

아래층에 그를 만나고 싶어 하는 남자가 있다.

(5) 관계대명사 바로 뒤에 there/here is가 올 경우 생략 가능

역시 문법의 중요한 출제 포인트로는 다뤄지지는 않는 편이다.

• Brad Pitt is one of the most active politicians (**who**) **there are** in the world.

Brad Pitt는 세상에 존재하는 가장 활발히 활동하는 정치가 중 한 명이다.

POINT CHECK

12 문장 중에 「명사 + (대)명사 + 동사」의 전개에는 □□□□□이(가) 숨어 있다.

| 정답 | 12 관계대명사

POINT CHECK

13 유사 관계대명사를 사용할 경우 □□□의 형태를 반드시 확인해야 한다.

| 정답 | 13 선행사

10 유사 관계대명사 암기문법

● 선행사별 유사 관계대명사 정리

선행사	유사 관계대명사
as + 명사 such + 명사 the same + 명사	as
no + 명사 nobody no one few little	but
비교급 포함 명사	than

(1) 유사 관계대명사 as: as, such, the same 등이 선행사 앞에 올 경우

• Read **such** a book **as** benefits you.

당신에게 득이 되는 그런 책을 읽어라.

• Read **such** books **as** will be useful.

유용할 그런 책들을 읽어라.

• They were from England, **as** I knew from accent.

그들이 영국에서 왔다는 것은 억양으로 알게 되었다.

※ 앞 절 전체가 선행사인 경우이다.

• **As is often the case with him**, he played basketball after school.

그에게 있어 흔히 그러하듯이, 그는 방과 후에 농구를 했다.

※ 'as is often the case with ~'는 '~에게 있어 흔히 그러하듯이'라는 의미로, 뒤의 절 전체가 선행사인 경우이다.

(2) 유사 관계대명사 but: 부정어가 선행사일 때(= that ~ not …)

선행사에 not/no/few/little 등의 부정어가 있을 경우, '~하지 않는'이라는 의미를 포함하는 부정 유사 관계대명사이다.

• There is **no rule but** has exceptions.

예외 없는 규칙은 없다.

→ There is **no rule that** does **not** have exceptions.

※ 유사 관계대명사 but 안에 이미 「that ~ not …」의 의미가 포함되어 있으니 해석에 유의해야 한다.

• There is **nobody but** has his fault.

결점 없는 사람은 없다.

→ There is **nobody that** does **not** have his fault.

• There is **no one but** loves his own family.

자신의 가족을 사랑하지 않는 사람은 없다.

→ There is **no one that** does **not** love his own family.

• There is **no one but** loves one's country.

자신의 나라를 사랑하지 않는 사람은 없다.

→ There is **no one that** does **not** love one's country.

O There is **no** one **but** will help him. 그를 돕지 않을 사람은 없다.

X There is **no** one **but** will **not** help him.

➡ 유사 관계대명사 but 안에 이미 부정의 의미가 포함되어 있으므로, **not**을 또 써서 이중부정을 만들지 않도록 유의하자.

• **Who** is there **but** makes a mistake?

실수를 하지 않는 사람이 누가 있겠는가?

※ 유사 관계대명사 but의 선행사는 who이며, 이 문장은 부정의 의미를 가진 수사의문문(rhetorical question)으로 사용된다.

(3) 유사 관계대명사 than: 비교급과 관련된 표현일 때

• I made **more** money **than** I had expected.

나는 내가 예상했던 것보다 더 많은 돈을 벌었다.

• I made **more** money **than** had been expected.

나는 예상되었던 것보다 더 많은 돈을 벌었다.

11 관계형용사

(1) 관계형용사 what: what이 관계형용사로 쓰이면 all(모든)의 뜻을 내포한다.

• She gave us **money**. + She had **that money**.

그녀는 우리에게 돈을 주었다. + 그녀는 그 돈을 가졌다.

→ She gave us **what** money she had.

→ She gave us **all** the money **that** she had.

그녀는 그녀가 가진 모든 돈을 우리에게 주었다.

※ 주절과 종속절에 공통적으로 money가 존재하고 종속절의 지시형용사 that을 대신할 것으로 관계형용사인 what이 쓰였다. 여기서 관계형용사 what은 두 절을 연결하고 지시형용사의 역할을 대신하고 있다.

(2) 관계형용사 which: which가 관계형용사로 쓰일 때는 계속적 용법으로, 반드시 「which + 명사」 형태로 사용된다.

• The student spoke Spanish, **which language** his teacher couldn't understand.

그 학생은 스페인어를 말했는데, 그 언어를 그의 선생님은 이해할 수 없었다.

※ which가 관계형용사로 명사 language를 수식하고 있다.

POINT CHECK

14 「접속사 + 형용사」 = □□□□□

| 정답 | 14 관계형용사

POINT CHECK

15 복합 관계대명사 = 「□□□□□+□□□□」

| 정답 | 15 관계대명사, -ever

12 복합 관계대명사/복합 관계형용사

(1) 복합 관계대명사

「관계대명사 + -ever」의 형태로 「대명사 + 관계대명사」의 역할을 하며, 선행사를 포함하고, 단수 취급한다.

① 명사절

whoever(주격)	anyone who	누구든 ~하는 사람
whomever(목적격)	anyone whom	누구든 ~하는 사람
whatever	anything that	~한 것은 무엇이든 (범위가 정해지지 않은 막연한 것)
whichever	anything which	어느 쪽이든 ~한 것 (범위가 정해진 선택의 뜻일 때)

- Give it to **whoever** needs it. 누구든 그것을 필요로 하는 사람에게 그것을 주어라.
- Give it to **whomever** you like. 누구든 당신이 좋아하는 사람에게 그것을 주어라.
- I will give you **whatever** you want. 당신이 원하는 것은 무엇이라도 주겠다.
- Choose **whichever** you want. 어느 쪽이든 당신이 원하는 것을 선택하라.

O **Whoever** comes will be welcomed. 누가 오든지 환영받을 것이다.

X **Anyone whoever** comes will be welcomed.

➡ 복합 관계대명사에는 이미 선행사의 개념이 포함되어 있으므로 선행사가 따로 필요없다.

O I will give them to **whoever** wants them.

나는 그것들을 누구든지 그것들을 원하는 사람에게 줄 것이다.

X I will give them to **whomever** wants them.

➡ 복합 관계대명사의 격은 관계사절 내에서의 문장 성분에 맞추는 것을 기억하자. 주어 자리에 오면 주격으로 바꿔주자.

O I will give it to **whomever** you like. 나는 그것을 누구든지 네가 좋아하는 사람에게 줄 것이다.

X I will give it to **whomever** likes us.

➡ 복합 관계대명사는 whoever와 whomever의 격을 구분하는 것이 주된 출제 포인트이다. 관계사 이후에 주어가 없으면 주격, 목적어가 없으면 목적격 관계대명사가 쓰여야 한다는 것에 유의하자.

② 부사절

whoever	no matter who	누가 ~하더라도
whomever	no matter whom	누구를 ~하더라도
whichever	no matter which	어느 쪽이[것을] ~하더라도
whatever	no matter what	무엇이[무엇을] ~하더라도
whosever	no matter whose	누구의 ~이든지

- **Whoever** may come, he won't be welcomed. (= No matter who)
  누가 오든지, 그는 환영받지 못할 것이다.
- **Whomever** you love, you must not believe him from the beginning.
  (= No matter whom)
  누구를 사랑하든, 당신은 그를 처음부터 믿어서는 안 된다.

POINT CHECK

- **Whichever** he selects, the cost is not important to me. (= No matter which)
  그가 어떤 것을 선택하더라도, 비용은 나에게 중요하지 않다.
- **Whatever** you may do, do it right now. (= No matter what)
  당신이 무엇을 할지라도, 지금 당장 해라.
- **Whosever** they are, I want one of them. (= No matter whose)
  그것들이 누구의 것일지라도, 나는 그것들 중 하나를 원한다.

③ whatever 강조 용법

- We don't have doubt about him **whatever.**
  우리는 그에 대해서는 뭐든 의심하지 않는다.

  ※ whatever는 '그 밖에 등등'이라는 의미로, and the like, and so on, and what not과 유사한 의미로 사용될 수 있다.

(2) 복합 관계형용사

「whatever/whichever + 명사」 형태를 말한다.

whosever + 명사	…하는 누구의 ~라도
whatever + 명사	어떤 ~라도
whichever + 명사	…하는 것은 어떤 ~라도

① 명사절

- **Whosever runner** comes in first wins the race.
  누구라도 처음 들어오는 주자가 경주에서 이긴다.
- You may read **whatever book** you like. (= any book that)
  당신이 좋아하는 어떤 책이라도 읽어도 좋다.
- Take **whichever book** you like. (= any of the books that)
  당신이 좋아하는 어떤 책이든 가져가라.

② 부사절

- **Whichever book** you may choose, I will give it to you for your birthday gift.
  네가 어떤 책을 고르더라도, 나는 너의 생일 선물로 그것을 너에게 줄 것이다.
- **Whatever language** you may learn, you should study hard.
  네가 어떤 언어를 배우더라도, 너는 열심히 공부해야 한다.

13 관계대명사절

(1) 「주격 관계대명사 + 삽입」

~ 주격 관계대명사 + (주어 + think / 주어 + imagine / 주어 + guess / 주어 + believe / 주어 + be sure) + 동사

POINT CHECK

16 시간, 장소, 방법, 이유를 나타내는 선행사 뒤의 「전치사 + 관계대명사」는 □□□□(으)로 바꾸어 쓸 수 있다.

| 정답 | 16 관계부사

- I know the girl who **I think** is honest.

  나는 내가 정직하다고 생각하는(내 생각에 정직한) 소녀를 알고 있다.

  ※ 주격 관계대명사 이후 「주어 + 동사 + 동사」 구조가 이어지면 「주어 + 동사」가 삽입된 경우이다.

(2) 「목적격 관계대명사 + 삽입」

~ 목적격 관계대명사 + (주어 + think / 주어 + imagine / 주어 + guess / 주어 + believe / 주어 + be sure) + 주어 + 동사

- I know the girl whom **I am sure** you are afraid of.

  나는 내가 확신하기에 네가 두려워하는(네가 두려워한다고 내가 확신하는) 소녀를 알고 있다.

  ※ 목적격 관계대명사 이후 「주어 + 동사 + 주어 + 동사」 구조가 이어지면 「주어 + 동사」가 삽입된 경우이다

14 관계부사

관계부사는 접속사와 부사의 역할을 동시에 하며, 관계부사 다음에는 문장의 주요소가 반드시 갖추어진 완전한 절이 와야 한다. 관계부사는 「전치사 + 관계대명사」로 바꾸어 쓸 수 있다.

「전치사 + 명사」 ⇨ 부사	「전치사 + 관계대명사」 ⇨ 관계부사
I live **with happiness**. 나는 행복하게 산다. ⇩ I live **happily**. 나는 행복하게 산다.	There is an old house **in which** I was born. 내가 태어난 옛집이 있다. ⇩ There is an old house **where** I was born. 내가 태어난 옛집이 있다.

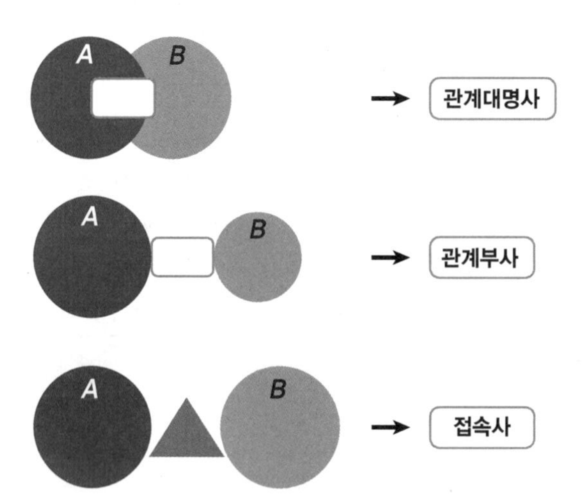

관계대명사는 선행사가 있고 뒤따라오는 문장이 불완전하며, 그에 비해 관계부사는 선행사는 있으나 뒤따라오는 문장이 완전하다는 차이점이 있다. 참고로 접속사가 이끄는 절은 완전하며 선행사라는 개념이 존재하지 않는다.

선행사	때	장소	이유	방법
관계부사	when = at[on] which	where = in which	why = for which	how = in which

POINT CHECK

(1) 관계부사 when

시간을 나타내는 선행사를 관계부사 when이 이끄는 관계부사절로 수식한다.

Do you know **the time**? + The test is going to start **at that time**.
몇 시인지 아십니까? 시험이 그 시간에 시작할 것입니다.

⇩

- Do you know **the time which** the test is going to start **at**? (전치사의 목적어로 쓰인 관계대명사)
- Do you know **the time at which** the test is going to start? (전치사 + 관계대명사)
- Do you know **the time when** the test is going to start? (관계부사 when)
- Do you know **the time that** the test is going to start? (관계부사 that)
- Do you know **when** the test is going to start? (선행사 the time 생략)

시험이 언제 시작하는지 아십니까?

- There are times **when** the old feel lonesome.

노인들이 외로움을 느끼는 때가 있다.

(2) 관계부사 where

장소를 나타내는 선행사를 관계부사 where이 이끄는 관계부사절로 수식한다.

This is **the place**. + I worked **in it**.
이곳은 장소이다. 내가 그곳에서 일했다.

⇩

- This is **the place which** I worked **in**. (전치사의 목적어로 쓰인 관계대명사)
- This is **the place in which** I worked. (전치사 + 관계대명사)
- This is **the place where** I worked. (관계부사 where)
- This is **the place that** I worked. (관계부사 that)
- This is **where** I worked. (선행사 the place 생략)

이곳은 내가 일했던 곳이다.

- There are cases **where** honesty seems meaningless.

정직함이 무의미하게 보이는 경우들이 있다.

※ 관계부사 where의 선행사는 주로 물리적 공간인 장소를 나타낸다. 단, 위의 경우처럼 추상적 공간이나 상황에 해당되는 선행사 the situation, the experiment, the case, the disorder 등도 where의 선행사로 쓰일 수 있음에 유의하자.

POINT CHECK

17 관계부사 중 계속적 용법이 가능한 것은 □□□□, □□□□□뿐이다.

| 정답 | 17 when, where

(3) 관계부사 why

Tell me **the reason**. + Your son was absent **for that reason**.
이유를 말해 주십시오. 당신의 아들이 그 이유로 결석했습니다.

⇩

- Tell me **the reason which** your son was absent **for**. (전치사의 목적어로 쓰인 관계대명사)
- Tell me **the reason for which** your son was absent. (전치사 + 관계대명사)
- Tell me **the reason why** your son was absent. (관계부사 why)
- Tell me **the reason that** your son was absent. (관계부사 that)
- Tell me **the reason** your son was absent. (관계부사 why 생략)
- Tell me **why** your son was absent. (선행사 the reason 생략)

당신의 아들이 결석한 이유를 말해 주십시오.

- There is no **reason why** you should go. 당신이 가야 할 이유가 없다.

※ the reason과 why는 함께 쓸 수도 있고 둘 중 하나만 쓸 수도 있다.

(4) 관계부사 how

This is **the way**. + She solved the problem **in that way**.
이것이 방법이다. 그녀가 그 문제를 그 방법으로 해결했다.

⇩

- This is **the way which** she solved the problem **in**. (전치사의 목적어로 쓰인 관계대명사)
- This is **the way in which** she solved the problem. (전치사 + 관계대명사)
- This is ~~**the way how**~~ she solved the problem. (×) (관계부사 how와 선행사 the way는 함께 쓸 수 없다.)
- This is **the way** she solved the problem. (관계부사 how 생략)
- This is **how[that]** she solved the problem. (선행사 the way 생략)

이것이 그녀가 그 문제를 해결한 방법이다.

15 관계부사의 용법

(1) 관계부사의 계속적[서술적] 용법

관계대명사의 계속적 용법과 마찬가지로, 앞에서부터 순서대로 해석한다.

① when과 where만 계속적[서술적] 용법이 가능하다.

- He was about to reply**, when** she cut in.

그가 답하려 했을 때, 그녀가 그의 말을 잘랐다.

- My parents took me to the museum**, where** we enjoyed ourselves.

부모님께서 나를 박물관으로 데려가셨고, 거기에서 우리들은 즐거웠다.

② 계속적[서술적] 용법의 관계부사 앞에는 콤마(,)가 있다.

- ~, when = ~, and then(그리고 그때)
- ~, where = ~, and there(그리고 그곳에서)

- Wait till nine, **when** he will be back.

9시까지 기다려라, 그때쯤이면 그는 돌아올 것이다.

→ Wait till nine, **and then** he will be back.

- I went to his place, **where** I stayed for all day.

  나는 그의 집에 갔고, 거기서 나는 하루 종일 머물렀다.

  → I went to his place, **and there** I stayed for all day.

(2) 주의해야 할 관계부사 용법

관계부사의 선행사가 the time, the day, the place, the reason 등과 같이 일반적인 선행사인 경우에는 생략할 수 있다. 이때 선행사 없이 단독으로 쓰인 관계부사는 부사절이나 명사절을 이끌게 된다. 선행사 없는 관계부사가 명사절을 이끌 때는 '~하는 때(when)', '~하는 장소(where)', '~하는 이유(why)', '~하는 방법(how)'과 같이 명사절로 해석하는 것이 좋다.

- You may come (at the time) **when** I'm home. (부사절)

  내가 집에 있을 때는 와도 좋다.

- Sunday is (the day) **when** I get up late. (명사절로 is의 보어)

  일요일은 내가 늦게 일어나는 날이다.

- I know (the place) **where** he lived. (명사절로 know의 목적어)

  나는 그가 살았던 곳을 안다.

- Noon is (the time) **when** I'm not so busy. (명사절로 is의 보어)

  정오는 내가 그렇게 바쁘지 않은 때이다.

- I can't tell (the reason) **why** they have gone abroad. (명사절로 tell의 목적어)

  나는 왜 그들이 해외에 가 버렸는지 모른다.

- That is **how** he solved the problem. (명사절로 is의 보어)

  그것은 그가 문제를 풀었던 방식이다.

- I told her **how** I had opened it. (명사절로 told의 직접목적어)

  나는 그것을 어떻게 열었었는지 그녀에게 말했다.

참 This is the city **where** I was born. (형용사절)

  이곳은 내가 태어난 도시이다.

16 복합 관계부사

whenever, wherever, however는 그 자체가 선행사를 포함하여, 양보를 나타내는 부사절을 이끈다.

(1) 복합 관계부사 whenever

'~할 때면 언제나'라는 의미이다.

- I will see him **whenever** he visits us.

  나는 그가 우리를 방문할 때면 언제나 그를 볼 것이다.

POINT CHECK

18 관계부사의 일반적인 선행사는 □□할 수 있다.

| 정답 | 18 생략

POINT CHECK

(2) **복합 관계부사 wherever**

'~하는 곳은 어디에나'라는 의미이다.

- You may stay **wherever** you like to stay.

  당신은 당신이 머물고 싶은 곳이면 어디든 머물 수 있다.

(3) **복합 관계부사 however**

'아무리 ~해도'라는 의미이다.

- **However** stupid he is, he will not make such a mistake again.

  그가 아무리 멍청할지라도, 그는 다시는 그런 실수를 하지 않을 것이다.

  → **No matter how** stupid he is, he will not make such a mistake again.

O **However**(= No matter how) **hard** you may try, you can't finish it in a day.

네가 아무리 열심히 노력해도, 그것을 하루에 끝낼 수는 없다.

X **However**(= No matter how) you may try **hard**, you can't finish it in a day.

➡ However가 수식하는 형용사나 부사는 However 바로 뒤에 위치해야 한다.

O **However difficult** the problem is, you shouldn't give it up.

그 문제가 아무리 어렵더라도, 너는 그것을 포기해서는 안 된다.

X **However difficultly** the problem is, you shouldn't give it up.

➡ however가 '아무리 ~일지라도'라는 의미의 복합관계부사로 쓰일 경우, 형용사나 부사가 뒤따라 나온다. 명사는 however 뒤에 올 수 없다. 형용사가 올지 부사가 올지는 문장 구조나 문맥을 통해 확인해야 한다.

17 관계대명사와 관계부사의 차이

19 「관계대명사 + 불완전한 절」 vs. 「관계부사 + □□□ □」

관계대명사 뒤의 절은 불완전한 반면, 관계부사 뒤의 절은 완전하다.

- This is the city **which** I like best. (like의 목적어가 없음)

  이곳은 내가 가장 좋아하는 도시이다.

- This is the city **where** I was born. (수동태 문장으로 완전한 문장 구조임)

  이곳은 내가 태어난 도시이다.

헷갈리지 말자 관계대명사 vs. 관계부사

- I remember the time **which** we fell in love at. (관계대명사)

  나는 우리가 사랑에 빠졌던 그 시간을 기억한다.

- I remember the time **when** we fell in love. (관계부사)

  나는 우리가 사랑에 빠졌던 때를 기억한다.

➡ 관계대명사와 관계부사의 차이점은 선행사가 아니라, 뒤따라오는 절의 구조이다. 전치사 at으로 끝나는 절이 불완전한 것이다.

| 정답 | 19 완전한 절

02 관계사

[01~10] 다음 중 어법상 옳은 것을 고르시오.

01 He forgot the place [when / where] he had met Jane.

02 Jack gave a present to the girl [at that / at whom] I looked.

03 I know the boy [who / which] has two dogs.

04 Jack reads a book [which / of which] the cover is blue.

05 I like the woman [who / whose] house is really big.

06 John met the student [whom / whose] I taught English.

07 This is the only thing [which / that] you can do.

08 Julia doesn't know [what / that] he did.

09 John saw the boy [to whom / at whom] they laughed.

10 I gave a toy to my son, [who / that] gave it to his girlfriend.

정답&해설

01 where

|해석| 그는 Jane을 만났던 장소를 잊어버렸다.

|해설| 선행사가 장소를 나타내는 명사 'the place'이고 관계사 뒤의 절이 완전한 3형식 구조이므로 관계부사 'where'을 사용하는 것이 옳다.

02 at whom

|해석| Jack은 내가 본 그 소녀에게 선물을 주었다.

|해설| 관계대명사 'that'의 경우 앞에 전치사를 사용할 수 없으므로 'at whom'이 알맞다.

03 who

|해석| 나는 두 마리의 개를 가진 그 소년을 안다.

|해설| 선행사가 사람을 나타내는 명사 'the boy'이므로 관계대명사 'who'를 사용하는 것이 옳다.

04 of which

|해석| Jack은 표지가 파란 책을 읽는다.

|해설| 관계대명사 뒤에 따라오는 절이 완전한 2형식 구조이므로 주격 관계대명사를 사용할 수 없다. 따라서 「전치사 + 관계대명사」인 'of which'가 알맞다.

05 whose

|해석| 나는 집이 정말 큰 그 여성을 좋아한다.

|해설| 관계대명사 뒤에 따라오는 절이 완전한 2형식 구조이므로 주격 관계대명사를 사용할 수 없다. 따라서 소유격 관계대명사 'whose'가 알맞다.

06 whom

|해석| John은 내가 영어를 가르쳐 줬던 그 학생을 만났다.

|해설| 관계대명사 뒤에 따라오는 절이 완전한 3형식 구조를 취하고 있는 것처럼 보이지만 선행사 'the student'는 taught의 간접목적어에 해당하므로 목적격 관계대명사 'whom'을 사용하는 것이 옳다. 또한 'whose' 뒤에는 대명사는 올 수 없고 명사가 와야 한다.

07 that

|해석| 이것은 네가 할 수 있는 유일한 것이다.

|해설| 선행사가 'the only thing'이므로 관계대명사 'that'을 사용하는 것이 옳다.

08 what

|해석| Julia는 그가 했던 일을 모른다.

|해설| 선행사가 없고 뒤따라오는 절이 불완전하므로 선행사를 포함하는 관계대명사 'what'이 알맞다.

09 at whom

|해석| John은 그들이 비웃었던 그 소년을 보았다.

|해설| 'laugh at'은 '~을 비웃다'를 뜻하므로 'at whom'이 알맞다.

10 who

|해석| 나는 아들에게 장난감을 주었는데, 그는 그것을 그의 여자 친구에게 주었다.

|해설| 관계대명사 앞에 콤마(,)가 있으므로 계속적 용법으로 사용할 수 있는 관계대명사 'who'가 알맞다.

[11~20] **다음 중 어법상 옳은 것을 고르시오.**

11 My mother and my sister like the Welsh Corgi, [that / which] likes people.

12 I met Jack on the day [when / which] the fire broke out.

13 Jane remembers the result [which / of which] the research showed.

14 William didn't remember [what / that] Jane taught to him.

15 They knew the time [when / which] the dog reacted to the stimulus.

16 Julia likes the music [which / to which] William listened.

17 I tried to open the door, [which / that] was impossible.

18 The geologist found the place [which / where] the earthquake had started.

19 Julia spoke to a man [which / whose] face looked like a rabbit.

20 The committee canceled the travel [to that / to which] they looked forward.

정답&해설

11 which

|해석| 나의 엄마와 나의 여동생은 그 웰시 코기를 좋아하고, 그 개는 사람들을 좋아한다.

|해설| 관계대명사 앞에 콤마(,)가 있으므로 계속적 용법으로 사용할 수 있는 관계대명사가 'which'가 알맞다.

12 when

|해석| 그 화재가 발생했던 날에 나는 Jack을 만났다.

|해설| 선행사가 시간을 나타내는 명사 'the day'이고 관계사 뒤의 절이 완전한 2형식 구조이므로 관계부사 'when'을 사용하는 것이 옳다.

13 which

|해석| Jane은 그 연구가 보여 줬던 결과를 기억한다.

|해설| 관계대명사 뒤에 따라오는 절에서 동사 'showed'의 목적어가 없으므로 목적격 관계대명사 'which'를 사용하는 것이 옳다.

14 what

|해석| William은 Jane이 그에게 가르쳐 줬던 것을 기억하지 못했다.

|해설| 선행사가 없고 뒤따라오는 절은 동사 'taught'의 목적어가 없어 불완전하므로 선행사를 포함하는 관계대명사 'what'이 알맞다.

15 when

|해석| 그들은 그 개가 자극에 반응했던 시간을 알았다.

|해설| 선행사가 시간을 나타내는 명사 'the time'이고 뒤따라오는 절이 2형식 구조로 완전하므로 관계부사 'when'을 사용하는 것이 옳다.

16 to which

|해석| Julia는 William이 들었던 그 음악을 좋아한다.

|해설| 완전자동사 'listen'은 전치사 'to'를 사용하여 목적어를 가지므로 'to which'가 알맞다.

17 which

|해석| 나는 문을 열고자 했지만, 그것은 불가능했다.

|해설| 선행사가 'to open the door'이고 관계대명사 앞에 콤마(,)가 있으므로 계속적 용법의 관계대명사를 찾아야 한다. 'that'은 계속적 용법으로 사용할 수 없으므로 'which'가 옳다.

18 where

|해석| 그 지질학자는 지진이 시작된 장소를 발견했다.

|해설| 선행사가 장소를 나타내는 'the place'이고 뒤따라오는 절이 2형식 구조로 완전하므로 관계부사 'where'을 사용하는 것이 옳다.

19 whose

|해석| Julia는 얼굴이 토끼처럼 생긴 남자와 이야기를 하였다.

|해설| 관계대명사 뒤로 따라오는 절이 2형식이고 주어 'face'도 있으므로 주격 관계대명사를 사용할 수 없다. 따라서 소유격 관계대명사 'whose'가 알맞다.

20 to which

|해석| 위원회는 그들이 고대했던 여행을 취소했다.

|해설| 관계대명사 'that'의 경우 앞에 전치사를 사용할 수 없으므로 'to which'가 알맞다. 'look forward to(~을 고대하다)'의 표현이 쓰였다.

02 관계사

교수님 코멘트▶ 관계사는 접속사의 역할과 주어, 목적어, 보어, 부사구 등의 역할을 하므로 문장 구조를 파악하는 것이 매우 중요하다. 따라서 관계사만을 묻는 문제가 아니라 접속사와 비교 분석하는 문제들을 제시하였으니, 이를 통해 정확히 관계사를 파악하는 것이 좋겠다.

01

2016 지방교육행정직 9급

다음 중 어법상 틀린 것을 고르시오.

The navigational compass was one of ① the most important inventions in history. It sparked an enormous age of exploration ② which in turn brought great wealth to Europe. This wealth is ③ that fueled later events such as the Enlightenment and the Industrial Revolution. It has been continually simplifying the lives of people around the globe ④ since its introduction to the world.

02

2017 법원직 9급

다음 글의 밑줄 친 부분 중 어법상 쓰임이 적절하지 않은 것은?

Performing from memory is often seen ① to have the effect of boosting musicality and musical communication. It is commonly argued that the very act of memorizing can guarantee a more thorough knowledge of and intimate connection with the music. In addition, memorization can enable use of direct eye contact with an audience ② who is more convincing than reference to the score. Those who "possess" the music in this way often convey the impression that they are spontaneously and sincerely communicating from the heart, and indeed, contemporary evidence suggests that musicians who achieve this ③ are likely to find their audiences more responsive. Moreover, when performers receive and react to visual feedback from the audience, a performance can become truly interactive, ④ involving genuine communication between all concerned.

01 관계대명사 what

③ 'that' 이하에서 동사 'fueled'의 주어와 관계사의 선행사가 모두 존재하지 않으므로, 선행사를 포함한 관계대명사인 'what'을 사용하는 것이 옳다.

| 오답해설 | ① 'the most'는 최상급 표현이며, 「one of the + 최상급 + 복수명사」의 형태이므로 그 쓰임이 적절하다.

② 'which'는 'age of exploration'을 선행사로 하는 주격 관계대명사이다.

④ 주절에 현재완료시제가 사용되었고, 시간의 부사구로 'since its introduction to the world'가 사용되고 있으므로 옳다.

| 해석 | 항해 나침반은 역사상 가장 중요한 발명품 중 하나였다. 그것은 거대한 탐험 시대를 촉발시켰고 결과적으로 유럽에 엄청난 부를 가져왔다. 이러한 부는 훗날 계몽주의와 산업혁명과 같은 사건에 부채질을 해 준 것이다. 그것은 세상에 소개된 이래로 계속적으로 전 세계 사람들의 삶을 간소화하고 있다.

02 관계대명사 which

② 선행사가 'use of ~ audience'이므로, 관계대명사 'which'가 적절하다.

| 오답해설 | ① 지각동사 'see'의 수동태는 「be seen + to + 동사원형」의 어순이다.

③ 주어가 'musicians'이므로 복수동사 'are'는 적절하다.

④ 'involve'와 주어가 능동 관계이므로 현재분사 'involving'은 옳게 사용되었다.

| 해석 | 암기하여 연주하는 것은 종종 음악성과 음악적 소통을 향상시키는 효과가 있는 것으로 보인다. 일반적으로 암기라는 바로 그 행위가 보다 더 철저한 음악 지식과 음악과의 친밀한 관계를 보장할 수 있다고 주장된다. 게다가, 암기는 관객과 직접적인 눈 맞춤을 사용하도록 해 줄 수 있는데, 그것은 악보를 참고하는 것보다 더 설득력이 있다. 이런 방식으로 음악을 "소유하는" 사람들은 종종 그들이 마음으로부터 우러나 자발적이면서도 진실하게 의사소통을 한다는 인상을 전달한다. 그리고 실제로 현대의 증거는 이를 달성하는 음악인들은 청중들이 더 호응을 잘한다는 것을 알게 될 가능성이 있음을 암시한다. 또한, 공연자들이 청중으로부터 시각적 피드백을 받고 그것에 반응할 때, 공연은 관련된 모든 사람들 사이에서의 진실한 의사소통을 포함하여, 진정으로 상호적이 될 수 있다.

| 정답 | 01 ③ 02 ②

03

2019 서울시 7급 제1회

밑줄 친 부분 중 어법상 가장 옳지 않은 것은?

The growth of foreign markets and competition, most notably those in China and India, ① is having a tremendous impact on the manner in which companies conduct business all over the globe. In fact, the advent of outsourcing and off-shoring(the shifting of production to sites outside the United States), which helped place China and India on the economic map, has created quite a debate in the United States and abroad as to ② whether economic globalization is a good or an evil. Many, however, suggest that globalization is a good thing, and that outsourcing and off-shoring are simple manifestations of the economic theory of comparative advantage, ③ which holds that everyone gains when each country specializes in ④ that it does best.

04

2021 국가직 9급

밑줄 친 부분 중 어법상 옳지 않은 것은?

Urban agriculture (UA) has long been dismissed as a fringe activity that has no place in cities; however, its potential is beginning to ① be realized. In fact, UA is about food self-reliance: it involves ② creating work and is a reaction to food insecurity, particularly for the poor. Contrary to ③ which many believe, UA is found in every city, where it is sometimes hidden, sometimes obvious. If one looks carefully, few spaces in a major city are unused. Valuable vacant land rarely sits idle and is often taken over—either formally, or informally—and made ④ productive.

03 관계대명사 what

④ 'that' 뒤의 절에 'does'의 목적어가 없으므로 불완전한 구조이며, 선행사 또한 없으므로 관계대명사 'that'을 사용할 수 없다. 또한, 관계대명사 'that'은 전치사의 목적어로 쓰일 수 없다. 'that' 대신 선행사를 포함하는 관계대명사 'what'을 사용해야 어법상 '그것이 가장 잘하는 것'이 되어 문맥상으로도 옳다.

| 오답해설 | ① 문장의 주어가 'The growth of foreign markets and competition'이므로 "The growth"에 맞춰 단수동사 'is'를 쓰는 것이 알맞다.

② 「whether A or B(A인지 B인지)」 구문으로 올바른 표현이다.

③ 관계대명사의 계속적 용법으로, 선행사가 'the economic theory of comparative advantage'이므로 관계대명사 'which'는 올바른 표현이다.

| 해석 | 특히 중국과 인도의 시장에서, 해외 시장과 경쟁의 증가는 전 세계적으로 기업들이 사업을 수행하는 방식에 엄청난 영향을 미치고 있다. 실제로, 중국과 인도를 경제 지도에 올려놓는 데 기여한 아웃소싱과 오프쇼어링(생산을 미국 이외의 지역으로 이동하는 것)의 등장은 미국과 해외에서 경제 세계화가 선인지 악인지에 대해 상당한 논쟁을 불러일으켰다. 그러나 많은 사람들은 세계화가 좋은 것이며, 아웃소싱과 오프쇼어링은 비교 우위의 경제 이론의 단순한 표현이라고 시사하고 있는데, 이것은 각 나라가 그 나라가 가장 잘하는 것을 전문으로 할 때 모든 사람이 이득을 얻는다고 주장한다.

04 관계대명사 what

③ 밑줄 친 'which' 이후의 'many believe'에서 'many'는 주어의 역할을 하는 명사로 사용되었고, 타동사인 'believe'의 목적어가 없으므로 many believe는 불완전한 구조이다. 또한 관계대명사 which 앞에는 선행사의 역할을 하는 명사도 없다. 따라서 전치사구 'Contrary to'의 목적어 역할을 할 수 있는 명사절을 이끌면서 선행사를 포함하는 관계대명사가 필요하다. 따라서 밑줄 친 'which'는 'what'으로 수정해야 한다.

| 오답해설 | ① 주어 'its potential'과 'realize'는 의미상 수동의 관계이므로 수동태가 온 것은 적절하다.

② 'involve'는 동명사를 목적어로 취하는 완전타동사이므로 동명사 'creating'의 쓰임은 적절하다.

④ 'made' 앞에 'is'가 생략된 수동태 문장이다. 불완전타동사 make가 수동태로 전환될 때, 목적격 보어로 쓰인 형용사는 그대로 동사 뒤에 위치하므로, 형용사 형태인 'productive'는 적절하다.

| 해석 | 도시 농업(UA)은 오랫동안 도시에서 설 곳이 없는 비주류 활동으로 치부되어 왔다. 그러나 그것의 잠재력이 인식되기 시작하고 있다. 사실 UA는 식량 자립에 관한 것이다. 그것은 일자리 창출을 수반하며, 특히 빈곤한 사람들에게 있어서는 식량 불안정에 대한 대응이다. 많은 사람들이 믿는 것과 대조적으로, UA는 모든 도시에서 발견되는데, 그곳에서 그것은 때때로 숨겨져 있거나, 때로는 명백하다. 주의 깊게 살펴보면, 주요 도시에서 사용되지 않는 공간은 거의 없다. 귀중한 공지는 좀처럼 놀고 있지 않으며, 공식적으로든 비공식적으로든 종종 점유되어 있어서 생산적이게 된다.

05

2018 서울시 9급

밑줄 친 부분 중 어법상 가장 옳지 않은 것은?

I'm ① pleased that I have enough clothes with me. American men are generally bigger than Japanese men so ② it's very difficult to find clothes in Chicago that ③ fits me. ④ What is a medium size in Japan is a small size here.

06

2016 지방직 7급

밑줄 친 부분 중 어법상 옳지 않은 것을 고르시오.

Jazz originated from styles of popular music that ① were blended to satisfy social dancers. It began developing during the 1890s in New Orleans, and it was fully formed by the early 1920s when it was recorded in New York, Los Angeles, and Chicago. Several different trends led to the birth of jazz. ② One was the practice of taking liberties with the melodies and accompaniments of tunes. This led to ③ that we today call improvisation. Another was black Americans ④ creating new kinds of music such as ragtime and blues.

05 관계대명사절의 수 일치

③ 주격 관계대명사 'that'의 선행사는 'Chicago'가 아니라 복수명사인 'clothes'이기 때문에 'fits' 역시 복수 형태인 'fit'이 되어야 한다.

| 오답해설 | ① 감정형 분사인 'pleased'가 주어 'I'의 감정 상태를 나타내므로 옳다.

② 진주어 'to find'를 대신하는 가주어 'it'으로 적절하게 사용되었다.

④ 선행사를 포함한 관계대명사 'What'이 주어로 쓰인 옳은 문장이다.

| 해석 | 나는 내가 충분한 옷을 가지고 있어서 기쁘다. 미국 남성들은 보통 일본 남성들보다 몸집이 더 커서 시카고에서 나에게 맞는 옷을 찾는 것이 매우 어렵다. 일본에서 중간 사이즈인 것이 여기에서는 작은 사이즈이다.

06 관계대명사 what

③ 'that' 이후의 문장이 불완전한 형태이다. 'call'은 불완전타동사인데, 목적어가 빠져 있다. 또한, 관계대명사 'that'은 전치사의 목적어로 쓰일 수 없다. 앞에 선행사(jazz)가 없으므로 선행사를 포함하는 관계대명사 'what'으로 고쳐야 한다.

| 오답해설 | ① 주격 관계대명사 'that'의 선행사는 바로 앞의 'music'이 아니라 'styles'이므로 동사는 복수형 수동태 'were blended'가 옳다.

② 'One'은 앞선 명사 'trends' 중에 하나를 지칭하므로, 불특정 명사를 지칭하는 옳은 표현이다.

④ 'creating'이 앞선 명사 'black Americans'를 수식하는데, 의미상 능동의 관계이므로 옳은 표현이다.

| 해석 | 재즈는 사교 파티의 춤꾼들을 만족시키기 위해 혼합된 대중음악의 형태에서 비롯되었다. 그것은 1890년대 동안 New Orleans에서 발전하기 시작했고, 1920년대 초기 New York, Los Angeles, 그리고 Chicago에서 녹음되었을 때, 완전히 형태가 잡혔다. 여러 가지 다양한 경향들이 재즈의 탄생을 이끌었다. 하나는 멜로디와 곡 반주를 제멋대로 바꾸는 관행이었다. 이것은 오늘날 우리가 즉흥 연주라고 불리는 것으로 이어졌다. 또 다른 것은 래그타임이나 블루스와 같은 새로운 종류의 음악을 만들어 내는 아프리카계 미국인들이었다.

| 정답 | 03 ④ 04 ③ 05 ③ 06 ③

07

밑줄 친 부분 중 어법상 가장 적절하지 않은 것을 고르시오.

One such method was to observe the direction of the wind, ① which required the use of a tool called a weather vane. This practical device was not only ② employed by farmers and sailors, ③ which lives or livelihoods depended on foreknowledge of dangerous weather conditions, but was also ④ used by churches, businesses, and ordinary people.

07 소유격 관계대명사 whose

③ 선행사는 'farmers and sailors'이고 관계대명사 뒤에는 관사나 소유격이 없는 명사 주어로 관계사절이 시작되었다. 따라서 밑줄 친 'which'는 절과 절을 연결하는 접속사의 역할과 선행사의 소유격 역할을 동시에 할 수 있도록 'whose'로 고치는 것이 옳다.

| 오답해설 | ① 밑줄 친 'which'는 동사 'required'를 동반하여 주격 관계대명사의 역할을 하고 있다. 선행사로 앞 문장 전체를 취하는 계속적 용법으로 사용되었다.

② 'device'는 사용되는 것이므로 'was employed'의 수동태 표현은 옳게 쓰였다.

④ 수동태 동사 'was used'는 등위상관접속사 「not only ~ but also …」에 의해 앞서 나온 'was employed'와 병렬 구조를 이룬다.

| 해석 | 그러한 하나의 방법은 바람의 방향을 관측하는 것이었는데, 그것은 "풍향계"라고 불리는 도구의 사용을 필요로 했다. 이러한 실용적인 장치는 목숨이나 생계가 위험한 기상 조건의 예견에 달려 있는 농부들과 뱃사람들에 의해 이용되었을 뿐만 아니라, 교회와 기업 그리고 평범한 사람들에 의해서도 이용되었다.

08

2020 지방직 9급

우리말을 영어로 잘못 옮긴 것은?

① 보증이 만료되어서 수리는 무료가 아니었다.
→ Since the warranty had expired, the repairs were not free of charge.

② 설문지를 완성하는 누구에게나 선물카드가 주어질 예정이다.
→ A gift card will be given to whomever completes the questionnaire.

③ 지난달 내가 휴가를 요청했더라면 지금 하와이에 있을 텐데.
→ If I had asked for a vacation last month, I would be in Hawaii now.

④ 그의 아버지가 갑자기 작년에 돌아가셨고, 설상가상으로 그의 어머니도 병에 걸리셨다.
→ His father suddenly passed away last year, and, what was worse, his mother became sick.

08 복합 관계대명사

② 복합 관계대명사는 「관계대명사 + -ever」의 형태로, 명사절을 이끌어 전치사의 목적어로 쓰일 수 있다. 특히 사람을 나타내는 관계대명사 'who'의 경우 해당 절에서 관계대명사가 하는 역할에 따라, whoever(주격), whosever(소유격), whomever(목적격)로 그 형태가 달라진다. 주어진 문장에서는 복합 관계대명사절 내에 주어가 존재하지 않으므로, 복합 관계대명사는 주격으로 쓰여야 한다. 따라서 목적격 'whomever'가 주격인 'whoever'가 되어야 어법상 알맞은 문장이 된다.

| 오답해설 | ① 'expire(만료되다)'는 완전자동사로서 수동태로 사용될 수 없으므로, 'the warranty had expired'는 올바르게 사용되었다. 또한 과거의 한 시점보다 더 이전에 발생한 사건에 대해 말할 때는 대과거(과거완료, 「had p.p.」)를 사용한다. '보증이 만료된 것'이 '수리를 한' 시점보다 더 이전에 발생한 일이므로 대과거로 표현한 것은 어법상 적절하다.

③ '휴가를 요청하지 않은 것'은 'last month(지난 달)'인 과거의 일이며, '하와이에 있지 않은 것'은 'now(지금)'인 현재의 일이다. 서로 다른 시점의 반대 상황을 가정하여 말하는 것을 혼합가정법이라고 한다. 해당 문장에서는 과거의 일이 현재에 영향을 미치고 있으므로, 혼합가정법 「If + 주어 + had p.p.~(가정법 과거완료), 주어 + would + 동사원형 …(가정법 과거)」을 이용해 옳게 영작되었다.

④ 'what is worse'는 '설상가상으로, 엎친 데 덮친 격으로'라는 의미의 관용표현이며, 전체적으로 과거시제를 사용하고 있으므로, 시제 일치를 위해 'what was worse'로 쓰인 것이다.

09

다음 우리말을 영어로 옮긴 것 중 어색한 것은?

① 자신의 나라를 사랑하지 않는 사람은 없다.
→ There is no man but does not love his country.

② 우리의 인생은 짧은 것이 아니라 우리가 그렇게 만드는 것이다.
→ Our life is not short, but we make it so.

③ 부모의 사랑만큼 그렇게 이타적인 사랑은 없다.
→ There is no love so unselfish as parental love.

④ 적은 지식은 네가 그것이 적다는 것을 알고 있는 한 위험하지 않다.
→ A little learning is not dangerous so long as you know that it is little.

10

2016 지방직 7급

밑줄 친 부분 중 어법상 옳지 않은 것을 고르시오.

Each person defines his or her own space — the surrounding area ① reserved for the individual. Acute discomfort can occur when another person stands or sits within the space ② identifying as inviolate. Middle Easterners prefer to be no more than 2 feet from ③ whomever they are communicating with so that they can observe their eyes. Latinos enjoy personal closeness with friends and acquaintances. African Americans are likely to be offended if a person moves back or ④ tries to increase the distance between them. Intercultural communication is most successful when spatial preferences are flexible.

09 유사 관계대명사 but

① 유사 관계대명사 'but'은 부정의 의미를 가지고 있기 때문에 부정어와 함께 쓰이면 이중부정이 된다. 따라서 'There is no man but loves his country.'가 옳은 영작이다.

| 오답해설 | ② 「not A but B」는 'A가 아니라 B'라는 뜻으로 바르게 사용되었다.
③ 「부정어 + so + 원급 + as」는 최상급 대용 표현이므로 바르게 사용되었다.
④ 'so long as'는 '~가 …하는 한'이라는 뜻으로 사용되며 뒤에 완전한 절이 온다.

10 현재분사 vs. 과거분사, 복합 관계대명사

② 명사 'the space'를 수식하는 분사 자리로, 과거분사 'identified'가 되어야 '확인된, 식별된, 인정된'이라는 의미로 쓰일 수 있다. 'the space (which is) identified'의 구조이다.

| 오답해설 | ① 과거분사 'reserved'는 '따로 마련된'이라는 의미의 형용사 역할로서 'the surrounding area'를 수식하고 있다.
③ 복합 관계대명사 'whomever'는 '~하는 사람은 누구나'라는 의미로 사용된다. 'whomever'가 이끄는 절에 목적어가 없으며, 선행사도 없어야 한다는 점에서 관계대명사 'whom'과 구별된다.
④ 접속사 'or'을 기준으로 동사 'moves'와 'tries'가 병렬 구조를 이루고 있다. 공통 주어가 단수인 'a person'이기 때문에 단수동사를 취하는 것이다.

| 해석 | 각 개인은 개인을 위해 따로 마련된 주변 지역으로 자신만의 공간을 정의한다. 극심한 불안은 침범받지 않아야 하는 것으로 인정된 공간 안에 다른 사람이 서 있거나 앉아 있을 때 발생할 수 있다. 중동 사람들은 그들과 대화하고 있는 사람이 누구든 그들의 눈을 관찰할 수 있도록 2피트 이상 떨어져 있지 않는 것을 선호한다. 라틴계 남성들은 친구와 지인들과의 개인적 친목을 즐긴다. 아프리카계 미국인들은 사람이 뒤로 물러서거나 그들 사이의 거리를 늘리려고 하면 기분이 상할 가능성이 있다. 이종 문화 간의 소통은 공간에 관한 기호도가 유연할 때 가장 성공적이다.

| 정답 | 07 ③ 08 ② 09 ① 10 ②

PART

Ⅵ Balancing

5개년 챕터별 출제 비중 & 출제 개념

챕터	출제 비중	출제 개념
CHAPTER 01 강조와 도치	30%	강조, 도치, 정치, 간접의문문 어순, 비교급 강조, 수사의문문, 삽입절, It ~ that 강조 용법
CHAPTER 02 일치	70%	병렬 구조, 시제 일치, 등위상관접속사의 수 일치, 부분부정, 전체부정, 주어와 동사의 수 일치, 주격 관계대명사절의 동사 수 일치, 「one of + 복수 명사」

※ 문법은 문항 기준이 아닌 출제된 문항의 선지 기준으로 분석하였습니다.

14%

※최근 5개년(국, 지, 서)
출제 비중

학습목표

CHAPTER 01 강조와 도치	❶ 문장 내에서 강조 대상 이외의 문장 구조를 파악한다. ❷ 도치에 따른 수 일치, 어순을 파악한다. ❸ 무조건 도치와 조건 도치의 사례를 파악한다.
CHAPTER 02 일치	❶ 수 일치와 격 일치의 사례를 파악한다. ❷ 일치 대상에 따른 문맥의 차이를 이해한다.

CHAPTER

01 강조와 도치

- □ 1회독 월 일
- □ 2회독 월 일
- □ 3회독 월 일
- □ 4회독 월 일
- □ 5회독 월 일

POINT CHECK

VISUAL G

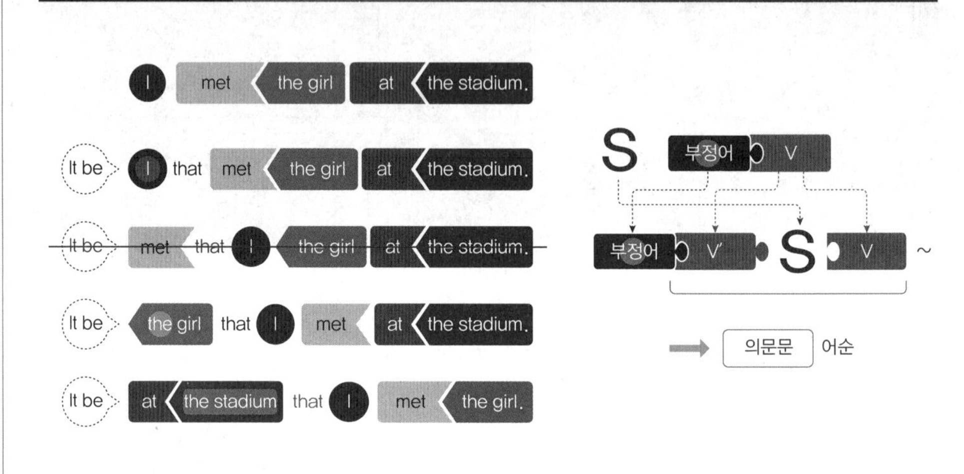

01 「It ~ that」 강조

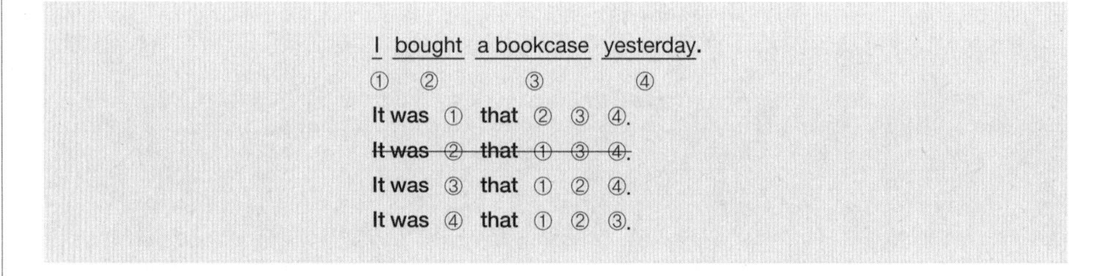

01 「It ~ that」 강조 용법은 부사(구)를 강조하는 경우를 제외하고 뒤따라오는 절이 □□□하다.

(1) 평서문에서의 문장 요소 강조

- I met Beckham at the park this morning.
  나는 오늘 아침 공원에서 Beckham을 만났다.

① 주어 I를 강조하는 경우

- **It was I that** met Beckham at the park this morning.
  오늘 아침 공원에서 Beckham을 만난 사람은 바로 나였다.

| 정답 | 01 불완전

② 목적어 Beckham을 강조하는 경우

- **It was Beckham that** I met at the park this morning.

  오늘 아침 내가 공원에서 만난 사람은 바로 Beckham이었다.

③ 장소의 부사구 at the park를 강조하는 경우

- **It was at the park that** I met Beckham this morning.

  오늘 아침 내가 Beckham을 만난 곳은 바로 공원에서였다.

④ 시간의 부사구 this morning을 강조하는 경우

- **It was this morning that** I met Beckham at the park.

  내가 공원에서 Beckham을 만난 것은 바로 오늘 아침이었다.

(2) 의문문에서 문장 요소 강조: 「Is[Was] it ~ that …?」

- Did **you** send her the flower? (의문문) 당신이 그녀에게 꽃을 보냈습니까?

  → **You** sent her the flower. (평서문)

  당신이 그녀에게 꽃을 보냈다.

  → It was **you** that sent her the flower. (강조구문)

  그녀에게 꽃을 보낸 것은 당신이었다.

  → **Was it you that** sent her the flower? (의문문)

  그녀에게 꽃을 보낸 것이 당신이었습니까?

(3) 의문문에서 주어 역할의 의문사 강조: 「의문사 + is[was] it that ~?」

- **Who** sent her the flower? (의문문) 누가 그녀에게 꽃을 보냈습니까?

  → ✕ It was **who** that sent her flower.

  (강조구문: It과 that 사이에 who를 강조(비문))

  → ○ **Who was it that** sent the flower?

  (의문문: 의문사 who가 다시 문두로 이동 후 의문문 어순 도치)

  그녀에게 꽃을 보낸 사람이 누구였습니까?

헷갈리지 말자 「It ~ that」 강조 vs. 「It ~ that」 가주어 · 진주어

- **It was** yesterday **that** I bought the book. (「It ~ that」 강조)

  내가 책을 산 것은 바로 어제였다.

- **It was** true **that** I bought the book yesterday. (「It ~ that」 가주어 · 진주어)

  내가 어제 책을 샀다는 것은 사실이었다.

➠ 「It ~ that」 강조 용법은 it과 that 사이에 있는 문장 요소를 강조하며, It is[was]와 that을 생략해도 문장의 요소들이 완전한 문장을 이룬다. 반면에 「It ~ that」 가주어 · 진주어 구문은 그 부분을 생략하면 문장이 성립하지 않는다.

POINT CHECK

POINT CHECK

02 재귀대명사의 강조적 용법은 □□ 가능하다.

02 재귀대명사의 강조

재귀대명사가 '직접, 스스로'라는 의미로 주어나 목적어를 강조할 때, 이를 재귀대명사의 강조 용법이라고 한다. 이러한 재귀대명사는 문장 형식에는 영향을 미치지 않아 생략 가능하다. 재귀대명사의 강조 용법에서 재귀대명사는 강조를 하는 주어나 목적어 바로 뒤나 문장 맨 뒤에 위치한다.

(1) 주어 강조

• I **myself** made it.

내 자신이 직접 그것을 만들었다.

= I made it **myself.**

• She wrote the card **herself.**

그녀 자신이 그 카드를 썼다.

• I **myself** wouldn't say such a thing.

나 스스로 그런 말을 하지는 않을 것이다.

• What does Beckham **himself** think of it?

Beckham 자신은 그것을 어떻게 생각하고 있습니까?

(2) 목적어 강조

• I want to see Johansson **herself.**

나는 Johansson 본인을 보고 싶다.

• I spoke to the boss **himself.**

나는 상사 본인에게 직접 말했다.

O I love myself and my family loves **me.** 나는 나 자신을 사랑하고 우리 가족은 나를 사랑한다.

X I love myself and my family loves **myself.**

➡ loves의 주체는 I가 아니라 my family이므로 여기서는 재귀대명사를 쓸 수 없다.

O She allows him to kiss **her.** 그녀는 그가 그녀에게 키스하도록 허락한다.

X She allows him to kiss **herself.**

➡ 문장의 주어는 She이지만, kiss를 하는 의미상의 주어가 him이기 때문에 재귀대명사 대신 her를 사용해야 한다. 재귀대명사는 주어가 아닌 의미상 주어에 따라 쓴다는 것에 유의하자.

03 기타 강조 표현

(1) what(so)ever는 부정문의 명사 뒤에서 명사 강조

• They have no knowledge **whatever** of it.

그들은 그것에 대하여 전혀 알지 못한다.

(2) the very는 명사 앞에서 명사 강조

• It is **the very** picture that I saw yesterday.

이것은 내가 어제 보았던 바로 그 그림이다.

| 정답 | 02 생략

• This is **the very** book I have been looking for.

이것은 내가 찾고 있었던 바로 그 책이다.

(3) 일반 의문문 전체 강조

at all, ever, what(so)ever(도대체, 과연) 등으로 강조한다.

• Is there any chance of their winning **at all**?

그들은 과연 승산이 있는가?

(4) 의문문에서 의문사 강조

on earth, in the world, ever 등으로 강조한다.

• What **on earth** is he talking about?

그는 도대체 무슨 말을 하고 있습니까?

(5) 문두 도치에 따른 강조

• **What the statesman meant** nobody could know.

그 정치인이 의도하는 것을 아무도 알 수 없었다.

(6) 동사 앞에서 동사를 강조하는 do[does/did]

• I **do** think you are right.

나는 정말로 당신이 옳다고 생각한다.

• I don't know what he did, but it **does** work.

그가 무엇을 했는지는 모르지만 그것이 정말로 먹힌다.

• Who **did** break the vase?

누가 그 꽃병을 진짜로 깨뜨렸습니까?

(7) 최상급을 강조하는 possible

• The tiger is running at the highest speed **possible**.

그 호랑이는 가능한 가장 빠른 속도로 달리고 있다.

(8) 평서문에서 부사 강조

ever, at all, in the least, a bit, in the slightest, what(so)ever 등으로 강조한다.

• I can't remember his number **at all.** (not 강조)

나는 아무리 해도 그의 번호를 기억할 수 없다.

04 수사의문문

(1) 수사의문문(rhetorical question)

자신의 생각을 강하게 표현하기 위해서 의문문 형식으로 표현하는 방식을 '수사의문문'이라고 한다.

• Who does not know him? (수사의문문) 누가 그를 모르는가?

→ Everybody knows him. (평서문) 모든 사람이 그를 안다.

POINT CHECK

03 □□□□□은 생각을 강조하기 위해서 쓰인다.

| 정답 | 03 수사의문문

POINT CHECK

- Can anyone doubt your good action? (수사의문문)

  어느 누가 당신의 선행을 의심할 수 있겠는가?

  → Surely no one can doubt your good action. (평서문)

  확실히 어느 누구도 당신의 선행을 의심할 수 없다.

(2) 의미

일반적으로 수사의문문이 긍정이면 평서문으로 고쳤을 때는 부정문, 부정이면 긍정문이 된다.

- Who is there but makes errors? 누가 실수를 하지 않는가?

  → There is nobody **but** makes errors. 실수를 하지 않는 사람은 없다.

  ※ 유사 관계대명사 but에는 이미 부정의 의미가 포함되어 있으므로, 이중부정과 해석에 유의한다.

  → Who is there **that** does not make errors? (형용사절)

  실수를 하지 않는 이가 누가 있는가?

  → There is nobody **that** does not make errors. (형용사절)

  실수를 하지 않는 사람은 없다.

  → Everybody makes errors.

  모든 사람은 실수를 한다.

- Who would trust such a man but a fool?

  바보가 아니고서는 누가 그런 사람을 신뢰하겠는가?

  → Who **but** a fool would trust such a man?

  바보가 아니고서는 누가 그런 사람을 신뢰하겠는가?

  → Nobody (only) **but** a fool would trust such a man.

  바보를 제외하고는 아무도 그런 사람을 신뢰하지 않는다.

  ※ but은 전치사로서 '~을 제외하고'의 뜻이며 save와 except로 대신할 수 있다.

05 비교급/최상급 강조

(1) 비교급 강조

even, much, (by) far, a lot, still 등을 사용해서 강조하며, '훨씬, 더욱'의 의미이다. 최상급 강조와 반드시 비교해서 학습해야 한다.

- She acted **even** more cleverly than usual.

  그녀는 평소보다도 훨씬 더 영리하게 행동했다.

- She was **much** more beautiful than I thought.

  그녀는 내가 생각했던 것보다 훨씬 더 아름다웠다.

- She speaks Spanish **far** better than I.

  그녀는 나보다 훨씬 더 스페인어를 잘한다.

- Volt runs **a lot** faster than Timberlake.

  Volt는 Timberlake보다 훨씬 더 빨리 달린다.

- Mine's **still** better.

  내 것이 훨씬 더 좋다.

(2) 최상급 강조

much, (by) far, (the) very 등을 사용해서 강조하며, '단연코'라는 의미이다.

- He is **much** the smartest boy of them.
  그는 그들 중 단연코 가장 똑똑한 소년이다.
- He is **much** the politest student in his class.
  그는 그의 반에서 단연코 가장 예의바른 학생이다.
- Elephants are **by far** the biggest animals.
  코끼리는 단연코 제일 큰 동물이다.
- Do your **very** best. 최선을 다해라.

[O] She was **the very** most grateful for my help.
그녀는 내 도움에 단연코 가장 고마워했다.

[X] She was **very the** most grateful for my help.
➡ very가 최상급을 수식하는 경우에는 「(the) very + 최상급」의 어순으로 최상급을 강조하므로 the의 위치에 주의하자.

POINT CHECK

04 최상급 강조에는 □□□□, (□□)□□□, (□□□)□□□□ 등을 쓴다.

06 문장의 삽입

(1) 삽입

앞에 나오는 말을 부가적으로 또는 구체적으로 설명하기 위한 단어나 구, 절 등을 문장 중간에 삽입하는 경우를 말한다.

05 삽입된 구 또는 절은 문장의 □□ □□이(가) 아니다.

① 관계대명사절 사이에 절 추가

~ 주격 관계대명사 + (주어 + think / 주어 + imagine / 주어 + guess / 주어 + believe / 주어 + be sure) + 동사

- I know the woman who **I think** is a scientist.
  나는 내 생각에 과학자인 여자를 알고 있다.
- This is the movie which **everybody thinks** is very interesting.
  이것은 모든 사람이 굉장히 재미있다고 생각하는 영화이다.

※ 주격 관계대명사 뒤에 「주어 + 동사 + 동사」가 나오면 「주어 + 동사」가 삽입된 것이라고 보면 된다.

② 「주어 + 동사」 사이에 절 또는 구 추가

주어 + (indeed / 주어 + believe / 주어 + be sure / 주어 + suppose / as + 주어 + 동사) + 동사

- Who **do you suppose** that person is?
  저 사람이 누구라고 생각하십니까?

| 정답 | 04 much, (by) far, (the) very
05 필수 성분

POINT CHECK

- He is, **as I told you before**, a very handsome boy.

  그는, 내가 전에도 말했듯이, 매우 잘생긴 소년이다.

(2) 동격

① 명사 뒤에 콤마(,)를 쓰고 명사, 명사구, 부정사 등을 붙여 앞의 명사와 동격 관계를 만들 수 있다.

- **Graham Bell, an American scientist,** invented the telephone with his assistant.

  미국의 과학자인 Graham Bell은 그의 조수와 함께 전화기를 발명하였다.

② 동격 전치사 of

- There is no possibility **of** her coming here tomorrow.

  → There is no possibility **that** she will come here tomorrow.

  그녀가 내일 여기에 올 가능성은 전혀 없다.

③ 동격 어구

that is to say	즉, 다시 말해서	i.e.	즉, 다시 말해서
that is	즉, 다시 말해서	for example	예를 들어
namely	즉, 다시 말해서	for instance	예를 들어
in other words	즉, 다시 말해서	e.g.	예를 들어

07 문장의 어순

(1) 외치(extra-position)

주어나 목적어 자리에 긴 명사절 또는 부정사나 동명사가 올 때, 그 자리에 it을 남겨 두고 긴 명사절을 문장 끝으로 옮기는 것을 '외치'라고 하며, '가주어-진주어', '가목적어-진목적어'가 있다.

- The students found **it** difficult **to solve the problem.** (가목적어-진목적어(to부정사))

  학생들은 그 문제를 푸는 것이 어렵다는 것을 알았다.

(2) 전치(front-position)

부사구나 보어, 부정어가 포함된 목적어의 강조를 위해서 이것들을 문두로 옮기는 현상을 '전치'라 한다.

- He did **not** know the fact **until this Monday.**

  그는 이번 주 월요일까지도 그 사실을 알지 못했다.

  → **Not until this Monday** did he know the fact.

  ※ 이때 부정어가 전치되면 의문문의 어순으로 바뀐다.

(3) 후치(end-position)

후치는 문장의 구성 성분을 맨 뒤로 옮기는 것이다. 직접적인 문법 문제로 다뤄지지는 않지만 독해에서 문장 구조 분석을 하는 데 도움이 된다.

• We all know **from the report** so many people were killed in the accident.

우리 모두는 아주 많은 사람들이 그 사고로 죽었다는 것을 그 보고서를 통해 알고 있다.

→ We all know so many people were killed in the accident **from the report**.

08 문장의 도치

(1) 도치의 종류

① 의문문

• What **is he** doing now? 그는 지금 무엇을 하고 있습니까?

② 기원문

• **May you** find yourself! 자신을 찾으시길!

③ 「There[Here] is ~」 구문

• There **is a tree house** on the hill. 언덕 위에 나무집이 있다.

④ 감탄문

> • 「How + 형용사/부사 + 주어 + 동사!」
> • 「What + (a[an]) + 형용사 + 명사 + 주어 + 동사!」

• **How** beautiful the song is! 노래가 얼마나 아름다운지!

• **How** foolish you are! 당신은 너무 어리석어요!

• **What** a fast runner he is! 그는 얼마나 빠른 주자인지!

⑤ 가정법: if 가정법 구문에서 if가 생략되면 '의문문' 어순으로 도치가 일어난다.

• If I had known the fact, I would have told it to you.

내가 그 사실을 알았더라면 나는 너에게 얘기했을 텐데.

→ **Had I known** the fact, I would have told it to you.

⑥ as 양보 구문

> (형용사 / 부사 / 「무관사 + 명사」) + as[though] + 주어 + 동사 ~, 주어 + 동사 …

• **Heroine** as she was, she was killed at last.

그녀는 영웅이었음에도, 결국 죽임을 당했다.

• **Young** as he is, he is very courageous.

그는 어릴지라도, 매우 용감하다.

• **Try** as she may, she cannot finish it within a day.

그녀가 아무리 노력할지라도, 하루만에 그것을 끝낼 수 없다.

※ 드물게 동사원형이 양보의 as 앞으로 도치되는 경우도 있으니 유의하자.

⑦ 목적어가 문두에 올 때

• **That mountain** I am going to climb.

저 산을 내가 오를 것이다.

POINT CHECK

06 도치란 특정 문구를 강조하기 위해서 또는 수사적인 이유로 특정 요소를 문두에 둘 때 「주어 + 동사」의 어순이 「□□ + □□」의 어순 즉, 의문문 어순으로 바뀌는 것을 말한다.

07 문장에서 as 앞에 형용사나 부사 또는 명사가 나오는 경우, '~□□□□'(이)라고 해석한다.

08 목적어가 문두로 이동할 경우, 이어지는 문장은 □□□ 어순이다. 단, 목적어에 부정어구가 포함되어 있거나 의문문이면 □□□ 어순이다.

| 정답 | 06 동사, 주어
07 일지라도
08 평서문, 의문문

POINT CHECK

09 보어가 문두로 이동할 경우, 주어가 대명사가 아니면 「□□+□□」 어순을 취한다.

10 부정부사를 문두로 이동할 때, 이어지는 문장은 □□□ 어순이 된다.

| 정답 | 09 동사, 주어
10 의문문

- **Who(m)** do you want to go out with?

  누구와 데이트하고 싶습니까?

  ※ 의문사가 문장의 맨 앞으로 가면 보통 목적격보다 주격을 사용한다.

- **Not a word** did I say for a week.

  나는 일주일 동안 한마디도 하지 않았다.

  ※ 부정어구가 포함된 목적어가 문두로 오면 「조동사 + 주어 + 동사」, 즉 의문문 어순으로 도치된다.

⑧ 보어가 문두에 올 때

㉠ 전명구가 보어인 경우

- To be faithful to one's duty is **of great importance**.

  의무에 충실한 것은 아주 중요하다.

  → **Of great importance** is to be faithful to one's duty.

  ※ 전명구가 문장의 보어인 경우로 맨 앞으로 도치되어 강조되고 있다.

㉡ 과거분사가 보어인 경우

- **Blessed** are the rich in heart.

  마음이 풍요로운 자는 복이 있나니.

㉢ 형용사가 보어인 경우

- **Happy** is the man who is contented with his present life.

  자신의 현재 삶에 만족하는 자는 행복하다.

- **As diligent as the girl** is her mother.

  그녀의 엄마도 그 소녀만큼 부지런하다.

⑨ 부정부사 not, never, no, little 등을 문두로 도치

- She did **not** know the fact until this morning.

  그녀는 오늘 아침이 될 때까지 그 사실을 몰랐다. (오늘 아침이 되어서야 그 사실을 알았다.)

  → **Not until** this morning **did she know** the fact.

- She was **not only** sad but she was depressed.

  그녀는 슬플 뿐만 아니라 우울했다.

  → **Not only was she** sad but she was depressed.

- I **never** thought of studying.

  나는 공부할 생각은 전혀 하지 않았다.

  → **Never did I think** of studying.

- I have **never** dreamed of that.

  나는 꿈에도 그런 생각을 해 본 적이 없다.

  → **Never have I dreamed** of that.

- He **little expected** that a letter would come from the school.

  그는 그 학교로부터 편지가 오리라고는 거의 기대하지 않았다.

  → **Little did he expect** that a letter would come from the school.

- I **little dreamed** that I should never see my sister again.

  나는 내 여동생을 다시 볼 수 없을 거라고는 꿈에도 생각 못 했다.

  → **Little did I dream** that I should never see my sister again.

- He **had scarcely[hardly] entered** the room when[before] he fell down.

  그는 방에 들어서자마자 넘어졌다.

  → **Scarcely[Hardly] had he entered** the room when[before] he fell down.

⑩ 정도 강조의 부사어구 도치

- Her ability is **so** great that she surprises everyone.

  그녀의 능력은 너무 대단해서 그녀는 모든 사람들을 놀라게 한다.

  → **So** great **is her ability** that she surprises everyone.

- I remember those unhappy days **well**.

  나는 그 불행했던 나날을 잘 기억한다.

  → **Well do** I remember those unhappy days.

⑪ 장소 및 방향의 부사어구 도치

up, down, in, out, away, behind, along, among 등으로 시작하는 부사어구는 도치될 수 있다.

- The new policy by the government was **among the news.**

  뉴스 중에 정부의 새로운 정책이 있었다.

  → **Among the news was the new policy** by the government.

- A tall tree stands **on the hill.** 언덕에 키가 큰 나무가 서 있다.

  → **On the hill stands a tall tree.**

O **On the top of the hill they are** standing. 언덕 꼭대기에 그들이 서 있다.

X **On the top of the hill are they** standing.

➡ 장소의 부사어구가 문두로 이동하더라도, 대명사 주어와 동사는 도치되지 않는다.

⑫ 비교급 관련 구문 도치

선택적 도치이나, 주어가 대명사인 경우 도치가 불가능하다.

㉠ 주어가 대명사인 경우: 도치 불가

- He is as handsome **as she is.** 그는 그녀만큼이나 멋있다.

  ※ handsome은 남녀 모두에게 쓸 수 있는 표현이다.

- He is more handsome **than she is.** 그가 그녀보다 더 멋있다.

- The older people grow, **the wiser they get.**

  사람은 나이가 들어갈수록, 더욱 현명해진다.

㉡ 주어가 명사인 경우: 도치 가능

- He is as handsome **as Jay is.**

  그는 Jay만큼이나 잘생겼다.

  → He is as handsome **as is Jay**.

- He is more handsome **than Jay is.**

  그는 Jay보다 더 잘생겼다.

  → He is more handsome **than is Jay.**

POINT CHECK

POINT CHECK

11 부사(구)가 문두로 이동할 때, 대명사 주어는 도치가 (일어난다 / 일어나지 않는다).

• The smaller a computer is, **the higher the price is.**

컴퓨터는 작으면 작을수록, 가격이 더 비싸다.

→ The smaller a computer is, **the higher is the price.**

⑬ 양태접속사 as 이후 도치

선택적 도치이나, 주어가 대명사인 경우 도치가 불가능하다.

㉠ 주어가 대명사인 경우: 도치 불가

• The measure saved his life, **as it did** mine.

그 조치가 그의 목숨을 구했듯, 내 목숨도 구했다.

㉡ 주어가 명사인 경우: 도치 가능

• He shows immediate interest, **as other people do.**

그가 즉각적인 관심을 보이듯이, 다른 사람도 그러하다.

→ He shows immediate interest, **as do other people.**

⑭ 「only + 부사구」의 도치

• I could recognize her family **only then.** 나는 그제야 그녀의 가족을 인지할 수 있었다.

→ **Only then could I recognize** her family.

• I ran to him **only when** he called my name. 그가 내 이름을 불렀을 때에서야, 나는 그에게 달려갔다.

→ **Only when** he called my name **did I run** to him.

⑮ 자동사 다음에 오는 부사(구)가 문두로 도치될 수 있다. 이때 주어가 대명사인 경우 「주어 + 동사」의 도치는 일어나지 않는다.

• 주어가 대명사 → 「부사 + 주어 + 동사」 (도치 ×)
• 주어가 명사 → 「부사 + 동사 + 주어」 (도치 ○)
→ 「부사 + 주어 + 동사」 (도치 ×)

• She fell down. 그녀는 넘어졌다.

→ ○ **Down she fell.**

→ × Down fell she.

• The old man fell down. 그 노인은 넘어졌다.

→ ○ **Down the old man fell.**

→ ○ **Down fell the old man.**

⑯ 관용표현 암기문법

not ~ until …	…이 되어서야 비로소[이윽고, 그제서야] ~하다
no sooner … than ~	…하자마자 ~하다
scarcely[hardly] … when[before] ~	…하자마자 ~하다

• She had **no sooner** seen her family **than** she burst into tears.

그녀는 그녀의 가족을 보자마자 울음을 터뜨렸다.

→ **No sooner had she seen** her family **than** she burst into tears.

※ 부정어가 문두에 사용되는 관용표현으로 뒤따라오는 문장의 어순이 의문문 어순임에 유의해야 한다.

| 정답 | 11 일어나지 않는다

09 문장 요소의 생략

(1) 's 소유격 뒤의 명사 생략

① 반복되는 명사

- My nose is similar to my **sister's (nose).** 내 코는 나의 언니의 것과 비슷하다.

※ 문맥상 nose임을 알 수 있기 때문에 생략한다.

② 집, 건물, 상점 명사 생략

- I have been to the **barber's (shop)** to have my hair cut.

나는 내 머리를 자르러 이발소에 갔다 왔다.

※ 상식적으로 shop인 것을 알 수 있기 때문에 생략한다.

(2) 관사의 생략

① 신분이 보어로 사용될 때 관사는 생략할 수 있다.

- Trump was elected (as) ~~the~~ **President** of the USA.

트럼프는 미국의 대통령으로 선출되었다.

② 호격, 가족 관계를 나타낼 때 관사는 생략할 수 있다.

- ~~A~~ Waiter, orange juice, please. 웨이터, 오렌지 주스 주세요.
- **Mother**, can I go out? 엄마, 나가도 돼요?

③ 불가분의 관계를 나타낼 때 관사는 생략할 수 있다.

- a watch and ~~a~~ chain 줄 달린 시계
- a needle and ~~a~~ thread 실을 꿴 바늘
- a cup and ~~a~~ saucer 찻잔 한 조 (컵과 받침)

※ 일반적으로 단수 취급한다.

④ 장소의 본래 목적을 나타낼 때 관사는 생략할 수 있다.

go to bed	자러 가다	go to church	예배 드리러 가다
go to court	소송하다	go to sea	선원이 되다
go to hospital	병원에 가다	go to prison	감옥에 가다

- I go to **church.** 나는 교회에 (예배 드리러) 간다.
- I go to **the church.** 나는 교회에 (다른 목적으로) 간다.

⑤ 「by + 교통[통신] 수단」을 나타낼 때 관사는 생략할 수 있다.

by plane/by air	비행기로/항공편으로	by bus	버스로
by train	기차로	by subway	지하철로
by boat[ship]/by sea	배로/해로로	by car	차로
by taxi	택시로	by land	육로로
on foot	도보로, 걸어서	on horseback	말을 타고
by email	이메일로	by fax	팩스로
by telephone	전화로	by letter	편지로

- I informed everyone **by telephone.**

나는 모두에게 전화로 고지하였다.

POINT CHECK

12 I go to (school / the school).: 나는 (공부하러) 학교에 간다.

13 「by + 교통[통신] 수단」을 나타낼 때 관사는 □□할 수 있다.

| 정답 | 12 school
13 생략

POINT CHECK

14 「suggest that + 주어 + (□□□□□□) + 동사원형」: ~해야 한다고 제안한다

| 정답 | 14 should

⑥ 식사, 질병, 운동, 학과, 계절, 월, 요일을 나타내는 명사 앞에서 관사는 생략한다.

- I've finished **lunch** now. 나는 방금 점심 식사를 마쳤다.
- He is suffering from **cancer**. 그는 암으로 고생하고 있다.
- The girls are playing **tennis**. 여자아이들은 테니스를 치고 있다.
- She majors in **mathematics**. 그녀는 수학을 전공한다.

⑦ 동일인을 나타낼 때 관사를 생략하고 쓰는 것이 일반적이다.

- **The writer and statesman** was dead. (1명)
  작가이자 정치가였던 그 사람이 죽었다.

참 **The writer and the statesman** were dead. (2명)
  그 작가와 그 정치가가 죽었다.

⑧ 양보를 나타낼 때 관사는 생략할 수 있다.

무관사 명사 + as[though] + S + V

- **Teacher** as she is, she cannot know everything.
  그녀는 선생님이지만, 모든 것을 다 알 수는 없다.

(3) 조동사(should)의 생략

① 이성적 판단의 형용사 뒤에 나오는 that절이 당위성을 가질 때

necessary	필수적인	good	좋은
important	중요한	right	옳은
essential	필수적인	wrong	틀린
natural	자연스러운	rational	이성적인
proper	적절한		

- It is **necessary** that children (**should**) learn how to swim.
  아이들은 수영을 배울 필요가 있다.
- It is **natural** that she (**should**) take responsibility for it.
  그녀가 그것에 책임을 져야 하는 것은 당연하다.

② 주장 · 제안 · 요구 · 명령의 동사 뒤에 나오는 that 절이 당위성을 가질 때

suggest	제안하다	order	명령하다
recommend	충고하다	insist	주장하다
demand	요구하다	propose	제안하다
require	요구하다		

- He **suggested** that we (**should**) eat first.
  그가 밥을 먼저 먹자고 제안했다.

(4) 부정사에서의 생략

① 주절의 주어와 종속절의 주어가 일치하고 주절의 동사와 to부정사의 동사가 일치하면 to부정사 뒤의 동사를 생략할 수 있다.

- He may go if he wants **to** (**go**). 만약 원한다면 그는 가도 된다.

② 부정사의 의미상 주어와 주절의 주어가 같으면 의미상 주어는 생략한다.

- **To get well**, she needs an operation.

  낫기 위해서, 그녀는 수술이 필요하다.

(5) 분사구문에서의 생략

① 분사구문에서 being/having been은 생략 가능하다.

- **(Having been) Left** to herself, she would have gone bad.

  그녀를 혼자 두었다면, 나쁜 길로 빠졌을 것이다.

② 분사구문의 의미상 주어가 주절의 주어와 같으면 이를 생략한다.

O **Running along the street,** we saw the accident.

우리는 길을 따라 뛰어가다, 그 사고를 봤다.

X **Running along the street,** the accident was seen by us.

➡ 주절의 주어와 분사구문의 주어가 같지 않으므로 성립할 수 없는 문장이다.

(6) 관계대명사의 생략

① 목적격 관계대명사는 생략할 수 있다.

- This is the house (**which**) we live in.

  이것은 우리가 사는 집이다.

② 「주격 관계대명사 + be동사」는 함께 생략할 수 있다.

- The boy (**who is**) sleeping in the car is Timberlake.

  차에서 자고 있는 그 소년은 Timeberlake이다.

(7) 접속사절에서의 생략

① 부사절(시간, 조건, 양보)의 주어와 주절의 주어가 같고, 부사절의 동사가 be동사일 때 부사절에서 「주어 + be동사」는 함께 생략할 수 있다.

- When (**I was**) a boy, I lived in New York.

  소년이었을 때, 나는 뉴욕에 살았다.

- While (**he was**) napping, he had a nightmare.

  낮잠을 자는 동안, 그는 악몽을 꾸었다.

② 주절과 종속절의 동사가 같고 종속절의 동사가 「조동사 + 동사」 형태이면 조동사 뒤의 동사는 생략할 수 있다.

- I gave her all the money that I **could** (**give**).

  나는 줄 수 있는 모든 돈을 그녀에게 주었다.

(8) 비교 구문에서의 생략: 비교 대상이 명확하게 문맥에서 파악될 때 「주어 + 동사」 또는 주격 보어(형용사)는 생략이 가능하다.

- I like you better than (**I like**) her. 나는 그녀보다 너를 더 좋아한다.
- He worked harder than (**he had worked**) before. 그는 전보다 더 열심히 일했다.
- You are not so busy as he is (**busy**). 당신은 그만큼 바쁘지 않다.

POINT CHECK

15 주절의 주어와 부사절의 주어가 일치하고 부사절의 동사가 be동사이거나 be동사가 포함되어 있을 때 「□□+□□□□」은(는) 함께 생략 가능하다.

| 정답 | 15 주어, be동사

01 강조와 도치

[01~10] 다음 중 어법상 옳은 것을 고르시오.

01 In the park [disappeared he / he disappeared].

02 Hardly [had Julia / Julia had] left the station when he arrived.

03 It was the book [what / that] I had been looking for.

04 Important [is to give a pleasing impression / to give a pleasing impression is].

05 There [an apple is / is an apple] on the table.

06 Deeply affected [are his fans / his fans are] by his death.

07 Little [did Jack expect / Jack expected] the result.

08 It was when you were a baby [which / that] I bought my house.

09 On Sunday [went we / we went] to Busan.

10 Here [many people were / were many people] on this bus.

정답&해설

01 **he disappeared**

| 해석 | 그 공원에서 그는 사라졌다.

| 해설 | 장소의 부사구가 문두에 오고 주어가 대명사인 경우, 뒤따라오는 절은 도치되지 않고 「주어 + 동사」의 어순을 가진다.

02 **had Julia**

| 해석 | Julia가 그 역을 떠나자마자, 그가 도착했다.

| 해설 | 부정부사가 문두에 올 경우, 뒤따라오는 절은 의문문 어순으로 도치된다.

03 **that**

| 해석 | 내가 찾고 있던 것은 바로 그 책이었다.

| 해설 | 「It ~ that」 강조 구문으로 'that'이 들어갈 자리에 'what'을 사용할 수 없다.

04 **is to give a pleasing impression**

| 해석 | 좋은 인상을 주는 것은 중요하다.

| 해설 | 보어가 문두에 올 경우, 뒤따라오는 절은 「동사 + 주어」의 어순으로 도치된다.

05 **is an apple**

| 해석 | 식탁 위에 사과가 하나 있다.

| 해설 | 'there'은 유도부사로 뒤따라오는 절은 「동사 + 주어」의 어순을 가진다.

06 **are his fans**

| 해석 | 그의 팬들은 그의 사망에 깊은 영향을 받았다.

| 해설 | 보어가 문두에 올 경우, 뒤따라오는 절은 「동사 + 주어」의 어순으로 도치된다.

07 **did Jack expect**

| 해석 | Jack은 그 결과를 거의 예상하지 못했다.

| 해설 | 부정부사가 문두에 올 경우, 뒤따라오는 절은 의문문 어순으로 도치된다.

08 **that**

| 해석 | 내가 집을 샀던 것은 바로 네가 아기였을 때였다.

| 해설 | 「It ~ that」 강조 구문으로서 부사절 'when you were a baby'를 강조하고 있으며 뒤따라오는 절은 완전하므로 'that'을 사용한다.

09 **we went**

| 해석 | 일요일에 우리는 부산에 갔다.

| 해설 | 시간의 부사구가 문두에 오고 주어가 대명사일 경우 뒤따라오는 절은 도치되지 않고 「주어 + 동사」의 어순을 유지한다.

10 **were many people**

| 해석 | 여기 이 버스에는 많은 사람들이 있었다.

| 해설 | 유도부사 'here'가 문두로 나오고 주어가 명사 주어이면 뒤따라 나오는 절은 「동사 + 주어」의 어순을 가진다.

[11~20] **다음 중 어법상 옳은 것을 고르시오.**

11 On the lake [floated he / he floated].

12 Never [was the house / the house was] small.

13 On the day when we first met each other [was I / I was] really nervous.

14 It was Julia [what / that] bought him a watch.

15 Scarcely [had William / William had] wept when she consoled him.

16 There [an impressive picture reminding us of freedom is / is an impressive picture reminding us of freedom].

17 So pretty [was she / she was] that everyone in the classroom saw her.

18 It is the scene [what / that] her sister remembers.

19 During the war [lost he / he lost] his family.

20 Not only [Jack did / did Jack] buy a book but he bought a notebook.

정답&해설

11 he floated

| 해석 | 그는 호수 위에 떠 있었다.

| 해설 | 장소의 부사구가 문두에 오고 주어가 대명사인 경우, 뒤따라오는 절은 도치되지 않고 「주어 + 동사」의 어순을 유지한다.

12 was the house

| 해석 | 그 집은 결코 작지 않았다.

| 해설 | 부정부사가 문두에 올 경우, 뒤따라오는 절은 의문문 어순으로 도치된다.

13 I was

| 해석 | 우리가 처음 서로를 만났던 날에 나는 정말로 긴장했었다.

| 해설 | 시간의 부사구가 문두에 오고 주어가 대명사이므로 뒤따라오는 절은 도치되지 않고 「주어 + 동사」의 어순을 유지한다.

14 that

| 해석 | 그에게 시계를 사 줬던 사람은 바로 Julia였다.

| 해설 | 「It ~ that」 강조 구문으로 'that'이 들어갈 자리에 'what'을 사용할 수 없다.

15 had William

| 해석 | William이 눈물을 흘리자마자, 그녀는 그를 위로했다.

| 해설 | 부정부사가 문두에 올 경우, 뒤따라오는 절은 의문문 어순으로 도치된다.

16 is an impressive picture reminding us of freedom

| 해석 | 우리에게 자유를 상기시켜 주는 인상적인 그림이 있다.

| 해설 | 'there'은 유도부사로 뒤따라오는 절은 「동사 + 주어」의 어순을 가진다. 단, 주어가 대명사인 경우 「주어 + 동사」의 평서문 어순을 유지한다.

17 was she

| 해석 | 그녀는 너무 예뻐서 교실에 있는 모두가 그녀를 보았다.

| 해설 | 「so + 형용사」가 문두에 올 경우, 뒤따라오는 절은 의문문의 어순을 가진다.

18 that

| 해석 | 그녀의 여동생이 기억하는 것은 바로 그 장면이다.

| 해설 | 「It ~ that」 강조 구문으로 'that'이 들어갈 자리에 'what'을 사용할 수 없다.

19 he lost

| 해석 | 그 전쟁 중에 그는 가족을 잃었다.

| 해설 | 시간의 부사구가 문두에 오고 주어가 대명사인 경우, 뒤따라오는 절은 도치되지 않고 「주어 + 동사」의 어순을 유지한다.

20 did Jack

| 해석 | Jack은 책을 샀을 뿐만 아니라 공책도 샀다.

| 해설 | 부정부사가 문두에 올 경우, 뒤따라오는 절은 의문문 어순으로 도치된다.

01 강조와 도치

교수님 코멘트▶ 강조와 도치는 일반적인 문장의 어순인 주어와 동사의 순서가 아니라 특수한 도치 상황을 다루는 영역이다. 따라서 수 일치와 문장의 어순과 관련한 문제들을 수록하였다. 다양한 문제를 통해서 수험생들은 강조와 도치 개념에 대한 문제 접근법을 숙지할 수 있다.

01

다음 영작이 올바르지 않은 것을 고르시오.

① 그는 자신의 정적들을 투옥시켰다.
→ He had his political enemies imprisoned.

② 경제적 자유가 없다면 진정한 자유가 있을 수 없다.
→ There can be no true liberty unless there is economic liberty.

③ 나는 가능하면 빨리 당신과 거래할 수 있기를 바란다.
→ I look forward to doing business with you as soon as possible.

④ 30년 전 고향을 떠날 때, 그는 다시는 고향을 못 볼 거라고 꿈에도 생각지 않았다.
→ When he left his hometown 30 years ago, little does he dream that he could never see it again.

02

2019 국가직 9급

우리말을 영어로 잘못 옮긴 것을 고르시오.

① 개인용 컴퓨터를 가장 많이 가지고 있는 나라는 종종 바뀐다.
→ The country with the most computers per person changes from time to time.

② 지난 여름 나의 사랑스러운 손자에게 일어난 일은 놀라웠다.
→ What happened to my lovely grandson last summer was amazing.

③ 나무 숟가락은 아이들에게 매우 좋은 장난감이고 플라스틱병 또한 그렇다.
→ Wooden spoons are excellent toys for children, and so are plastic bottles.

④ 나는 은퇴 후부터 내내 이 일을 해 오고 있다.
→ I have been doing this work ever since I retired.

---

01 부정어구 도치, 시제 일치

④ 주절에 쓰인 'little'이 문두로 나오면서 주어와 동사가 도치된 것은 옳다. 그러나 시제가 적절하지 않다. 30년 전 고향을 떠날 때 고향을 못 볼 거라고 생각하지 않은 것은 과거의 일이므로, 현재시제가 아니라 과거시제로 써야 한다. 따라서 'little does'는 'little did'가 되어야 한다.

| 오답해설 | ① 5형식 문장이며 목적어 'his political enemies'를 '투옥시킨' 것이므로 사역동사 'had'의 목적격 보어로는 수동의 의미를 지닌 과거분사 'imprisoned'가 적절하다.

② 'unless'는 부정의 의미가 있는 접속사이므로, 'unless' 다음에 부정어가 없는 것이 적절하다.

③ 「look forward to -ing」는 '~을 고대하다'라는 의미로 적절하게 쓰였다.

02 한정적 용법의 형용사, 「So + 동사 + 주어」

① '개인용 컴퓨터'는 산업용이 아닌 소비자들이 사용하는 컴퓨터를 의미하는 것이므로 '1인당 가장 많은 컴퓨터'를 의미하는 'the most computers per person'이 아니라 'the most personal computers'가 적절한 표현이다. 따라서 'The country with the most personal computers changes from time to time.'이 되어야 한다.

| 오답해설 | ② 'happen'은 '일어나다'라는 뜻의 자동사로 수동태로 쓸 수 없다. 따라서 'What happened to my lovely grandson'은 알맞은 표현이다.

③ '~ 또한 그렇다'라는 표현은 「so + 동사 + 주어」로 표현할 수 있다. 따라서 앞의 동사가 be동사 are이므로 'so are plastic bottles'는 올바른 표현이다.

④ 과거에서부터 지금까지 진행되고 있는 동작이나 상태는 현재완료나 현재완료 진행형으로 쓸 수 있다. 은퇴 이후부터 지금까지 해 오고 있다고 하였으므로 'have been doing'은 적절한 표현이다.

03

2017 지방직 9급

어법상 옳은 것은?

① The oceans contain many forms of life that has not yet been discovered.

② The rings of Saturn are so distant to be seen from Earth without a telescope.

③ The Aswan High Dam has been protected Egypt from the famines of its neighboring countries.

④ Included in this series is "The Enchanted Horse," among other famous children's stories.

04

2020 지방직 9급

밑줄 친 부분 중 어법상 옳지 않은 것은?

Elizabeth Taylor had an eye for beautiful jewels and over the years amassed some amazing pieces, once ① declaring "a girl can always have more diamonds." In 2011, her finest jewels were sold by Christie's at an evening auction ② that brought in $115.9 million. Among her most prized possessions sold during the evening sale ③ were a 1961 bejeweled timepiece by Bulgari. Designed as a serpent to coil around the wrist, with its head and tail ④ covered with diamonds and having two hypnotic emerald eyes, a discreet mechanism opens its fierce jaws to reveal a tiny quartz watch.

---

03 보어 도치

④ 원래 문장은 '"The Enchanted Horse," among other famous children's stories, is included in this series.'이다. 해당 문장에서는 주어가 서술어에 비해 길기 때문에, '"The Enchanted Horse," among other famous children's stories'가 보어인 'included in this series' 뒤로 가면서 주어와 동사가 도치된 형태이다.

| 오답해설 | ① that절의 선행사는 'life'가 아니라 'forms'이기 때문에 복수동사 'have'가 와야 한다.

② 문맥상 「too ~ to부정사(…하기에 너무 ~한)」 구문이 쓰여야 한다. 따라서 'so distant'는 'too distant'가 되어야 한다.

③ 문맥상 주어인 'Dam'이 목적어인 'Egypt'를 '보호한' 것이기 때문에 능동태 동사 'has protected'가 알맞다. 만약 수동태로 쓰인다면 목적어인 'Egypt'가 동사 뒤에 나올 수 없다.

| 해석 | ① 바다에는 아직 발견되지 않은 수많은 형태의 생명체들이 있다.

② 지구에서 망원경 없이 관찰되기에 토성의 고리는 너무 멀리 있다.

③ The Aswan High Dam은 주변 국가들의 기근으로부터 이집트를 보호해 오고 있다.

④ 이번 시리즈에는 다른 유명한 동화들 중 하나인 "The Enchanted Horse"가 포함되어 있다.

---

04 도치 구문의 수 일치

③ 해당 문장은 부사구 'Among her ~ the evening sale'이 도치된 문장이고 주어는 'her most prized possessions'가 아니라 'a 1961 bejeweled timepiece'이므로 주어-동사 수 일치 원칙에 따라 'were'는 'was'가 되어야 한다.

| 오답해설 | ① 해당 문장에서 'a girl can always have more diamonds.'라고 말한 것은 Elizabeth Taylor 자신이므로, 능동의 의미를 가진 'declaring'이 오는 것은 어법상 알맞다.

② 밑줄 친 'that'은 'an evening auction'을 선행사로 취하는 주격 관계대명사이다. 관계대명사 'that'은 사물과 사람 모두 수식할 수 있으므로 밑줄 친 'that'은 옳게 사용되었다.

④ 「with + 목적어 + p.p.」 형태의 with 분사구문으로, 'its head and tail'이 'diamonds'로 '뒤덮여 있는' 수동의 의미가 되어야 하므로 밑줄 친 'covered'는 어법상 알맞다.

| 해석 | Elizabeth Taylor는 아름다운 보석을 보는 안목이 있었고 수년 동안 몇몇 놀라운 보석들을 모았으며, 한 번은 "여자는 항상 더 많은 다이아몬드를 가질 수 있죠."라고 단언했다. 2011년, 그녀의 최고급 보석들이 1억 1천 590만 달러의 수익을 낸 Christie's 주최 저녁 경매에서 판매되었다. 그 저녁 경매에서 팔린 그녀의 가장 소중한 소유물 중 하나는 Bulgari의 1961년작 보석 시계였다. 다이아몬드로 뒤덮인 머리와 꼬리, 그리고 최면을 거는 듯한 두 개의 에메랄드 눈을 가진 뱀이 손목 주위를 휘감도록 디자인된 작은 기계 장치가 작은 수정 시계를 드러내 보이기 위해 무시무시한 턱을 벌린다.

| 정답 | 01 ④ 02 ① 03 ④ 04 ③

05

우리말을 영어로 잘못 옮긴 것을 고르시오.

① 그들은 모두 새로운 체육관에 가입했고 2주 후에 그도 그렇게 했다.
→ They all joined the new gym and after two weeks so did he.

② 그 늙은 배우는 초콜릿과 사탕을 좋아할 뿐만 아니라 담배도 피운다.
→ Not only the old actor loves chocolate and sweets but he also smokes.

③ 이런 식으로만 그는 생존할 수 있는 충분한 돈을 벌 수 있었다.
→ Only in this way could he earn enough money to survive.

④ 그녀는 나이가 어릴지라도, 많은 경험을 했다.
→ Young as she is, she has a lot of experience.

06

2021 국가직 9급

우리말을 영어로 가장 잘 옮긴 것을 고르시오.

① 나는 너의 답장을 가능한 한 빨리 받기를 고대한다.
→ I look forward to receive your reply as soon as possible.

② 그는 내가 일을 열심히 했기 때문에 월급을 올려 주겠다고 말했다.
→ He said he would rise my salary because I worked hard.

③ 그의 스마트 도시 계획은 고려할 만했다.
→ His plan for the smart city was worth considered.

④ Cindy는 피아노 치는 것을 매우 좋아했고 그녀의 아들도 그랬다.
→ Cindy loved playing the piano, and so did her son.

---

05 부정어구 도치

② 'Not only'가 문장의 맨 앞에 위치할 때, 뒤따라오는 절의 어순은 의문문 어순이어야 하므로 적절하지 않다. 즉 'the old actor loves'는 'does the old actor love'가 되어야 한다.

|오답해설| ① 앞선 주절의 긍정문에 대해 '~ 또한 그렇다'의 의미로 「so + 동사 + 주어」의 표현이 적절하게 쓰였다. 'joined'를 대신하기 위해 대동사 'did'를 사용한 것도 옳다.

③ 「Only + 부사구」가 문장 맨 앞에 위치할 때, 뒤따라오는 절의 어순은 의문문 어순이어야 하므로 'could he earn'은 올바르다.

④ 'as'는 양보의 의미로 쓰여, '~일지라도'의 의미로 사용될 경우 보어가 문두로 와 강조될 수 있으며, 「주어 + 동사」 어순이 변하지 않는 무도치에 해당한다. 해당 문장은 문맥상 'as'가 '~일지라도'라는 양보의 의미를 나타내는 접속사로 쓰여 보어 'Young'이 문두로 강조되었고, 뒤따라오는 문장이 「주어 + 동사」 어순인 'she is'로 옳게 사용되었다.

---

06 「So + 동사 + 주어」

④ 'so'가 '~도 그러하다[마찬가지이다]'라는 뜻으로 사용될 때는 주어와 동사가 의문문 어순으로 도치되어야 한다. 여기에서 동사는 주절 동사의 시제에 일치시켜야 한다. 해당 문장에서는 주절의 동사 'loved'가 과거형이므로 과거형 대동사 'did'를 쓴 것은 옳다.

|오답해설| ① 'look forward to'는 '~을 고대하다'라는 뜻으로, 여기서 'to'는 전치사이므로 목적어로 명사나 동명사가 와야 한다. 따라서 동사원형 'receive'는 동명사 'receiving'이 되어야 한다.

② 'rise'는 완전자동사로 목적어를 취할 수 없으므로, 완전타동사인 'raise'로 고쳐야 옳다.

③ 「be worth -ing」는 '~할 가치가 있다'라는 관용표현으로 'worth' 뒤에는 동명사가 와야 한다. 따라서 'considered'는 'considering'으로 고쳐져야 한다.

07

2015 지방직 9급

우리말을 영어로 옮긴 것 중 가장 어색한 것은?

① 그녀는 젊었을 때 더 열심히 일하지 않았던 것을 후회한다.
→ She regrets not having worked harder in her youth.

② 그는 경험과 지식을 둘 다 겸비한 사람이다.
→ He is a man of both experience and knowledge.

③ 분노는 정상적이고 건강한 감정이다.
→ Anger is a normal and healthy emotion.

④ 어떤 상황에서도 너는 이곳을 떠나면 안 된다.
→ Under no circumstances you should not leave here.

08

2017 국가직 9급

우리말을 영어로 잘못 옮긴 것을 고르시오.

① 그 회의 후에야 그는 금융 위기의 심각성을 알아차렸다.
→ Only after the meeting did he recognize the seriousness of the financial crisis.

② 장관은 교통문제를 해결하기 위해 강 위에 다리를 건설해야 한다고 주장했다.
→ The minister insisted that a bridge be constructed over the river to solve the traffic problem.

③ 비록 그 일이 어려운 것이었지만, Linda는 그것을 끝내기 위해 최선을 다했다.
→ As difficult a task as it was, Linda did her best to complete it.

④ 그는 문자 메시지에 너무 정신이 팔려서 제한속도보다 빠르게 달리고 있다는 것을 몰랐다.
→ He was so distracted by a text message to know that he was going over the speed limit.

---

07 부정어구 도치, 이중부정

④ 부정어구가 문장의 맨 앞으로 나갈 경우 주어와 동사를 도치시키는 것이 원칙이다. 또한 'no'와 'not'으로 이중부정이 되었으므로 둘 중 하나만 써야 한다. 따라서 'Under no circumstances should you leave here.'나 'You should not leave here under any circumstances.'로 영작할 수 있다.

| 오답해설 | ① 동명사를 부정할 때는 'not'을 동명사 바로 앞에 위치시킨다. '열심히 일하지 않은 것'이 '후회하는' 것보다 먼저 발생한 일이므로 완료 동명사 'not having worked'는 옳게 사용되었다.
② 'A와 B 둘 다'를 등위상관접속사 「both A and B」를 이용하여 바르게 영작했다.
③ 명사 'emotion'을 수식하는 형용사가 병렬 구조를 취하고 있고, 'anger'는 셀 수 없는 명사로 관사 없이 적절하게 사용되었다.

---

08 「too ~ to부정사」, 부정어구 도치

④ '너무 ~해서 …할 수 없다'는 「too + 형용사/부사 + to부정사」 구문이나 「so + 형용사/부사 + that + 주어 + can't + 동사원형 …」 구문으로 나타낸다. 따라서 'He was too distracted by a text message to know that he was going over the speed limit.' 또는 'He was so distracted by a text message that he couldn't know that he was going over the speed limit.'으로 고칠 수 있다.

| 오답해설 | ① 부정어구인 'Only after'가 문두로 와서 뒤따라오는 문장을 의문문 어순으로 썼으므로 옳은 문장이다.
② 'insist'의 목적어절이 당위의 의미를 가질 때, that절의 동사는 「(should) + 동사원형」의 형식으로 쓰는 것이 옳다.
③ 원래 문장은 'Although it was as difficult a task as it was'이며, 이것을 「as + 형용사 + a/an + 명사 + as」의 양보 구문으로 나타낸 형태이다.

| 정답 | 05 ② 06 ④ 07 ④ 08 ④

09

2018 법원직 9급

다음 글의 밑줄 친 부분 중 어법상 옳지 않은 것은?

In the 1860s, the populations of Manhattan and Brooklyn were rapidly increasing, and ① so was the number of the commuters between them. Thousands of people took boats and ferries across the East River every day, but these forms of transport were unstable and frequently stopped by bad weather. Many New Yorkers wanted to have a bridge directly ② connected Manhattan and Brooklyn because it would make their commute quicker and safer. Unfortunately, because of the East River's great width and rough tides, ③ it would be difficult to build anything on it. It was also a very busy river at that time, with hundreds of ships constantly ④ sailing on it.

10

우리말을 영어로 잘못 옮긴 것을 고르시오.

① 내가 전에 구내식당에서 그녀를 봤었는지 아닌지 확실하지 않다.
→ I'm not sure if I saw her in the cafeteria before or not.

② 그의 얼굴 피부는 손 피부와 매우 다르다.
→ The skin of his face is very different from that of his hands.

③ 그 당시에 손가락을 움직이지 못하는 것처럼 보였던 그 남자는 지금은 손가락을 움직인다.
→ The man who seemed not to move his finger at that time moves it now.

④ 이 상황에 대해 그녀가 너에게 말하고 싶지 않게 만들었던 것은 바로 그 슬픔이었다.
→ It was the sorrow that it made her not want to speak to you about this situation.

09 현재분사 vs. 과거분사, 「So + 동사 + 주어」

② 수식하는 대상 'a bridge'와 'connect'가 능동(연결시키다)의 관계이므로 과거분사 'connected'를 현재분사 'connecting'으로 고쳐야 한다.

| 오답해설 | ① 「긍정문, and so + 동사 + 주어」를 사용하여 '~도 또한 그렇다'를 나타내었으므로 옳은 문장이다.
③ 'it'은 가주어이고 진주어는 'to build anything on it'이다.
④ 'with' 분사구문이 쓰인 문장으로 목적어 'hundreds of ships'와 'sail'이 능동의 관계이므로 현재분사를 사용하는 것이 옳다.

| 해석 | 1860년대에 Manhattan과 Brooklyn의 인구가 빠르게 증가하고 있었고, 그곳들 사이의 통근자들의 수도 그러하였다. 수천 명의 사람들이 매일 East River를 가로지르는 보트와 페리를 탔지만 이 운송 수단은 안정적이지 않았고 나쁜 날씨로 인해 종종 중단되었다. 많은 뉴욕 사람들은 Manhattan과 Brooklyn을 바로 연결하는 다리를 갖고 싶어 했다. 왜냐하면 그것이 그들의 통근을 더 빠르고 더 안전하게 해 줄 것이기 때문이었다. 불행하게도 East River의 넓은 강폭과 거친 조류 때문에 강 위에 어떤 것을 짓는 것은 어려웠다. 그것은 또한 수백 대의 어선들이 쉴 새 없이 항해하여 그 당시에는 매우 분주한 강이었다.

10 「it ~ that」 강조 구문

④ 주어진 해석을 통해 「it ~ that」 강조 구문이 사용된 문장임을 알 수 있으며 원래 문장은 'The sorrow made her not want to speak to you about this situation.'이다. 강조 대상이 주어인 'The sorrow'이므로 이를 'It was' 뒤로 옮겨 강조하면 'that' 이후에 오는 절은 주어가 없는 불완전한 형태이어야 하나, 주어에 'it'이 중복되어 완전한 형태가 되었으므로 틀린 문장이다. 따라서 'that'이 이끄는 절의 주어 'it'을 삭제해야 한다. 'not want'는 원형부정사의 부정형이며 사역동사 'made'의 목적격 보어에 해당하는 옳은 표현이다.

| 오답해설 | ① 'sure'는 형용사로 '확신하는'을 뜻하며 뒤에 「of/about + 명사(구)」 또는 명사절이 올 수 있다. 해당 문장은 'sure' 뒤에 접속사 'if'가 이끄는 명사절이 왔으므로 옳은 문장이다. 이때 문미에 오는 'or not'을 통해 접속사 'if'의 쓰임이 적절하다는 것을 알 수 있다.
② 해당 문장에서 'very'는 원급 형용사 'different'를 수식하는 강조부사이며 전치사 'from' 뒤에 온 'that'은 단수 형태의 명사구 'The skin'을 대신하는 단수 형태의 대명사이므로 옳은 표현이다.
③ 'The man'은 주절의 주어이자 선행사에 해당하며 단수 형태이므로 주절의 동사도 단수형 'moves'를 사용하는 것이 옳다. 또한 주격 관계대명사 'who'의 쓰임 또한 적절하다. 이때 'who'가 이끄는 절의 동사 'seemed'는 주격 보어로 to부정사를 사용할 수 있는 불완전자동사이므로 'not to move his finger'는 옳은 표현이다.

| 정답 | 09 ② 10 ④

CHAPTER

02 일치

☐ 1회독	월	일
☐ 2회독	월	일
☐ 3회독	월	일
☐ 4회독	월	일
☐ 5회독	월	일

VISUAL G

01 주어와 동사의 수 일치

교수님 한마디 일치의 경우 크게 수 일치와 시제 일치로 나뉘는데, 가장 먼저 수 일치의 경우를 다룰 예정이다. 일치는 문장 내의 균형을 찾아가는 과정으로, 수 일치에서는 특히 주어와 동사의 단수, 복수 형태에 유의하자.

(1) 기본 원칙

① 단수 주어 → 단수동사

- **Every** boy and girl in this class **is** good at math.
  이 학급에 있는 모든 남자아이와 여자아이는 수학을 잘한다.
- **Each** man and woman **has** a car.
  각각의 남성과 여성은 차를 가지고 있다.
- **All** you need **is** love.
  네게 필요한 모든 것은 사랑이다.

② 복수 주어 → 복수동사

- **You and I are** good friends.
  당신과 나는 좋은 친구이다.
- **Both his brother and sister are** married.
  그의 남동생과 여동생은 둘 다 결혼했다.
- **All were** silent.
  모두 조용했다.

POINT CHECK

01 반드시 주어와 동사를 □ □□ 시킨다.

02 every, each는 □□ 취급한다.

03 all은 사물을 나타낼 때는 □□, 사람을 나타낼 때는 □□ 취급한다.

04 주어가 「A and B」인 경우 □□ 취급한다.

| 정답 | 01 수 일치 02 단수 03 단수, 복수 04 복수

POINT CHECK

05 주어와 동사 사이가 먼 경우 □□□에 주의해 수 일치시킨다.

06 집합명사와 군집명사인 경우 각각 □□, □□ 취급한다.

07 「a number of + 복수명사」와 「the number of + 복수명사」는 각각 □□, □□ 취급한다.

| 정답 | 05 수식어
06 단수, 복수
07 복수, 단수

(2) 수식어(형용사구/형용사절)가 있는 긴 주어는 맨 앞의 명사 주어에 일치시킨다.

① 전치사구

- **One** of the most important things in playing baseball **is** concentration.
  야구를 할 때 가장 중요한 것 중 하나는 집중이다.

② 현재분사(구)/과거분사(구)

- **Citizens** opposed to the government policy **were** demonstrating in front of the City Hall.
  정부 정책에 반대하는 시민들은 시청 앞에서 시위 중이었다.

③ to부정사

- **A lady** to clean my house **is** coming. 우리 집을 청소해 줄 여자가 오고 있다.

④ 관계사절

- **Most people** who live in a big city **are** concerned about the yellow dust.
  대도시에 사는 대부분의 사람들은 황사에 대해 걱정한다.

⑤ 동격절

- **The proposal** that we should produce many kinds of sports cars **was** accepted.
  다양한 종류의 스포츠카를 생산해야 한다는 제안은 받아들여졌다.

(3) 주의해야 할 수 일치

① 집합명사와 군집명사인 경우: 집합명사는 단수 취급하고, 군집명사는 복수 취급한다.

- The **committee has** prepared a meeting. 위원회(위원회 전체)는 회의를 준비했다.
  ※ 집합명사로서 단수 취급한다.
- The **committee do** not agree about the plan.
  위원회(위원회 의원들)는 그 계획에 동의하지 않는다.
  ※ 군집명사로서 복수 취급한다.

② 한정사 수식을 받는 주어인 경우

a[an], each, every, either, neither, a single, one, another, any other	+ 단수명사
many, both, a few, few, several, other, various, numerous, innumerable, a pair of, a variety of, a number of, a host of, a series of, an array of	+ 복수명사
(a) little, much, an amount of, a (great) deal of	+ 셀 수 없는 명사(단수)
all, most, some, any, a lot of, lots of, plenty of	+ 단수/복수 명사

※ 단, 최상급 대용 표현으로 사용되는 비교급에서 비교 대상을 나타낼 때는 「any other + 단수명사」를 사용한다.

- People go through the process for **a variety of reasons.**
  사람들은 여러 가지 이유로 그 과정을 경험한다.

③ 「a number of + 복수명사 + 복수동사」: 많은 ~
「the number of + 복수명사 + 단수동사」: ~들의 수

- **A number of** people **are** present at the meeting.
  많은 사람들이 회의에 참석했다.
- **The number of** people over sixty **is** rising steadily.
  60세 이상의 인구 수는 꾸준히 증가하고 있다.

④ 「부분 + of + 관사 + 단수/복수 명사」

some/most/half/percent/분수/majority/minority + of + 단수명사 → 단수 취급 / 복수명사 → 복수 취급

• Half of the **apple is** very rotten.
그 사과의 반쪽은 매우 썩었다.

• Half of the **apples are** very rotten.
그 사과들 중 반은 매우 썩었다.

⑤ 「many + 복수명사 + 복수동사」
「many a[an] + 단수명사 + 단수동사」

• **Many a man was** successful.
많은 사람들이 성공했다.

O Many a climber **was** on the top of the mountain. 많은 등산가들이 산꼭대기에 있었다.

X Many a climber **were** on the top of the mountain.

➡ 「many a[an] + 단수명사」는 항상 단수 취급하는 것을 잊지 말자.

⑥ 시간, 거리, 금액, 무게 등이 주어인 경우: 전체를 하나의 단위로 생각해서 단수동사를 사용할 수 있다.

• **Ten years is** a long time to wait.
10년은 기다리기에 긴 시간이다.

• **Ten dollars is** all I have.
10달러는 내가 가진 전부이다.

• **Ten miles is** a good distance for her to walk in a day.
10마일은 그녀가 하루에 걷기에 괜찮은 거리이다.

O **100kg is** too heavy for me to lift. 100kg은 내가 들기에는 너무 무겁다.

X **100kg are** too heavy for me to lift.

➡ 무게의 개념은 전체를 하나의 단위로 생각해서 단수 취급해야 한다.

⑦ 「과목, 병명, 학문명, 나라명, 서적명, 운동 경기명, news + 단수동사」

mathematics	수학	ethics	윤리학
politics	정치학	gymnastics	체육
physics	물리학	phonetics	음성학

• **Physics is** a difficult subject. 물리학은 어려운 과목이다.

⑧ 「one of + 복수명사 + 단수동사」

• **One of the girls was** late for the class.
소녀들 가운데 한 명이 수업에 늦었다.

⑨ 「관사 + 명사 + and + 명사」: 단수 취급
「관사 + 명사 + and + 관사 + 명사」: 복수 취급

• **A** black and white **dog was** running around.
바둑이가 뛰어다니고 있었다.

POINT CHECK

08 「부분 + of + 관사 + 단수명사」는 □□ 취급한다.

09 「many a[an] + 단수명사」는 □□ 취급한다.

■ 단수로 취급하는 학과목
- economics(경제학)
- statistics(통계학)
- phonetics(음성학)
- linguistics(언어학)

| 정답 | 08 단수 09 단수

POINT CHECK

10 「a[an] + 단위명사(s) + of + 물질명사」의 수 일치는 □□□□에 따른다.

| 정답 | 10 단위명사

- **A** black and **a** white dog **were** running around.
  검은 개와 흰 개가 뛰어다니고 있었다.
- **The poet and businessperson is** dead.
  그 시인이자 사업가는 죽었다.
- **The poet and the businessperson are** dead.
  그 시인과 그 사업가는 죽었다.

⑩ 「A and B」의 단일 개념은 단수 취급한다.

- **All work and no play makes** Jack a dull boy.
  일만 하고 놀지 않으면 바보가 된다.
- **Early to bed and early to rise makes** a man healthy.
  일찍 자고 일찍 일어나는 것이 건강에 좋다.
- **Slow and steady wins** the race.
  느리지만 꾸준함이 경기를 이긴다. (서두르면 일을 망친다.)

⑪ 다음의 대칭형 복수명사는 복수 취급한다.

glasses	안경	mittens	벙어리 장갑
scissors	가위	pants	바지
socks	양말	shoes	신발

- My **scissors need** sharpening.
  내 가위는 날카로워질 필요가 있다.

⑫ 두 개의 명사이지만, 하나의 개념은 단수 취급한다.

a needle and thread	실 꿴 바늘	a black and white dog	얼룩 개, 바둑이
trial and error	시행착오	research and development	연구 개발
a watch and chain	줄 달린 시계	a cup and saucer	받침 딸린 찻잔
bread and butter	버터 바른 빵	curry and rice	카레라이스
War and Peace	전쟁과 평화(작품명)		

- **Bread and butter is** what he eats for breakfast.
  버터 바른 빵은 그가 아침으로 먹는 것이다.

⑬ 「단위명사(s) + of + 물질명사」

- **A loaf of bread is** better than the song of many birds.
  한 덩어리의 빵이 여러 마리 새의 노래보다 낫다. (금강산도 식후경이다.)
- **Two cups of coffee were** given to us.
  두 잔의 커피가 우리에게 제공되었다.
- There **are many pieces of furniture** in this room.
  이 방에는 많은 가구들이 있다.

⑭ 시간 표현 수 일치

- one and a half hours → 복수 취급
- one hour and a half → 단수 취급

· **One and a half hours have** passed since then.
그 이후로 한 시간 반이 흘렀다.

· **One hour and a half has** passed since then.
그 이후로 한 시간 반이 흘렀다.

POINT CHECK

02 병렬 구조

(1) 등위접속사

등위접속사 and, but, or, so 전후에는 반드시 '문법적 기능이 동일한 어구'가 존재한다. 그 어구의 형태도 동일해야 한다.

11 등위접속사 앞뒤로 이어지는 어구의 형태는 서로 (같아야 / 달라야) 한다.

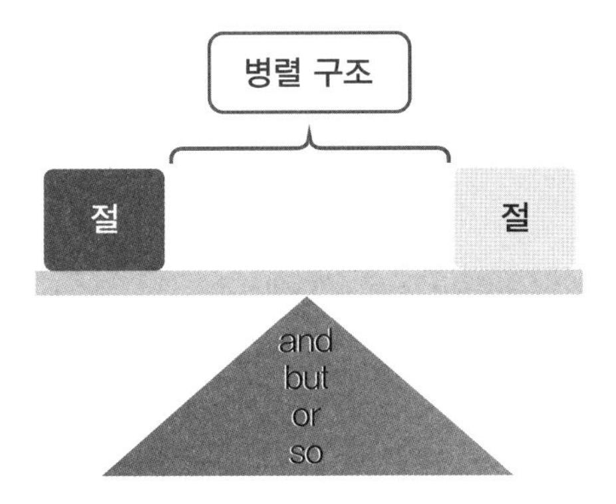

· Beckham **went** to London, **bought** some books, **and visited** his son.
Beckham은 런던에 가서 책을 좀 사고 아들을 방문했다.
※ went, bought, visited는 병렬 구조이며 과거시제로 통일되었다.

· The cat approached the dog **slowly and silently**.
고양이가 강아지에게 천천히 조용하게 다가갔다.
※ 접속사로 연결된 2개의 부사가 병렬 구조를 이루고 있다.

(2) 비교 구문

12 비교 구문의 대상은 □□ 구조이다.

비교 구문 및 비교 의미 구문의 대상도 병렬 구조여야 한다.

① 원급/비교급 비교의 대상은 병렬 구조여야 한다.

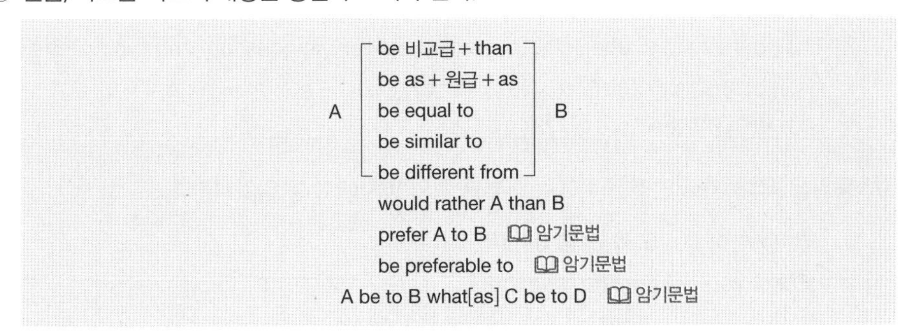

· **Making** lots of friends is **more rewarding than being** antisocial.
많은 친구를 만드는 것은 비사교적인 것보다 더 보람 있는 일이다.

| 정답 | 11 같아야
12 병렬

POINT CHECK

■ 소유대명사
- 1인칭: mine(나의 것), ours(우리들의 것)
- 2인칭: yours(너의 것), yours(너희들의 것)
- 3인칭: his(그의 것), hers(그녀의 것), theirs(그들의 것)

13 등위상관접속사 구문에서는 A와 B 중 대부분 □에 수를 일치시킨다.

| 정답 | 13 B

O I would rather **leave** here than **be treated** like this. 이런 대접을 받느니 차라리 여기를 떠나겠다.

X I would rather **leave** here than **being treated** like this.

➡ 비교급 구문에서 A, B 자리의 동사는 형태를 일치시켜야 한다.

O You might as well **recognize** the situation as **try** to change his mind.

너는 그의 마음을 바꾸려고 노력하는 것보다 상황을 인정하는 편이 낫다.

X You might as well **recognize** the situation as **trying** to change his mind.

② 비교 의미 구문

compare A with B	A와 B를 비교하다
A be different from B	A와 B는 다르다
A be similar to B	A와 B는 비슷하다

- **Your smart phone is similar to mine** in shape and color.

당신의 스마트폰은 모양과 색상이 내 것과 비슷하다.

※ my smart phone을 소유대명사 mine으로 대신하고 있다.

(3) 등위접속사 and

- You are **lovely and friendly.** 당신은 사랑스럽고 친근하다.

O **He is young, passionate,** and **ambitious.** 그는 젊고 열정적이며 야망이 있다.

X He is **young, passionate,** and **ambition.**

➡ and 병렬 구조에서 위의 문장은 단어와 단어의 연결이니, 범주를 정확하게 나눌 수 있어야 한다.

O Their duties are **to check** mail and **(to) type** letters.

그들의 임무는 우편물을 확인하고 편지를 타이핑하는 것이다.

X Their duties are **to check** mail and **typing** letters.

➡ and로 연결된 to부정사가 병렬 구조를 이룰 경우, 두 번째 to부정사는 to를 생략한 동사원형과 to부정사 형태 둘 다 가능하지만, 「both A and B」 같은 등위상관접속사로 연결되는 경우 A와 B 각각을 to부정사 형태로 사용해야 한다.

O Their duties are **both to check** mail **and to type** letters.

그들의 임무는 우편물을 확인하고 편지를 타이핑하는 것 둘 다이다.

X Their duties are **both to check** mail **and type** letters.

O Their duties are **to check** the question, **(to) answer** the question, and **(to) type** letters.

그들의 임무는 질문을 확인하고, 질문에 답하고, 편지를 타이핑하는 것이다.

X Their duties are **to check** the question, **answer** the question, and **typing** letters.

➡ and로 연결된 3개 이상의 to부정사가 병렬 구조를 이룰 때는 「to R, to R, and to R」 또는 「to R, R, and R」의 형태만 가능하다.

(4) 등위상관접속사로 연결된 주어는 대부분 뒤의 명사에 수를 일치시킨다.

① 「either A or B」: A, B 둘 중의 하나

- **Either** you **or I am** late for school. 당신 또는 나 둘 중 하나는 학교에 늦는다.

참 You or **he is** wrong. 당신 또는 그는 틀렸다.

※ 「A or B」도 B에 동사의 수를 일치시킨다.

O She may **either take** this **or take** that.

그녀는 이것을 가져가든 저것을 가져가든 둘 중 하나일 것이다.

X She may **either take** this **or that.**

➡ 등위상관접속사 「either ~ or」 구문에서 동사구와 동사구를 병렬로 연결할 경우 한쪽만 동사(구)를 포함하지 않도록 주의한다. 단, She may take either this or that.은 가능하다.

② 「neither A nor B」: A, B 둘 다 아닌 📖 암기문법

- **Neither** you **nor she is** guilty. 당신도 그녀도 죄가 없다.

③ 「not only A but also B」 = 「B as well as A」: A뿐만 아니라 B도 역시 📖 암기문법

- **Not only** he **but also I have** a sister. 그뿐만 아니라 나도 여동생이 있다.

O **I as well as** he **have** a sister.

X I **as well as** he **has** a sister.

➡ he가 아니라 앞에 있는 I에 수 일치시키는 것이 옳다.

O She not only **read the book** but also **remembered what she had read.**

그녀는 그 책을 읽었을 뿐만 아니라 읽었던 내용을 기억도 하고 있었다.

X She not only read the book but also remembering what she had read.

④ 「not A but B」: A가 아니라 B 📖 암기문법

- Not you but **he is** wrong. 당신이 아니라 그가 틀렸다.

(5) 도치 구문

- Nowhere in this world **does your salary** double in just two weeks.

세상 어디에서도 단 2주 만에 당신의 월급이 두 배로 늘지는 않는다.

03 시제 일치

종속절의 동사가 주절의 동사의 영향을 받아서, 그 시제가 서로 관련되어 일치되어야 할 경우가 있는데, 이 시제를 맞추어 문장이 성립되게 하는 것을 '시제 일치'라고 한다.

① 종속절의 시제 일치

주절 시제	종속절 시제
현재, 현재완료, 미래	어느 시제나 사용 가능
과거	과거, 과거완료

- I **think** that they **will** come. 나는 그들이 올 것이라고 생각한다.

→ I **thought** that they **would** come.

나는 그들이 올 것이라고 생각했다.

※ think → thought / will → would

- She **thinks** that he **is** ill. 그녀는 그가 아프다고 생각한다.

→ She **thought** that he **was** ill.

그녀는 그가 아프다고 생각했다.

※ 주절의 동사가 현재시제인 thinks에서 과거시제인 thought로 바뀌면 종속절의 동사도 현재형 is에서 과거형 was로 바뀌어야 한다.

POINT CHECK

14 도치 문장의 경우, 동사의 수일치는 뒤따라오는 □□에 일치시킨다.

| 정답 | 14 주어

POINT CHECK

15 불변의 진리, 속담, 현재의 습관적 동작, 성질을 나타낼 때는 항상 □□시제를 사용한다.

| 정답 | 15 현재

- He **told** me how he **was** going to get there.

  그는 나에게 그가 그곳에 어떻게 갈 것인지 말해 주었다.

O He **said** that he **would** be all right by the next week.

그는 다음 주쯤이면 괜찮아질 것이라고 말했다.

X He **said** that he **will** be all right by the next week.

➡ 주절의 시제가 said이므로 종속절의 시제도 시제를 일치시켜 will 대신 would를 써야 한다.

② 시제 일치의 예외

㉠ 불변의 진리, 속담, 현재의 습관적 동작, 성질을 나타낼 때 항상 현재시제를 사용한다.

- My father said that the Earth **goes** round the sun.

  아빠는 지구가 태양 주위를 돈다고 말씀하셨다.

  ※ 아빠가 말한 시점은 과거이지만, 지구의 공전은 불변의 진리이기 때문에 현재시제로 쓴다.

- Columbus believed that the Earth **is** round.

  콜럼버스는 지구가 둥글다는 것을 믿었다.

- I told her that I **go** to church on Sundays.

  나는 그녀에게 일요일마다 교회에 간다고 말했다.

  ※ on Sundays는 '일요일마다'의 뜻이다.

- He was not aware that those woolen clothes always **shrink** in the wash.

  그는 그 울 소재의 옷들은 세탁하면 항상 줄어든다는 것을 알지 못했다.

㉡ 역사적 사실은 항상 과거시제를 사용한다.

- She said that Columbus **discovered** America in 1492.

  그녀는 1492년에 콜럼버스가 아메리카 대륙을 발견했다고 말했다.

- The teacher says that Shakespeare **wrote** many plays.

  선생님은 셰익스피어가 많은 희곡을 썼다고 말씀하신다.

㉢ 과거의 일이나 상태가 현재에도 계속되면 현재시제를 사용한다.

- She told us that the bridge in this city **is** still under repair.

  그녀는 이 도시의 다리가 여전히 공사 중이라고 우리에게 말했다.

- He said his brother **is** now in Japan.

  그는 동생이 지금 일본에 있다고 말했다.

㉣ 종속절의 가정법 시제는 변하지 않는다.

시제 / 형태	조건절(종속절)		귀결절(주절)
가정법 미래	일어날 확률이 희박한 사건에 대한 가정	If + 주어 + should/were to + 동사원형 ~,	주어 + will/would + 동사원형 …
가정법 현재	미래 사실에 대한 반대의 가정(단순조건문과 구별 필요)	If + 주어 + 현재동사 ~,	주어 + will/can/may + 동사원형 …
가정법 과거	현재 사실에 대한 반대의 가정	If + 주어 + 과거동사/were ~,	주어 + would/should/could/might + 동사원형 …
가정법 과거완료	과거 사실에 대한 반대의 가정	If + 주어 + had p.p. ~,	주어 + would/should/could/might + have p.p. …

• He said that he **would go** with them, if he **were** not busy.

그는 만약 바쁘지 않다면 그들과 함께 갈 거라고 말했다.

→ He said, "I **would go** with them, if I **were** not busy."

그는 말했다. "만약 내가 바쁘지 않다면 그들과 함께 갈 텐데."

㉤ 종속절의 must, ought to, should, had better 등은 그대로 사용한다.

• She said he **must** leave at once.

그녀는 그가 즉시 가야 한다고 말했다.

= She said he **had to** leave at once.

• He said she **must** be crazy.

그는 그녀가 미친 것이 분명하다고 말했다.

• She insisted that I **should** take her advice.

그녀는 내가 그녀의 조언을 받아들여야 한다고 주장했다.

POINT CHECK

04 부정어구 특수 구문

영어의 부정은 우리말처럼 간단하지가 않아서 단순히 not이나 never, no만이 부정을 나타내는 것이 아니고 다양한 구문 표현이 존재한다.

(1) 「not ~ but …」과 「no ~ but …」 암기문법

• 「not ~ but …」: …하지 않는 ~는 없다 • 「no ~ but …」: 모든 ~는 …하다

• **Not** a day passed by **but** I missed her.

나는 그녀를 그리워하지 않고 지나는 날이 하루도 없었다. (나는 단 하루도 그녀를 그리워하지 않는 날이 없었다.)

• It **never** rains **but** it pours.

비가 오기만 하면 언제나 쏟아 붓는다.

• There is **no** rule **but** has exceptions.

예외 없는 규칙은 없다.

• There is **no** hope **but** through prayer.

기도 외에는 희망이 없다.

(2) 명사절을 이끄는 but

but이 명사절을 이끄는 경우 「that ~ not」의 의미를 갖게 된다. 주로 부정문이나 수사의문문에 쓰인다.

• It was impossible **but** my mom should notice it.

우리 엄마가 그것을 알아차리지 못한다는 것은 불가능했다.

• Who knows **but** he may be wrong?

그가 틀리지 않을 수도 있다는 것을 누가 알겠는가?

POINT CHECK

16 부정어구 not, never, no가 all, both, always 등과 함께 쓰이면 □□ □□의 의미가 된다.

| 정답 | 16 부분 부정

(3) 「It is not until[till] ~ that …」

「not ~ until[till] …」의 문장을 「It ~ that」 강조 구문으로 바꾸면 「It is not until[till] … that ~」의 형태가 된다.

• I did **not** know the fact **until[till]** the next morning.
다음날 아침까지 나는 그 사실을 몰랐다.
→ **It was not until[till]** the next morning **that** I knew the fact.
→ **Not until[till]** the next morning did I know the fact.
→ **Only after** the next morning did I know the fact.
다음날 아침이 되어서야 나는 비로소 그 사실을 알았다.

• My parents did **not** come back **until[till]** late at night.
부모님은 밤 늦게까지 돌아오지 않으셨다.
→ **It was not until[till]** late at night **that** my parents came back.
부모님은 밤이 늦어서야 겨우 돌아오셨다.

(4) 주의해야 할 부정 구문 암기문법

	둘 중	셋 이상 중	기타
부분 부정	not ~ both	not ~ all, not ~ every	not ~ always, not ~ completely
전체 부정	not ~ either, neither	not ~ any, none[no]	not ~ in the least = not ~ at all

① 부분 부정: 부정어 not, never, no가 전체를 나타내는 표현인 all, every, both, always 등과 함께 쓰이면 '모두가 ~은 아니다' 혹은 '언제나 ~은 아니다'라는 부분 부정의 의미가 된다.

㉠ 「not ~ both」: 둘 다 ~한 것은 아니다

• I know **both** of them. (완전 긍정)
나는 그 둘을 다 안다.

• I do **not** know **both** of them. (부분 부정)
나는 그 둘을 다 아는 것이 아니다.

• I do **not** know **either** of them. (전체 부정)
나는 그들 중 아무도 모른다.
→ I know **neither** of them.
나는 그들 중 누구도 모른다.

㉡ 「not ~ all」: (셋 이상일 때) 모두가 ~한 것은 아니다

• I invited **all** of them. (완전 긍정)
나는 그들 모두를 초대했다.

• I did **not** invite **all** of them. (부분 부정)
나는 그들 모두를 초대한 것이 아니었다.

• I did **not** invite **any** of them. (전체 부정)
나는 그들 중 아무도 초대하지 않았다.
→ I invited **none** of them.
나는 그들 중 누구도 초대하지 않았다.

• **All** is **not** gold that glitters. (부분 부정)
반짝이는 모든 것이 다 금은 아니다.

• **Not all** the guests have come. (부분 부정)
모든 손님이 온 것은 아니다.

• **All** the guests have **not** come. (전체 부정)
모든 손님이 오지 않았다.

⭕ **Not any** movie was interesting. 어떤 영화도 재미있지 않았다.

❌ **Any** movie was **not** interesting.

➡ 「any ~ not」의 형태는 쓰지 않는다.

ⓒ 「not ~ every」: 누구나[어느 것이나] ~한 것은 아니다

• **Everybody** likes her. (완전 긍정)
모든 사람들이 그녀를 좋아한다.

• **Not everybody** likes her. (부분 부정)
모든 사람이 그녀를 좋아하는 것은 아니다.

• **Nobody** likes her. (전체 부정)
아무도 그녀를 좋아하지 않는다.

※ 「every ~ not」의 전체 부정은 사람인 경우 nobody로, 사물인 경우 nothing으로 나타낼 수 있다.

ⓓ 「not ~ always」: 항상 ~한 것은 아니다

• The rich are **not always** happy.
부자들이 항상 행복한 것은 아니다.

ⓔ 「not ~ completely」: 완전히 ~한 것은 아니다

• **Not** all of the crew are **completely** happy.
팀원들 모두가 완전히 행복한 것은 아니다.

ⓕ 「not ~ entirely」 = 「not ~ altogether[wholly]」: 전적으로 ~한 것은 아니다

• You are **not entirely** free from blame.
당신이 비난으로부터 완전히 자유로운 것은 아니다.

• I do **not altogether** agree with him.
내가 그에게 완전히 동의하는 것은 아니다.

ⓖ 「not ~ necessarily」: 반드시 ~한 것은 아니다

• The greatest minds do **not necessarily** ripen the quickest.
가장 훌륭한 사람이 반드시 가장 일찍 알려지는 것은 아니다.

② 경우에 따라서는 전체 부정이 될 수도 있고, 부분 부정이 될 수도 있다.

• **All** that she says is **not** true.
그녀가 말하는 것은 모두가 사실이 아니다.
→ **Nothing** that she says is true. (전체 부정)

• **All** that she says is **not** true.
그녀가 말하는 것 모두가 사실인 것은 아니다.
→ **Not all** that she says is true. (부분 부정)

POINT CHECK

POINT CHECK

③ 부정 비교 구문: 「A no more ~ than B ….」 = 「A not ~ any more than B ….」
(A가 ~이 아닌 것은 B가 …이 아닌 것과 마찬가지이다.)

- A whale is **no more** a fish **than** a horse is (a fish).
  말이 물고기가 아니듯 고래도 물고기가 아니다.
  → A whale is **not** a fish **any more than** a horse is (a fish).
  → A whale is **not** a fish, (**just**) **as** a horse is **not** a fish.
- He is **no more** a player **than** we are.
  그가 선수가 아닌 것은 우리가 선수가 아닌 것과 마찬가지이다.
- Economic laws can **no more** be evaded **than** can gravitation.
  경제 법칙을 피할 수 없는 것은 중력을 피할 수 없는 것과 마찬가지이다.
- Ants can**not** swim **any more than** fly.
  개미는 날 수가 없듯이 헤엄칠 수도 없다.

(5) 중복 요소 금지

① 이중 접속사 금지

하나의 절에는 하나의 동사가 있는 것이 원칙이다. 단, 두 개 이상의 절은 연결사(접속사, 의문사, 관계사 등)로 연결할 수 있다. 연결사의 생략이 없을 시 동사의 개수는 연결사보다 한 개가 더 많아야 한다. '동사 – 1 = 연결사 개수'가 된다.

O He is young, **so** he is not experienced. 그는 어려서, 경험이 없다.

X **Though** he is young, **so** he is not experienced.

➡ though와 so 둘 다 접속사이다. 두 개의 절을 연결할 때는 하나의 접속사가 필요하다.

O He doesn't like meat, **nor do I**. 그는 고기를 좋아하지 않고, 나도 좋아하지 않는다.

X He doesn't like meat, **and nor** do I.

➡ and와 nor 둘 다 접속사이다. 두 개의 절을 연결할 때는 하나의 접속사가 필요하다.

② 이중 의미 포함 금지

동사가 이미 포함하고 있는 의미를 또 다른 부사로 반복할 경우, 적절하지 못한 표현이 된다. advance는 forward와 함께 사용할 수 없으며, return은 back과 함께 사용하지 못한다.

O **Advance** to the enemy. 적에게 진격하라.

X **Advance** to the enemy **forward**.

➡ advance에 이미 forward의 의미가 포함되어 있다. 단, Move to the enemy forward.는 가능하다.

O **Repeat** a course. 과정을 반복하라.

X **Repeat** a course **again**.

➡ repeat에 이미 again의 의미가 포함되어 있다. 단, Do a course again.은 가능하다.

O It is **visible**. 그것은 보인다.

X It is **visible to the eyes**.

➡ visible은 to the eyes와 의미가 중복된다.

O We cannot **over**praise him. 우리는 그를 과찬하지 않을 수 없다.

X We cannot **over**praise him **too** much.

➡ overpraise에 이미 '너무'라는 의미가 포함되므로, too를 반복해서 사용하는 것은 옳지 않다. 대신, We cannot praise him too much.는 가능하다.

③ 이중 부정 금지

㉠ 「scarcely + ~~not~~」

O She can **scarcely** expect me to do that.

그녀는 내가 그렇게 하리라 거의 예상할 수 없다.

X She **can't scarcely** expect me to do that.

㉡ 「lest + 주어 + should ~~not~~」

O Make haste **lest** you **should** be late. 늦지 않게 서둘러라.

X Make haste **lest** you **should not** be late.

㉢ 「no one + ~~not~~」

O **No one** really knows who made the machine.

어느 누구도 그 기계를 누가 만들었는지 정말로 알지 못한다.

X **No one** really **doesn't** know who made the machine.

㉣ 「unless + ~~not~~」

O **Unless** many people experience it, they can't feel like this.

많은 사람들이 그것을 경험하지 않으면, 그들은 이렇게 느낄 수 없다.

X **Unless** many people **don't** experience it, they can't feel like this.

헷갈리지 말자 「unless + 긍정문」 vs. 「unless + 부정문」

• **We** will **not** go out for pizza, **unless** you want pizza.
네가 피자를 원하지 않는다면, 우리는 피자를 먹으러 나가지 않을 거야.
=우리는 피자를 먹으러 안 나갈 거야, 네가 피자를 원치 않는 경우에서는.

• We will go out for pizza, **unless** you **don't** want pizza.
우리는 피자를 먹으러 나갈 거야, 네가 피자를 원치 않는 경우를 제외하고는.
=우리는 피자를 먹으러 나갈 거야, 네가 피자를 원치 않는 것이 아닌 한.
=우리는 피자를 먹으러 나갈 거야, 혹시 네가 피자를 원치 않으면 몰라도.
=우리는 피자를 먹으러 안 나갈 거야, 네가 피자를 원치 않는 경우에서는.

'~이 아닌 경우는 제외하고, ~이 아닌 경우 외에, ~이 아닌 경우를 빼고, ~아닌 게 아니라면, ~이 없지만 않다면, ~이 없는 경우가 아니라면, ~하지 않는 경우가 아니라면' 등으로 부정을 한 번 더 부정하는 것으로 해석되며 「if + not + not」의 구조와 같다고 보면 이해가 쉽다. 그러나 우리가 알고 있는 「unless + 긍정동사」에서는 unless가 뒤따라오는 긍정동사를 한 번만 부정하므로 보통 If ~ not(~이 아니라면)과 같다고 본다. 즉, unless가 이끄는 절에 무조건 부정부사가 들어가지 않는 것이 아니라, 문맥에 따라 사용할 수 있음에 주의하자.

㉤ 「유사 관계대명사 but + ~~not~~」

O Who is there **but** loves his country?

자신의 나라를 사랑하지 않는 사람이 어디 있는가?

X Who is there **but doesn't** love his country?

㉥ 「nor + ~~not~~」

O He was not present, **nor** was I.

그는 참석하지 않았고, 나도 그랬다.

X He was not present, **nor wasn't** I.

X He was not present, **and nor** was I.

※ nor은 부정의 의미를 포함하면서 접속사의 역할도 하고 있으므로 이중 접속사에도 주의하자.

POINT CHECK

02 일치

[01~10] 다음 중 어법상 옳은 것을 고르시오.

01 Each of them [was / were] given a book.

02 Neither you nor I [am / are] lazy.

03 All Julia gave me [is / are] courage.

04 Requiring that everyone in the conference room should be quiet [is / are] unnecessary.

05 One of the people who have a tremendous amount of property [is / are] John.

06 Two cups of water [was / were] poured into a glass.

07 The rumor that William will marry Julia next Sunday [is / are] true.

08 A number of books [is / are] sent to those who like reading.

09 The number of books in the library [is / are] too large to count.

10 An amount of salt [is / are] sold.

정답&해설

01 was

| 해석 | 그들 각각은 책을 받았다.

| 해설 | 'each'는 단수 취급하는 대명사이므로 단수동사 'was'가 정답이다.

02 am

| 해석 | 너와 나 둘 다 게으르지 않다.

| 해설 | 주어가 「neither A nor B」인 경우, 동사의 수 일치 기준은 B이므로 'am'을 사용하는 것이 옳다.

03 is

| 해석 | Julia가 나에게 준 모든 것은 용기이다.

| 해설 | 'all'이 사물을 나타낼 때 단수 취급하므로 단수동사 'is'가 정답이다.

04 is

| 해석 | 그 회의실에 있는 모든 사람들이 조용히 해야 한다고 요구하는 것은 불필요하다.

| 해설 | 동명사 주어는 단수 취급하므로 단수동사 'is'가 정답이다.

05 is

| 해석 | 엄청난 양의 재산을 갖고 있는 사람들 중 한 명은 John이다.

| 해설 | 주어가 「one of + 복수 가산명사」인 경우, 동사의 수 일치 기준은 'one'이므로 단수동사 'is'를 사용하는 것이 옳다.

06 were

| 해석 | 물 두 컵이 유리잔에 따라졌다.

| 해설 | 주어가 「기수 + 단위명사(-s/-es) + of + 물질명사(단수 형태)」인 경우, 동사의 수 일치 기준은 단위명사이므로 복수동사 'were'를 사용하는 것이 옳다.

07 is

| 해석 | William이 Julia와 다음 주 일요일에 결혼할 거라는 소문은 사실이다.

| 해설 | 주어가 단수명사 'The rumor'이므로 정답은 단수동사 'is'이다.

08 are

| 해석 | 많은 책들이 독서를 좋아하는 사람들에게 보내진다.

| 해설 | 주어가 「a number of + 복수 가산명사(많은 ~)」인 경우, 동사의 수 일치 기준은 복수 가산명사이므로 복수동사 'are'를 사용하는 것이 옳다.

09 is

| 해석 | 도서관에 있는 책의 수가 너무 많아서 셀 수가 없다.

| 해설 | 주어가 「the number of + 복수 가산명사(~의 수)」인 경우, 동사의 수 일치 기준은 'the number'이므로 단수동사 'is'를 사용하는 것이 옳다.

10 is

| 해석 | 많은 양의 소금이 팔린다.

| 해설 | 주어가 「an amount of + 불가산명사(많은 ~)」인 경우, 동사의 수 일치 기준은 불가산명사이므로 단수동사 'is'를 사용하는 것이 옳다.

[11~20] **다음 중 어법상 옳은 것을 고르시오.**

11 Not only he but also his friends [was / were] surprised.

12 Some of foods which I like [is / are] expensive.

13 Ten percent of what you earn [is / are] mine.

14 Many a student [is / are] required to study hard.

15 One of the most popular cities in America [is / are] New York city.

16 Ethics [is / are] a subject which we need to learn in this world.

17 Trial and error [is / are] very important for the scientists.

18 Either you or she [look / looks] like a beauty.

19 Not gold but dollars [is / are] preferred between the nations.

20 What the plant absorbs [is / are] carbon dioxide.

정답&해설

11 were

| 해석 | 그뿐만 아니라 그의 친구들도 놀랐다.

| 해설 | 주어가 「not only A but also B」인 경우, 동사의 수 일치 기준은 'B'이다. 해당 문장의 경우 B가 복수 형태의 명사구 'his friends'이므로 동사도 복수형인 'were'를 사용하는 것이 옳다.

12 are

| 해석 | 내가 좋아하는 음식들 중 몇 가지는 비싸다.

| 해설 | 주어가 「부분명사 + of + 명사」인 경우 동사의 수 일치 기준은 명사이다. 해당 문장의 경우, 명사가 복수명사 'foods'이므로 복수동사 'are'를 사용하는 것이 옳다.

13 is

| 해석 | 네가 번 것의 10퍼센트는 내 것이다.

| 해설 | 주어가 「부분명사 + of + 명사절」인 경우, 동사의 수 일치 기준은 명사절이므로 단수동사 'is'를 사용하는 것이 옳다.

14 is

| 해석 | 많은 학생들이 열심히 공부하라고 요구받는다.

| 해설 | 주어가 「many a[an] + 단수 가산명사」인 경우, 동사의 수 일치 기준은 단수 가산명사이므로 단수동사 'is'를 사용하는 것이 옳다.

15 is

| 해석 | 미국에서 가장 인기있는 도시들 중 하나는 New York city이다.

| 해설 | 주어는 수식어구 'cities'가 아니라 'one'이므로 정답은 'is'이다.

16 is

| 해석 | 윤리학은 우리가 이 세상에서 배워야 할 필요가 있는 과목이다.

| 해설 | 주어가 -s로 끝나는 과목명인 경우, 복수 형태로 보여도 단수 취급하므로 단수동사 'is'를 사용하는 것이 옳다.

17 is

| 해석 | 시행착오는 과학자들에게 매우 중요하다.

| 해설 | 'trial and error'는 두 개의 명사이지만 하나의 개념이므로 단수 취급한다. 따라서 정답은 단수동사 'is'이다.

18 looks

| 해석 | 너와 그녀 둘 중 하나는 미인처럼 보인다.

| 해설 | 주어가 「either A or B」인 경우, 동사의 수 일치 기준은 B이므로 단수동사 'looks'를 사용하는 것이 옳다.

19 are

| 해석 | 금이 아니라 달러가 그 국가들 사이에서 선호된다.

| 해설 | 주어가 「not A but B」인 경우, 동사의 수 일치 기준은 B이므로 복수동사 'are'를 사용하는 것이 옳다.

20 is

| 해석 | 그 식물이 흡수하는 것은 이산화탄소이다.

| 해설 | 주어가 명사절인 경우, 단수 취급하므로 단수동사 'is'를 사용하는 것이 옳다.

02 일치

교수님 코멘트▶ 일치는 사실 가장 많은 응용문제가 출제될 수 있는 영역이다. 수와 시제의 일치 등을 묻는 문제가 다수 출제되므로 제시된 문제들을 통해서 상황별로 훈련하고, 출제 포인트를 염두에 두고 문제풀이를 해야 한다.

01

밑줄 친 부분 중 어법상 옳지 않은 것은?

① In the mid 1990s, ② it was estimated that 9 million Americans ③ were planning a summer vacation alone. Since then, the number of solo travelers ④ have increased.

02

2019 서울시 7급 제1회

어법상 옳지 않은 것은?

① For years, cosmetic companies have been telling women that beauty is a secret to success.

② You can spend an afternoon or an entire day driving on a racetrack in a genuine race car.

③ Although it survived the war, the Jules Rimet trophy was stolen from a display case in England just before the World Cup of 1966.

④ Young children's capability of recognizing and discussing these issues are important because those who do so have reduced levels of prejudice.

---

01 「the number of + 복수명사 + 단수동사」

④ 'the number of(~의 수)'는 항상 단수 취급하므로 'have'는 'has'가 되어야 한다.

| 오답해설 | ① 1990년대를 표현한 단어는 숫자 뒤에 '-s'를 붙여 사용한다.
② 'it'은 가주어, 'that' 이하가 진주어이다.
③ 주어가 복수인 '9 million Americans'이므로 복수동사 'were'가 올바르게 사용되었으며, 과거시제 문장이므로 과거진행형을 쓴 것도 적절하다.

| 해석 | 1990년대 중반, 9백만 명의 미국인들이 나홀로 여름 휴가를 계획하고 있는 것으로 추정되었다. 그 이후로 나홀로 여행객들의 수가 증가하고 있다.

02 주어-동사 수 일치

④ 문장의 주어부를 정확히 찾아내면 풀 수 있는 문제이다. 주어가 수식어구를 동반하여 길지만 문장의 주어 부분은 'Young children's capability'이므로 단수이다. 따라서 동사는 'are'가 아니라 'is'가 되어야 한다.

| 오답해설 | ① 'For years(수년 동안)'는 과거에서부터 현재까지라는 시간의 흐름을 나타내고 있으므로 현재완료 시제인 'have been telling'은 적절한 표현이다.
② 「spend + 시간/돈 + -ing」는 '~하는 데 시간/돈을 쓰다'라는 표현이다. 따라서 'spend an afternoon or an entire day driving ~'은 적절한 표현이다.
③ 트로피는 '도난을 당한' 것이므로 수동태인 'was stolen'은 적절한 표현이다.

| 해석 | ① 수년 동안, 화장품 회사들은 여성들에게 아름다움은 성공의 비밀이라고 말해 오고 있다.
② 당신은 진짜 경주용 자동차로 경주용 트랙에서 오후 혹은 하루 종일 운전을 하면서 보낼 수 있다.
③ 비록 그 전쟁에서 살아남았지만, Jules Rimet 트로피는 1966년 월드컵 바로 직전에 영국의 한 전시 케이스에서 도난당했다.
④ 이러한 이슈들을 알아보고 토론하는 어린아이들의 능력은 중요한데 왜냐하면 그렇게 하는 이들이 감소된 수준의 선입견을 갖고 있기 때문이다.

03

2016 지방직 9급

우리말을 영어로 잘못 옮긴 것을 고르시오.

① 오늘 밤 나는 영화 보러 가기보다는 집에서 쉬고 싶다.
→ I'd rather relax at home than going to the movies tonight.

② 경찰은 집안 문제에 대해서는 개입하기를 무척 꺼린다.
→ The police are very unwilling to interfere in family problems.

③ 네가 통제하지 못하는 과거의 일을 걱정해봐야 소용없다.
→ It's no use worrying about past events over which you have no control.

④ 내가 자주 열쇠를 엉뚱한 곳에 두어서 내 비서가 나를 위해 여분의 열쇠를 갖고 다닌다.
→ I misplace my keys so often that my secretary carries spare ones for me.

04

다음 중 어법상 옳지 않은 것은?

The particular dialect of English, 'Apache English' used on the reservation, ① is considered substandard and wrong by many educators on the reservation. They ② attribute their differences from standard 'textbook' English to an inability of the children to distinguish between Apache and English, ③ therefore mixing them up, since they are unable to speak either one. They did not understand ④ that the 'other language' their Apache students speak was indeed a dialect of English.

03 비교 대상 일치

① 'I would(축약형: I'd) rather' 뒤에는 동사원형이 와야 하며, 'relax at home'과 'going to the movies'는 비교의 대상이므로 병렬 구조를 이루어야 한다. 따라서 'going to'는 'go to'가 되어야 한다.

|오답해설| ② 「be unwilling to + 동사원형」은 '~하기를 꺼리다'로 옳게 사용되었다.
③ 「It's no use -ing」 구문은 '~해 봐야 소용없다'는 의미로 옳게 사용되었다.
④ 「so ~ that …」은 '너무 ~해서 …하다'의 의미를 가진다. 또한 부정대명사 'one'은 선행하는 명사와 같은 종류의 것(또는 사람)을 가리킨다. 여기서 'ones'는 'keys'를 대신하므로 수 일치 또한 옳다.

04 대명사의 수 일치

② 'English'와는 다른 'the particular dialect of English(Apache English)'의 차이점을 가리키므로 'their'가 아닌 'its'가 되어야 한다.

|오답해설| ① 「be considered + 형용사」는 '~한 것으로 여겨지다'라는 표현이다.
③ 「완전타동사 + 부사」 형태의 타동사구의 목적어로 대명사가 오는 경우 「완전타동사 + 목적어 + 부사」의 형태만 가능하다. 따라서 'mixing them up'은 옳은 표현이다.
④ 'that'은 'understand'의 목적어 역할을 하는 명사절을 이끌고 있다. that절에서 'their Apache students speak'는 주어인 'the 'other language'를 수식하는 관계사절로 'their' 앞에 목적격 관계대명사가 생략되었고 동사는 'was'로 단수명사와 수 일치되었으므로 옳다.

| 해석 | 보호 구역에서 사용되는 영어의 특이한 방언인 '아파치 영어'는 보호 구역에 대한 많은 교육자들에 의해 표준 이하이고 틀린 것으로 여겨진다. 아이들이 (아파치 말과 영어) 어느 하나도 말할 수 없기 때문에, 그것들을 뒤섞어 버렸고, 그 교육자들은 표준 '교과서' 영어와 그것(아파치 영어)의 차이를 아파치 말과 영어를 구별하지 못하는 아이들의 무능력 탓이라고 본다. 그들은 아파치 학생들이 말하는 '다른 언어'가 실제로 영어의 한 방언이었다는 것을 이해하지 못했다.

| 정답 | 01 ④ 02 ④ 03 ① 04 ②

05

2020 법원직 9급

다음 글의 밑줄 친 부분 중 어법상 틀린 것은?

Many of us believe that amnesia, or sudden memory loss, results in the inability to recall one's name and identity. This belief may reflect the way amnesia is usually ① portrayed in movies, television, and literature. For example, when we meet Matt Damon's character in the movie *The Bourne Identity*, we learn that he has no memory for who he is, why he has the skills he does, or where he is from. He spends much of the movie ② trying to answer these questions. However, the inability to remember your name and identity ③ are exceedingly rare in reality. Amnesia most often results from a brain injury that leaves the victim unable to form new memories, but with most memories of the past ④ intact. Some movies do accurately portray this more common syndrome; our favorite *Memento*.

06

2019 지방직 7급

밑줄 친 부분 중 어법상 옳지 않은 것은?

Princeton University offers a tuition-free, nine-month "Bridge Year" in which students can elect ① to do a service project outside of the U.S. The University of North Carolina at Chapel Hill and Tufts University have similar programs, while ② ones run by the New School in New York City offers up to a year's worth of academic credit to participants. But in the last five years, the idea has been ③ gaining more traction in the U.S.—particularly among Americans ④ admitted to selective colleges and universities.

---

05 주어-동사 수 일치

③ 밑줄 친 동사 'are'의 주어는 'the inability to remember your name and identity'로 'to ~ identity'는 주어인 단수명사 'the inability'를 수식하는 to부정사구이다. 따라서 복수 형태의 동사 'are'가 아닌 단수 형태의 동사 'is'가 와야 어법상 적절하다.

| 오답해설 | ① 해당 문장은 선행사 'the way' 이후에 관계부사가 생략된 구조이다. 관계부사절의 주어 'amnesia'는 묘사되는 객체이므로 수동의 의미가 있는 과거분사 'portrayed'는 어법상 알맞다.

② 「spend + 목적어(돈/시간) + -ing」는 '-ing하는 데 돈이나 시간을 쓰다'라는 의미를 갖는 관용표현이다. 따라서 어법상 적절한 표현이다.

④ 「with + 목적어 + 분사」는 '목적어가 ~한 채로'라는 의미를 갖는 with 분사구문이다. 'with most memories of the past intact'에서 'intact' 앞에 분사 'being'이 생략된 표현이므로 형용사 'intact'가 온 것은 적합하다.

| 해석 | 우리들 중 다수는 건망증, 즉 갑작스러운 기억 상실은 사람의 이름과 신분을 기억해 내지 못하는 결과로 이어진다고 믿는다. 이러한 믿음은 영화, 텔레비전 그리고 문학에서 보통 기억 상실이 묘사되는 방법을 반영할지도 모른다. 예를 들어, 우리가 영화 The Bourne Identity에서 Matt Damon의 캐릭터를 접할 때, 우리는 그가 누구인지, 그가 왜 그가 하는 기술을 보유하고 있는지, 혹은 그가 어디에서 왔는지에 대한 기억이 없다는 것을 알게 된다. 그는 이 질문들에 답하려고 시도하며 영화의 많은 부분을 쓴다. 하지만, 당신의 이름과 신분을 기억하지 못하는 것은 현실에서는 매우 드물다. 기억 상실은 과거의 기억의 대부분은 그대로 남겨둔 채, 환자가 새로운 기억을 형성할 수 없게 하는 뇌 손상으로 나타나는 경우가 가장 흔하다. 어떤 영화들은 더 흔한 이 증상을 정확하게 묘사하는데, 우리가 가장 좋아하는 Memento가 그 경우이다.

06 주어-동사 수 일치

② 'ones run by the New School in New York City(뉴욕의 New School에서 운영하는 것)'에서 'run'은 문장의 동사가 아니라 주어인 'ones'를 수식하는 과거분사이다. 주어의 동사는 'offers up'으로 현재시제 3인칭 단수 주어에 맞는 동사가 쓰였으므로 복수명사인 'ones'가 아니라 'one'이 오는 것이 어법상 적절하다.

| 오답해설 | ① 'elect'는 목적어로 to부정사를 갖는 동사이므로 'elect to do'는 적절한 표현이다.

③ 'gain' 다음에 목적어인 'more traction'이 있으므로 능동의 의미를 갖는 현재분사 'gaining'은 올바른 어법이다.

④ 'admit'은 '입학을 허가하다'라는 뜻을 가진 타동사이다. 해당 문장에서 'admitted' 다음에 'to selective colleges and universities'라는 전치사구가 위치했으므로 수동태를 의미하는 과거분사 형태인 'admitted'가 적절한 표현인 것을 알 수 있다.

| 해석 | 프린스턴 대학교는 학생들이 미국 외부에서 봉사 프로젝트를 하는 것을 선택할 수 있게 하는 학비가 무료인 9개월간의 "Bridge Year"를 제공한다. 채플 힐 노스 캐롤라이나 대학교와 터프츠 대학교도 비슷한 프로그램을 가지고 있고, 뉴욕의 New School에서 운영하는 것은 참가자들에게 일 년치에 해당하는 학점까지 제공하고 있다. 하지만 최근 5년 동안, 그 아이디어는 미국 내에서 더 많은 견인(매력)을 얻고 있는 중이었다. 특히 까다로운 대학과 대학교에 입학을 허가받은 미국인들 사이에서 말이다.

07

2022 국가직 9급

밑줄 친 부분 중 어법상 옳지 않은 것은?

To find a good starting point, one must return to the year 1800 during ① which the first modern electric battery was developed. Italian Alessandro Volta found that a combination of silver, copper, and zinc ② were ideal for producing an electrical current. The enhanced design, ③ called a Voltaic pile, was made by stacking some discs made from these metals between discs made of cardboard soaked in sea water. There was ④ such talk about Volta's work that he was requested to conduct a demonstration before the Emperor Napoleon himself.

08

2018 서울시 7급

어법상 가장 옳지 않은 것은?

① Culture shock is the mental shock of adjusting to a new country and a new culture which may be dramatically different from your own.

② A recent study finds that listening to music before and after surgery helps patients cope with related stress.

③ By brushing at least twice a day and flossing daily, you will help minimize the plaque buildup.

④ The existence of consistent rules are important if a teacher wants to run a classroom efficiently.

---

07 주어-동사 수 일치

② that절의 주어는 'a combination'으로 단수형이고 'of silver, copper, and zinc'는 주어를 수식하는 전명구이므로, 동사는 단수 동사인 'was'가 되어야 알맞다. 따라서 'were'는 어법상 옳지 않다.

| 오답해설 | ① 선행사는 때를 나타내는 'the year 1800'로 「전치사+관계대명사」인 'during which'가 이끄는 절 'the first ~ developed'의 수식을 받고 있다. 「전치사+관계대명사」인 'during which'가 이끄는 문장은 완전한 문장 성분으로 선행사인 'the year 1800'을 수식하므로 관계사가 이끄는 형용사절로서 'which'는 옳게 쓰였다. 만일 전치사 'during'이 없다면 관계부사 'when'으로 수식할 수 있을 것이다. 관계부사 'when'은 「전치사+which」로 대체할 수 있다.

③ 주어 'The enhanced design'은 수식을 받는 대상이므로 수동형인 과거분사 'called'가 알맞게 사용되었다.

④ 원인과 결과를 나타내는 that절 구문에서, 형용사나 부사를 수식할 때는 'so'를, 명사를 수식할 때는 'such'를 쓴다. 이 문장에서 'talk'는 '세평, (화제의) 소문'이라는 의미의 불가산명사로 사용되었기 때문에 'such'를 사용했으며 부정관사를 함께 사용하지 않았다.

| 해석 | 좋은 출발점을 찾기 위해, 최초의 현대적인 전기 배터리가 개발된 해인 1800년으로 되돌아와야 한다. 이탈리아인인 Alessandro Volta는 은, 구리, 그리고 아연의 조합이 전류를 발생시키는 데 이상적이라는 것을 발견했다. 볼타의 전지라고 불리는 발전된 디자인이 이 금속으로 만들어진 판을 해수를 머금은 판지 사이에 쌓아서 만들어졌다. Volta의 연구에 대한 세평이 자자해 그는 직접 나폴레옹 황제 앞에서 시연을 하도록 요청받았다.

---

08 주어-동사 수 일치

④ 주어인 'The existence'가 단수명사이므로 동사 'are'는 'is'로 바뀌어야 한다.

| 오답해설 | ① 'adjust to ~'는 '~에 적응하다'의 의미로, 적절하게 사용되었다.

② 목적어절을 이끄는 접속사 'that' 이하 'listening to music before and after surgery'는 동명사구 주어이므로 단수 취급을 한다. 따라서 단수동사 'helps'가 오는 것이 적절하다.

③ 'help'는 완전타동사로 사용될 때, 목적어로 원형부정사와 to부정사를 둘 다 취할 수 있으므로 'help minimize'는 옳은 표현이다.

| 해석 | ① 문화 충격은 자신의 것들과 상당히 다를 수 있는 새로운 국가와 새로운 문화에 적응하는 정신적 충격이다.

② 최근의 한 연구는 수술 전후에 음악을 듣는 것이 환자들이 관련된 스트레스에 대처하는 것을 돕는다는 것을 발견한다.

③ 하루에 적어도 두 번 양치하는 것과 매일 치실을 사용함으로써, 당신은 플라그가 쌓이는 것을 최소화하도록 도울 것이다.

④ 교사가 학급을 효율적으로 운영하기를 원한다면, 일관성 있는 규칙들의 존재가 중요하다.

| 정답 | 05 ③ 06 ② 07 ② 08 ④

09

2018 서울시 9급

밑줄 친 부분 중 어법상 가장 옳지 않은 것은?

His survival ① over the years since independence in 1961 does not alter the fact that the discussion of real policy choices in a public manner has hardly ② never occurred. In fact, there have always been ③ a number of important policy issues ④ which Nyerere has had to argue through the NEC.

10

다음 중 어법상 옳은 것을 고르시오.

① 그 나라의 모든 다른 공립학교들과 마찬가지로 이 학교들은 영어 수업에서 읽기보다 회화에 더 중점을 두고 있다.
→ Like all other public school in that country, these schools put more stress on conversation than on reading in English class.

② 연구에서 나타난 여성의 숫자는 실질적으로 늘어나고 있다.
→ A number of women represented in studies has increased substantially.

③ 엄마는 우리가 서울로 떠날 준비를 하는 동안에 적절한 옷을 손질하느라 며칠을 보내셨다.
→ Mother had spent several days sew the appropriate clothing while we prepared to leave for Seoul.

④ 수년 간의 사냥 제재 때문에, 야생 사슴의 수는 미국에서 이전보다 많아졌다.
→ Because of years of restrictions on hunting, the wild deer population in the United States is higher than ever before.

09 이중부정 금지, 「a number of + 복수 가산명사」

② 현재완료동사에서 부정부사인 'hardly'와 'never'가 중복 사용되어 이중부정이 되었으므로 'never'를 생략하는 것이 옳다.

| 오답해설 | ① 기간명사 앞의 'over'가 '~ 동안'이라는 의미로 옳게 사용되었다.
③ 가산명사 'important policy issues'를 '많은'이라는 뜻의 'a number of'가 수식하므로 옳다.
④ 목적격 관계대명사인 'which'가 이끄는 절이 선행사인 'issues'를 수식하고 있다.

| 해석 | 1961년 독립 이후 수년 동안의 그의 생존은 공식적인 방식에서 진정한 정책 선택에 대한 논의가 거의 일어나지 않았다는 사실을 바꾸지 않는다. 사실, Nyerere가 NEC를 통해 논의했어야 했던 많은 중요한 정책 이슈들이 항상 있어 왔다.

10 주어-동사 수 일치

④ 'population'이 주어이기 때문에, 단수 취급하여 동사 'is'와 수를 일치시키는 것은 옳다.

| 오답해설 | ① 'all other' 뒤의 명사는 복수 형태이어야 하므로 'school'은 'schools'가 되어야 한다.
② 「a number of + 복수명사」는 '많은 ~'의 의미이다. 주어진 우리말의 의미처럼 '~의 수'를 나타내기 위해서는 'The number of ~'의 표현을 사용해야 한다.
③ 「spend + 시간 + (in) -ing」는 '~하느라 시간을 쓰다'의 의미로 'sew'는 '(in) sewing'이 되어야 한다.

| 정답 | 09 ② 10 ④

ENERGY

끝이 좋아야 시작이 빛난다.

– 마리아노 리베라(Mariano Rivera)

여러분의 작은 소리
에듀윌은 크게 듣겠습니다.

본 교재에 대한 여러분의 목소리를 들려주세요.
공부하시면서 어려웠던 점, 궁금한 점,
칭찬하고 싶은 점, 개선할 점, 어떤 것이라도 좋습니다.

에듀윌은 여러분께서 나누어 주신 의견을
통해 끊임없이 발전하고 있습니다.

에듀윌 도서몰 book.eduwill.net
- 부가학습자료 및 정오표: 에듀윌 도서몰 → 도서자료실
- 교재 문의: 에듀윌 도서몰 → 문의하기 → 교재(내용, 출간) / 주문 및 배송

2023 에듀윌 9급공무원 기본서 영어: 문법

발 행 일	2022년 6월 23일 초판
편 저 자	성정혜
펴 낸 이	권대호
펴 낸 곳	(주)에듀윌
등록번호	제25100-2002-000052호
주 소	08378 서울특별시 구로구 디지털로34길 55 코오롱싸이언스밸리 2차 3층

ISBN 979-11-360-1715-4 (14350)
ISBN(SET) 979-11-360-1714-7 (14350)

www.eduwill.net
대표전화 1600-6700